DOROTA COMBRZYŃSKA-NOGALA

Wytwórnia wód gazowanych

ISBN: 978-83-7779-066-3

Projekt okładki: Elżbieta Chojna

Opracowanie redakcyjne: Monika Czechowska-Wrońska

Skład i łamanie: Jacek Antoniuk

Drukarnia Wydawnicza im. W.L. Anczyca
30-011 Kraków, ul. Wrocławska 53

Dystrybucja: Grupa A5 sp. z o.o.
92-101 Łódź, ul. Krokusowa 1-3
tel./fax: (042) 676 49 29
e-mail: handlowy@grupaA5.com.pl

Wytwórnia wód gazowanych

POGRZEB

Babka odeszła w sposób wstrząsająco nieoczekiwany. Nikt nie spodziewał się, tak szybkiego, wręcz pospiesznego umierania.

Prawdopodobnie nawet ona sama musiała być zaskoczona, prawdopodobnie...

Chociaż... może nawet pomyślała o tym przelotnie, dotknęła tematu lekką, niezobowiązującą myślą, kiedy żegnała się z wnuczką na wieki, dziękując za wszystko i za coś, nie wiadomo, za co, przepraszając. Z drugiej strony, mogła to być jedynie jej słabość do melodramatycznych, teatralnych póz, to szczegółowe omówienie oprawy artystycznej pogrzebu, tuż przed zatrzaśnięciem drzwi karetki pogotowia. W każdym razie, Sara wtedy w ogóle nie wzięła pod uwagę umierania, mimo że początkowo wypadek, któremu uległa jej Babka w tajemniczych okolicznościach, wyglądał naprawdę groźnie. I tak zresztą od jakiegoś czasu każdemu jej niedomaganiu towarzyszył niepokój, czy to już, czy nadszedł już Babki czas, czas umierania. Okazało się, że nadszedł tylko czas śmierci. Ona zawsze miała szczęście, cholerne i diabelskie, jak mówił z podziwem i zazdrością Waldemar brat Eleonory. Chociaż do ostatniej chwili wydawało się, że i tym razem Babce się uda, wywinie się i będzie żyć wiecznie, uwięziona w swej monstrualnej cielesności.

Babka Sary i Lilki – Eleonora Jarecka z domu Pstrońska, została wzięta do szpitala na „przegląd" z powodu dziwnego upadku, kiedy to usiłowała zejść ze stryszku nad starą stajnią, dokąd wdrapała się po lichej drabinie, co graniczyło z szaleństwem przy jej tuszy. A ona wcale nie była szalona... Spadła i leżała nieprzytomna, aż do powrotu wnuczki. I tak cud, że nie zabiła się od razu, na miejscu. Nawet przytomność odzyskała i rozmawiała całkiem jak zwykle. Pogoda była tamtego dnia ciężka. Parne, gorące powietrze utrudniało oddychanie, a przecież dopiero czerwiec. Niskie, ołowiane niebo dociskało ludzi do ziemi. Ale kto mógł przypuszczać? Skoro już mówiła i nic nie złamała.

A potem lekarze, pielęgniarki i chorzy dziwili się szokiem Sary, że Babka na jej oczach, powoli wyłączała się, gasła we śnie, bo przecież to naturalne, że stuletnie staruszki umierają.

Staruszki umierają, zgodziła się Sara, zasmarkując kolejną chustkę i odmawiając przyjęcia tabletki na uspokojenie. Ale przecież jej Babka nie była staruszką. Nigdy! Tylko ciało, ciało za nią nie nadążało, kiedy folgowała swoim kulinarnym, barokowym zachciankom.

I zawsze się udawało. Jednak jasnym stało się, że to możliwe i nieodwracalne, ta śmierć, gdy Babkę zapakowano w czarną folię, a pielęgniarki, tak beznamiętnie, choć delikatnie i ostrożnie, obchodziły się z ciałem. Sara nie mogła uwierzyć w to, co widzi.

A mówiłam, żeby po księdza wołać, czasami pomaga, zrzędzi poważna zakonnica spod okna, choć nie zawsze, zastrzega. Ale jakby się ocknęła, to by się śmiertelnie przeraziła, chlipie Sara. Księdza by się przeraziła? – wyraża zdumienie zakonnica i patrzy na nią i ciało jej Babki podejrzliwie.

No, no, i kto by to pomyślał! A taka żwawa jeszcze wczoraj była, odzywa się chuda kobieta z łóżka naprzeciwko. Przepis miała mi dać na drożdżowe i pączki. Nawet sobie zeszycik w kiosku na dole kupiłam, żeby zapisać. Zasnęła i nie obudziła się już. Nie znasz dnia, ni godziny... A ja jak głupia zostałam z tym zeszycikiem, takim nagle jakby bardziej pustym. Może pani zna przepisy na te pączki i drożdżowe? Chociaż nie, powiedziała chuda stanowczo po zastanowieniu, jednak chyba dziękuję, to nie byłoby to samo. Raczej zostawię ten zeszycik tu w szufladzie. Może się komu następnemu przyda, kiwa głową osadzoną na chudej szyjce, przekonana o słuszności swojej decyzji.

Tak, zgadza się Sara, to faktycznie nie byłoby to samo. Jakoś tak wszystko wokół zastygło. Pozostałe pacjentki, niedawne towarzyszki Babki w chorobie, przyczaiły się, jak zwiędłe ptaki pod sinymi kołdrami. Młody lekarz i lekarka stoją zakłopotani przed Sarą. Pojawia się nawet ksiądz, ale patrzy tylko. Nic tu po mnie, wzrusza ramionami, już po wszystkim. Za późno. A nie mówiłam – zakonnica musi mieć ostatnie słowo.

Salowe wstępnie oporządziły ciało Babki i zawołały dwóch silnych mężczyzn, nie, zastanowiła się, chłopów, ona by tak powiedziała. Ci złapali za rogi prześcieradła, zaparli się mocno, dźwignęli z widocznym wysiłkiem i przenieśli na wózek, a potem powieźli ją na korytarz. Na dwie godziny. Dlaczego na dwie godziny? dziwi się znowu wnuczka. Taka procedura…

Taka procedura? Czy zatem jest szansa, że jednak nie umarła całkiem, że zawróci do tego nagiego, wielkiego ciała w worku na zamek błyskawiczny? W półmroku szerokiego, szpitalnego korytarza widać jej wygładzoną twarz. Jadowicie zielone lamperie, staroświecka stolarka okien i drzwi tworzą teatralną, nieprawdziwą dekorację. Czy to się dzieje naprawdę, czy śni? zastanawia się Sara, stojąc bezradnie przy wózku, a obok jej mąż Aleksander, siostra Lilka i szwagier Marek. Nie wiedzą, co robić. Minuty mijają tak wolno, tak wolno, a cała ta śmierć tak boli i uwiera.

W obliczu martwej Babki, Sara zaczyna nagle widzieć ją wyzwoloną z niewoli zużytego ciała, nie młodą, ale dojrzałą jak sierpniowe lato, piękną kobietę, jak idzie sobie beztrosko piaszczystą, szeroką drogą w jakiejś bardzo ciepłej strefie klimatycznej i nawet się nie obejrzy za swoimi wnuczkami Lilką i Sarą, nie mówiąc już o swoich starych szczątkach. Mało tego, obie są przekonane, że nawet by się do nich nie przyznała i w ogóle zapomniała, co się stało z jej cudownym, napawającym zwierzęcym zadowoleniem ciałem. Idzie wśród łagodnych, pozbawionych drzew wzgórz na zgrabnych nogach i co chwilę zatrzymuje się przy wielkich, przydrożnych kamieniach, które się tam znalazły, żeby właśnie na nich mogła sobie przysiąść i wytrząsnąć kamyki z butów, przypudrować nos i poprawić włosy. A potem wędruje dalej w pełnym słońcu, wymachując beztrosko torebką na długim pasku. Wiatr co chwilę unosi jej powiewną sukienkę w kolorze bladego seledynu. Nie przejmuje się tym wcale. Ma przecież zgrabne, długie nogi i seksowne majtki z koronką. Jest chyba szczęśliwa, a w każdym razie pozbyła się wszelkich trosk. Ważna jest tylko ta sukienka, liliowe klapki i torebka. Delektuje się sobą i tymi ekscytującymi gadżetami elegancji. Co chwilę odrzuca z twarzy bujne włosy, a wiatr bawi się nimi beztrosko.

Co dalej? Co dalej, jeśli naprawdę nie ma nadziei?
Trzeba Babkę pochować w miasteczku – miejscu, gdzie była szczęśliwa, mówi rzeczowa jak zwykle Lilka.

W miasteczku niewiele się przez te wszystkie lata zmieniło… Na cmentarzu, niewiele młodszy od Babki mężczyzna nawet nie wyciągnął ręki w kierunku grubych, szarych rejestrów, tylko zawiesił na chwilę ruchliwy wzrok na Sarze i jej mężu Aleksandrze.
– Jarecka? Eleonora z domu Pstrońska? Zmarło się jej – podsumował krótko, kładąc doskonałą kropkę za życiem Babki. – Ostatnio córka za grób płaciła dwadzieścia lat temu… Ludmiła jej było. Taka spokojna, pogodna kobieta… A tą Jarecką pamiętam. Wysoka, postawna, przystojna kobieta, oj przystojna… – z widocznym rozmarzeniem zapatrzył się na drzewa. – A męża takiego mniejszego miała. Też tu leży pochowany. W rodzinnym grobowcu, razem ze swoimi rodzicami. Ale to bardzo, bardzo dawno temu było. Teraz musicie do kancelarii iść. Do pani Anieli. Tam za kościołem i za

domem parafialnym. Od samego rana. Teraz już zamknięte. Jutro, jutro przyjdźcie.

Pani Aniela, jak nic dziewiąty krzyżyk miała na karku.
– To ile lat miała zmarła?
– Dziewięćdziesiąt dziewięć.
– To już piękny wiek. A bardzo się wam uprzykrzyła?
– Słucham? – nie zrozumiała ani Sara, ani Aleksander.
– No, czy uprzykrzyła się? Bo starzy ludzie, to się tak mogą uprzykrzyć. No, bo jakżeby nie, jak robi pod siebie, nie umyje się, nie zje, a wredne to, złośliwe. Aj, umęczą się ludzie czasem, umęczą i tacy są znużeni, jakby to zmaganie się, ich samych śmiertelnie wypaliło. Bo długie umieranie bliskich męczy tak straszliwie, że jak tu już do mnie dotrą, na to stare, wysłużone i twarde krzesło, to jakby w fotelu, na puchowej poduszce siedzieli w jakiejś restauracji. Ale też spokój wielki w sobie mają, chociaż jeszcze do końca nie pojęli, że pan Bóg im to brzemię z ramion zdjął i dalej przygarbieni pochylają się nad moim biurkiem – zamilkła i patrzy na nich wyczekująco.
– Nie uprzykrzyła się. Do końca była sprawna fizycznie i intelektualnie – wyznała Sara.
– To dobrze. To bardzo dobrze – pani Aniela z zadowoleniem pokiwała głową, jakby to było wyłącznie jej zasługą.

Sara nie może za bardzo ogarnąć umysłem faktu, że Babka już nie żyje. Przecież jeszcze niedawno chodziła z nią łaskimi uliczkami. Były nawet w tej samej, starej, zapadającej się w ziemię kancelarii w jakiejś sprawie. Nie pamięta już, jakiej, ale na pewno nie śmiertelnej. Tylko to niedawno, uświadomiła sobie, to prawie trzydzieści lat. Trzydzieści lat temu Babka opuściła miasteczko, na zawsze.
    Właściwie dobrze, że jest tyle spraw do załatwienia. Trzeba się nimi zająć i można się na chwilę uwolnić od wszechogarniającego,

totalnego poczucia straty. A kiedy załatwili wszystko związanie z pochówkiem Babki w rodzinnym grobowcu na cmentarzu w Łasku, na górce przy kaplicy, pojechali umówić rzecz najważniejszą – stypę w miejscowej knajpce. Przy tej samej ulicy, przy której dawniej tak długo mieszkała, dosłownie parę kroków dalej. Knajpka była oczywiście nowa i nazywała się „Skorpion". Oczywiście, pomyślała Sara sarkastycznie, między jednym bolesnym skurczem serca a drugim. Jak może nazywać się restauracja, w której Babka, zodiakalny, wredny Skorpion, urządza swoją ostatnią imprezę? Zapłacili zaliczkę i omówili menu. Właścicielka, w zamyśleniu gryząc krótki ołówek, liczyła w swoim małym notesiku, ile będzie trzeba zakupić mięs, warzyw i innych ingrediencji, bo miało być porządnie, żeby Babka nie musiała się wstydzić.

Kobieta wypytywała, co to za uroczystość.

– Ach, stypa po pogrzebie. A kto umarł? Jarecka… Eleonora… Nie znam… Nie mieszkała tu ostatnio? No tak, nic dziwnego, że nie znam, bo ja tu prawie wszystkich w miasteczku znam. To ile lat zmarła sobie liczyła? Dziewięćdziesiąt dziewięć, to prawie sto, piękny wiek… I mówicie państwo, że świetnie się trzymała i zmarła zupełnie przypadkowo i nieoczekiwanie. No, no, nikt nie zna dnia, ni godziny. To na ile osób? Na pięćdziesiąt?! Toż to małe wesele! Na stypy, znaczy konsolacje starych ludzi, mało osób przychodzi. Wymierają bliscy, czasami to nawet pochować nie ma komu. A tu! Znaczy rodzina liczna… Nie bardzo? Towarzyska taka była? – pokręciła głową. – To co mam przygotować?

Potem musiały, Sara z siostrą, wybrać ubranie dla Babki. Wszystko jasne, żadnych czerni ani brązów, bo nie uznawała tych kolorów.

Mając cały czas przed oczami tę drogę Babki do zaświatów, do tego jej Boga od wszelkich poruczeń, do Boga od załatwiana spraw wszelkich, małych i dużych, Boga na posyłki, w którego zawzięcie wierzyła, że wszystko załatwi, a który tego dnia jej śmierci tak niefortunnie się zawieruszył, Sara kupiła Babce zgrabne, liliowe pantofelki na wysokich obcasach. Buty do trumny były bardzo wygodne. Sama sprawdzała, czy aby na pewno będzie się jej dobrze wędrowało. Potem przymierzyła Lilka i też przeszła się po sklepie.

– No jak myślisz? – spytała jedna drugą.

– Wygodne są bez dwóch zdań.

– A kolor?

– Kolor taki jak trzeba – stwierdziła stanowczo Sara.

Normalnie, za życia, Babka nie uszłaby w nich nawet paru kroków. Nie wciągnęłaby ich na koniec spuchniętych stóp, ale po śmierci... Nie kupiły przecież butów odpowiednich do jej stuletnich stóp, ale eleganckie, kobiece, szykowne klapeczki w kolorze lila odpowiednie do babczynego jestestwa. Takie, jakie ona sama wybrałaby dla siebie, gdyby nie ograniczała jej tusza i opuchlizna, bo przecież nie lata. Oczywiście, można by jej wsunąć na stopy stare buty, które czasami, na specjalne okazje zakładała, a raczej wciskała, ale jakże to tak, mówiła Sara do męża, ma w takich obrzydliwcach iść w zaświaty? Ona, która zawsze mówiła, że dla eleganckiej kobiety najważniejsze są głowa i nogi. Aleksander przyznał siostrom rację, że takie liliowe klapeczki są jak najbardziej w stylu ich Babki.

Sarze zachciało się płakać, że dopiero teraz natknęła się na sklep z odzieżą XXXL. Do tej pory miały z tym nieustający problem. Majtki na Babkę były albo za ciasne, albo paskudne. Staniki wymagały karkołomnego sztukowania, nie mówiąc już o bieliźnie nocnej i pończochach. Sara robiła sobie wyrzuty, że nie przyszło jej do głowy tu zajrzeć. Za mało się starała, a przecież przejeżdżała tędy tyle razy. Jeszcze jako dziecko przychodziła tu do specjalnego dziecięcego fryzjera. Salonik zniknął dawno temu, ale pojawił się równie specjalistyczny salon dla puszystych. I nie, żeby jakieś upiorne szmaty tu oferowano. Wprost przeciwnie – pełen szyk i klasa. Więc jeszcze dodatkowo bolało Sarę, że nie zapewniła Babce eleganckiej bielizny za życia.

Były też inne sprawy, ważniejsze od bielizny i bardziej kłopotliwe. A mianowicie, razem z bólem i dojmującym poczuciem straty, jednocześnie niemalże, pojawiła się ulga. Podobna do tej, którą czuła po długim umieraniu matki, a potem po długim umieraniu ojca. A przecież ich kochała, byli jej tak bliscy… Może to z nimi było coś nie tak, a może z Sarą… Im bardziej któreś z nich było dla niej ważne, tym większą ulgę czuła. Być może pani Aniela miała rację, że umieranie bliskich wyczerpuje.

Pogrzeb odbył się szesnastego czerwca, w piękną słoneczną pogodę. Na łaski cmentarz przybyły tłumy starych, młodych, najmłodszych, cały przekrój wiekowy. Wszyscy ubrani kolorowo, bo każdy wiedział, że nie znosiła ciemnych barw, zadziwieni wysłuchali ostatniej woli zmarłej. Spoglądali na siebie nieco zdezorientowani, kiedy zabrzmiały pierwsze dźwięki muzyki. Niezbyt pogrzebowej, a nawet wprost przeciwnie, trochę ludowej, ale nie miejscowej. Można było przy niej tańczyć sztajera. Sara tańczyła go tylko w dzieciństwie i już nigdy więcej, ale teraz uznała, że i dziadkowi Józefowi zdecydowanie by się podobała.

Teraz sunie z innymi rytmicznie, w takt i zadaje sobie pytanie, dlaczego potem nigdy już nie tańczyła sztajera. Tak dobrze im było z dziadkiem, choć krótko. Czasami robi się coś raz, ale jest tak doskonałe, że po prostu więcej nie warto, bo to jest właśnie ten pierwszy i ostatni, idealny, jedyny na całe życie. Zastanawiała się również, jakie znaczenie przy wyborze ścieżki dźwiękowej do pogrzebu miało dla Babki, jednej z pierwszych użytkowniczek i entuzjastek antykoncepcji, nazwisko twórcy muzyki – Zach Condon. Babka uznała, że miejsce spoczynku jej ciała jest zbyt blisko kaplicy, więc żałobnicy poszli aż do krzyża na środku cmentarza i z powrotem do grobu i wszyscy szli w rytm muzyki. Cóż, wnuczki też uważały, że pogrzeby są teraz za pośpieszne, ukradkowe, dlatego nawet próbę zrobili, jak tu w rytm posuwać za trumną. Najpierw chcieli zorganizować nagłośnienie, ale okazało się, że lepiej wynająć całą orkiestrę dętą. No, trochę z tym było zachodu, ale efekt osiągnęli naprawdę piorunujący. Sara miałaby ochotę zagrać na organkach, ale przecież nigdy się nie nauczyła. Jakoś dźwięki nie chciały jej słuchać, choć tak się starała... Czuła, że umiejętność jest blisko, ale jakby za gęstą zasłoną, dla niej nieprzeniknioną. Teraz trochę smuci to zaniechanie.

Korowód sunął środkową aleją. Każdy się starał. Średnia wieku uczestników pomogła. Ksiądz z początku nieśmiało kiwał się na boki, chociaż sowicie miał zapłacone, ale potem się wdrożył i od razu wszystkim opornym lepiej poszło. Muzyka brzmiała rzewnie i nostalgicznie, więc można było kroczyć dostojnie i uroczyście. Trąby nadają taki poważny ton, a dzwoneczki i perkusja brzęczą ogłuszająco: nie wszystek umrzesz, nie wszystek umrzesz, nie wszystek ze szczętem, a trochę cię zostanie, to tu, to tam, oj ridi, ridi, oj ridi rada, bum cyk cyk, bum cyk cyk, bum...

Aleksander wygłosił mowę wzruszającą i niebanalną, barwnie opisując przymioty duchowe Babki, którą, co poniektórzy prawie ujrzeli przez łzy, siedzącą frywolnie na parkanie w liliowych klapeczkach na wysokim obcasie.

Potem Sara i Lilka zaprosiły wszystkich na stypę i żałobnicy zgodnie ruszyli. Gości pogrzebowych przywitał wielki transparent z napisem „Szczęść Boże młodej parze", a sala udekorowana była różowymi balonikami. Właścicielka zdawała się nie zauważać tej niestosowności, ale nikt z gości nawet okiem nie mrugnął. Rozgadane towarzystwo przypomina sobie dawne czasy, opowiadają, co ostatnio robili, kogo pochowali, a komu urodziło się dziecko. Niektórzy nie widzieli się bardzo dawno, a niektórzy nigdy. Zaczęło się zamawianie potraw i wspominanie zmarłej. Prawnuki Babki

inne dzieci, roją się wokół weselnych stołów i biegają. Rodzina
>rzygląda się wszystkiemu i jest pewna, że Babka byłaby z tego rada.
Stypa po Babce coraz bardziej przypominała wesele. Stypy
po długim, miłym życiu nigdy nie są smutne. Każdy przecież wie,
że nie da się żyć wiecznie, kiedyś trzeba umrzeć. No i jeszcze,
kiedy cierpienie nie kładzie się cieniem na śmierci, też jest łatwiej
uczestnikom takiego pożegnania, a jakby nawet święta. Czasami
jest odwrotnie. Ktoś ginie młodo w wypadku, tak w pół kroku,
nieoczekiwanie, albo męczy się długo i straszliwie. Wtedy pogrzeb
i konsolacja są smutne, bo każdy myśli ze strachem, że i jemu może
się coś takiego przytrafić.

Ale na pogrzebie Babki i potem na przyjęciu było jak na weselu, albo nawet chrzcinach, bo każdy chciałby żyć sto lat i umrzeć
bezboleśnie w czasie głębokiego snu. I wszyscy mają nadzieję, że
skoro przydarzyło się to Eleonorze Jareckiej, to równie dobrze może
być ich udziałem. Takie szczęśliwe, dobre odchodzenie, oczywiście
w dalekiej, bliżej nieokreślonej przyszłości. Póki co, karnawał trwa
i trzeba cieszyć się tym wołowym zrazikiem, jakiego nie powsty-
dziłaby się sama droga zmarła.

– A kto jeszcze leży w tym grobie? – zaciekawił się Aleksander.

– Mój dziadek Józef i jego rodzice – odpowiedziała Sara. – To
wiem na pewno. I może jeszcze ktoś... Pamiętam pogrzeb dziadka
z orkiestrą i wielką pompą. Mój ojciec był wściekły na teściową,
czyli Babkę. Mówił, że Józef z pewnością nie życzyłby sobie takiego widowiska. A ona sobie życzyła. Całe miasteczko przybyło.
Nagle w ziemi, którą sypano na trumnę, pojawił się kieliszek do
wódki. Nie wiadomo skąd. Przyjaciele dziadka Czesław z Rękawem,
szewc Antoni Zbych i młynarz Franciszek zarzekali się potem na
wszystkie świętości, że nic nie wrzucali, ale nie to było dziwne.
Któryś z nich mógł upuścić, a potem nie przyznać się. Kieliszek
nie dawał się zakopać. Ciągle wyłaził na wierzch. Co go grabarz
piaskiem przysypał, za moment już połyskiwał w wątłym świetle

przedwiośnia. Wzrok Babki, tak sobie imaginuję, bo stałam trochę z tyłu, rzucał zielone gromy. Mama pewnie zalewała się łzami i nic ją ten kieliszek nie obchodził. Ojciec zapewne uśmiechnął się lekko, rozumiejąc doskonale to frywolne pożegnanie teścia ze światem, które zrównoważyło ten dęty pogrzeb.

– Co z tym kieliszkiem? – spytała Pola.

– Nic. Nawet, jak przyklepywali równiutko i starannie piasek nad Józefem, kieliszek dalej sterczał, wręcz dumnie i zadziornie, na przekór orkiestrze i oficjalnym przemowom. Gdyby nie ze szkła, powiewałby na marcowym, wilgotnym wietrze triumfalnie.

– A Babka?

– Pewnie go prosiła, żeby się nie wygłupiał, bo wstyd i obciach na porządnym pogrzebie, który mu jak prawemu obywatelowi zorganizowała, choć wcale nim pod koniec życia nie był, tylko miejscowym pijaczkiem z gospody. Oczywiście nie posłuchał. Postanowił manifestować do końca. Kieliszek kokieteryjnie łypał zza wieńców. Pchał się na pierwsze miejsce. Tłum zaczynał szemrać i falować w zdumieniu. Do koturnowej powagi zaczęła się wkradać delikatna na razie, ale wyczuwalna nuta cyrkowej wesołości. Nawet orkiestra zaczęła grać marsze jakby szybciej. No, ale Babka nie byłaby sobą, gdyby sobie z tym nie poradziła.

– I co zrobiła?

– Schyliła się błyskawicznie i złapała kieliszek, zanim się zorientował.

– Jak to, zanim się zorientował? Kieliszek? – dziwili się mąż Sary i ciotka Pola.

– No… Nie wiem. Pewnie by się gdzieś przechował między kwiatami. A tak, złapała, zawinęła mocno w chusteczkę, bardzo wytworną, co nią oczy wycierała, rzuciła pod nogi i zgniotła obcasem na miazgę, na szklany pył. To akurat widziałam między nogami żałobników. Następnie złapała za róg, strzepnęła i schowała chusteczkę do kieszeni, a żałosne resztki kieliszka do wódki zagrzebała nogą w piasku. Moja usmarkana matka niczego nie zauważyła, a ojciec z uznaniem skłonił głowę.

– I to już koniec historii z kieliszkiem?

– Koniec. Dziadek dał za wygraną, ale przecież i tak osiągnął wszystko, o co mu chodziło. Latami wspominano w miasteczku o nie dającym się zakopać kieliszku do wódki na pogrzebie Józefa.

Sara chodzi między gośćmi stypy, a jednocześnie, gdzieś w tyle głowy zaczęło pojawiać się coś nieokreślonego, jeszcze niezupełnie sprecyzowanego, jakby na marginesie tej świeżej żałoby, coś na kształt zawodu. Babka zostawiła Sarę w stanie bolesnego niedosytu. Co prawda, rzuciła łaskawie resztą sopockich pocztówek, z pewnością mile połechtana własną wspaniałomyślnością, przekonana, że zostawiła po sobie spadek iście królewski. Sara nie była niewdzięcznicą. Bardzo ucieszyła się z tego faktu, że może niezbyt dokładnie, bez wchodzenia w niuanse, ale jednak historia ciotki Amelii w Sopocie dopięła się na ostatni guzik. A dotkliwy niedosyt szczegółów może być najbardziej wyrafinowaną częścią schedy po Babce Eleonorze. Sukcesja w postaci tajemnicy przekazywana będzie z pokolenia na pokolenie, nigdy nieskonsumowana do końca jak normalne spadki, wiecznie żywa i niezmiennie budząca ciekawość. Tym bardziej, że w innych kwestiach nieoczekiwanie otworzyła się przed wnuczką sekretna otchłań i niezadane pytania, albo tylko ich mglista zapowiedź, pojawiły się, wprawiając ją w pełne niepokoju zakłopotanie.

A mianowicie, co jeszcze było ukryte wśród rupieci na stryszku? Czego Babka postanowiła nie zostawiać po sobie? Co spaliła? Dlaczego u schyłku życia zdecydowała się na wyczyn niemalże akrobatyczny, niewykonalny przez jej ciało? Co musiało ją napędzać, że prawie udała się Babce sztuczka grubego linoskoczka?

Dlatego dzwoniła do Waldemara i wypytywała o nią, o rodzinę, stare dzieje. Czasami wersje Babki pokrywały się z jego relacją, czasami zupełnie nie.

Okazało się, że po śmierci Babka intrygowała bardziej niż za życia, choć życie z nią wcale do łatwych nie należało. Ale kiedy zupełnie nieoczekiwanie, trzy lata wstecz, wnuczka i Babka – Eleonora Jarecka, z domu Pstrońska nazywana w dzieciństwie Lenorką, znowu razem zamieszkały, nawet tego specjalnie nie pragnąc, przed Sarą przeszłość zaczęła się układać jako ciągła wstęga zapisana historiami, ale również z wieloma białymi, niepokojącymi plamami.

LENORKA

Lenorka Pstrońska rodziła się od wieczora dziewiątego listopada 1909 roku. Jej młodziutka, filigranowa matka wyła na całą wieś, przeklinając swojego męża i ją. Ostatecznie, ważąca pięć kilogramów córka urodziła się jedenastego z samego rana. I być może ten ciężki, pełen bólu poród zaważył na ich późniejszych, trudnych relacjach. Akuszerka Martynowa słaniała się ze zmęczenia na nogach, a ciemne sińce pod oczami uwydatniały jeszcze bardziej ślady po ospie.

– Z następnymi będzie ci łatwiej – pocieszyła młodą matkę, kiwając ze znawstwem głową.

– A niech cię jasna cholera trafi, stara czarownico! Nigdy więcej – warknęła położnica i zapadła w ciężki sen.

Martynowa uśmiechnęła się lekko pod nosem, ale za to bardzo złośliwie. Oparty o drzwi wysoki, pięknie zbudowany mężczyzna odetchnął z ulgą. Kobieta pokazała mu brudne jeszcze dziecko, któremu ledwo co przetarła szmatką buzię. Konstanty Pstroński wyciągnął ręce, uśmiechnął się i pokołysał córeczkę w mocnych ramionach.

– No, udała wam się – westchnęła z uznaniem Martynowa. – W was się Konstanty wdała – objęła łakomym wzrokiem sylwetkę mężczyzny.

Za oknem lunął rzęsisty deszcz, zerwał się porywisty wiatr i zaczął trzaskać okiennicami kowalowego domu.

Matka Lenorki, Brygida, była szczupłą, ruchliwą sekutnicą. Wąską talię podkreślała jeszcze gorsetem i czarnymi, miejskimi sukienkami. Z każdej innej śmialiby się we wsi do rozpuku, a nawet palcami wytykali. Ale Konstanty Pstroński miał poważanie i jego Brygidka też, bo gazety czytała, jedyna na całą okolicę. I na polityce się znała lepiej niż niejeden chłop, a kto wie, czy nie pan. Rozprawiała mądrze kowalowa o wszystkim, unosząc cienki palec w górę i kiwając nim rytmicznie dla podkreślenia wagi wypowiadanych sądów. A jak tylko mogła, rzucała obowiązki domowe, maleńkie dzieci swoje, mężowskie z pierwszego małżeństwa i ruszała po wsi rozprawiać.

Nie lubiła jej.

Nie lubiła jej z całego serca.

Lenorka nie lubiła swojej matki z całego serca.

A matkę Lenorka drażniła. I Lenorka to wiedziała. Czuła całą skórą. Nie tylko wtedy, gdy dostawała ścierą przez plecy. Wystarczyło, żeby Brygida na nią popatrzyła, musnęła nieuważnym spojrzeniem, a już pojawiało się to nieprzyjemne mrowienie w końcach palców i na bokach.

Dzieci ojca z pierwszego małżeństwa, też jakoś nowej jego żony, czyli matki Lenorki, nie zaakceptowały. Nie, żeby jakaś otwarta wrogość, czy awantury, kłótnie… Ale tak jakoś samo wyszło, że najpierw najstarsza Amelia dogadała się z taką jedną ze dworu, że będzie *dame de compagne* jej córki. Jedynaczce potrzebne było towarzystwo do nauki i zabawy. Amelii potrzebny był nowy dach nad głową. Oj, nie spodobał się ojcu ten pomysł, ale córka uparła się, a naukowy argument w końcu trafił mu do przekonania, ponieważ najstarszej nikt nie potrafił nauczyć czytać i pisać, choć tak bardzo się starała, a przecież bystra była dziewuszka, najbystrzejsza w wiejskiej szkole, a nawet całej okolicy.

Brygida na plany Amelii nie powiedziała nic, tylko sprawnie i szybko spakowała pasierbicę. Lenorka płakała rozdzierająco, czepiała się rozpaczliwie nóg ukochanej siostry, aż zdenerwowana matka syknęła na nią ostrzegawczo. Spłoszone dziecko umilkło, a Amelia obiecała, że będzie ją odwiedzać tak często, jak tylko się da. W końcu odeszła przez rozległy, jesienny sad i dalej miedzą przez pola na skróty. Lenorka odprowadziła ją kawał, aż do drewnianego, rozwalającego się płotu.

Idą, brodząc w opadłych, wilgotnych liściach. Trzyma mocno silną, spracowaną dłoń siostry i jest jej niewypowiedzianie smutno. Nic już nie będzie takie samo, jak było. Wokół sadu unosi się gorzkawy zapach. Amelia przytula ją gwałtownie i wyciska na słonych policzkach siarczyste pocałunki.

– Zostań. Zostań, bo zabłądzisz sama i nie wrócisz. Zostań.

– Zostanę, ale opowiedz mi jeszcze coś. Ostatni raz! Proszę!

Amelia zawahała się.

– ...No dobrze. Siądźmy tu, na tej ławce pod drzewem. A co ci opowiedzieć?

– Opowiedz, jak wpadłam do wody.

– Tyle razy już ci opowiadałam.

– Ten będzie ostatni.

– Byłaś jeszcze bardzo mała. Właściwie to dopiero się urodziłaś. A rodziłaś się ciężko, całe dwa dni.

– Dlaczego tak długo się rodziłam?

– Bo byłaś wielka, ogromna. Martynowa mówiła, że na wsi nigdy jeszcze nie urodził się tak wielki noworodek.

– A dlaczego się nie urodził?

– Tego nie mówiła. Może dlatego, że nasz ojciec jest taki duży.

– Ty też taka byłaś?

– Ja nie i mój brat i siostra też nie. W każdym razie twoja matka, która jest chuda i drobna, ledwie cię urodziła. Martynowa usiadła jej na brzuchu i tak cię uratowała i twoją matkę też... Brygidka wyła, jak opętana.

Amelka uśmiechnęła się z ledwie skrywaną satysfakcją. Lenorka ssała długie źdźbło trawy i nie spuszczała intensywnie zielonych, ciemnych oczu z siostry. Błyszczące włosy w kolorze orzechów laskowych, Amelia zaplotła jej w dwa krótkie warkoczyki, które od rana zdążyły się już zmierzwić i niesfornie wymykały się ze splotów na wszystkie strony, tworząc wokół głowy dziecka ciemną aureolę. Próbowała je teraz bezskutecznie przygładzić. W szarych, przejrzystych jak źródlana woda oczach pojawiła się czuła troska.

– A kto mnie będzie czesał, jak pójdziesz?

– Nie wiem. Może twoja matka?

– Nie chcę, żeby mnie czesała! Szarpie i złości się… Dlaczego ona mnie nie lubi?

– Nie wiem. Może przez to ciężkie rodzenie? – zamilkły obie na chwilę.

– A co było potem?

– Potem ojciec wziął cię na ręce.

– Naprawdę?

– Tak.

– I co?

– I pokołysał cię leciutko. Przyjrzał ci się uważnie i powiedział, że jesteś najpiękniejsza i niezwykła.

– Naprawdę tak powiedział?

– Naprawdę. I pokazał mi ciebie. Ale ty wcale nie byłaś śliczna. Byłaś czerwona i posiniaczona.

– Posiniaczona?

– Lenorka! Przecież wiesz. Zadajesz ciągle te same pytania. Opowiedziałam ci to już chyba z tysiąc razy.

– Posiniaczona?

– Posiniaczona – starsza dziewczynka ciężko westchnęła i z rezygnacją podjęła opowieść. – W drodze na świat przez swoją matkę, tak boleśnie się poocierałaś, a ona o ciebie.

– No, ale teraz już nie jestem posiniaczona? – dziecko zaniepokojone potarło brudnymi palcami śniade policzki.

Amelia popatrzyła na nią ciężko.

– Niby ci przeszło...

– Jak to?

– Przeszło ci. Naprawdę jesteś śliczna i nasz tatuś strasznie cię kocha.

– Kocha mnie?

– Bardzo. Jesteś jego ukochaną córeczką.

Lenorka spuściła oczy ze szczęścia i zaczęła wygładzać swój wytarty fartuszek, ale po chwili spłoszyła się i próbowała ukradkiem spojrzeć na siostrę.

– Nie, kochanie, nie jestem zazdrosna – uspokoiła ją Amelia.

– Nie jestem o ciebie zazdrosna, bo cię kocham.

Szeroki uśmiech rozjaśnił twarz małej.

– To dobrze! – odetchnęła z ulgą. – Chcesz, przyniosę ci jabłek? Tu blisko na jednym drzewie są jeszcze takie duże i czerwone – zerwała się, nim siostra zdążyła zaprotestować.

Nad sadem przelatywał klucz dzikich gęsi. Po chwili dziecko wróciło, dźwigając w fartuszku oblepione kolorowymi liśćmi owoce. Oczyściły je rękawami i zatopiły zęby w soczystym miąższu.

– Już lecą! Odchodzą stąd. Jak ty.

– Ja będę blisko.

– Nie za blisko.

– A jednak.

– Będę cię odwiedzała... jak podrosnę.

– Jak ci matka pozwoli.

– Może mi pozwoli... Tata mi pozwoli.

– On pewnie tak.

Zamilkły na chwilę i zadarłszy głowę zapatrzyły się na kolejny klucz ptaków.

– Mimo wszystko – mała wykonała głową nieznaczny gest w górę – niebo jest takie puste. Ziemia za to pełna wszystkiego. Jest jabłko i trawa i drzewo i ty i ja, cała wieś, domy, obora. Nawet pod ziemią gramolą się robaki, kury je wydziobują. Wszystko się zmienia. Jadłam jabłko i ono się zmieniło w ogryzek. Byłam posiniaczona i już nie jestem.

– Na niebie są ptaki.

– Tylko, kiedy latają. W końcu i tak wracają na dół... Opowiadaj!

– Więc – zaczerpnęła głęboko powietrza Amelia – gdzieś tak pod koniec listopada, postanowiono cię ochrzcić. Twoja matka dwa tygodnie leżała w łóżku, ale jak w końcu wstała, była energiczna, tak jak zawsze. Zarządziła huczne chrzciny, żeby jeszcze przed adwentem zdążyć i pochwalić się tobą przed całą wsią i rodziną. Było nie było, jesteś jej pierworodnym dzieckiem i to nie byle jakim, tylko okazałym, zdrowym i rumianym. Oj, zaczęło się rżnięcie prosiaków, wypiekanie kołaczy i ryb wielkie łowienie. Wędzarnik przez kilka dni dymił i zapachy wiatr niósł aż pod las. Pojechali do Zelowa rodzinę Brygidki spraszać. Przy okazji wódek różnych nakupili i łakoci dla dzieci. Jedzenie było, mówię ci, jak w jakim dworze. Pyszne wszystko.

Zamilkła na chwilę i zapatrzyła się w przeszłość, uśmiechając się do tamtych smakołyków, aż ją siostra szturchnęła ponaglająco.

– W dzień chrzcin spadł śnieg i zrobiło się zimno. Pamiętam, bo mi ręce przy studni zgrabiały, a od lodowatej wody zrobiły się czerwone jak raki, a ona, znaczy twoja matka, jeszcze mnie zrugała, że nie uważam i po wszystkim rozlewam. Wylewałam, bo wiadro było ciężkie – rozżaliła się nad sobą. – Ledwie do chałupy dotargałam, a ona jeszcze... A tam... – machnęła ręką. – Dobrze, że studnia głęboka, bo by zamarzła, jak u Szymoników, co śnieg zimą muszą topić. Poszliśmy do kościoła całą gromadą, rodzina i goście. Ty w beciku z koronką. Widział to kto, szeptały staruchy, żeby dla kowalowej córki, jak dla jakiej hrabianki, ksiądz kościół w południe otwierał, bo to w zwykły dzień pracujący było. Ojciec zapłacił, żebyś była jak ta królewna... No pewnie, że nie tylko dla ciebie to wszystko umyślił. Dla niej też. W każdym razie cały kościół miałaś na swoje wrzaski, aż po sklepienie. I świece się paliły

wszystkie i blask był i ciepło. Drzwi zawarto, żebyś nie marzła.
Z zakrystii wyszedł ksiądz. Stary, bardzo szanowany. Nie znasz go,
bo już nie żyje. Zdążył cię ochrzcić i na Wielkanoc roku następnego
już nie żył. Przyjrzał ci się i pochwalił, żeś się tak rodzicom udała.
Brygidka, twoja matka, aż pokraśniała z radości.

   – Naprawdę pokraśniała?

   – Naprawdę.

   – A co to znaczy?

   – No... zadowolona taka była, aż policzki jej się zaróżowiły.

   – Aha!

   – No. A ksiądz popatrzył na naszego ojca i na twoją matkę,
pokiwał głową, tak jakoś smutno i powiedział: znałem twojego ojca
Konstanty i brata. Dawno, dawno, jeszcze wiesz – zawiesił głos –
zanim... ich wywieźli. Może teraz... Słyszałem – rzucił okiem na
Brygidkę – żona twoja na polityce się zna, gazety czyta... Chociaż
wojna to straszna rzecz, straszna, ale jakby... – Amelia zapatrzyła
się w czubki drzew, a potem złapała siostrę za ramię. – Ty Lenorka
to z tego nic nie rozumiesz. Nie szkodzi. Jak będziesz większa, to ci
powiem, albo Brygidka ci powie. Nie martw się, o takich sprawach
politycznych, to ona lubi rozmawiać. Tylko ją za język pociągnij.
Spytaj, gdzie jest nasz drugi dziadek, mąż Elenory, jesteś jej imien-
niczką, stryje i dlaczego nie palimy świeczek na ich grobach. A co
do twojego chrztu, było już normalnie – Eleonoro Pstrońska, ja
ciebie chrzczę, w imię Ojca i Syna i Ducha Świętego. Pięknie się
odprawiało, mówię ci, i organy grały, tak jakoś inaczej niż zwykle.
Długo i rzewnie, aż płakać się chciało... Szymonikowa mówiła, że
przyjechał bratanek księdza i ksiądz go prosił, żeby zagrał, bo nasz
organista od niedzieli spity leżał w karczmie. Co i dobrze się stało,
ponieważ, sama wiesz, że on ledwie gra i beczy, jak koza. Wstyd
i obraza boska na takie do mszy granie mówi Brygidka i tu jak raz,
ma rację ta twoja matka. W każdym razie, tobie do chrztu grała
piękna muzyka, jakiej ja jeszcze nigdy nie słyszałam. A jak jeszcze

zaśpiewała żona księżego bratanka, takim anielskim trelem, to szyby zadrżały, a mnie po plecach taki dreszcz poszedł, że aż się wzdrygnęłam, a potem drugi i trzeci i fala gorąca od stóp, aż po samiuteńki czubek głowy. Nawet ty przestałaś wrzeszczeć. Nawet Brygida, przez krótką chwilę, w naszym kościółku wyglądała, jak jaka święta z dzieciątkiem.

Amelia weszła w opowiadanie jak nóż w śmietanę. Trajkotała, w coraz dokładniejsze wchodząc szczegóły, nie zważając, że słońce minęło południe. Zwlekała.

– Od księdza dostałaś medalik na łańcuszku. Złoty! Słyszał to kto, żeby komu dawał takie suweniry?! No, ale to podobno przez tę rodzinę ojca, co z nią w bliskich kontaktach pozostawał i w powstaniu walczył. To był twój pokazowy chrzest, ale ten prawdziwy, to ty miałaś w drodze powrotnej. Twoja matka, zmęczona dźwiganiem, oddała cię swojemu bratu, który jak wiesz, za kołnierz nie wylewa. On już od rana rąbnął sobie kielicha i to zapewniam cię niejednego, a po kościele uraczył się wódką wyciągniętą z kieszeni. Liche słońce schowało się za burymi chmurami i śnieg zaczął rzadki padać, kiedy wracaliśmy gromadą, targani listopadowym wiatrem. I przy przechodzeniu nad rzeczką, twój mocno już chwiejny wuj, poślizgnął się na omszałej desce. Próbował łapać równowagę. Zadudniły na starym drewnie jego ciężkie buciory, jak przy jakim tańcu wariackim nad ranem po weselu. Zmartwieli wszyscy, zastygli, jak te chochoły w ogrodzie. Patrzyli na hołubce wuja z przerażeniem. Nikt nie śmiał się ruszyć. Zresztą, odbyło się to błyskawicznie. Teraz ci opowiadam tak szeroko, to co widziałam, ale to było jak mgnienie oka, no może dwa albo trzy, bo on naprawdę się starał, ten pijany cap, ale nie dał rady. Znieruchomiał nagle w niebezpiecznym przechyle z tobą w ramionach, a potem przy głośnym „aaaach" gromady, przewrócił się na most, o mało nie wpadając do wody. „Aaaach" rozeszło się ponownie, tym razem z ulgą, bo jednak nie wpadł. I tu uważam, że co komu pisane, stanie się. Tak jak tobie Lenorka pisane było, że wpadniesz do tej lodowatej wody, tak wpadłaś. Pijak nie wpadł, bo jemu pisane nie było. Runął swoim zwalistym ciałem na most, aż zadrżał. Ściskał cię mocno, ale jak wyrżnął z całej siły w te oblodzone dechy, to ty Lenorka, wyfrunęłaś z tego hrabiowskiego, koronkowego beta, jak ptak. Weszłaś w zimne powietrze z wrzaskiem, w samym tylko kaftanku, wiązanym na plecach tasiemkami. Leciałaś łukiem, a za tobą te białe sznurki. Stałam zmartwiała z przerażenia, bo to przecież ja cię obiegałam, jak Brygida w długim połogu leżała. Wydawało mi się, bo to przecież nie mogła być prawda, że nagle wyrosły ci wielkie, białe skrzydła, ale nie anielskie, tylko łabędzie i zamiast spaść z pluskiem, ty tylko musnęłaś wodę tasiemkami kaftana. Widziałam lecące z nich krople, a jedna nawet upadła mi na czoło, kiedy zatoczyłaś nad nami koło. To było jak sen na jawie, ponieważ w końcu i tak wpadłaś i na nic zdały się moje pacierze. Stanęłam na samym skraju mostu. W ciszy potężny plusk brzmiał, jak wystrzał. A potem cisza. Zanurzyłaś się szybko, ale i tak zobaczyłam, jak zmieniasz się w pręgowanego, zwinnego szczupaka, a twoje małe stopki w rybi ogon.

Lenorka patrzy na swoje stopy i przełyka ślinę.

– Bo ty Lenorka jeszcze tego nie wiesz, ale ty jesteś jak szczupak nie płoć i jak łabędź a nie kaczka. I to, że ty jesteś jak szczupak, to dla ciebie bardzo dobrze, ale dla innych to nie wiem… W każdym razie nikt tego nie zauważył, tylko ja. Nasz ojciec skoczył do wody, jak wydra szybki i po klatkę zanurzony brodził w rzece. Ty wiesz, kogo innego by zakryło, ale nasz ojciec wysoki jest jak dąb. I tylko do kościoła wyprostowany wchodzi. Znieruchomiał nad czarną, nieprzyjazną wodą. Dobrze, że nie zamarzła. Ona była, ta woda w naszej rzece, jak wrota piekieł. Nie bój się! W końcu cię wyciągnął. Schylił się tylko raz, zanurzył aż po czubek głowy i wyjął cię, mokrą i milczącą, do szmacianej lalki podobną. Rozjazgotała się Brygidka, a za nią wszystkie baby wszczęły lament wielki. Matka twoja po czerwonym pysku brata prała, tak siarczyście plask, plask. On się dosyć niemrawo łokciem zasłaniał, aż jego żona podskoczyła, mężowskiego honoru bronić. Ojciec prędko kożuch zdjął i na nim, suchą szmatką z beta, zaczęli cię z babką nacierać i potrząsać, aż ślepia otworzyłaś, wodą rzygnęłaś i znowu się rozwrzeszczałaś. Brygidka z radości jeszcze raz bratu i szwagierce na odlew przyłożyła. Ale i oni odetchnęli z ulgą, bo nielekkie jest życie, gdy siostrzaną pierworodną w rzece się utopiło, oj nielekkie.

– I co było dalej?

– A co miało być? Wielkie chrzciny przed samym adwentem odprawiły się, jak jaki karnawał huczny. Ty potem się rozchorowałaś oczywiście, ale przeżyłaś. Ojciec woził cię do lekarzy do miasta, a twoja mądra matka – prychnęła Amelia – do znachorów.

– Pamiętam! – pochwaliło się dziecko.

– Nie możesz tego pamiętać!

– Pamiętam – upierała się Lenorka. – Pod samym lasem mieszkała sama jak palec jedna, śmierdząca zielskiem starucha. Wzięła sznurek i wymierzyła mnie od stopy do czubka głowy, a potem od czubka głowy do czubków palców wyciągniętej ręki jednej a potem drugiej. Mruczała coś pod nosem przez cały czas i kredą na brudnej podłodze mazała jakieś znaki, a sznurek wrzuciła do paleniska. Spłonął jasnym ogniem. Chciałam się rozpłakać, ale matka pogroziła mi palcem, więc zaniechałam. Starucha jedno oko miała zielone, a drugie czarne, czarne jak sadza. Jednym, tym czarnym, patrzyła na mnie, a zielonym przeze mnie, na wskroś. Osmalonym korkiem uczyniła znak na moim czole i piersiach. Kiwnęła głową, krótko i zdecydowanie, że już dobrze, żeby mnie matka podniosła z podłogi i zabrała.

– Nie możesz tego pamiętać i koniec – zirytowała się Amelka.

– Długo chorowałaś. Jeszcze wiosną ojciec zbierał w lesie wczesne czubki sosnowe na napary i okłady dla ciebie. A latem, bladym świtem wychodził z tobą przed chałupę, rozwijał ze szmatek i na najpierwsze promienie słońca czekał, żeby cię uzdrowiły.

– I co?

– I uzdrowiły... – wzruszyła ramionami Amelka. – Ściemnia się Lenorka... Ja już naprawdę muszę. Leć do domu.

Czarno zrobiło się od chmur. Wiatr gonił je nad sadem i dalej na pola i las. Przynosił zapach dymu ze wsi. Zaczęło mżyć. Amelia podniosła się ciężko i pozgarniała swoje liche bagaże, zmęczonym ruchem ręki starej kobiety.

– Polecę Amelka. Zaraz polecę, tylko popatrzę za tobą.

– Nie, to ja popatrzę za tobą. Idź.

Dziewczynki ściskają się kurczowo, a potem większa popycha lekko drugą w stronę majaczącego za drzewami domostwa. Lenorka jeszcze się ociąga, ale nagle zza płotu wyłania się niespodziewanie ojciec.

– Idź już Lenorka do domu i nie martw się. Odprowadzę Amelkę. Idź.

– Nie becz. Spotkamy się w niedzielę w kościele. Tylko przyleć!

– Przyletę. Na pewno przyletę – chlipnęła dziewczynka.

Po zakończeniu jesiennych prac polowych Brygida miała więcej czasu na czytanie gazet i rozprawianie o polityce.

– Brygidka! Ludzi straszysz – wypominał wieczorem Konstanty Pstroński.

– Wojna będzie! Muszą wiedzieć! Ta wojna jest dla nas ważna, a mężczyźni mogą się zaciągnąć! Ty też wiesz! I nie straszę, tylko mówię. Trzeba wiedzieć! Aby po to, żeby zapasy zrobić.

– A co to da?

– No, na wojnę nie pomoże – zgodziła się. – Ona i tak będzie. Zapasami jej nie odegnamy, ale przynajmniej zabezpieczymy się. Sól się kupi, trochę cukru, świece, naftę...

– No i... – założył jej niesforny kosmyk za ucho i natychmiast tego pożałował, bo już straciła ochotę na rozmowę i co innego jej było w głowie.

– No i... – ponaglił, widząc to rozproszenie w oczach i cięż-
kość powiek.

– No... i wojna... będzie łatwiejsza... – wymruczała nisko,
wsuwając mu drobną dłoń za koszulę i ciągnąc go przez pustą
o tej porze sień.

On niby się opierał, taki zimny, niby zmęczony, ale przecież
widziała pulsującą szybciej żyłę na mocnej szyi i chętne ręce, wy-
łuskujące ją ze spódnic, koszul i ciepłej zapaski na chłód, zimnej
i ciemnej spiżarni, co wyzwoliło jeszcze gorętsze pragnienie. I tacy
byli nadzy i delikatni, niby szkło z księżego kredensu, schowani
przed światem i dziećmi, otuleni zapachem suszonych jabłek, cebuli
i szeleszczących tak słodko, rytmicznie grochowin, gdy oplotła go
w pasie połyskującymi biało nogami.

A kiedy wrócili do ciepłej kuchni, widnej od bursztynowego
blasku z pieca i lampy, Lenorka, jak zwykle w takich razach, nie
poznała matki w tej ciemnowłosej, wiotkiej pannie z błyszczącymi
sytością oczami.

– Zobacz, znowu się mnie przestraszyła – zaśmiała się matka,
potrząsając swoimi puszczonymi wolno, lśniącymi włosami.

– Wcale nie – zaprotestowała córka, a ojciec mrugnął do niej
porozumiewawczo.

Przytuliła się do niego spontanicznie, pełna żałości, litując
się nad nim, przekonana, że dzieje mu się krzywda zawsze, kiedy
matka bierze go w swoje posiadanie.

– Ogarnij tu trochę Lenorka! – poleciła Brygida.

– Późno już! Niech idzie spać! – wybronił córkę od pracy Konstanty.

– No, najlepiej, żeby nic nie robiła – parsknęła matka, niespiesznie czesząc włosy, szczotką z kościaną rączką. – Niech chociaż
brata przewinie.

Córka rzuciła jej wrogie spojrzenie spod opuszczonej nisko
głowy.

Wojna przetaczała się przez ich łąki, pola, lasy i wioskę. Lenorka siedziała na drewnianych schodach prowadzących na ganek i bawiła się szmacianą lalką. Brygida stała oparta o filar podtrzymujący dach i od dłuższego czasu nasłuchiwała dźwięków dochodzących z zachodu. Coraz wyraźniej słychać było zgiełk i tępy rytmiczny hałas. Dziewczynka zerwała się gwałtownie i chwyciła matkę za spódnicę. Patrzyły z niepokojem na ciemniejącą linię lasu, która ożyła nagle w promieniach zachodzącego słońca. Teraz już nie tylko słyszą, ale czują potężniejący z każdą chwilą tętent. Brygida z napięciem, ale i ciekawością wpatruje się w sunący piaszczystą, wiejską drogą sznur wojska carskiego. Parskają konie. Wokół nich unosi się wzniecony kopytami pył. Lenorce wydaje się, że to obłok, na którym spłynęli żołnierze. Podziwia zgrabne sylwetki i wspaniałe mundury, wysokie, pokryte kurzem buty, pobrzękujące szable, rozbłyskujące złoto w słońcu i lśniące spoconą sierścią wierzchowce. Jakie to piękne. Straszne, ale piękne. Dziewczynka z podziwu otwiera usta. Utkwione do tej pory w dal oczy konnych, zaczęły zwracać się w kierunku ganku z atrakcyjną kobietą i jej śliczną córką. Spojrzenia ślizgają się po wystających z obcisłego stanika piersiach i po gołych rękach kobiety. Brygida odruchowo prostuje plecy, unosi wyżej podbródek i spod pogardliwie przymkniętych rzęs, obserwuje orszak. Lenorce wydaje się, że to nie jest uciekające w popłochu wojsko, ale pochód oddający honory jej i matce. Czuje się nagle okropnie ważna i stoi prawie na baczność, ściskając za nogę swoją zabawkę.

Od jakiegoś czasu, Konstanty Pstroński również obserwował pochód i rzucał pełne pasji przekleństwa. Niespodziewanie, od kolumny odrywa się jeździec i łamaną polszczyzną rzuca w kierunku ganku:

– Kontrybucja. Na jutrzejszy ranek trzeba dać drób, wieprze i krowę dla wojska. Niech stoją powiązane przy płoci – rozkazał, skinął głową i już go nie było.

– Niedoczekanie wasze cholery, żebym wam choć jedną kaczkę oddał! – wrzasnął poczerwieniały z wściekłości ojciec i z całej siły uderzył otwartą dłonią we framugę drzwi. – W nocy przepędzimy inwentarz wąwozem do leśniczówki, do twojej siostry i szwagra. To daleko od ich szlaku. Nic im nie damy. Sami też musimy tam parę dni posiedzieć, chociaż tyle roboty. Ludzi też gnają podobno ze sobą.

– Pewnie, że nic nie damy – Brygida poparła żarliwie męża i popatrzyła na niego z podziwem. – Masz rację. Przeczekamy. Nadgonimy później.

W nocy w obejściu Pstrońskich zaczął się ruch: łapanie kaczek, kur, gęsi, ładownie prosiąt na wóz i wiązanie bydła. Konstanty sprawnie wydawał rozporządzenia parobkom i dzieciom.

– Tylko cicho ma być – ostrzegł wszystkich. – W okolicy Rosjanie na pewno zostawili czujki, żeby Niemców wypatrywali, dlatego musimy bardzo uważać. Szczególnie na młodsze dzieci. Nie płakać, nie marudzić. Jak będziecie grzeczne, cukierków wam kupię. Dobrze?

Dzieciaki gorliwie pokiwały głowami. Lenorka ze szczególną troską zaczęła zaganiać swoje ulubione gęsi.

Wyruszyli w las długo przed świtem. Między kępami zarośli przesuwały się zwaliste cienie krów. Pokwikiwały prosiaki, gęsi człapały zaspane, kolebiąc się na boki niczym duchy. Nikt się nie odzywa. Lenorka idzie, uważając, by nawet gałązka pod stopą nie trzasnęła. Zwierzęta pojawiają się, to nikną w porannej mgle, jak zjawy ze snu. Białe opary rzedną niespodziewanie, ukazując lśniący srebrem leśny staw. Gęsi Lenorki zwietrzyły wodę i nie zważając na nic pędzą do niej.

– Odpłyną, odpłyną, o Jezu, Jezu, moje gąski! – lamentuje głośno i rozdzierająco dziewczynka.

– Zamknij że się natychmiast! – szepcze ze złością Brygida i brutalnie potrząsa córką.

Lenorka bezradnie usiłuje obronić się przed matczynymi razami. Nagle z pobliskich krzaków wypada rosyjski zwiadowca. Błyskawicznie zbliża się długimi susami i śmiga nahajem kobietę.

– Ty suka, job twoju mat`! – syczy żołnierz i równie gwałtownie jak się pojawił znika we mgle i zaroślach.

Brygida dotyka ręką piekącego policzka i stoi jak skamieniała po kostki w wodzie. Lenorka bezgłośnie szlocha, patrząc na swoje gęsi, pływające beztrosko po stawie.

– Wyłaź mi natychmiast z tej wody i zostaw je, bo jak nie…
– w cichym, nienaturalnie spokojnym głosie matki czuje się groźbę.

Kobieta odchodzi za pochodem zwierząt, który znika w ciemnym lesie i nawet nie obejrzy się za Lenorką, która zrozpaczona osuwa się do wody na kolana. Patrzy za matką i na gęsi. Nie może się zdecydować czy wołać je, czy lecieć za rodziną. W końcu rozgląda się z lękiem po szarym lesie, niebezpiecznych zaroślach i rusza biegiem za pochodem, rozchlapując wodę na wszystkie strony.

Słońce stało wysoko, kiedy wreszcie dotarli do leśniczówki. Starsza siostra Brygidy przygotowała już śniadanie. Dzieci dostały ciepłe mleko na rozgrzewkę.

Brygida omija córkę wzrokiem, a brwi ma nadal ściągnięte w gniewnym grymasie. Lenorka z niepokojem patrzy na jej policzek, z którego zdążyła już zniknąć pręga po uderzeniu. Oddycha z ulgą, chociaż zdaje sobie sprawę z tego, że matka długo będzie jej pamiętała upokorzenie w lesie. Ale na pewno nie powie nic ojcu, bo miałby do niej pretensje, że źle traktuje jego ukochaną córcię. Doszedłszy do takiego uspakajającego wniosku, dziewczynka znad wielkiego, parującego kubka obserwuje już matkę z błyskiem triumfującej satysfakcji w oczach. Od tej pory, jak tylko Brygida narazi się czymś Lenorce, będzie sobie na pocieszenie odtwarzała chwilę nieoczekiwanego pomszczenia krzywdy przez nieznajomego białogwardzistę. Dziewczynka nie włącza się w ożywiony gwar przy stole, tylko myśli: może ten żołnierz ma córkę, albo młodszą siostrę i dlatego mu się jej żal zrobiło? Kto wie, czy je jeszcze zobaczy? Czy przeżyje wojnę? Ruscy przegrywają, cofają się, wieją. Mogliby się poddać i byłby spokój, a może nawet ten sympatyczny zwiadowca przeżyłby wojnę i wrócił do rodziny. Kto wie?

Wrócili do domu jeszcze tego samego dnia wieczorem. Ojciec i matka bali się zostawiać dom bez dozoru, bo jeszcze ktoś przez złość ogień zaprószy. Brygida zrzuciła na córkę całą opiekę nad młodszym rodzeństwem, trochę z zemsty za uderzenie nahajem, ale po prawdzie, to czasu i głowy do nich nie miała. Z ciekawości, co się w świecie dzieje, latała po ludziach i do karczmy zachodziła, by przyjezdnych wypytywać i o gazety się starać.

Kiedy podekscytowana matka pobiegła na wieś, a bracia posnęli, Lenorka wyszła przed płot popatrzeć na świat.

Znowu od lasu znajomo, ale jakby skąpiej, brzmią kopyta. Przelatują wojacy w panicznym odwrocie. Dziewczynka chowa się w krzakach i obserwuje drogę. Nagle jednemu oficerowi, poznała po złotych ozdobach, wypada mapnik. Po prostu niepostrzeżenie zsuwa się po lśniącym, końskim zadzie i niknie w szarym piachu drogi, zadeptany w oka mgnieniu przez następnych jeźdźców. Lenorce świecą się z podniecenia oczy. Nie spuszcza wzroku z miejsca, gdzie zagrzebany został nieoczekiwany skarb, jej skarb. Kiedy wokoło znowu robi się cicho, w samo skwarne, letnie południe wychodzi z cienistych zarośli i rozglądając się wokoło ostrożnie, wygrzebuje skórzany mapnik. Pulchnymi rączkami wyciera starannie z kurzu i zagląda do środka. Na widok papieru wzdycha z głębokim zadowoleniem. Na ganku rozkłada kolorowe, wielkie płachty wojskowych map. To po prostu cud. Jej osobisty anioł stróż zechciał ją tego dnia uszczęśliwić. Było dokładnie tak, jak mówiła babcia. Anioł pilnuje dzieci, żeby nic złego ich nie spotkało i czasami postanawia je specjalnie, szczególnie obdarować. Jej anioł zdecydował, że będzie to dzisiaj i oto jest szczęśliwa. A jeszcze wcześniej, czuwał nad nią w lesie i przybrał postać rosyjskiego zwiadowcy, który natychmiast wymierzył matce karę. Natychmiast! Nie żadne tam „Pan Bóg sprawiedliwy, ale nierychliwy". Nie, od razu! To bardzo ważne, że natychmiast, a nie w bliżej nieokreślonej przyszłości, albo wtedy, kiedy nie widziałaby tego. Tak jest przyjemniej.

Bracia obudzili się z płaczem równie gwałtownie, jak zasnęli. Starannie zwinęła papiery i schowała pod schody, śpiewając uspakajającą piosenkę. Wyjęła ich z kołyski i wyniosła na ganek, złoszcząc się, że matki jeszcze nie ma, a smarkacze głodne i mokre... A ta znowu z brzuchem. Lenorka dobrze wiedziała, czym to jej osobiście grozi. Będzie miała jeszcze więcej pracy. Samotny jeździec krążył po drodze ze schyloną głową. Podjechał do niej i o coś spytał po rosyjsku. Poznała, że to pytanie, może dlatego, że dobrze znała odpowiedź. Opuściła dolną wargę i przybrała tępy wyraz twarzy.

– Y? – mruknęła jeszcze, marszcząc czoło i brwi z wysiłku.

Mężczyzna popatrzył na nią ze złością i machnął ręką ze zniechęceniem. Odjechał szybko, zacinając nerwowo gniadego konia. Lenorka przywróciła twarzy normalny wygląd i uśmiechnęła się do siebie z satysfakcją. Nikomu nie odda swojego cennego znaleziska. Trzeba było go pilnować. Teraz już dla was za późno.

Wpadła matka i zaczęło się obieranie ziemniaków, noszenie wody i karmienie drobiu. Dopiero pod koniec dnia, kiedy słońce już było nisko, udało jej się wyrwać z domu z mapnikiem i ciężkimi matczynymi nożycami krawieckimi. Poszła na wzgórze obok domu, rozłożyła mapę i wysuwając język, zaczęła starannie wykrawać fartuszek. To nic trudnego. Wiele razy widziała, jak matka to robiła. Mierzyła, rysowała ołówkiem a potem wycinała i zszywała. Lenorka zawsze patrzyła na matkę przy szyciu i krojeniu z najwyższym podziwem, bo trzeba przyznać, Brygida Pstrońska umiała uszyć wszystko. Jej córka też tak chciała, ale matka zawsze skąpiła papieru na dziecięce igraszki, za to teraz Lenorka rozpływa się w spełnieniu. Ścinki poniewierają się po okolicy. Wiatr z nimi tańcuje, co też bardzo jej się podoba. Z lasu wypada dwóch konnych i uważnie przeszukują drogę. Nagle kamienieją, widząc pokryte papierowymi plamami wzgórze. Przez chwilę stoją, jak posągi w czerwonym słońcu. Lenorka zerka na nich, ale dalej wycina, spokojna i wytrwała. Wie, co będzie dalej, ale chce przedłużyć przyjemność, nie uronić ani kropli przez głupi przestrach czy współczucie, ponieważ jednocześnie jest jej niewypowiedzianie żal tych dwóch żołnierzy, bo widzi w ich oczach rozpacz i klęskę, kiedy pochylają się nad nią i pociętymi mapami, bezsilni i przestraszeni. Bezradnie i delikatnie wyjmują z jej rąk kawałki wykroju fartuszka. Czuje ich strach i smutek. Wyobraża sobie ucieczkę, ratowanie życia. U jednego, tego bardziej nerwowego z błyszczącymi oczami, pojawia się na moment dzika furia i złość. Sięga po szablę, ale drugi gwałtownie go powstrzymuje. Zbierają pospiesznie resztki map i znikają w lesie. Wszystko odbywa się w całkowitej ciszy, tylko ptaki polatują beztrosko nad łąką i krowy ryczą na pastwisku. Dziewczynka masuje pęcherz na palcu od nożyczek, ale natychmiast o nim zapomina, zaintrygowana łapaniem ostatnich promieni słońca ich błyszczącą powierzchnią.

Wojna się skończyła. Amelka przyjechała do domu ze szkoły w Warszawie. W ogrodzie zbiera zielone pomidory z Lenorką.

– Po co zbieramy zielone? Matka się zdenerwuje – martwi się dziecko.

– Nie zdenerwuje. Pozwoliła.

– Ale po co ci niedojrzałe pomidory?

– Zasolimy z ogórkami, przekładając liśćmi wiśniowemi i koprem, dodając na każdą warstwę ząb czosnku, kilka ziaren pieprzu a także kilka kawałeczków chrzanu. Przegotujemy wodę, wystudzimy, rozpuścimy w niej sól. Trzy deka – Amelka podnosi do góry trzy palce i recytuje zapamiętany przepis – na jeden litr wody. Podane zimą do mięsa lub na sałatę są nieocenione... Tak, nieocenione – powtórzyła dobitnie.

– Acha, nieocenione. Powiedziałaś Brygidce, że są nieocenione i zgodziła się?

– Tak.

– A kiedy dasz spróbować?

– Nie tak prędko. Przecież wiesz, że trzeba poczekać. Zrywaj tylko te najładniejsze. Bez skazy.

Wokół roznosi się ostry zapach pomidorowych liści. Lenorka wącha z przyjemnością swoje palce, a potem zrywa dojrzały, czerwony owoc i zatapia w nim zęby.

– Wolę takie. Też są bez skazy.

– Takie zaraz się skończą, a moje przetrwają do wiosny, jak ich wcześniej nie zjecie.

– A ty? Nie będziesz ich jadła?

– Może w święta. Przecież wyjeżdżam niedługo.

Lenorka żałośnie chlipnęła i na pocieszenie zerwała jeszcze jeden wielki pomidor i zjadła ze smakiem, przełykając jednocześnie słone łzy.

– Patrz Lenorka! Twoja matka węszy za naszym ojcem – Amelka podniosła wzrok znad koszyka i śledzi wzrokiem Brygidę, która uważnie obchodzi zabudowania gospodarskie.

– Ojciec jest chyba w kuźni, słychać go.

– Może to Jasiek, nie on?

– Może.

– Zaraz się przekonamy – uśmiecha się pod nosem Amelka. – Jak Brygidka wypryśnie z kuźni, to znaczy, że Jasiek. A jak nie i zrobi się cicho, to znaczy, że ojciec sam pracuje w kuźni.

– Cicho się zrobiło.

– A widzisz! Znowu pewnie przybędzie nam brat, albo siostra. Już ja znam te jej ruchy, jak ma ochotę. Przeciąga się i idzie tak, że nogi ocierają się ciasno jedna o drugą – Amelka pokazuje siostrze, jak przeciąga się i chodzi jej matka a mała wybucha śmiechem. – Niby włosy ręką przygładza, a ręka aż na kark pieszczotliwie opada i dekolt. A oczy robią się senne, leniwe, ale nie na tyle, żeby go nie wypatrzeć, gdziekolwiek by nie był...

– Biedny tatuś – użala się nad ojcem z wielkim uczuciem Lenorka.

– No nie wiem, czy taki biedny – wyraża wątpliwość siostra.

– Nie?

– Nie. Oni... chłopy to lubią.

– Zawsze?

– Zawsze – mówi z wielkim przekonaniem Amelka.

– Nawet jak jest zmęczony? – niedowierza dziecko.

– Choćby zdychali ze zmęczenia, głodu i choroby!

– Baby też?

– Baby też, chociaż... nie wszystkie aż tak to lubią jak nasza Brygidka.

– To ja też będę to lubiła?

– Też.

– Niemożliwe.

– Możliwe.

– Ale dlaczego?

– Tak już jest – mówi głosem doświadczonej kobiety starsza o kilka lat siostra.

– Ale dlaczego tak jest?

– No... żeby się dzieci rodziły... Chyba... No i jest przyjemnie i dlatego ludzie, baby i chłopy lubią się obłapiać i wsadzać sobie...

– A ty?

– Pewnie też.

– I będziemy, jak moja matka, goniły męża po polu, żeby...

– Tego nie wiem. Zobaczymy...

– Inne baby we wsi nie gonią...

– Daj nam Boże to samo.

– Daj nam Boże! – wzdycha głęboko Lenorka.

Obie dziewczynki z powrotem zabierają się do pracy. Z kuźni wychodzi raźnym krokiem zadowolona Brygida i poprawia na sobie ubranie. Zza ogrodowego płotu śledzą ją z ciekawością oczy dziewczynek.

– Widzisz? – szepcze Amelka.

– Widzę, aż blask od niej bije!

– No.

– To ja też chcę, żeby ode mnie blask bił.

– Będzie, będzie. Nie martw się!

– Na pewno?

– Na pewno.

– Ala ja nie chcę co rok mieć nowego dzieciaka! – denerwuje się Lenorka.

– No cóż… To, niestety, jest z tym związane, ale ty się na razie nie martw. Masz jeszcze dużo czasu na takie troski – pociesza ją Amelka. – Zbieraj raźniej!

– A w szkole to chłopaki na mnie wołali Pstroć! Pstroć! Paproć! – przypomina sobie nieoczekiwanie Lenorka.

– Co w tym takiego złego? Zawsze jakoś przecież przezywają.

– Złości mnie to. Niech sami się przezywają. Ja mam na imię Eleonora Pstrońska, to niech tak na mnie wołają! Albo Lena! Ostatecznie może być Lenorka.

– I co będzie?

– Nic. Już nie wołają! – młodsza siostra wzruszyła ramionami.

– Nie?

– Jak jeden znowu zaczął: Pstroć! Pstroć! Paproć!, to im krzyknęłam: pocałuj mnie w dupę i jeszcze mi zapłoć! I przestali.

– Poradziłaś sobie! – stwierdza Amelka z podziwem.

– No!

– Chodźmy, już chyba dosyć – ocenia w końcu starsza siostra. – Teraz musimy umyć i pokrajać.

Siedzą na oplecionej dzikim winem werandzie i kroją zielone pomidory na wysłużonym, poznaczonym gęsto nacięciami, zakonserwowanym tłuszczem, starym stole kuchennym.

– Kiedy list przyszedł… – zaczyna Lenorka.

Amelia wciąga powietrze i zastyga z nożem w ręku.

– List z Niemiec – kiwa głową dziewczynka, a siostra zaczyna z powrotem oddychać. – Wiesz od kogo?

– Od Witka? – patrzy z wyczekiwaniem.

– Od Witka. Przecież tata ci mówił.

– Mówił, ale nie było mnie przy tym.

– List przyszedł i zanim jeszcze tata przeczytał, już wiedział, że to od Witka. Blady się taki zrobił, aż matka do niego skoczyła, bo myślała, że się co złego z nim dzieje. A on nic, tylko tak ważył w rękach, nie otwierając, jakby się zapadł do środka. A matka stała obok i aż nogami przebierała z niecierpliwości. Mówię ci, komedia. Oczy jej się zrobiły jak spodki, a morda prawie kocia od ciekawości, co ją skręcała. No, myślę sobie, jeszcze chwila, a nie zważając na nic, wyrwie mu po prostu ten list i rozerwie niecierpliwie, bez żadnych uczuć, wetknie ten swój wścibski nos i zacznie czytać, nie oglądając się wcale na tatusia. A potem poleci na wieś, czytać wszystkim o tym wielkim Berlinie i co z naszym Witkiem, bo ludzie od lat ciekawi. Tak sobie stałam pod oknem i myślałam, że nie zdzierży moja matka Brygidka, ale jakoś wytrzymała, cholera…

– Pewnie, że wytrzymała. Zęby zacisnęła, kolana i wytrzymała. Głupia to ona nie jest, ta twoja matka. Nie można powiedzieć – przyznaje Amelka.

– A tata usiadł i milczy, tylko ten list z każdej strony obraca. Znaczki kolorowe ogląda. Po dobrej chwili dopiero wyjął z kieszeni ten swój sprytny kozik i delikatnie, jakby to żywe było, wsunął i rozciął ostrożnie. Matka o mało się nie udławiła, wisząc nad nim jak kat nad dobrą duszą. A on wolniutko zyg, zyg, zyg list otworzył. Delikatnie wyjął złożone w pół kartki w kratkę.

– Widziałam te kartki.

– Otworzył i czytał cicho, a mama chciała ze skóry wyskoczyć.

– I co?

– Witek pisał z Niemiec, że zdrów i tęskni, ale nie zamierza wracać wcale, a wcale.

– I co jeszcze? – Amelka nie spuszcza oczu z ust siostry.

– I, że nie zamierza wracać, chociaż żałuje, że się tak z tatusiem okropnie pokłócił, za co go serdecznie przeprasza, ale ciągnie go w szeroki świat i może nawet dobrze się stało, bo inaczej dalej siedziałby w chałupie na kupie i tego wspaniałego miasta pewnie nigdy by nie zobaczył.

– A tata?

– Tata i ucieszony był, że Witek zdrów i urazy nie chowa, ale trochę się obruszył o to wspaniałe niemieckie miasto.

– Napisał list.

– Napisał. Matka mu na plecach siedziała i jeszcze podpowiadała, co ma pisać, choć to nie jej syn, ale ona też świata ciekawa...

– Pewnie liczy nasza Brygida, że pasierb będzie pisał, a może nawet jaką gazetę wyśle.

– Co ty, po niemiecku?

– No tak... – stropiła się Amelka. – No, ale zawsze jakieś nowiny w liście będą.

– Pewnie tak... A o co oni się właściwie pokłócili?

– Przecież słyszałaś!

– Ty też słyszałaś o liście. A ja wiem jedno, że o starego Jume im poszło i nic więcej, bo ani tata ani mama nic więcej nie chcą gadać, więc ty mi opowiedz dokładnie i ze wszystkimi detalami – zażądała Lenka.

– Z detalami? – zakpiła z siostry Amelka. – Tak cię wyuczyli w tej twojej szkole, czy to od Brygidki te detale?

– Od Brygidki. No, ale opowiadaj, nie zagaduj, bo zaraz przyleci i nas do roboty zagoni i tyle będę słyszała twoją opowieść – dziewczynka pokazała figę.

– Dobrze, tylko kraj te pomidory żywiej... Witek pomagał ojcu w kuźni chętnie, bo lubił tę pracę. No, powiedzmy tylko, że nie wszystko, tylko te trudniejsze, albo jak se coś sam wymyślił. Takie naprawianie podków, zamków, klepanie wideł to żadne ciekawe zajęcia dla niego nie były. I pewnego razu, kiedy klepał jakiś wymyślny wzór roślinny, przyszedł po naprawioną część do bryczki stary Żyd Jume. A nasz Witek, zamiast przerwać robotę i dać mu, po co przyszedł, kazał mu czekać, aż sam skończy, tak się zapamiętał. A stary coś spieszył się, w każdym razie przemówili się… Ja tam przy tym nie byłam, dokładnie nie wiem… Ale od słowa do słowa, jeden na drugiego wrzeszczeć zaczęli. I ten hałas zwabił ojca, który wszedł do kuźni akurat w momencie, jak Witek targał starego Jume za brodę i od parchów wyzywał. W ojca jakby piorun strzelił. To ci mówię już z pierwszej ręki, bo za ojcem przydyrdała z wielkim brzuchem Brygida, akurat wtedy z tobą w ciąży chodziła, a za nią ja. Zbladł jak kreda, złapał Witka za koszulę i cicho, ale tak, że aż mi po krzyżu zimno poszło, kazał Żyda natychmiast w rękę pocałować i przeprosić. A mój starszy brat ani myślał przepraszać. Może jeszcze, gdyby bez tego całowania w rękę, to by się przemógł, ale razem to było dla niego za dużo. No, ale ojciec się zaparł, mówił, że wstyd i hańba starego człowieka znieważać i ma o przebaczenie błagać. A Witek, tak samo jak ojciec, zaparł się jak kamień. Mówię ci, w powietrzu aż iskrzyło od napięcia. Brygidka za plecami męża dawała pasierbowi zachęcające znaki, żeby się nie wygłupiał, tylko przeprosił i będzie po sprawie, ale on tylko wzruszył ramionami na te jej rady. Przemawiał ojciec do niego jeszcze parę razy głosem, co ciepłą jesień chłodem by oszronił, a on nic. W końcu powiedział, że albo przeprosi, albo niech z domu idzie precz, bo on nie chce więcej oglądać syna, co swoim okropnym zachowaniem zhańbił i swój dom i nazwisko. Sam Jume chciał załagodzić rodzinną kłótnię, której stał się nieoczekiwanie przyczyną i wzniósł obie sękate ręce w górę, ty wiesz, w ten ich specjalny, lamentacyjny sposób: ach, panie Pstroński, pan da spokój, młody człowiek ma gorącą krew, ja to rozumiem, ja sam był młody. Ja stary, nie chcę, żeby rodzina, którą szanuję... Ale ojciec sam przeprosił go za syna i więcej nie chciał o tym rozmawiać. Zdania nie zmienił. Witek wystrzelił z kuźni jak z procy. Wpadł do domu, złapał w garść jakieś swoje ubrania i drobiazgi. Uściskał mnie w przelocie, nawet Brygidzie zdążył pomachać na pożegnanie i już go nie było. Zniknął. Po prostu całkiem zniknął.

    – Ale nie tak od razu, co?

    – Nie tak od razu, bo najpierw staremu Jume wyrwał całe pole późnych ziemniaków. Bardzo starannie i porządnie się tym zajął. I dopiero potem zniknął.

    – Może to jednak nie on?

    – A kto?

    – No, kto inny, kto też na niego złość miał.

    – A kto mógł mieć na niego złość? Jume nikomu nie szkodził. Lubili go. I faktycznie cała ta awantura jakaś taka głupia była, bo sam Witek przecież lubił sobie z nim porozmawiać. Ale czasem zdarzają się chwile, kiedy człowiek da się ponieść, a potem nie ma już odwrotu. Czasem to sobie tak myślę, że Witkowi może w domu było za ciasno i sam tak... A ojciec i dorastający syn, no wiesz, jak w stadzie. Każdy walczy o pierwszeństwo, więc może tak musiało być i akurat trafiło na Jume?

    – Może i tak? – zamyśliła się Lenorka.

Choroba spadła na wieś znienacka.

    – Wojna przywlokła to dziadostwo – mówiła Brygida i nie pozwalała dzieciom wychodzić z domu. Lenorka złościła się na matkę, ale ona sama dawała im przykład, zaprzestając swojego zwyczaju rozprawiania o polityce, końcu wojny i świeżej niepodległości. W obejściu siedziała markotna i pilnowała tak, że córka za nic nie mogła się wymknąć. W każdej chałupie ktoś umierał na hiszpankę. U Pstrońskich młodsze dzieci się pochorowały, ale na szczęście szybko doszły do zdrowia. Brygida codziennie kazała im jeść kapustę z wielkiej beczki, co ją każdego roku kwasili. Na samym dnie Konstanty układał małe główki czerwonej, swojej ulubionej. Ostatniego lata zrobili dwie beczki, bo przyjechała Amelia i przekonała ich, że trzeba więcej, bo zdrowe.

– Wiem, że zdrowe. Nie musisz mnie pouczać – Brygida jak zwykle musiała mieć ostatnie zdanie, ale potem mówiła, że coś ją wtedy tknęło, żeby jednak posłuchać pasierbicy i przygotowano dwie beczki pod dyktando dziewczynki. Jedną wstawiono do piwnicy na koniec zimy i przedwiośnie.

– Ta dopiero w styczniu się wyprawi – oznajmiła Amelia kategorycznie, a macocha przewróciła oczami.

– Myślałby kto, że nas musisz oświecić, bo nie wiemy, że w zimnym wolniej dochodzi – parsknęła, zaciskając denko na drugiej, stojącej w kuchni beczce.

I teraz ta styczniowa, dłużej dojrzewająca, doczeka się wreszcie swojej kolejki, kiedy zjedzą czerwone główki tej kapusty z samego dna.

Lenorka z nudów kroi ją najdrobniej jak potrafi, wióry rozkładają się za nożem, błyszczące i nasycone intensywnym amarantem. Myśli o ludziach, którzy umierają wysuszeni gorączką. O chorobie słuchała w kuźni u ojca, gdzie bez względu na to, co się działo, przychodzili klienci. Siedziała cicho, schowana w kącie, bawiąc się wystruganymi przez siebie zabawkami, grając w wymyśloną grę i opowiadając sobie cicho zmyślone historie. Wszystkie kończyły się albo bardzo dobrze albo bardzo źle, w zależności od jej humoru. Jadła suszone śliwki, które rozgryzała i od aromatycznego, intensywnego smaku słodyczy i kwaśnej, wyraźnej nuty, dostawała przyjemnych dreszczy. Z płóciennych worków na strychu wybierała jabłka i gruszki, wyglądające jak wielkie skwarki, ale smakowały zupełnie inaczej. Matka mogła jej szukać, drąc się na całe obejście, a ona siedziała niewzruszona nawet wtedy, kiedy tamta stawała na progu kuźni i rozkazującym gestem, przywoływała do siebie. Opierała się wygodniej o skrzynię z metalowymi odpadami i nie podnosząc wzroku kontynuowała zabawę, rzucając metalowym kółkiem w wyrysowany na klepisku wzór. Brygida dopadała ją długim, zwinnym susem i podrywała na nogi gwałtownym szarpnięciem. Ojciec odchodził od paleniska i próbował tłumaczyć, ale matka i córka patrzyły na siebie tak samo zielono i wściekle. Lenorka obserwowała cienie, jakie w trójkę rzucali na ścianę. Zauważyła, że cień matki był jeszcze bardziej gwałtowny niż ona sama rzeczywista, agresywny i ruchliwy mały zadziora, próbował sobie zrekompensować energią swój mizerny wzrost.

Jeśli na dworze było ciemno, wnętrze kuźni czerwieniało i brązowiało ciepłem. A z kolei w dzień wypełniało się kolorem niebieskawym, a ogień złocił się w szarościach i czerniach zalegających kąty. Czasem wchodziła na stryszek i nawet ojciec nie wiedział, że tam jest. Przychodzili ludzie i opowiadali o wszystkim, co się w okolicy wydarzyło, kto umarł, komu się krowa ocieliła, kto się z kim pokłócił i jakie trzeba odmawiać pacierze, żeby rzucić klątwę. Tego ostatnio nie dosłyszała i starała się dopytać matkę.

– Połupię trochę orzechów. Dobrze, mamusiu?

– Musisz ze strychu przynieść. I flaszkę oleju – odpowiedziała Brygida spoglądając na Lenorkę podejrzliwie.

– A czy można rzucić klątwę? – pyta matkę, niby niedbale, zgniatając wielkim dziadkiem orzechy włoskie.

– A pewnie, że można! – odpowiada Brygida.

– A jak?

– A są na to sposoby.

– Jakie?

– Trzeba cierpliwie odmawiać pewne modlitwy przez określony, najczęściej dosyć długi czas, myśląc intensywnie o tym, co się chce wywołać.

– I Bóg nas wysłucha?

– Ty mi Boga do tego nie mieszaj! – obruszyła się matka, a Lenorka zmarszczyła czoło i wpakowała sobie do ust kolejną

połówkę orzecha, smakując goryczkę ze skórki. – Słyszał to kto, żeby do rzucania klątwy Boga mieszać?!
– To co trzeba zrobić? – drąży dziecko.
– Ja ci dam klątwy rzucać! Za smarkata jesteś! I powiem ci – wycelowała w nią swój chudy palec – nie wolno tego robić!
– Dlaczego?
– Dlatego, że można komuś zrobić krzywdę.
– Ale przecież dlatego rzuca się klątwy! – zdziwiona podniosła na matkę zielone oczy. – Żeby komuś zaszkodzić!
– Komu?
– Komuś, kto nas skrzywdził.
– Ktoś cię skrzywdził?
– No nie... – odpowiedziała po dłuższym namyśle. – Ale lepiej wiedzieć. Na przyszłość.
– Zemsta nie jest dobra. Można przesadzić!
– Jak to?
– Można przesadzić – powtórzyła dobitnie. – Nie rób tego nigdy! Może wrócić! Do ciebie! – pochyliła się nad córką, patrząc jej prosto w oczy. – Kiedyś, jak byłam dzieckiem, takim jak ty teraz, pewna kobieta rzuciła klątwę na drugą...
– Dlaczego?
– Nie wiadomo dokładnie, ale z pewnością nie było to nic takiego...
– Nic takiego? – dziewczynka przełknęła głośno ślinę.
– Nic takiego okropnego, co usprawiedliwiłoby straszną zemstę, bo rozpętało się prawdziwe piekło. Ta kobieta, na którą rzucono klątwę, szybko zmarła, a potem zaczęli wymierać wszyscy członkowie jej rodziny, sporej rodziny... – dodała z naciskiem, siadając przy stole naprzeciwko Lenorki. – Nie! – pokręciła głową przecząco w odpowiedzi na nieme pytanie w oczach córki. – Nie było żadnej zarazy w mieście.
– I co? Umarli wszyscy? – szepnęła dziewczynka.

– Wielu. Zbyt wielu. Sama mściwa kobieta była przerażona, że klątwa tak się powiodła, ale już nic nie mogła zrobić. Wszystko działo się już bez jej udziału i nie chciało przestać. W końcu ta kobieta umarła na serce. Sumienie ją zabiło – dodała na koniec grobowo. – Ale przynajmniej uratowała swoją duszę – dodała pocieszająco. – Nie rób tego nigdy!

– Dobrze. Nie będę – obiecała, pakując sobie całą garść orzechów do ust na pocieszenie po takiej smutnej historii. – Ale ty wiesz?

– Wiem.

– Powiesz mi kiedyś?

– Nie. Lepiej nie wiedzieć, żeby nie kusiło.

Wiosną, Duda zabrał swojego syna Staśka na wóz i wyruszyli na łąkę pod lasem. Lenorka szła akurat ze szkoły skrajem drogi, więc zwolnili.

– Dlaczego nie przyszedłeś do szkoły? – spytała go.

– Nie widzisz? Robotę ma – odpowiedział za syna ojciec, pokazując jednocześnie gromadzące się na horyzoncie ciemne chmury.

– Widzę, widzę – pokiwała głową ze zrozumieniem.

– Jedziesz z nami? – spytał Stasiek z nadzieją w głosie. – My pod las po słomę.

Konie Dudów człapały wolno, wzbijając kurz na suchej jak pieprz drodze. Lenorka zastanowiła się chwilę nad poważnymi konsekwencjami późnego powrotu do domu.

– Jadę – powiedziała krótko, wzruszając ramionami.

Wóz zatrzymał się i ojciec Staśka podał jej rękę. Odbiła się od ziemi jak piłka i zadowolona usiadła na ławce między Dudami. Ściśnięte paskiem książki położyła pod stopami.

– Dostanie ci się od matki, oj dostanie – skomentował flegmatycznie ojciec, poganiając konie delikatnym ruchem lejc.

– Chyba tak – zgodziła się z nim.

– Szybciej niż ci się zdaje – szepnął do niej i dyskretnie ruszył głową.

Z oplecionego winoroślą domu, który właśnie mijali, wypadła Brygidka Pstrońska i zbliżała się do nich jak strzała, prawie przydeptując swoją ciemną spódnicę.

– A dokąd to się panna wybiera? – spytała jadowicie, ledwo skinąwszy głową sąsiadom.

– Na łąkę pod las – odpowiedziała córka, nie zamierzając się nawet ruszać z ławki.

– Złaź mi natychmiast! Mało to w domu roboty? – zielone oczy rzucały groźne spojrzenia na Lenorkę i na Dudę, który śmiał ją zabrać na wóz.

– Dużo! Za dużo. Dlatego jadę na łąkę, żeby odpocząć – butnie odpaliła matce Lenorka, aż strapiony Stasiek szturchnął ją bok.

– Ja ci dam odpoczywać! – wrzasnęła matka. – Złaź, pókim dobra!

Stary Duda dyplomatycznie nie wtrącał się do rodzinnego sporu, ale kiedy Lenorka parsknęła śmiechem, natychmiast po brygidkowym pókim dobra, uśmiechnął się pod nosem i zwrócił się do dziewczynki pojednawczo.

– Może pojedziemy innym razem, a teraz pomóż matce, kiedy prosi – powiedział, patrząc Brygidzie prosto w oczy.

Kobieta stała wyprostowana jak struna, z uniesioną wysoko ręką, przygotowaną do brutalnego ściągnięcia Lenorki z wozu. Dziewczynka odczekała kilka długich, pełnych napięcia sekund i jak gdyby nigdy nic, schyliła się po książki, pożegnała z Dudą i zeskoczyła lekko na ziemię, po stronie przeciwnej niż stała matka i natychmiast, nie oglądając się za siebie ruszyła w drogę powrotną do domu.

– A tknij mnie chociaż palcem, to powiem ojcu! – rzuciła przez ramię do matki, która jak żmija szykowała się już do ataku.

Szły przez wieś tak samo ponure, jak dwie gradowe chmury, które ciemniejąc z godziny na godzinę, nadciągały od pól.

Ledwo zakrzątnęły się wokół gospodarstwa, ledwo Konstanty z kuźni do domu zajrzał, przyleciała z krzykiem Martynowa i zanim jeszcze zdążyła im ręką pokazać, sami poczuli swąd spalenizny, a potem zobaczyli czarny słup bijącego w niebo dymu. Cała rodzina oraz parobcy wylegli na drogę i patrzyli w stronę lasu.

– Dziwny jakiś ten dym – zaniepokoiła się Brygida. – Ciężki!

– Wiatru nie ma, to ciężki – zauważył Konstanty.

– Nie ma wiatru, to jedno, ale... ciężki jakiś. Dziwny! – upierała się żona. – Trzeba jechać. Zaprzęgajcie!

– Tam przecież żadnej chałupy nie ma! – wzruszyła ramionami Martynowa.

– Dudy po słomę, co ją na łące pod lasem w stogach trzymają, pojechali – wyjaśniła Brygida. – A ten dym jakiś taki ciężki! Niedobrze jest! A ty cholero, chciałaś z nimi jechać! – wrzasnęła do Lenorki.

Pojechali. Martynowa z dziećmi została, a Lenorka u ojca wyprosiła, żeby ją też zabrał. Cała wieś za nimi też pospieszyła zaciekawiona, czemu stary Duda swoje wielkie stogi pali. Wiatru dalej nie było, niebo jeszcze bardziej pociemniało, a pod lasem widniał już nie jeden czarny słup dymu, ale drugi i trzeci, żywym ogniem zajęte. Stanęli ludzie półkręgiem wokół trzech ogromnych ognisk na skraju czarnego lasu, zupełnie jak na świętego Jana i patrzą. Iskry czasem polecą z trzaskiem, coś się w ogniu zapadnie, syknie i cisza. Nikt nic nie mówi. Stary Duda stoi samotnie, z osmalonym kijem w dłoni. Ktoś do niego woła po imieniu, a on nic, stoi jak kamień, nawet nie drgnie, głowy nie obróci. Nic. Tylko z tego jednego, co już się dopala, dalej idzie ten dziwny, gryzący teraz w oczy ciemny dym. Lenorka rozgląda się za Staśkiem, ale nigdzie go nie widać. I Brygida coś nerwowo się rozgląda po okolicy, spódnicę lekko w górę podnosi. I każe Lenorce na wóz siadać, tym swoim głosem nie znoszącym sprzeciwu, ale powtarzać tym razem nie musi, bo córce mróz po plecach idzie i w jednej chwili siedzi grzeczniutko na ławce.

– Ludzie! Cofnijcie się na drogę – krzyczy Brygida. – Żmije! Żmije się od stogów rozłażą!

I, prawie świętojański krąg, rozsypuje się w jednej chwili. Konstanty Pstroński łapie na widły wijący się ciemny, połyskujący miedzią kształt i w ogień ciska. Ludzie włażą na wozy i dalej patrzą na dogasający ogień, słuchają jak kwili, szczęście, że nie na ich domostwach. W końcu słomę można przeboleć i wypaloną wkoło trawę, choć to strata, nowa wyrośnie. Tylko ten Duda! Osuwa się na kolana, a potem na plecy i leży tak na wznak, jak martwy żuk, chociaż żyje, bo nawet z drogi widać, jak mu się koszula w trudnym oddechu podnosi i opada. Leci ku niemu z krzykiem żona i kilku silnych chłopów. Wynoszą go usmolonego z pogorzeliska, które jeszcze niedawno, będzie raptem ze dwie godziny temu, było najlepszą łąką w okolicy.

– Gdzie Stasiek? – Dudowa potrząsa mężowskim ramieniem.

I wtedy ludzie poruszyli się przejęci do głębi. Brygida pokiwała głową i popatrzyła na zmartwiałą na wozie córkę. Wreszcie, prawie równo z powszechnym zrozumieniem, lunął deszcz, co czaił się od samego świtu tuż nad linią horyzontu, ale nie spieszył się, jakby czekając na dramatyczny rozwój wypadków i przyszedł, na samo zakończenie, żeby dołączyć do głośnych lamentów i żalu za młodym Staśkiem Dudą, co wszyscy go lubili i tak dobrze się zapowiadał.

Stali w strugach wody nad nieszczęśliwym ojcem, który zmożony jakimś odrętwieniem nic nie mówił, tylko patrzył z bolesnym zaskoczeniem w płaczące niebo, leżąc na wznak na piasku, który w jedną chwilę, na skutek rzęsistej, wiosennej ulewy, zamienił się w ospałe błoto. Dudowa chodziła od jednego do drugiego gasnącego w deszczu stogu z oczami przerażająco suchymi, jakby martwymi.

Cała wieś solidarnie stała i mokła czekając. Ktoś przyniósł lampę naftową, ktoś pochodnie, bo nagle zrobiło się zupełnie ciemno. Rozgarniali czarny popiół delikatnie, z namaszczeniem. Kobiety przyniosły białe prześcieradło i na nim złożyli to wszystko, co zostało ze Staśka. Z kląśnięciem, od którego wszyscy wzdrygnęli się, wyciągnęli Dudę z błota i umieścili na wozie. Tak samo, jak jego skuloną z bólu żonę. Niedowierzająco ściskała w ramionach białe zawiniątko. Milczący kondukt niespiesznie ruszył do wsi.

Martynowa o mało ze skóry nie wyszła, kiedy wreszcie zajechali na podwórze. Posadzili osowiałą Lenorkę przy piecu. Ojciec pomógł jej zdjąć mokre ubranie i otulił wełnianą zapaską. Matka wcisnęła jej do ręki kubek z gorącym mlekiem i miodem.

– O mały włos! O mały! – mruczała pod nosem ciskając się po kuchni. – O mały włos byłyby dwa trupy! Ale coś mnie tknęło, jak ją zobaczyłam na tym wozie między nimi. Najpierw miałam machnąć ręką. Niech jedzie. Później się z nią policzę. Nawet Kazia mówiła, żebym dała spokój. Akurat do niej zaszłam po czarne nici, co mi się skończyły do szycia. Zobacz! – powiedziała do męża, podnosząc do góry cienki palec. – Akurat czarne! Na ziemi pełno jest znaków. Trzeba się tylko ich słuchać, a uchronią nas od wszelkiego złego – przeżegnała się szybko. – A jak ją zauważyłam, to też przez okno wyjrzałam, żeby dokładniej się przyjrzeć tej chmurze, co nad polami od Zelowa zalegała od rana. I patrz, ta chmura – zrobiła znaczącą przerwę – ...też czarna! Nawet się ucieszyłam, że będzie deszcz, bo coś sucha ta wiosna. Patrzę, a tu Dudy jadą i nasza Lenorka z nimi – Brygida grzechocze garnkami, synów przewija, poprawia zapaskę córce i za nic nie może się uspokoić.

– Daj spokój – prosi Konstanty. – Usiądź wreszcie. Na szczęście dla nas nic się nie stało.

– Gdybym tylko nie wyskoczyła, chociaż Kazia mówi, daj dziewusze spokój niech se odetchnie, ale mnie aż dźgnęło od środka. A ta smarkata jeszcze mi pyskowała. Ledwie z wozu zlazła, jak jaka księżniczka. Myślałam, że nie zdzierżę, ale wytrzymałam. Takie nieszczęście u sąsiadów! O Matko Boska! – tym razem przeżegnała się pod obrazem. – Ale co tam się właściwie stało?

– Tego nie wiemy.

– Duda głosu z siebie nie wydał. Może już nigdy się nie odezwie. Tak bywa.

– Mam nadzieję, że nasza córka w końcu się odezwie – zaniepokoił się Pstroński.

– Odezwie się, odezwie – machnęła ręką. – Chociażby po to, żeby mi pyskować.

– Nie wiem.

– Ale ja wiem.

– Skąd możesz wiedzieć?

– Takie rzeczy po prostu się wie. Ja wiem – odpowiedziała Brygidka kategorycznie.

Amelia przyjechała w odwiedziny do domu i Lenorka opowiedziała jej ze szczegółami o strasznej śmierci Staśka Dudy. Poszły nawet na wypaloną łąkę pod lasem. Stały w samym środku, ponurego teraz miejsca, w blasku zachodzącego słońca, w porywach letniego wiatru, który targał im niemiłosiernie włosy. Lenorka z przejęciem relacjonowała wydarzenia.

– Przyjechali po słomę, co jeszcze z ubiegłorocznych żniw tu była w wielkich jak stodoła kupach. Stasiek wdrapał się na górę, a ojciec podał mu z dołu widły, żeby zrzucał od razu na wóz. Robota szła im wartko, kiedy nagle chłopak zniknął. Był na czubku stogu, kiedy Duda odbierał wiązki, a kiedy podniósł głowę do góry, już go nie było. Przepadł bez śladu, bez najmniejszego dźwięku nawet. Stary rozgląda się, a tu cisza, nic. Woła: Stasiek, co żarty sobie z ojca robisz, jeszcze się zaśmiał, a tu nic. I nagle ze środka wielkiego jak stodoła, co tam stodoła, jak dom w mieście stogu, dobiegł przerażający krzyk.

– Jezu! – westchnęła przejęta grozą Amelka, próbując wcisnąć za ucho nieposłuszne włosy.

– Krótki, ale taki, że staremu krew podobno zmroził i włosy wszystkie, co je jeszcze na głowie miał, postawił. A potem zrobiła się taka cisza, co była jeszcze gorsza niż ten ostatni krzyk Staśka. Już chciał włazić na czubek i słomę rozgarniać, kiedy ze stogu, na wszystkie strony zaczęły się rozłazić żmije! – Lenorka zrobiła dłuższą pauzę dla lepszego efektu.

– Straszne, straszne – powtarzała wstrząśnięta Amelka.

– Te najgorsze żmije, co jak cię jedna w lesie ukąsi, to do domu już raczej nie wracasz.

– Te z zygzakiem?

– Te same. W starym stogu, jeszcze od ubiegłego roku, legowisko wielkie sobie zrobiły. Zlazły się chyba z całej okolicy. Tyle ich było. Ludzie mówili, że jeszcze czegoś takiego u nas nie było. A jakie wielkie! Nasz ojciec jedną złapał i w ogień rzucił. Mówił, że jak obszył, prawie metr miała. A gruba! Na myszach z pola tak się spasły podobno i żabach z tej strugi, co obok łąki Dudów płynie. I Stasiek w sam środek tego ich wielkiego, jak świat nie widział i nie słyszał, legowiska wpadł.

– Matko Boska!

– I też bym z nim wpadła, gdyby mnie matka w ostatniej chwili z wozu nie ściągnęła – pochwaliła się Lenorka siostrze.

– Słyszałam. Brygida wszystkim opowiada, że cię od śmierci uchroniła.

– Jak raz prawdę mówi. Uchroniła, chociaż wcale nie dlatego, że przeczucie jakieś miała, tylko chciała, żebym do domu, do roboty wracała.

– Pewnie tak. A może i jedno i drugie. Ja jednak zauważyłam, że ona trochę przepowiadająca jest, ale się z tym kryje.

– A mnie się tak nie chciało do domu iść, więc jak mnie Stasiek poprosił, to mi się lekko na duszy zrobiło i przyjemnie, bo ja tego Staśka strasznie lubiłam i nie mogę odżałować, że go te żmije w słomianej ciemności pogryzły i że go jeszcze na koniec ojciec spalił jak jakiego poganina.

– Potem miał przecież chrześcijański pogrzeb!

– Miał, miał. Cała wieś przyszła i z innych okolicznych też. Nawet z Zelowa poprzyjeżdżali. Ksiądz do Dudów codziennie przychodził, bo Duda żyć nie chciał po tym wszystkim. Podobno mówił księdzu na spowiedzi, właściwie to krzyczał wniebogłosy i wszyscy w kościele słyszeli, jakby się całej wsi spowiadał a nie tylko naszemu księdzu, że jak przebrzmiał krzyk syna w tym stogu, to on wiedział, że to już koniec, że nie pozostaje mu nic innego, jak to plugastwo podpalić, żeby sczeło. Na wozie miał lampę naftową, więc wylał i zapałkę rzucił. Zajęło się szybko, bo wiosna tego roku u nas sucha, ale dym czarny leciał w górę, pogrzebowy, prosty.

– Dobrze zrobił.

– Dobrze. Ksiądz mu to samo powiedział, ale Duda mówił, że teraz śni mu się po nocy, że Stasiek nie do końca martwy był i żywcem razem ze żmijami spłonął.

– Ach, to byłoby straszliwe!

– Ksiądz go pociesza, że na pewno już nie żył.

– Żeby tak było Panno Przenajświętsza! – przeżegnała się Amelia. – I chwała Jej, żeś ty się dała z tego wozu Brygidzie ściągnąć!

– No! Wlazłabym za Staśkiem, jak amen w pacierzu, tak mi się strasznie podobał.

– Ty masz szczęście – z przekonaniem powiedziała Amelka. – Ja już wtedy wiedziałam, jak się w rzece nie utopiłaś w swoje chrzciny.

– Matka mówi, co ma wisieć, nie utonie... Szkoda Staśka, szkoda, żeby jeszcze jakoś tak normalniej umierał...

– Jak można normalniej umierać? – zdziwiła się Amelia.

– No, jak się jest starym, albo we śnie. Mnie się czasem śni, jak z nim jestem na tym stogu. Dotykamy się i jest nam bardzo przyjemnie i nagle wpadamy do środka, ale dalej jest nam przyjemnie, a nawet jeszcze bardziej...

– Ach! – otwiera szeroko oczy przerażona siostra.

– Nie bój się – uspakaja ją Lenorka. – Bo wtedy się budzę.

– To dobrze, że się budzisz. Dziwny ten sen, niby koszmar, ale skoro jest przyjemnie… A tam, „sen mara, Bóg wiara", jak mówi twoja babcia, matka Brygidki.

– Tak mówi – potaknęła Lenorka. – Na koszmary zawsze pomaga.

LENA

Spragniona wolności Lena, która już nigdy nie chciała być Lenorką, uciekła z domu do miasteczka i zatrudniła się w sklepie z artykułami żelaznymi. Brygidka nie mogła jej tego darować. Pojawiły się kolejne dzieci i potrzebna była każda para rąk do pracy, ale córka miała dosyć młodszych braci i zdecydowała się żyć na własny rachunek.

Szczęśliwa królowała za wielką ladą sklepu, delektując się zapachem smaru, dźwiękami sypanych na wagę gwoździ, szelestem tłustych pergaminów, w które zawinięte były zamki i jakieś inne precyzyjne mechanizmy. Na początku nie znała ich przeznaczenia, ale uczyła się bardzo szybko, tak, że właściciel ani razu nie pożałował, że dał się tak omamić dziewczynie i nie przyjął do pracy doświadczonego w branży metalowej subiekta, tylko ją.

Każdy ranek jej szesnastoletniego życia wydawał się zapowiedzią fascynującego dnia. I każdy przeżywany był, jako jej osobisty – a nie dopiero oczekiwany, że będzie własny – samodzielnie przez nią zaplanowany i dopilnowany, żeby przebiegł najbardziej przyjemnie z uwzględnieniem niespodzianek, które zawsze były mile widziane.

Poznała przeznaczenie śrubek, wkrętów, odmierzania, ważenia i nade wszystko – szybkiego i bezbłędnego liczenia w pamięci. Potrafiła przekonać do zakupu lepszych, i co za tym idzie droższych narzędzi ogrodniczych, umiejętnie korzystając z argumentów, które wyczytała w katalogach reklamowych i teraz znając już ten specyficzny język, stosowała go dosyć swobodnie w zależności od swoich potrzeb i zupełnie niezależnie od produktu, przekonując się, że jest uniwersalny. Umiała sprawić wrażenie, że jest mądrzejsza niż była w rzeczywistości. I starsza, ponieważ nie przyznawała się nikomu do swojego wieku.

Nikomu, oprócz starego aptekarza, z którym zaprzyjaźniła się od tego dnia, kiedy upadł na posadzkę na zapleczu swojej apteki przy rynku, a ona mu pomogła prawie cudem, zauważając kątem oka gwałtowny ruch odbity w lustrze i łowiąc dalekie dźwięki rozpryskujących się w drobny mak naczyń. Przystanęła na chodniku przed witryną na ułamek sekundy i skoczyła do wnętrza pustej o tej porze apteki. Zrobiło się zupełnie cicho, ale coś ją tknęło, jakiś zapach niepokojący i fakt, że nikt nie odpowiadał na wołanie. Otworzyła barierkę, odchyliła na bok kawałek lady i wkroczyła na zaplecze, gdzie nieruchomo leżał staruszek, a z prymusa kapała benzyna i paląc się jasnym płomieniem pełzała w kierunku nogawki jego spodni. Lena w tej samej chwili odsunęła stopą nogę bezwładnego aptekarza i rozejrzała się w poszukiwaniu jakiejś szmaty. Znalazła tylko niewielką ścierkę w zlewie i nią próbowała zdusić ogień, od którego już zajmowała się nawoskowana dobrze podłoga. Nie wystarczyło, więc niewiele myśląc zdjęła swoją kretonową sukienkę i nią zgasiła płomienie.

Potem docuciła staruszka.

– Umarłem? – spytał nawet dosyć trzeźwo, otwierając oczy.

– Nie.

– Pomieszało mi się w głowie – stwierdził, omiatając wzrokiem jej, klęczącą nad nim, dorodną postać w samej bieliźnie.

– Mam nadzieję, że nie. Co się panu stało?

– Potknąłem się chyba, upadłem wywracając to… – wskazał głową roztrzaskane probówki. – … i straciłem przytomność.

Dziewczyna pociągnęła delikatnie nosem.

– Nie mylisz się moje dziecko – potwierdził jej przypuszczenia. – Jestem wstawiony i dlatego się potknąłem, ale nie wspominaj o tym nikomu.

Kiwnęła głową, wzruszając ramionami.

– Wezwać lekarza?

– Nie wiem – powiedział, układając się wygodniej na podłodze. – Na razie czuję się świetnie. Szkoda tej twojej sukienki. Za drzwiami wiszą fartuchy.

– Nie widziałam ich.

– Twój pełen poświęcenia i refleksu gest jest naprawdę wzruszający. Jakim cudem tu trafiłaś?

– Szłam ulicą i zobaczyłam jak pan wywinął kozła... W szybie się odbiło.

– Masz oko – pochwalił. – Pozwól, że się przedstawię – Maurycy Kwiram.

– Eleonora Pstrońska.

– Pomóż mi wstać – poprosił.

Wstała, prezentując swoje niesamowicie długie nogi, bez wysiłku wzięła go pod ramiona i postawiła. Mierzyli się ciekawie wzrokiem. On – siwy jak gołąb z rzedniejącymi włosami, stary i pomarszczony, niewielki, ale z jakąś młodzieńczą iskrą w jasnych oczach, szczelnie ubrany w garnitur i biały fartuch laboratoryjny, ona – wyższa od niego o głowę i jeszcze trochę, posągowa i prawie naga. Zadźwięczały otwierane drzwi apteki.

– No masz ci los – westchnął ciężko. – A taka piękna była ta chwila, może najpiękniejsza z tych, co mi z życia pozostały. Świeża, niewinna a jednocześnie perwersyjna. I jeszcze cię dziecko wezmą na języki. Ubierz no się szybko w fartuch.

– Dobrze – zgodziła się w jednej chwili, znikając za drzwiami.

– Czym mogę służyć szanownej pani? – spytał aptekarz, wychodząc do pękatej klientki.

– To moja gospodyni. Ciekawe, czy mnie widziała? – zastanowiła się chwilę później Lena.

– Wdowa Idzikowa? Widziała. Staliśmy jak na widelcu w samych drzwiach. Patrzyła na mnie zgorszona. A ile ty masz lat panienko?

– Dwadzieścia... jeden.

– Akurat! – parsknął śmiechem.

– Szesnaście – przyznała się od razu. – Co to znaczy perwersyjna?

– Pożyczę ci książkę, to się dowiesz.

Wyszła z apteki w białym fartuchu, ale z podniesioną głową. I tak się zaprzyjaźnili.

Z wielką namiętnością chodziła na tańce. Pozwalała młodym mężczyznom i chłopcom odprowadzać się z wieczorów muzycznych i koncertów organizowanych przez Towarzystwo Muzyczne, albo straż pożarną. Idzikowa coraz częściej patrzyła na nią wilkiem, spod wyjątkowo krzaczastych brwi uczernionych korkiem i pozwalała sobie na niewybredne komentarze. Aż któregoś dnia powiedziała o jedno słowo za dużo, nazywając Lenę dziwką wobec dwóch sąsiadek i wypowiadając jej mieszkanie ze skutkiem natychmiastowym. Dziewczyna obróciła się na swoich wysokich obcasach jak żmija, tak to potem wielokrotnie wspominała wdowa, i podeszła do niej tak blisko, że aż się tamta przestraszyła i popatrzyła na nią, miotając z oczu zielone błyskawice.

– Powtórz to jeszcze raz kobieto, żebym była pewna, że to do mnie mówisz – powiedziała twardym jak stał głosem.

– A pewnie, że powtórzę – rozjazgotała się wdowa, ale ostatecznie nie odważyła się powtórzyć. – Każdy jeden wie, co z ciebie za jedna, lafirynda, co się prowadza w te i z powrotem z chłopami, a porządne dziewczyny mężów nie mogą znaleźć!

– Twoja córka nie może znaleźć męża, bo jest do ciebie podobna. Przez wzgląd na osoby trzecie nie powiem, do czego jesteś podobna. Nie przeze mnie! – wycedziła, nachylając się nad Idzikową jak nad czymś gorszącym i wstrętnym, z dłonią opartą o biodro i z wysuniętą stopą, stukającą w takt wypowiadanych wolno słów, co brzmiało wyjątkowo lekceważąco i obraźliwie, chociaż nie zostały użyte żadne obraźliwe epitety.

Dwie sąsiadki z parteru, w domowych fartuchach, przyczaiły się cicho przy ścianie sieni i obserwowały sprzeczkę z błyszczącymi oczami.

– Ja ci dam moją córką gębę sobie wycierać! – wrzasnęła wściekła wdowa.

– A ja ci nie dam gęby sobie mną wycierać. Przekonasz się! A wyprowadzę się jutro. Nie zamierzam spać na dworze. Muszę sobie coś znaleźć – odwróciła się z godnością na pięcie i weszła na piętro po skrzypiących, drewnianych schodach, odprowadzana osłupiałymi spojrzeniami kobiet.

Niedługo po tym zajściu, Jadwiga Idzik dostała wezwanie do łaskiego sądu w charakterze oskarżonej o zniesławienie Eleonory Pstrońskiej. Wdowa stawiła się ubrana godnie w suknię w wielkie kwiaty i kapelusz z piórem. Dziewczyna zaś przyszła w wyjątkowo skromnej, kretonowej sukieneczce, zapiętej po samą szyję na maleńkie guziczki z masy perłowej. Zostali wezwani świadkowie: dwie sąsiadki, stary aptekarz Kwiram i jakiś młody człowiek specjalnie na życzenie oskarżonej. Idzikowa była tyleż zdumiona obrotem sprawy, co ucieszona, że będzie mogła smarkatej sublokatorce nosa wobec całego miasta przytrzeć. Jednak sprawa tak szybko jak się zaczęła, tak się skończyła, ponieważ sąd przesłuchawszy kluczowych świadków – czyli Lenę, dwie sąsiadki i wdowę – sprawę zakończył, zapoznawszy się z opatrzonym stemplami oświadczeniem lekarza położnika, który informował, że panna Eleonora Pstrońska jest dziewicą. Koniec i kropka. Jadwiga Idzik musi wypłacić zniesławionej w formie zadośćuczynienia grzywnę. Sąd przykazał jej również mniej pochopnie wyrażać sądy o innych ludziach, ponieważ może się to skończyć dla niej daleko poważniej.

Nie tylko grubawa wdowa Idzikowa była zaskoczona. Samą Lenę dziwił fakt, że mimo ewidentnego pociągu do mężczyzn, jakoś nie przekroczyła tej ostatecznej granicy, chociaż coraz natarczywiej drażnił czasem stanik, a ocieranie się tkaniny o piersi podczas szybkiego marszu wywoływało niepokojące twardnienie sutków i słodkie dreszcze Przykład matki, chodzącej prawie nieustannie w ciąży, skutecznie odstraszał ją od ostatecznego aktu. Jeszcze w rodzinnym domu, pod czujnym okiem Brygidy wymykała się na spotkania z siostrzeńcem księdza, co na wakacje do wuja przyjeżdżał i tak jej się podobał, że kiedy wpadła na niego pierwszy raz na schodach do kościoła, natychmiast poczuła gorące mrowienie w majtkach. A potem, jeszcze zanim dopadali siebie w gorące suche lato, wystarczyło, żeby o nim pomyślała, a już pojawiała się przyjemna wilgoć i serce przyspieszało swój bieg. Pozwalała się wolno rozbierać i pieścić na wszelkie możliwe sposoby, oprócz defloracji, a oddając przyjemność była pomysłowa i przedsiębiorcza. Właściwie sama go sobie ułożyła do rozkoszy, a on chodził za nią wdzięczny i zależny jak pies, albo niewolnik.

Lena wyszła z sądu zadowolona, wdzięczna starszej siostrze za drogocenne nauki.

– Wspaniale to rozegrałaś moje dziecko – powiedział Maurycy Kwiram. – Nie cierpię tych starych pudernic. Chodźmy na spacerek. To gdzie teraz mieszkasz?

– W takiej wilgotnej norze przy Tylnej.

– Niedobrze, niedobrze, na płuca można zapaść, ale coś poradzimy. Nie martw się.

I rzeczywiście, kiedy zwolniło się mieszkanie w jego kamienicy z apteką, wprowadziła się, płacąc niewygórowany czynsz. A Kwiram podkreślał nieustannie, że jest jej dozgonnym dłużnikiem. Małe lokum miało niekrępujące wejście z bramy na parterze. Wchodziło się z samego rynku. Tyły wszystkich kamieniczek wychodziły na ogrody, obwodnicę miasteczka, a za nią rozciągały się łąki i płynęły rzeki – mniejsza Pisia i większa Grabia. Aptekarz mieszkał na piętrze, na które z kolei wchodziło się przez obszerną werandę od tyłu. W ramach wdzięczności, i w ogóle serdecznej przyjaźni, nauczył ją grać w karty. W letnie popołudnia siadywali w altanie i rżnęli w brydża, kanastę a nawet pokera. Okazała się pojętną uczennicą. Pożyczył jej również „Ilustrowaną Encyklopedię" Trzaski, Everta i Michalskiego, chwaląc się, że oprócz niego w miasteczku ma ją tylko biblioteka gimnazjalna i może, ale nie był pewien, Żydowska Biblioteka Ludowa.

Od kiedy, dzięki odszkodowaniu, podreperowała swoje finanse, często bywała w łaskim teatrze Luna, ale naprawdę urzekło ją kino, dlatego oglądała każdą filmową premierę w kinie Świt. Czasami wyprawiała się w podróż do Łodzi, zachęcona reklamami w gazetach, do których po matce wielkie miała zamiłowanie. I tak w 1927 roku, przeczytawszy ogłoszenie, że przy ulicy Piotrkowskiej N°96 otwiera filię Fabryka Cukrów i Czekolady Fronboli, Lena w pierwszy swój wolny od pracy dzień, wsiadła w pociąg do Łodzi i udała się tam, żeby napić się kawy Mocca z aparatu „La Pavoni" za całe pięćdziesiąt groszy. Skosztowała również niezrównanych marcepanów, czekolad i pierników. Następnym razem przyjechali z Kwiramem specjalnie na występy sióstr Princ – duetu artystek opery i baletu w Budapeszcie, które śpiewały szlagiery, a potem poszli na późny obiad do restauracji „Teatralna" przy Narutowicza.

A wcześniej kupiła sobie buty na oszałamiająco, podniecająco wysokim obcasie. Miała na sobie powiewną sukienkę w kolorze dojrzałych malin i to nowe obuwie w odcieniach beżu, co razem wyglądało naprawdę wspaniale i serce nie bolało, kiedy długo odliczała banknot za banknotem na wysłużoną ladę maleńkiej pracowni łódzkiego mistrza szewskiego.

– Takie buty, szanowna pani, to skarb. Pani nie musi mieć na sobie jedwabi, muślinów, ani futer, jak pani jesteś w takim obuwiu. Co ja mówię? – zadumał się szewc, sam siebie zdumiewając. – Pani już nic nie musi mieć. To już jest sam szyk. Elegancja prosto z Paryża. Pani przecież wie, matka pani zapewne mówiła, dla kobiety – wzniósł chudy palec do niskiego sufitu – najważniejsza jest góra, czyli głowa i dół, czyli buty – przemawiał stary Berkowicz, co chwila ocierając wystrzępioną chustką łzawiące oczy. – Polecam się na przyszłość panience.

I tak szła z Kwiramem w naprawdę wyśmienitym humorze, ścigana wzrokiem przez przystojnych, apetycznych mężczyzn. Uda delikatnie pieściła miękka tkanina sukienki. I wtedy, zupełnie nieoczekiwanie pękła guma od majtek. Czuła jak śliski, cienki obłok sunął wzdłuż nóg. Pomyślała, co ja teraz zrobię? Kompletny blamaż, idzie za nią takich trzech grzesznie pięknych mężczyzn. Uśmiechali się do niej, kiedy zatrzymali się przy witrynie z książkami. Zsuwają się więc jej eleganckie majteczki, dobre i to, że nie barchany, w końcu to jakaś pociecha i dobrze, że nogi ma długie, ucieszyła się i można jakoś zareagować z głową. I kiedy już, już miała się potknąć o swoje wytworne dessous, zatrzymała się na ułamek sekundy, pozwoliła im opaść na chodnik i wtedy błyskawicznie, jak kobra, albo jeszcze szybciej, przekroczyła je cudownie obutą stopą, potem drugą, nawet nie schylając się, podrzuciła do ręki i schowała do torebki. Aptekarz nawet nie zauważył tego manewru, tylko zdziwił się, kiedy za nimi rozległy się gorące oklaski, tych trzech przystojniaków.

Następnym razem przyjechała sama, ponieważ aptekarz zaniemógł i „Ziemię obiecaną" z Junoszą Stępkowskim i Jadwigą Smosarską obejrzała bez niego. Postanowiła też zjeść obiad, jak poprzednio w „Teatralnej" z czterech dań za całe – rozpusta – cztery złote. Najedzona jak bąk, zauważyła kilka kamienic za restauracją „Klinikę Lalek". Przystanęła zaciekawiona. Wystawę wypełniały różne lalki. Nie mogła od nich oderwać wzroku, nawet nie dlatego, że nigdy w życiu czegoś takiego nie miała, tylko dziwne wrażenie zrobiła ta witryna z wpatrującymi się w nią porcelanowymi oczami, aż zimny dreszcz szedł po krzyżu. Nieoczekiwanie otworzyła się podwójna szyba i starszy człowiek z łysiną na czubku głowy i unoszącymi się wokół niej pasmami długich włosów, począł metodycznie zdejmować lalki z wystawy, jedna po drugiej, jedna po drugiej, aż zrobiło się całkiem pusto w oknie wystawowym. I wtedy dopiero ją zobaczył, jak stoi i się gapi. Zamrugał bladymi oczkami i poruszył ustami, pewnie coś mówiąc, ponieważ zaraz obok niego pojawiła się druga głowa, znacznie młodsza i urodziwsza. Młody mężczyzna uśmiechnął się do niej szeroko, a kiedy odwracała się, żeby pierzchnąć sprzed wystawy, wyskoczył zza drzwi kliniki i zawołał.

– Panienko! Proszę zaczekać! – prosił, w objęciach piastując wiklinowy klosz z dopiero co zdjętymi porcelanowymi lalkami.

Lena dawno już by sobie poszła, nie odwracając się nawet, ale ją ten kosz zaintrygował. Stanęła, patrząc na niego bezczelnie i z wyższością, ponieważ jak się jej wydawało, doskonale wiedziała, czego może chcieć ten mężczyzna, a przecież ona sama sobie ich wybierała, uwzględniając młody wiek, zdrowy wygląd, urok fizyczny, a jako bonus – bystrość.

Stali tak na trotuarze, przyglądając się sobie be słowa.

– Kim, pani zdaniem, jestem? – spytał w końcu.

– Posłańcem? – wyraziła przypuszczenie, natychmiast się wycofując. – Nie!

Za dobrze ubrany, pomyślała, oceniając jego buty, krawat i resztę odzienia.

– Nie?

– Dobrym człowiekiem?

– O! A dlaczego?

– Niesie pan naprawione lalki do ochronki dla sierot – tylko to przyszło jej do głowy.

– Blisko.

– Nie do ochronki, czy nie jest pan dobrym człowiekiem?

– Chciałbym być dobrym człowiekiem, ale nie niosę ich… – potrząsnął koszem – do ochronki.

– To nie wiem, ale najpewniej… jest pan artystą.

– Brawo! Wygrała panienka quiz i w nagrodę zapraszam na kawę i ciastko – ucieszył się, wyciągając do niej rękę, aż kosz zachwiał się i zawartość wylądowała na chodniku.

– Bardzo sprytne – skomentowała, nie ruszając się z miejsca.

– Brawo! – powiedział.

Uścisnął jej rękę mocno, po męsku, bez żadnego całowania i schylił się do zbierania lalek.

– Brawo? – zaciekawiła się.

– Większość grzecznych, dobrze wychowanych panienek, schyliłaby się natychmiast, żeby mi pomóc, zanim nawet zdążyłbym zaprotestować.

– Czyli pan już o mnie wie tyle, że nie jestem grzeczną panienką.

– I właśnie dlatego, należy się druga nagroda!

– W postaci?

– Bukietu.

– Nagroda za bycie niegrzeczną?

Patrzyła, jak starannie układa w koszu lale, jak poprawia im włosy. Miał wypielęgnowane dłonie, dłuższe niż się nosiło ciemne włosy i pociągłą, przystojną twarz, w ogóle, stwierdziła Lena, był niespotykanie, wręcz nieprzyzwoicie pięknym człowiekiem.

– Owszem, moja prywatna i bardzo osobista – wyprostował się, odrzucając włosy z czoła i w tym momencie Lena stwierdziła, że chyba się, pierwszy raz w życiu, zakochała. Szybko zostali kochankami.

Maurycy Klonowicz był artystą szczególnym, zajmującym się sztuką codzienną. Malował reklamy, robił do nich zdjęcia, a także dekorował wystawy i zajmował się scenografią teatralną. Zarabiał trochę tu, trochę tam.

– Czasami myślę – zwierzył się kiedyś Lenie – że mógłbym zrobić coś naprawdę poważnego, jakieś wielkie dzieło, ale mi się nie chce. Jesteśmy tacy krótkotrwali, ale jakże uroczy, jakże nam ze sobą do twarzy, z naszym przemijającym pięknem.

Lubił się z nią przeglądać w lustrze, uwielbiał ich fotografować w różnych pozach, dziwacznych ubraniach, wymyślał nieprawdopodobne historyjki i zachęcał ją, żeby razem z nim rozwijała wątki. Właściwie nie musiał jej specjalnie namawiać, Lenie opowiadania same się snuły na zawołanie, były praśne, mocno trzymające się ziemi, a jego fantastyczne, tajemnicze z jakimś głębokim smutkiem w tle.

Tego dnia, kiedy spotkali się pierwszy raz w życiu, pożyczył lalki z kliniki do zdjęcia reklamującego magazyn eleganckich zabawek. Poprosił, żeby Lena wystąpiła jako jego modelka. Zgodziła się bez wahania.

Życie nabrało kolorów jeszcze bardziej intensywnych. Nawet strach przed ciążą dało się okiełznać, dzięki Kwiramowi i czemuś gumowemu, co nazywało się kondom. Lena zastanawiała się teraz, dlaczego istnienie takiego wspaniałego wynalazku nie jest powszechnie znane i używane. Nie było przecież jakieś strasznie drogie, a na dodatek wielokrotnego użytku. Przypomniała sobie dramaty dziewczyn z Łasku. Na wsi mogły jeszcze iść do znachorki, zawsze pomagała i prawie nigdy nie było komplikacji, ale w miasteczku… Z drugiej strony, ludzie w tym czasie byli biedni…

Klonowicz chciał, żeby porzuciła pracę w sklepie z artykułami żelaznymi w Łasku i przeniosła się do Łodzi, do jego mieszkanka na poddaszu czynszowej kamienicy, ale Lena odmówiła. Czuła do niego ogromną miłość, była z nim wręcz euforycznie szczęśliwa, ale absolutnie nie chciała zamieniać tego na ponurą codzienność w dość obskurnym mieszkanku, do którego prowadziły trzęsące się ze starości brudne schody. Jej wynajmowane od Kwirama lokum wydawało się prawie pałacem. W dodatku za nic nie chciała zrezygnować z dobrze płatnej pracy. Początkowo nawet mu się to podobało, wręcz podniecało to jej niespotykane poczucie niezależności i to, że to właśnie ona do niego przyjeżdżała, kiedy miała czas, a on musiał się dostosować, podporządkować jej swoje dorywcze zajęcia. Ale po jakimś czasie nie potrafił pojąć, dlaczego tak właściwie jest. Im bardziej się angażował, tym większej pragnął bliskości, nieustannego zaciskania więzów, wspólnego stołu, filiżanek, poduszki... Ciągnął ją na zakupy, żeby doposażyć jego kawalerkę. Lenie również to schlebiało, od serca rozlewały się ciepłe fale, przyjmowała ze wzruszeniem dowody miłości w postaci kwiatów, drobnych prezencików i pierścionka zaręczynowego, który przyjęła niezobowiązująco, skoro deklarował swoje przywiązanie do przyjemnego, lekkiego życia. Myślała, że Maurycy chce się tylko bawić w dom, ale gdzieś po roku ich znajomości, okazało się, że wszystko jest już śmiertelnie poważne, a pętla zacieśnia się coraz bardziej.

Pewnej niedzieli zachorował, bardzo poważnie, jego imiennik Maurycy Kwiram i nie mogła przyjechać do Łodzi. Zjawił się szybko w Łasku, blady i roztrzęsiony ze zdenerwowania, chociaż zadzwoniła do jego sąsiadów i uprzedziła o swojej nieobecności.

– Dlaczego nie przyjechałaś? – pytał w nieskończoność, chodząc za nią krok w krok po domu aptekarza. – Dlaczego nie przyjechałaś?

Stary Kwiram leżał w gorączce i nawet nie wiedział dobrze, co się dzieje.

– Przecież widzisz, dlaczego nie przyjechałam.

– Nie musisz tego robić. Nie jesteś jego rodziną.

– Nie muszę, ale chcę. Uratowałam mu już raz życie i jestem za niego odpowiedzialna.

– Nie. Wcale nie – odpowiedział jakoś dziwnie rozwlekle, jakby na zwolnionych obrotach. – Jesteś odpowiedzialna za mnie, a ja za ciebie, ponieważ się kochamy. Chcemy coś razem stworzyć. Być razem. Nosisz na palcu pierścionek zaręczynowy, który przyjęłaś bez wahania. Jest nam razem tak dobrze. Krzyczysz ze szczęścia, więc o co chodzi?

Nie odpowiedziała, ponieważ sama nie wiedziała, co mu odpowiedzieć, że jest jej dobrze tak jak jest.

– Maurycy, jestem z tobą szczęśliwa. Kocham cię – powiedziała mu, patrząc głęboko w oczy.

– Ale do kogo to mówisz? Do niego, czy do mnie? – spytał z niepokojem, wskazując na śpiącego aptekarza.

– Do ciebie.

– Pobierzmy się szybko. Wyrzućmy tę obrzydliwą gumę z naszego życia. Możemy mieć tak samo piękne dzieci, jak my sami jesteśmy. Dużo wspaniałych, mądrych dziewczynek i chłopców.

Lena wzdrygnęła się lekko.

– I gdzie je wychowamy, w tej klitce na poddaszu?

– Nie, przecież mogę iść do stałej pracy.

– I będziemy odkładać każdy grosz?

– Tak.

– I nie będziesz mi kupował kapeluszy, ani sobie nowych garniturów co sezon, nie będziemy chodzić do kawiarni, teatru, kina…

– Dlaczego mamy nie chodzić? – zdziwił się boleśnie.

– Dlatego, że nie będzie na to środków, ani czasu Maurycy – wyjaśniła mu spokojnie.

– Do kogo mówisz, do mnie czy do niego? – spytał znowu, wpatrując się szklistym, nagle niezupełnie obecnym spojrzeniem w przestrzeń za oknem.

– Do ciebie – powiedziała, spoglądając na niego z niepokojem.

– Będzie nas na wszystko stać, i na dzieci i na dom i na przyjemności. Zobaczysz! – obiecywał żarliwie, jakby nagle obudzony ze snu.

– Przecież ty w żadnej pracy nie jesteś w stanie wytrzymać dłużej niż pół roku. A jeśli rzucę sklep z artykułami metalowymi i z tobą zamieszkam, kolejno będą się rodziły dzieci, codziennie będziemy się ocierać do krwi w tej niechlujnej ciasnocie, aż się najpierw sobą znudzimy, a potem znienawidzimy. Nasze piękne córki i piękni synowie będą dorastać, wdychając to wstrętne czarne powietrze, przez które czasem nie widać nieba…

– Lena, o czym ty mówisz? – zaoponował bezradnie.

– O życiu, Maurycy, o życiu!

– Do kogo mówisz? Do mnie? Czy? ...

– Nie czytasz gazet? – zignorowała to kolejne, idiotyczne pytanie i swoje podejrzenie, że świadczy o jego szaleństwie. – Ten Anglik, który przyleciał samolotem do Łodzi nie mógł wylądować na Lublinku, bo nic nie było widać. Rozumiesz?

– Mogę malować. Zarobię dużo pieniędzy, kupimy dom za miastem...

– Może, może kupimy. Na razie mój drogi mam tylko osiemnaście lat.

– Mam czekać, aż dorośniesz i zmądrzejesz? – spytał niedowierzająco.

– Owszem – sama poczuła, że jej potwierdzenie było jakieś takie wymijające, jakieś takie nie do końca pewne, ale i tak jedyne, które przyszło jej do głowy. – Rozmawiałam z matką, też wie, że to nie jest najlepszy moment na zakładanie rodziny w mieście.

– A skąd ona z tej wsi może to wiedzieć? – rzucił ze złością.

– Czyta gazety, a poza tym... – chciała jeszcze coś dodać, ale zrezygnowała.

– Co za kobieta, ta twoja matka! Nie widziała mnie nawet! A przecież, na ogół, matki aż się trzęsą, żeby córki za mąż wyszły.

– Na ogół – zgodziła się.

Maurycy Klonowicz stoi pośrodku kuchni Maurycego Kwirama i wygląda jak sto nieszczęść. Nawet falujące zazwyczaj lekko włosy jakby się wyprostowały, piękne usta, często cynicznie, nieco wzgardliwie wygięte, które ją tak bardzo pociągają, teraz wyginają się w smutną podkówkę. Lena czuje, jak wyrasta między nimi niewidzialny mur, jak coś się zmienia i nawet wypowiadane w dobrej wierze słowa brzmią nieco sztucznie, wręcz nieprawdziwie, z jakąś nową, fałszywą nutą, jakby wcale nie chcieli ich wypowiadać, tylko jak aktorzy w teatrze, musieli. Pod presją, pomyślała, nawet głos wydaje się zupełnie inny, coś zaciska im gardła w ciężki węzeł, mówią, mówią i niczego sobie nie wyjaśniają. Wszystko robi się takie miałkie i nieważne, a przede wszystkim takie niewypowiedzianie smutne, takie smutne, choć jeszcze niby nic się zmieniło, a już jest jakoś obco, inaczej, bardziej bez sensu...

A on dalej stoi, aż w końcu łapie kapelusz i wybiega, nie żegnając się, wzburzony w najwyższym stopniu, ze skołatanym sercem, zupełnie jak jakaś śmiertelnie zakochana podfruwajka.

Lena wzdycha i stawia ciężki czajnik na kuchni. Podchodzi do okna i patrzy, jak kochanek pędzi na drugą stronę rynku, zapinając na wietrze płaszcz, jak z czarnej chmury, co przepływa nad miasteczkiem zaczyna padać śnieg z deszczem. A on wraca, patrzy w okno, unosi kapelusz w górę, skłania głowę w pokorze i skręca w lewo do postoju dorożek. Nawet, kiedy niknie jej z zasięgu wzroku, ona dalej widzi, jak wsiada do budy, rozmawia z dorożkarzem Tośkiem Hubą, co ma nos wielki jak kościelna klamka, policzki czerwone od zimna i wódki, i jedzie uliczką koło synagogi, albo może tą drugą obok kościoła ewangelickiego i dalej za miasto, w zacinającym grudniowym deszczu na stację kolejową.

Gotuje się woda, więc Lena parzy Kwiramowi mocną herbatę i dziwi się, dlaczego wszystko tak się między nią a Maurycym Klonowiczem zmieniło, dlaczego czuje tak intensywnie dziwną żałość, a jednocześnie jakąś lekkość, jakąś mrowiącą ostateczność. I jeszcze sama do końca nie jest świadoma, ale już czuje, że to koniec tej miłości. I tyle. Bo miłość może przyjść w jednej chwili i tak samo w jednej chwili odejść i wszystko, co było między dwojgiem ludzi cudownego, nagle robi się zwyczajne, a nawet nudne, a czasem sztuczne i całkiem zbędne i właśnie to się stało. A dlaczego? Nawet nie chce jej się na ten temat myśleć.

– Poszedł już? – spytał szeptem, otwierając nieoczekiwanie oczy Kwiram.

– Maurycy, wreszcie się pan obudził.

– Do mnie mówisz, czy do niego? – uśmiechnął się filuternie samymi kącikami ust.

– Słyszał pan wszystko. I co?

– Nie mam pojęcia.

– Ja też.

– To może małego pokerka? Już mi trochę lepiej – oznajmił, poprawiając się na poduszkach.

– Świetnie. Pokerek w sam raz na taką parszywą pogodę. Dorzucę tylko do pieca i skoczę po kawałek ciasta do cukierni.

Spotykali się jeszcze przez jakieś kilka tygodni, ale Lena coraz mocniej chciała się od Klonowicza uwolnić. Tak zaczęła jej jego nieustanna obecność ciążyć, kiedy postanowił ją odwozić do Łasku i czekał, kiedy kończyła pracę. Zaniedbywał swoje zlecenia, zalegał z czynszem, snuł się za nią z jakimś fatalistycznym smutkiem na twarzy. Kiedy przyjeżdżała do Łodzi, ciągnął ją na zielone tereny i pokazywał wille w pięknych ogrodach i opowiadał bajki o tym, że zarobi wielkie pieniądze i kupi dla nich taki właśnie dom. A ona uśmiechała się leciutko, ponieważ wiedziała, że ostatnio nigdzie nie pracował, a i tak miał więcej szczęścia niż inni, bo najął się na nauczyciela rysunku do bogatego fabrykanta, co miał córkę, która umyśliła sobie artystką zostać i tylko dlatego nie przymierał głodem. Jednak tym, co definitywnie zakończyło ich związek, było dążenie do tego, żeby jak najszybciej zaszła w ciążę. Najpierw starał się unikać prezerwatywy, a potem po prostu ją wyrzucił. Lena potraktowała to jako zamach na nią i wyraz najwyższej nielojalności.

Odepchnęła go lekko od siebie i szybko wstała ze skrzypiącego łóżka. Stała nad nim chwilę, wyprostowana, zupełnie naga, pozornie spokojna, ale z jakąś zimną furią w środku. Spróbował ją złapać za rękę, przekonany, że to tylko jakaś kolejna gra seksualna. Wyrwała się i cofnęła.

– Ubieraj się – powiedziała ostro, aż się spłoszył.

Sama błyskawicznie odziała się, nim zdążył zaprotestować.

– Czekam – stanęła przy drzwiach z torebką w ręku.

– Ale ... – szepnął zdezorientowany.

– Ubieraj się. Pójdziemy na tańce.

– Przecież wiesz, że nie mamy pieniędzy.

Dobrze wiedziała, ponieważ wydał wszystko trzy tygodnie wcześniej na wycieczkę do Wiednia, chcąc ją przekonać, że sobie wspaniale radzi. Wywołało to skutek wręcz odwrotny, uznała, że jest zupełnie nieodpowiedzialny. Chociaż dobrze wiedziała, że i tak nie miało to żadnego znaczenia jaki jest, to z wyjazdu nie chciała zrezygnować i pojechała na pierwszy w swoim życiu urlop. Wrócili całkowicie spłukani.

– Nie mówię o Malinowej ani o Manteuffelu. Dobre czasy się skończyły. Pójdziemy do jakiejś sali tanecznej za kilkanaście groszy.

On, ubierając się elegancko, chyba jeszcze nie wiedział, że to pożegnanie, taki ostatni taniec przed rozstaniem. Starannie dobrał koszulę i krawat, skropił dłonie wodą kolońską i przygładził włosy. Wyszli.

Szedł zadowolony i podniecony czekającą ich zabawą. Długo czekała na odpowiedni moment. Orkiestra tego wieczoru grała wprost oszałamiająco. W końcu, w jakimś wolniejszym tańcu powiedziała mu do ucha, że oto właśnie tańczą ostatni raz, ponieważ nigdy więcej nie zamierza się z nim spotkać. Zdjęła pierścionek z palca i wsunęła mu do kieszonki na piersiach. Maurycy jakby tego nie usłyszał, prowadził ją pewnie i z dużym poczuciem rytmu, zupełnie jakby nie padły te słowa ostateczne.

– To mówiłaś, że dokąd pójdziemy w przyszłym tygodniu? – zapytał wreszcie.

– Nigdzie już nie pójdziemy... razem.

– Mylisz się, moja droga – powiedział tonem, który ją przeraził.

– Nie mylę się. I nie mów do mnie w ten sposób. Dzisiaj nasze drogi rozchodzą się definitywnie.

– Tak nie może być – powiedział niezwykle łagodnie, ale tak, że Lenie zamarło naraz serce. – Za miesiąc bierzemy ślub, najwyższy czas kupić białą suknię i powiadomić rodziny.

– O czym ty mówisz? Dopiero co poinformowałam cię o naszym zerwaniu. Nie zamierzam za ciebie wychodzić ani teraz, ani nigdy! Puść mnie – usiłowała wyswobodzić się z jego ramion, ale trzymał mocno. – Maurycy! Opamiętaj się!

– Mówisz do mnie, czy do niego? – spytał.

Spojrzała mu w oczy, i widząc tę samą pustkę, co wtedy, kiedy przyjechał do Łasku, targany zazdrością o starego aptekarza, zapragnęła uciec przed nim na drugi koniec świata.

– Puszczaj! – syknęła.

– A dokąd to się panna Eleonora wybiera tak gwałtownie?

Nie poznawała go zupełnie, kiedy więc wziął ją twardo pod łokieć i chciał wyprowadzić z sali przez rozochocony, rozbawiony tłum, krzyknąwszy rozdzierająco, ze wszystkich sił wbiła mu kolano w krocze. Zgiął się w pół jak podcięta lilia, czarne włosy opadły na pobladłą gwałtownie twarz. Puścił ją odruchowo, a ona nie czekając, aż wróci do siebie, odwróciła się na pięcie i przepychając się wśród par, ruszyła ku wyjściu.

– Zatrzymajcie ją – zawołał słabym głosem. – Coś mi ukradła!

Najbliższe osoby stanęły zaniepokojone. Mężczyźni sprawdzili swoje kieszenie.

– Co? Co ukradła? Zatrzymać ją? – dopytywał się napakowany jegomość z wypomadowanymi włosami.

– Serce! Serce mi ukradła! Złodziejka!

Lena poczuła się wolna jak ptak, kiedy biegła, stukając obcasami na dworzec autobusowy. Z czasem przekonała się jednak, że Klonowicz ją obserwuje. Dosyć dyskretnie, ale i tak czuła jego obecność w najbardziej nieoczekiwanych chwilach.

– I co ja mam robić? – pytała starego przyjaciela.

– Nie mam pojęcia – Kwiram bezradnie rozkładał ręce. – Przejdzie mu z czasem.

– To już pół roku od tamtej potańcówki, a jemu wcale nie przechodzi. Boję się go.

– Nic nie robi, tylko niekiedy wydaje ci się, że cię obserwuje.

– Widuję go, kiedy wychodzę po pracy ze sklepu. Nie zawsze zdąży się schować w mroku za rogiem. Wygląda jak szaleniec. To zupełnie inny człowiek, niż ten, którego poznałam przed kliniką lalek. Teraz jest zaniedbany, jakby trawiony gorączką, włosy w strąkach… Obrzydlistwo.

– Dość dobrze mu się przyjrzałaś w ciemnościach.

– Wczoraj. Mój pryncypał wysłał mnie do Łodzi, żebym coś załatwiła. Najpierw tylko mi się wydawało, więc postanowiłam sprawdzić i wpadłam do cukierni. Wiedziałam, że jest tam ogródek, byliśmy tam kiedyś na kawie, pamięta pan, przy Piotrkowskiej. Tamtędy mu umknęłam i sama zaczęłam za nim iść. Wtedy dokładnie mu się przyjrzałam. Zaszłam nawet do tej kliniki i porozmawiałam z tym jego znajomym, co lalki naprawia. Powiedział, że źle z nim, że o niczym innym nie rozmawia, nie myśli, tylko o mnie. Czasami dobrze, a czasami odgraża się. Ten lalkarz mówił, żebym na siebie uważała, ponieważ Maurycy podobno wie o mnie wszystko.

– I co teraz?

– Powinnam zniknąć na jakiś czas.

– Co z oczu to z serca.

– Tak mówią, ale nie mogę zostawić pracy – zastanowiła się. – Posiedziałam w tej klinice i popatrzyłam, co oni tam robią. Przypomniało mi się, jak w dzieciństwie uczyłam się od matki szyć i jak pocięłam rosyjski mapnik, żeby zrobić wykrój fartuszka. Te lalki takie gołe niektóre… Zaproponowałam, że mogę im szyć ubranka. I wie pan co? Zgodził się. Zawsze będzie jakiś dodatkowy grosz.

– Świetny pomysł i tak często jeździmy do Łodzi.

– Właśnie. Tylko, co z moją pracą?

– Weź wolne na jakiś czas. Potem wrócisz.

– Tu przyjdzie. Będzie pana nagabywał. Jest też podobno za-
zdrosny. Powinnam całkiem zniknąć. Może do siostry?

Szaleństwo Maurycego Klonowicza, zamiast przygasać, roz-
wijało się jednak coraz bardziej. Mimo, że Lena zniknęła na całe
dwa miesiące, to po jej powrocie, pojawił się nagle jak spod ziemi,
jeszcze bardziej zapuszczony, owładnięty jakąś gorączką, wciskał
jej pierścionek zaręczynowy przez ladę w sklepie metalowym, kiedy
wychodziła do sklepu po sprawunki i kiedy jechała coś załatwić.
W końcu, któregoś dnia nie wytrzymała i na przystanku, gdzie czekała na autobus odwróciła się do niego i trzasnęła w twarz z całej
siły, aż zabolały ją palce, a na jego bladym policzku pojawiła się
czerwona plama.

– Odczep się ode mnie. Zatruwasz mi życie. Rozumiesz? Nic
z nas nie będzie. Odejdź na zawsze, zanim cię znienawidzę i każde
wspomnienie o nas będzie wywoływało wstręt. Odejdź, umyj się, bo
śmierdzisz. Zadbaj o siebie. Znajdź sobie jakąś milutką dziewczynę,
zanim do końca zwariujesz – wysyczała mu prosto w cierpiące oczy.

– Ale ja kocham ciebie! – jęknął. – Tylko ciebie i nikogo innego!

– Nie wrócę. Nigdy. Odejdź i nie pokazuj mi się na oczy, zanim… – zawiesiła złowrogo głos.

Podjechał autobus, szybko wsiadła, patrzyła jak stoi ten obcy,
nieszczęśliwy człowiek, teraz cień tamtego, beztroskiego kochanka,
pięknego jak sam grzech i serce ściskało jej się ze smutku, kiedy
malał w oddali, nieporuszony, zastygły w bólu.

Widziała go wtedy ostatni raz. Nawet lalkarz, do którego jeździła po zamówienia na ubranka, nie wiedział, dokąd wyjechał,
a ona sama wcale nie chciała tego wiedzieć.

Przez jakiś czas nie miała ochoty na jakiekolwiek wiążące,
bliskie związki.

Odprowadziła Amelię na dworzec kolejowy i wracała, trochę

naokoło do domu. Jarzębiny czerwieniły się już na drzewach i syte lato miało się ku końcowi. W torebce miała czekoladę oraz gałki muszkatołowe, z których zamierzała zrobić ciasto według najnowszego przepisu siostry. Obietnica jego zapachu, niezwykłej smakowitości, napawała ją przyjemnym zadowoleniem. Przechodziła obok kościoła i usłyszała nagle słowa jakiejś skocznej piosenki. Zajrzała do środka. Na rusztowaniu stał mężczyzna, mieszał coś w wiadrze i śpiewał na całe gardło. Poznała go od razu. To Józef, który wróciwszy z dalekich powojennych peregrynacji, zajął się malowaniem kościołów i okolicznych dworów. Spojrzała w górę z ciekawością. Natychmiast, nie wiadomo nawet jak, znalazł się obok niej, pytając, czym może służyć tak nadobnej dziewczynie. Zdjął upstrzony malowniczo kapelusz i odsłaniając tym samym wysokie, myślące czoło i opadające na nie proste, jasne włosy. Inteligentne i spokojne oczy patrzyły na nią badawczo i z rezerwą, co od razu jej się spodobało, ponieważ miała dosyć cielęcych spojrzeń idiotów, zakochanych w niej od pierwszego wejrzenia.

Zajrzałam z ciekawości – wyjaśniła – ponieważ ładnie pan śpiewa i jak widzę, robi coś interesującego.

Zaprosił ją na rusztowanie i pozwolił wykończyć złoty wzór na szacie świętego, maleńkim pędzelkiem. W kościele pachniało świeżą farbą i woskiem, a ona wyobrażała sobie również zapach czekolady, muszkatu i goździków, nakładając pozłotę ostrożnymi pociągnięciami, zupełnie tak, jakby malowała sobie oczy. Niewysoki mężczyzna milczał obok, zajęty swoją pracą. Był od niej znacznie starszy, ale miał w sobie młodzieńczy szarm. Coś, co mają czasem nawet niektórzy starsi panowie, jak na przykład Kwiram, jakiś taki chłopięcy urok, co nigdy nie przemija.

Ciągnęły się również za Józefem pogłoski o jakiś tajemnicach wojennych i powojennych, przygodach w innych odległych miejscach, małżeństwach i kochankach, co wcale Leny nie niepokoiło, a wprost przeciwnie, intrygowało i cieszyło, że nie był otwartą księgą. Miał swoje tajemnice, które będzie można pewnego dnia posiąść.

Jak się później okazało, miał zwięzłe, gładkie, prawie bezwłose ciało, które działało na Lenę wręcz hipnotycznie. Od tej chwili, w kościele zawsze pachniało muszkatem, woskiem i świeżą farbą. I chociaż czasami w ciągu tych wszystkich lat, które miały nastąpić, chciała uciec od niego tak samo jak od Maurycego Klonowicza, kiedy ją irytował, a przepaść między nimi stawała się coraz głębsza, pamięć tych zapachów trzymała ją mocniej niż wszelkie inne więzi.

WOJNA

Eleonora Pstrońska nie skończyła jeszcze trzydziestu lat, kiedy wybuchła druga wojna w jej życiu. Patrzyła zaniepokojona i zaciekawiona na dywizyjną kompanię kolarzy, przybyłą do Łasku 29 sierpnia na rowerach zarekwirowanych przez policję na ulicach Warszawy. Kolumna skierowała się na Widawę. Lena postanowiła zrobić zapasy świec i soli. Przy okazji pojawiły się jakieś mgliste wspomnienia z wczesnego dzieciństwa.

Firma malarska Józefa nie miała prawie zleceń i Lena zaczęła handlować wódką. Weszła w spółkę z Kazimierzem Zawidzkim i na trudno dostępnych terenach jego dóbr, w ukrytej na bagnach szopie, zaczęli pędzić bimber. Destylowali wszystko, co się dało. Ściągnęli nawet gorzelnika z zajętej przez Niemców wytwórni. Sprzedawali na targowiskach i do knajp. Interes okazał się złotą żyłą, która pozwoliła Jareckim przetrwać wojnę. Jeżdżąc po okolicy Lena poznała każdą ścieżkę, każdą dziurę i przekonała się, że dzięki wódce można załatwić i kupić niemal wszystko.

W domu prawie nie bywała, zostawiając Józefa i córeczkę, maleńką Ludkę, samym sobie. Wpadała tylko z aprowizacją i wydawała mężowi dyspozycje, nie bardzo nawet wiedząc, co porabia całymi dniami. Zdziwiła się tylko, kiedy pewnego dnia wróciła i zastała w ich ciasnej kuchni drugą dziewczynkę, wychudzoną i prawie przezroczystą z niedożywienia, o bladej, chorej twarzy i czarnych płonących gorączką oczach. Józef karmił ją, nabierając na koniec łyżeczki odrobinę kaszki manny i cierpliwie czekał, aż lekko otworzy usta. Skąd ją wziąłeś, spytała cicho, przytulając Ludkę.

Nie odzywał się długo, długo, aż właściwie nic nie musiał mówić, tylko spytała, czyja? Wzruszył ramionami, ignorując jej pytanie, ma na imię Sara. Zabiją nas tak jak Nowaków, szepnęła. E, tam, machnął lekceważąco łyżeczką, aż kaszka upadła na deski podłogi, są prawie identyczne nasza i ona. Zwariowałeś? Nie. A dasz radę? – pytała dalej pełna wątpliwości, ja nie mam czasu, wiesz przecież, coś musimy jeść… a ty pić. Nie musiałaś, szepnął z cierpieniem w głosie. To małe miasteczko, każdy nas zna, bezradnie rozłożyła ręce. Przeprowadzimy się gdzieś niedaleko. Nic nas tu nie trzyma. Pokazywać się możemy raz z jedną, raz z drugą. Jakoś to będzie, dodał, patrząc na nią błagalnie.

Gdzieś tak pod koniec wojny, po ciężkiej infekcji, która dopadła ich wszystkich, długo nie mogła dojść do siebie i słabość taką osobliwą czuła. Myślała, że to pewnie od lichego, wojennego jedzenia i nawet się nie przejęła. Zima była wtedy taka sroga i śnieżna. Wracała skądś, kaszel ją męczył i coś się jej w ustach zbierało. Szła i pluła, jeszcze się zachwycając świeżą czerwienią na białym śniegu. I wtedy zaczepiła ją sąsiadka z dołu.

Ty Eleonora, to się tak nie ciesz, jak gówniara, tylko do lekarza leć w te pędy, leć, prześwietlenie se zrób, zrób najszybciej jak możesz, zrób, bo taka krew i kaszel to nic dobrego nie wróżą, więc leć, natychmiast leć. Młoda jesteś, taka młoda, szkoda, oj, jaka szkoda, a taka solidna jesteś, więc leć do lekarza, może się jeszcze uratujesz. Ino migiem leć…

No to poszła, a on ją wysłał na prześwietlenie do Pabianic. Pojechała pociągiem, bo nawet specjalną przepustkę na tę okazję od Niemców dostała, pierwszy raz legalną. I tam, ten radiolog, taki stary doktor, ale z tych krzepkich, z kozią bródką, nie za wysoki, pamięta jak dziś, bo patrzyła na niego z góry, obejrzał zdjęcie jej płuc i złapał się za głowę tak gwałtownie, że mu te małe, staroświeckie okularki z nosa zleciały. Byłyby się rozbiły w mak, ale ona je złapała nad samą posadzką biało-czarną, jak to w przychodni. On też się schylił odruchowo, wziął je do ręki i podnosili się oboje, patrząc sobie w oczy. I zobaczyła w tych jego oczach współczucie i żałość, kiedy patrzył na nią i nie musiał już nic mówić, bo wyczytała wyrok na siebie. Pani tu rzuci okiem, powiedział szorstko, próbując zatuszować żal, że takie ciało jak jej, pójdzie do piachu. I to było najdziwniejsze, że wiedziała, co tamten czuł, całą gamę – od bezradności po wściekłość, że jej nie może pomóc, aż po wielki smutek. Jeszcze nigdy nie zdarzyło jej się, tak po prostu wszystko wiedzieć o drugim człowieku. Pani tu rzuci okiem, powtórzył i zupełnie niepotrzebnie, bo przecież słyszała doskonale, ale doktor musiał sobie dać czas, więc cierpliwie czekała, żeby jej powiedział to, co i tak już wiedziała. To było trochę jak na filmie, który się oglądało kilka razy, każdy musi wypowiedzieć swoją kwestię. Potrząsał wielką kliszą i poprowadził ją do okna, pani rzuci okiem na swoje płuca, same dziury, same dziury. To naprawdę nie do wiary, że pani z tak zaawansowaną gruźlicą jeszcze tak wygląda, powiedziałbym kwitnąco, no może trochę pani blada, ale te policzki zapadnięte, to nawet dodają uroku, lekko dekadenckiego, ale jakże pociągającego z tymi cieniami pod błyszczącymi oczyma. Tak się rozgadał ten niewielki doktor. Spytała, czy jest jakiś lek na tę gruźlicę, spytała tak retorycznie, bo przecież wiedziała, że wojna i tak dalej. On długo się nie odzywał, ale w końcu powiedział, że w tym stadium choroby to nic nie pomoże, żadne leki, że sprawa jest terminalna i żeby starała się przeżyć te ostatnie miesiące, może nawet tygodnie możliwie najprzyjemniej. Spytał, czy ma dzieci, po czym ucieszył się, że córkę właściwie widuje rzadko, więc nie zarazi jej. Dzieci, powiedział, nawet te trochę starsze, bardzo są narażone na chorobę, tylu ludzi teraz zżera ten paskudny prątek *mycobactrium tuberculosis*. Zaskoczyło ją, że tak pięknie się nazywa to, co ją uśmierca w każdej minucie, zupełnie jak jakiś kwiat egzotyczny. Kamień jej z serca spadł i pierwszy raz się ucieszyła, że zajmuje się Ludką mniej, niżby chciała. I co, już żadnej nadziei? Niestety, przykro mi, tak powiedział, że mu przykro… I już nic? Nie będę pani zwodził, tak mówił. Trzeba przyznać, że miał bardzo nowoczesne poglądy, żeby nie taić prawdy przed pacjentem, że człowiek powinien wiedzieć, co go czeka w najbliższej przyszłości, żeby wszystko pozałatwiać, przygotować siebie i rodzinę. Tego się na ogół nie wie, ale tu jak raz on, doktor wie, więc dzieli się swoją cenną wiedzą. A oprócz tych leków, które mi już nic a nic nie pomogą, to co jeszcze się na ogół bierze przy tej chorobie, panie doktorze? Tran, powiedział, ale takim tonem, że mógł równie dobrze dodać, pomoże jak umarłemu kadzidło. Tran, upewniła się trochę mocniejszym niż przez ostatnie minuty głosem. Tran, potwierdził, więc mu podziękowała i wyszła, odprowadzana jego uroczystym, pożegnalnym wzrokiem. Przez mrowienie na karku od tego spojrzenia, poczuła się jak na własnym pogrzebie, ucieszona swoją zachowaną jeszcze świadomością, której na prawdziwym pogrzebie mogło jednak nie być, bo przecież nie wiadomo, jak jest po. Równie dobrze może nie być nic. Nawet jej nie umówił na następną wizytę. Widocznie uznał, że nie jest potrzebne, kolejne zdjęcie jej zrujnowanych płuc. Spisał ją, choć ze szczerym żalem, na straty.

Nie pamięta swojego przerażenia, a przecież musiała się bać, wracając do miasteczka koleją. Po drodze wstąpiła do apteki i kupiła największą jaka była flaszkę tranu i na ulicy walnęła sobie z gwinta od razu pół, aż się ludzie oglądali, myśląc pewnie, że pijaczka. Musiała nią wstrząsnąć rybia ohyda tego wojennego tranu, musiała, ale nie pamięta tego zupełnie. Patrzyła na ośnieżone pola, a na ten obraz nakładały się migawki z życia. Płonący wężowy stóg, mężczyźni, których kochała, ojciec, babcia… I co, zadawała sobie pytanie, czyżby to już wszystko, już nic więcej poza ciężkim umieraniem na płuca jej nie czeka? Jak to możliwe? Pytania, pytania, ale żadnej rozdzierającej rozpaczy, łez i histerii, raczej oszołomienie i niedowierzanie, że jej doskonałe ciało niedługo zacznie niedomagać, a właściwie już zaczęło, ale na razie daje tylko piękne znaki w postaci krwawych róż na śniegu.

Piła tran na okrągło, biegała do apteki i kupowała butelkę za butelką, popijała przez cały dzień, wypacała każdym porem skóry, śmierdziała rybą i była śliska od tłuszczu. Bawiła ją myśl, że gdyby się chciała kochać z Józefem, nic by z tego nie wyszło, ponieważ wyślizgnęłaby mu się z ramion, tłusta i lśniąca. Postanowiła jednak go chronić przed chorobą, przecież i tak miał tę swoją malarię, ale chodziła za nią wizja takich lepkich, podniecających zbliżeń. Założoną rano czystą bieliznę, już koło południa trzeba było zmieniać na świeżą, bo szarzała i nieprzyjemnie pachniała. Trudno ją było doprać z tłuszczu, który się tak dobrze trzymał, ale postanowiła nie umierać na gruźlicę i ta cena, cena zapranej na śmierć, paskudnej bielizny, nie wydawała się w tej walce z chorobą wygórowana. Włosy na tym też cierpiały, tłuste strąki, zaledwie dwie godziny po myciu, zwisały z głowy, a zawinięte w kok, błyszczały jak te żmije, co Staśka Dudę uśmierciły.

Minęło pół roku, a ona nie umierała i wcale jej to nie dziwiło. Przestała pluć krwią i kasłać. Z powrotem miała siłę i ochotę na wszystko. Postanowiła wybrać się do Pabianic, żeby spytać doktora, co dalej, skoro jak dotąd, nie umarła. Wzięła zapasową bieliznę i pojechała pewnego pięknego, letniego dnia.

Poznał ją od razu i zdziwił się, że jeszcze żyje. Oczywiście nie powiedział nic takiego, był przecież kulturalnym człowiekiem, ale wystarczyło na niego popatrzeć, jak mu się brew lewa uniosła w górę, aż do połowy czoła, jak poprawił swoje okularki, zbyt gwałtownie i jak znowu zleciały na czarno-białą posadzkę, ona je oczywiście znowu złapała odruchowo, zawsze miała taki dobry refleks. Mrucząc pod nosem przeglądał kliszę, popatrując na nią niedowierzająco, kręcił głową, takie rzeczy się nie zdarzają, ale dlaczego, zadawał sobie pytanie, powinny się zdarzać częściej,

częściej, częściej. Pani tu zerknie, pani Eleonoro, powiedział do niej po imieniu, tam gdzie miała pani rzeszoto zamiast płuc, wszystko się zwapniło, wszystko! To prawie cud, podszedł do okna, żeby w jasnym świetle przyjrzeć się obu zdjęciom i porównać. Jest pani wyjątkowym przypadkiem, naprawdę wyjątkowym, gratuluję, naprawdę gratuluję. Czy dalej muszę żłopać tran, spytała. Oczywiście, że nie, roześmiał się do niej serdecznie. Proszę się napić dobrego wina, za swoje zdrowie.

Wyszła od niego taka lekka, taka szczęśliwa i życie nabrało jeszcze mocniejszych kolorów. Poczuła wielki głód i wielką żądzę. Stała na ulicy i zastanawiała się, co zrobić z tak pięknie zaczętym od nowa życiem i dniem, bo była jeszcze wczesna godzina. W końcu postanowiła pojechać pod Krzucz.

I wszystko byłoby wspaniale, gdyby nie choroba Ludki. Ta sama, która jej o mało nie zabiła…

PO WOJNIE

Po wojnie nic nie wróciło na swoje miejsce. Nic a nic. Gospoda, którą zaczęła zarządzać Eleonora Jarecka jakoś dawała sobie radę, ale dobrze, że jej goście nie wiedzieli, skąd pochodziło mięso na bitki, zrazy i sznycle w pierwszych tygodniach działalności, czyli zaraz po wyzwoleniu. Było ciężko. A ciesząc się z nowego domu, nie mogła nie myśleć o jego właścicielach i o tych wszystkich sąsiadach z miasteczka, którzy nie wrócili. Co leciała do pracy, to patrzyła na opustoszałe po raz wtóry domy i w oczach stawały obrazy z wojny, których wcale, ale to wcale nie chciała oglądać.

Ledwo wiązali koniec z końcem. A jeszcze Józef, co i rusz, chciał wracać na stare śmieci. Nie chciał mieszkać po Niemcach, ani po tych, których ci wyrzucili w trzydziestym dziewiątym – Blumach. Na szczęście znalazła szybko kupca na ich domek i właściwie problem sam się rozwiązał, bo niby dokąd mieli teraz wracać?

Potem co prawda, rzeczywiście zrobiło się tak, że znowu Józef miał rację. Pewnego wieczoru, ktoś delikatnie zastukał… Zastukał to nie jest dobre określenie, raczej było to skrobanie tak cichutkie, że zrazu myśleli, że to mysz, ale nie, zbyt regularne, przemyślane i Józef wyszedł z kuchni na korytarz, ona za nim, a tam za szybą jakieś widmo niewyraźne, zgarbione, jakby nie do końca cielesne. Duch, tak sobie pomyślała, ale już Józef drzwi szeroko otworzył i tak samo ramiona. A ona wygląda zza jego ramienia i kogóż widzi? Starego Jakuba Bluma, a właściwie ledwie widoczny cień człowieka, który był kiedyś Jakubem Blumem.

I wtedy, Panie Boże, wybacz grzesznej, że zamiast się ucieszyć, w pierwszej chwili zatrwożyła się, że ich teraz Blum ze swojego domu wyrzuci, albo coś jeszcze gorszego... Patrzyli sobie w oczy ponad ramionami Józefa, który pomagał mu zbierać z podłogi jakieś tobołki i próg przekroczyć. Patrzyli sobie z Jakubem w oczy i czuła się tak, jakby całą jej pazerną duszę miał na dłoni, aż się na siebie zezłościła, za tę marność swoją, więc ją zdusiła. Niech będzie, zmiotła pod dywan i przywitała Jakuba jak mąż, z otwartymi ramionami i autentycznymi łzami w oczach, że przeżył obóz Auschwitz-Birkenau, chociaż wyglądał jak duch, obciągnięty skórą szkielet z gorejącymi mądrością i rozpaczą oczami.

Posadzili go ostrożnie jak porcelanowy, cenny spodeczek przy piecu. Pomogli zdjąć łachmany i milczeli. Co mogli powiedzieć, że tu są, ponieważ nikt z Blumów nie wrócił? Nadzieja w jego wzroku gasła i zapadł się w sobie jeszcze bardziej. Błyszczące oczy zmatowiały.

– Jeszcze za wcześnie – pocieszył go Józef. – Ludzie dopiero wracają. Trzeba cierpliwie czekać.

– Nie mam czasu czekać – odpowiedział głucho.

Stała przy piecu i odgrzewała kartoflankę. Nalała do talerza, ale Jakub nie miał ani siły, ani chęci podnieść ręki z łyżką, więc prawie natrętnie wlała mu do ust parę łyżek zupy z rozgniecionymi ziemniakami, cały czas myśląc, co będzie dalej. Właściwie nie nadawał się do życia i nie wiadomo, jakim cudem udało mu się wrócić do domu. Może to była nadzieja, a może coś zupełnie innego... Nie zastał jednak nikogo, kto mógłby za niego odmówić modlitwę.

Dygotał, zupełnie jak Józef w nawrocie malarii, więc pobiegła po doktora Straussa, który od jakiegoś czasu pojawił się z powrotem w miasteczku.

Zanieśli Bluma do łóżka. Była taka silna, dojrzała i wstydziła się swojej potęgi i zdrowia przy zniszczonym Jakubie. Nawet suchoty jej nie wykończyły. Dała im radę, więc czuła się wręcz zażenowana tym swoim prawie zwierzęcym ciałem. Przełykała ślinę, patrząc na jego zmaltretowany szkielet obciągnięty szarą skórą. Nie mogli uwierzyć, że jeszcze dycha.

Jakub powiedział do doktora, żeby go zostawił w spokoju, bo chce umrzeć.

– Jak to chcesz umrzeć? To grzech! – surowo powiedział Strauss.

– Nie pierdol Strauss, przecież nigdy nie wierzyłeś w Boga – wyszemrał w odpowiedzi trochę niegrzecznie Blum.

Doktora jednak ta obraźliwa uwaga wyraźnie ucieszyła.

– A ty nigdy nie bluźniłeś!

– Wojna zmienia ludzi – powiedział Jakub patrząc w sufit, a ją uderzył banał tego stwierdzenia.

– Właśnie – zgodził się Strauss.

Mimo, że Blum umierał, Lena i Józef postanowili utrzymać go przy życiu za wszelką cenę. On, ponieważ to było oczywiste, ona, ponieważ chciała sobie udowodnić, że jest w stanie opanować swoją żądzę posiadania. Karmiła go tak natrętnie, przynoszonymi z gospody, specjalnie dla niego gotowanymi bulionami, delikatnymi zupami jarzynowymi, gotowanym drobiem, że po jakimś czasie ją znienawidził. Tolerował jedynie Józefa i Ludkę, która tak bardzo przypominała mu ukochaną córkę Sarę, że czasami mówił do niej.

– Zaśpiewaj mi, Saro!

– Mam na imię Ludka – trochę przestraszona, poprawiała go, mrucząc pod nosem, ale tak, żeby jej jednak nie usłyszał i śpiewała: – Pachną kwiaty, aromaty, hej w oddali słońce pali, cukierasy, ananasy, góry, lasy hejże hej...

Eleonora wykorzystywała jego chwilowy brak poczytalności, wiarę w iluzję, że Ludka jest Sarą i choć napawało ją to głębokim niepokojem, przybiegała z jedzeniem.

Strauss miał z nią umowę i przychodził prawie codziennie. Mimo jego opieki, Jakub Blum nikł w oczach. I choć ciało było straszliwie wyniszczone, najbardziej chorowała jego dusza, złe sny nie dawały w nocy spać i nawet w dzień przesuwały się przed jego wymęczonymi oczami jakieś koszmary, o których nie chciał mówić.

Któregoś wieczoru Józef poszedł do Czesława po papierosy. W ciemnej uliczce jaśniały uchylone drzwi trafiki.

– Dlaczego nie idziesz do domu? – spytał przyjaciela. – Wszyscy już pozamykali. Świecisz tylko ty i gospoda Leny.

– Strasznie pusto jest w domu wieczorami.

Józef współczująco rozłożył dłonie.

– Tutaj chociaż ktoś przyjdzie. Najczęściej spóźniony gość z gospody po fifkę, papierosy albo tytoń. Wtedy dopiero można sobie porozmawiać poważnie i od serca, bo w dzień każdy się spieszy – przyjrzał się przyjacielowi uważnie, trąc w zamyśleniu kikut ręki przez wyświecony rękaw marynarki. – Źle wyglądasz.

– Jakub krzyczy po nocach.

– Niedobrze, niedobrze – trafikarz podniósł pusty rękaw zdrową dłonią i animując nim narzekał, użyczając mu swojego basowego głosu brzuchomówcy. – Biedny, stary Blum został sam jak palec, a wielką miał rodzinę. Córki, takie urodziwe Żydówki i syn, jakże bystry i do interesów zdatny, jeszcze poezje pisywał, a wnuki, ach! Ach, jaki żal, jaki wielki żal! – biadał Rękaw Czesława.

– Słuchaj – ożywił się sam Czesław, nagle coś sobie przypominając. – Dzisiaj rano wpadł po tytoń taki chłopina gdzieś spod Buczka i mówił, że u nich od wojny chowa się chłopak, którego już nie mogą utrzymać, bo rwie się rodziny szukać, choć jego żona, co się nim opiekowała, nawet nie chce słyszeć o rozstaniu. Ale on się boi, że dzieciak sam precz pójdzie i coś złego mu się stanie, a szkoda by było, skoro już tyle złego przetrwał. Rozpytywał zatem, poczekaj, zapisałem nazwisko, ale na pewno nie Blum, może jednak coś wiedzą o jakimś Blumie, tam, gdzie się ten ich – wyciągnął kartkę z szuflady – Abraham Kociołek przechował. Mogę spytać, jak się jeszcze raz pokaże.

Józef zerwał się na równe nogi, krzyknął ze szczęścia i pobiegł w kierunku kościoła.

– To jego wnuk – rzucił tylko przez ramię. – Nie odchodź. Zaraz wracam i stawiam w gospodzie.

– Stawia! Józef stawia na okoliczność cudownego ocalenia jakubowego wnuka Abrahama – ucieszył się Rękaw.

I wtedy, kiedy Abraham okazał się rzeczywiście synem najstarszej córki Racheli z domu Blum, co wyszła za wielce pobożnego Żyda Kociołka z Pabianic, stary Jakub postanowił nie umierać. Natychmiast wysłał Lenę na wieś po wnuka, nawet sam zamierzał się wgramolić na bryczkę, wypożyczoną od Zawidzkiego, choć ledwie trzymał się na nogach. Józef i doktor Strauss prawie siłą położyli go z powrotem do łóżka, tłumacząc, że może nie przeżyć tej podróży. Pstrońska przywiozła wysokiego, ponurego chłopaka prawie nad ranem. Cieszył się ze spotkania z dziadkiem, ale i tak rozstanie ze starszą kobietą, która go wychowywała przez całą wojnę, okazało się ponad jego siły i było tak rozdzierające, że jeszcze chwila i Lena po prostu by tego nie zniosła, a potem chciała o tym jak najszybciej zapomnieć. Jeszcze stojąc na progu wiejskiej chaty krytej strzechą, Abraham kiwał się to w stronę bryczki, odbijającej się ciemno od piaszczystej i srebrnej od księżyca piaszczystej drogi, to w stronę wnętrza, rozjaśnionego jedynie lichą świeczką i przybranej matki, co skuliła się przy samych drzwiach, przygięła do dołu i wyglądała jak przetrącona kukiełka z tymi swoimi spracowanymi, czarnymi dłońmi, nienaturalnie wydłużonymi, gdzieś w okolicy kolan, co nie miała już siły płakać. Patrzyła tylko niemo i zachłannie na to dziecko, co je już zaczęła uważać za swoje, co było darem, cudem, a teraz znika z jej życia na zawsze i nic nie może tego powstrzymać. On wracał do niej ze trzy razy i ściskał, a ona go głaskała po czarnej głowie, aż w końcu koń parsknął niecierpliwie i chłopak wskoczył do bryczki desperacko, a Lena ruszyła natychmiast, żeby ich obojga już nie męczyć tym rozstaniem. Przy płocie stał mężczyzna i wyciągnął rękę na pożegnanie.

Spotkanie wnuka z Jakubem też nie było takie znowu słodkie, jakby się z początku wydawało. Stary i chory, dręczony złymi snami dziadek przerażał Abrama. Lena zobaczyła jak pewnego dnia, po kolejnej upiornej dla wszystkich nocy z wzywaniem Straussa, podawaniem leków, chłopak spakował swój worek i zdecydowanym krokiem ruszył do drzwi. Stała jak skamieniała w ciemnym załamaniu korytarza i patrzyła, zupełnie nie wiedząc jak zareagować, kiedy z łazienki wyszła Ludka. Zbliżyła się do Abrama i wszystko od razu zrozumiała. Pokiwała ciężko głową i coś mu cichutko powiedziała, ale choć matka wytężała słuch ze wszystkich sił, nic nie dosłyszała. Za to w ruchu jego niezdecydowanych ramion zobaczyła znowu tę samą walkę, co kilka dni wcześniej na wsi. Skulił się w sobie i przez chwilę wyglądał zupełnie tak samo jak ta jego przybrana matka. Lena zrozumiała, że gdyby nie córka, ona sama nie zdobyłaby się na zatrzymanie chłopaka, który został tylko dzięki Ludce. Dzieci zaprzyjaźniły się ze sobą, co ją bardzo zmartwiło, ponieważ wiedziała, że Abrahama będzie czekało kolejne rozdzierające pożegnanie, a wyjątkowo wrażliwa córka również boleśnie je odczuje.

— Lena, wyjeżdżamy, a dom sprzedam! — powiedział, półleżąc na łóżku w największym pokoju od ulicy.
— A dokąd to? — spytała z rezygnacją.
— Jak to dokąd? Do Izraela! Lena, ale ty się nie martw, ty się wcale nie martw. Dom ja sprzedam tobie — wycelował w nią sękaty paluch..
— Nie mam pieniędzy.
— Dogadamy się.
— A ile chcesz? — ożywiła się. — Tak tylko pytam — szybko udało jej się ukryć ekscytację i przybrała zrezygnowany ton — z ciekawości. Bo przecież nie mam. Sam wiesz, jak się żyje. Ciężko — jej twarz zmieniła się nie do poznania w maskę udręczonej nieszczęściami i głodem niedojdy.
— Jeszcze nie wiem. Muszę się rozejrzeć — spoglądali na siebie szacująco, spod przymkniętych niewinnie powiek.

– Jakub! – przekonywał Józef. – Przecież ty nigdy tam nie byłeś. Tam wszystko jest inne. Piach, kamienie, koszmarnie gorąco.

– To dobrze – ucieszyła się Lena. – Będzie mógł otworzyć nową wytwórnię wód gazowanych!

I właśnie dlatego, z potrzeby zdobycia pieniędzy postanowili z Zawidzkim jeździć na ziemie odzyskane, bo Jakub Blum podał wreszcie cenę za dom. Rzeczywiście, nie była jakaś specjalnie wygórowana, ale dla zasady Eleonora się targowała, choć i tak nie mieli ani grosza oszczędności. Wszystko szło na utrzymanie dwóch rodzin, razem pięć osób, w tym jedna, Blum, wymagająca szczególnej troski.

Józef mówił: Trudno Leno, Jakub będzie musiał znaleźć innych kupców na swój dom.

– Jak to innych? – nie mieściło jej się to w głowie. – Kto to kupi? Kto ma takie pieniądze i kto wreszcie zaryzykuje, żeby kupić coś, co mogą mu zaraz odebrać?

– A ty, ty jesteś gotowa zaryzykować?

– Ja zawsze jestem gotowa ryzykować – nieodmiennie odpowiadała Lena. – I chcę mieć ten dom – upierała się.

I kiedy Józef rozpytywał w miasteczku, czy znają kogoś z pieniędzmi, kto chciałby kupić dom Jakuba Bluma, tego, co przed wojną miał wytwórnię wód gazowanych, Lena planowała zdobycie dużych pieniędzy z Kazimierzem Zawidzkim, dziedzicem okolicznych dóbr, który również postanowił opuścić kraj i też potrzebował na to funduszy.

Zawiązali spółkę kupiecką z ruchomym, można powiedzieć, kapitałem założycielskim, pożyczanym na okrągło z kasy gospody. Zawsze oddawali, co do grosza, ale bez odsetek, ponieważ uznali, że byłoby to znaczną i zupełnie niepotrzebną przesadą. Specjalizowali się w maszynach i urządzeniach, których tak brakowało w zniszczonym kraju, a które na zachodzie zostawili, uciekający w popłochu Niemcy. Zabierali je z opuszczonych domów, fabryk i gospodarstw, a jak mieli jakieś konkretne zamówienie, to nawet kupowali od Niemców, co jeszcze zostali, albo od Rosjan, na wrocławskim szaber placu. Najlepiej było handlować z sowietami, za pół litra można było od nich kupić prawie wszystko. Od Niemek, bo tak się jakoś złożyło, że to one głównie wystawały na Placu Grunwaldzkim, często za żywność. Dlatego specjalnie na Ziemie Odzyskane wozili prowiant kupiony po okolicznych wsiach. Tak na wszelki wypadek, jakby nie chciały pieniędzy.

Właściwie to jeździł Zawidzki z dobrze dobraną kompanią, ponieważ Lena miała mnóstwo obowiązków w gospodzie i przy domownikach, ale czasami udawało jej się wyrwać na włóczęgę, przy ostrych protestach Józefa i Ludki. Pewnie! Nie były te wyjazdy bezpieczne. Wyprawiali się na zachód również regularni, zdemoralizowani przez wojnę bandyci, rabujący pierwszych osadników i takich jak oni. Mimo to, jakoś ją jednak ciągnęło w świat, żeby złapać oddech od kłopotów i choć przez dwie, trzy noce nie słyszeć krzyków Bluma.

I pewnego razu we Wrocławiu, na placu wśród ruin zobaczyła u handlarza, choć lepiej byłoby powiedzieć złodzieja takiego jak oni i wszyscy zresztą dookoła również, butle z gazem.

– Chcę je mieć! – powiedziała bez namysłu.

– Zwariowałaś Lena? Po co ci butle z gazem? – zdziwił się Kazimierz.

– Właśnie sobie pomyślałam, że moglibyśmy z Blumem reaktywować wytwórnię wód gazowanych.

– Ale wymyśliłaś! Gdzie? Przecież wszystkie pomieszczenia zbombardowali Niemcy na samym początku wojny?

– W naszej piwnicy.

– Naszej?

– Mojej i Bluma. Mamy przecież wielkie, wysokie piwnice z oknami. Grzech, żeby tak stały po próżnicy, jak można by geszeft jaki w nich zorganizować.

– Przecież jeszcze nie kupiłaś!

– Właśnie dlatego potrzebny nam jest interes. Mnie i Blumowi. Każdy powinien mieć coś własnego.

– Ale dlaczego akurat wytwórnię wód gazowanych? To takie... – zamyślił się, szukając odpowiednich zdań. – No, nie wiem, jakieś takie niepoważne! – parsknął śmiechem Zawidzki.

Było późne lato. Spacerowali bulwarem wzdłuż Odry, wiał ożywczy wiatr i świeciło słońce. Wszystko, mimo widocznych zniszczeń, ale dosłownie wszystko, wydawało się możliwe. Nawet najbardziej śmieszne i dziwne. Miała ochotę na coś niezwykłego, aż ją świerzbiły palce i wiedziała, że ten pachnący wielką rzeką, niezwykły dla niej wiatr, niesie coś nowego i ekscytującego.

– Dlaczego?

– Dlaczego śmieszne?

– Tak.

– Chcesz sprzedawać bąbelki w wodzie.

– Właśnie. Ludzie lubią bąbelki.

– Teraz? Akurat teraz? – rozejrzał się dookoła ponuro.

– Tak. Czasami ludzi stać tylko na coś niepoważnego. A woda gazowana, czy kolorowa oranżada jest tania.

– Lena, on ledwo żyje.

– Nie martw się, bąbelki go ożywią.

– Nie będzie w stanie zejść do piwnicy.

– Przecież nie każę mu w niej pracować! – oburzyła się. – Tylko mi powie, jak się uruchamia linię produkcyjną. Zniesie się go!

– Linię produkcyjną! Po co ci to? Mało masz zajęć? A gospoda?

– Gospoda nie jest całkiem moja.

– A wytwórnia będzie całkiem twoja? – powątpiewał, wyciągając papierosa ze srebrnej papierośnicy.

– Tak. Jak ten twój rodowy herb z papierośnicy.

Pogładził palcem delikatny grawer i westchnął ciężko.

– Herb tak, reszta, pewnie już niedługo. Wytwórnia zapewne będzie musiała być jakąś spółdzielnią.

– Żadną spółdzielnią! – zareagowała ostro. – Jeszcze będę musiała połowę dochodów oddawać komunistom.

– To jak?

– Zwyczajnie. Wytwórnia będzie tylko moja... i Bluma oczywiście.

– Nielegalna?

– Tak samo jak nasza firma transportowo-przewozowa. Warunki są po prostu stworzone do tajemnicy. Od strony ulicy nic nie widać. Na podwórko może wjechać wóz i po prostu zniknąć za litą, drewnianą i wysoką bramą. Te największe pomieszczenia piwniczne są od ogrodu.

– A sąsiedzi?

– Po obu stronach pełne płoty i gęste zarośla. Od tych, co ich jest jak psów, zasłania nas całkowicie zawinięte skrzydło domu, a drudzy, jak ich znam, nie pisną ani słowa, nawet, jeśli coś zauważą. Zresztą, chyba spróbuję, tak na wszelki wypadek zawrzeć z nimi układ.

– Układ?

– Będę im dostarczała wodę gazowaną za darmo. W ramach sąsiedzkiej solidarności.

– Szkoda... – szepnął, nie patrząc na nią, tylko na drugą stronę rzeki, na długi, upiorny ciąg zrujnowanych budynków.

– Szkoda?

– ...że nie chcesz ze mną jechać w świat. Moglibyśmy mieć normalną wytwórnię wód, a nie... *underground*.

– Nie chcę o tym rozmawiać – ucięła krótko.

– Moglibyśmy mieć wszystko – tyle było mocy i przekonania w powodzenie ich wspólnej przyszłości, kiedy zaszedł jej drogę i zmusił, żeby na niego spojrzała.

– Wiem, wiem... – westchnął ciężko i zaciągnął się głęboko papierosem. – Ale tu będzie dokładnie tak, jak mówi twój mąż.

Niebieski szal Leny wymknął się z rozpiętego, lekkiego żakietu i łopotał na wietrze. Zamilkli oboje na dłuższą chwilę.

– Jeśli zostaniesz... – zawiesił głos rozgoryczony, po czym nie kontynuował już wątku. – Dlaczego się upierasz? Tu nie masz żadnych perspektyw!

– Mam!

– Wytwórnię?!

Kiwnęła głową, a on uśmiechnął się blado.

– Paradne – pokiwał głową smutno. – Weź Ludkę i uciekajmy stąd póki czas. Potem będzie coraz trudniej.

– Nie zostawię Józefa. Muszę się nim opiekować.

– Weź zatem i jego także! – rzucił desperacko. – Tylko wyjedźmy stąd czym prędzej!

– Józef na pewno nie będzie chciał jechać – odpowiedziała z głębokim przekonaniem.

– Skąd wiesz? – patrzył z napięciem w oczach.

– Wiem. Już kiedyś wyjechał i wrócił. Znowu wyjechał i też wrócił. Dawno temu, zanim myśmy się poznali.

– Mam pecha – mruknął z żalem. – Skoro jednak wyjeżdżał dwa razy, to łatwo go namówisz na trzeci wyjazd.

– Zapewniam cię, że teraz to zupełnie coś innego.

– Może jednak? – spytał z nadzieją, patrząc w jej błyszczące zielono oczy.

– Jak sobie to właściwie wyobrażasz? – spytała, nie oczekując żadnej odpowiedzi.

Patrzyła na niego otwarcie i tak twardo, że aż się wzdrygnął. Niebieski jedwab miotał się na wszystkie strony, kiedy weszli na most.

– Przed nami nie ma żadnej przyszłości. Musisz to zrozumieć!

– To nieprawda! – bronił się jeszcze.

– Prawda. Ja mam męża i dziecko. Pierwsze i ostatnie. Więcej nie będzie. To też jest ważne.

– Nie.

– Uwierz mi – złapała go za rękę i potrząsnęła. – Nie ma dla nas dobrego rozwiązania. Czasami tak po prostu bywa. Nic na to nie można poradzić. To co? Kupujemy te butle?

– Skoro tak bardzo ich pożądasz – mruknął zrezygnowany.

– Jesteś taka... – szukał odpowiedniego słowa i nie znalazł, więc powiedział – ...uparta.

Ale nie o to mu wcale chodziło.

– Uparta? – zaśmiała się krótko. – Nie to chciałeś powiedzieć.

– Zawsze doskonale wyczuwała, co przemilczał, lub wygodnie wyminął, nie wypowiadając się do końca, niezmiennie dobrze wychowany i elegancki w obejściu.

– Skąd wiesz, co chciałem powiedzieć? – z kolei on w takich przypadkach niepotrzebnie się irytował.

– Nie wiem. Może pazerna?

– Dobrze, pazerna – skrzywił się. – Skoro sama tak mówisz.

– Józef też tak o mnie myśli.

– Nie wierzę.

– Ty też tak o mnie myślisz.

– Ale inaczej niż ci się wydaje. Zupełnie inaczej. Pazerność to nic złego... w gruncie rzeczy... W twoim przypadku, oczywiście, to coś, co mnie urzeka na swój przewrotny sposób.

– Ja sama tak o sobie myślę – ciągnęła, jakby w ogóle nie usłyszała, co mówił. – I w ogóle nie czuję wstydu, czy zażenowania.

– I to mi się w tobie podoba – wyznał.

– Mnie też to się we mnie podoba.

– A jest coś, co ci się w tobie nie podoba? – zaśmiał się szczerze, widząc jej twarz, kiedy rzetelnie zastanawiała się nad odpowiedzią.

– Nie – odpowiedziała poważnie.

– Właśnie to w tobie kocham.

– Nie używaj zbyt wielkich słów... Chociaż, muszę ci... wyznać, że gdybym była wolna, z pewnością wybrałabym ciebie i tylko ciebie... z miłości i nie tylko.

– Nie tylko? – zdziwił się, a ona wzruszyła ramionami. – Dlaczego jeszcze?

– Przed tobą nie musiałabym nigdy udawać nikogo innego niż jestem. Kochałbyś mnie za moją pazerność, ukryte prostactwo, folgowanie każdej zachciance, nie liczenie się z nikim i udawanie, że jestem wykształcona, chociaż nie jestem. Tylko przed tobą mogę się przyznać, kim jestem. Ty jeden wiesz, że przeżyję w każdych warunkach, ponieważ jestem, jak to ładnie określasz tym ładnym, obco brzmiącym słowem – konformistką. Mój mąż Józef pomylił się, biorąc mnie za idealistkę. Ludka jest taka sama jak on, dlatego za mną nie przepadają, a ja za nimi również, chociaż ich kocham, tylko jestem, w przeciwieństwie do Józefa, odważna, a on nie.

– Józef ma odwagę cywilną – Kazimierz wziął w obronę swojego rywala. – Jak może nie być odważnym? Brał udział w pierwszej wojnie, wywalczył wolność z Legionami.

– To wszystko prawda, ale nie o taką odwagę mi chodzi. No i to było dawniej, a ludzie się zmieniają i... wypalają.

– Ty nie. To prawda, co powiedziałaś, nie musiałabyś udawać. Przyrzekam ci to, na tym moście, w tym obcym mieście. A wiesz, że w obcych miejscach wszystko widać dokładniej.

– Być może, ale chodźmy szybciej, bo jeszcze nas ktoś uprzedzi i kupi moje butle z gazem. Martwię się, gdzie będę się zaopatrywała w dwutlenek węgla, ale to się chyba da jakoś załatwić. Jak myślisz? A, i muszę mieć butelki, skrzynki. Sama nie wiem, co jeszcze.

– A co na to Blum?

– Na pewno się zgodzi – odparła z przekonaniem.

– To jeszcze nie pytałaś?

– Jeszcze nie. Coś mi chodziło wcześniej po głowie, ale dopiero jak zobaczyłam te butle z napisem CO_2, ostatecznie skrystalizowała mi się wizja wytwórni wód gazowanych w piwnicy mojego nowego domu.

– Dlaczego wyszłaś za Józefa? Jesteście tacy… – zastanowił się.

– Jacy?

– Tacy… nieadekwatni – sam się skrzywił na to określenie.

– Nie pasujemy do siebie?

– Raczej nie, więc zastanawiam się, co się zadziało, że zostaliście małżeństwem – kręcił głową z niedowierzaniem.

– Zadziałały zapachy. Wystarczyło.

– Nie rozumiem.

– I niech tak zostanie.

Ruszyli z powrotem na wielkie targowisko, by zakupić, tak nagle pożądane przez Lenę, dwie niebieskie, odrapane butle z gazem.

Józef obraził się na nią, chyba śmiertelnie, za wstąpienie do partii. Łatwo mu mówić. Jakby nie rozumiał, że wszystko się zmieniło. Teraz będzie inaczej, mówił, wszystko spsieje, schamieje, a ty do tego przyłożysz rękę. O co mu właściwie chodzi? Sam przed wojną był przecież socjalistą. Na starość zmądrzał?! Żeby tak na nią okropnie wrzeszczeć, choć nigdy na nią głosu nie podniósł. Ludka i Abram uciekli na strych, przerażeni jego wściekłością. A potem trzasnął drzwiami, aż szybka w nich pękła, a Lena poczuła, jakby stało się coś nieodwracalnego i okropnego, czego nie można już naprawić. Poszedł pić do kamratów, pewnie do młyna. Wrócił dopiero po trzech dniach, a tak naprawdę, to wozem przywiózł go Czesław i młynarz, nieprzytomnego od wódki i gorączki w ostrym ataku malarii.

Ale co miała robić, żeby nie zwracać na siebie uwagi, żeby wytwórnia mogła spokojnie rozpocząć swoją nielegalną, dosłownie podziemną działalność? Oczywiście, Józef miał tysiąc argumentów na to, że właśnie teraz to dopiero będzie widoczna, ludzie się od niej odwrócą i tylko będą patrzeć, żeby jej się noga podwinęła. Tak mówił.

Niech sobie mówi. Ona i tak nie da się zepchnąć na boczny tor, a jak on taki mądry, to niech idzie do partyzantów do lasu, a nie siedzi na dupie i narzeka. Tak mu powiedziała. To pogmatwało ich wzajemne relacje jeszcze bardziej. To i dzikie kaczki.

– Lena, ty wiesz, że ja nie mogę wieprzowiny. A ty w jednym garnku pewnie i wieprzowinę i te kurczaki gotujesz? – pytał nadzwyczaj podejrzliwie, wsparty o wielkie poduchy, Jakub.

– A co, mam ci oddzielny garnek kupić? – spytała gderliwie.

– Nooo.

– Nie wytrzymam – westchnęła ze złością, ale zacisnęła zęby, odczekała chwilę i dodała ugodowo. – Dobrze, kupię ci specjalny garnek. Ale o koszernym jedzeniu zapomnij.

– Kaczkę bym zjadł – rozmarzył się Blum.

– Skąd ja ci kaczkę wezmę!? – złapała się za głowę. – A przed wojną też taki religijny byłeś? – spytała, dobrze wiedząc, że wcale nie.

– A może i byłem – powiedział twardo tonem, który jednoznacznie dawał jej do zrozumienia, że nic jej do tego, jaki był przed wojną.

Od jakiegoś czasu, po pracy w gospodzie Lena spaceruje brzegiem stawu i sypie kaczkom chleb. Pewnego dnia wybrała się w odwiedziny do Zawidzkiego. Dwór stał niezmieniony od wieków w otoczeniu wielkich, zrudziałych już dębów. Zastanawiała się, czy jej rodzinne Pstrekonie, których nigdy nie widziała, były podobne. Ojciec mówił, że dworek miał kolumny i gazon na froncie. Tak jak tu, tylko rzeki nie było w zasięgu wzroku. Zawidzki pojaśniał na jej widok.

– Dzień dobry, Kazimierzu! Słuchaj, czy ty masz jeszcze tego swojego psa, coś z nim na polowania niedawno chodził? – spytała.

– Pewnie, że mam, ale on już się zestarzał i nie da rady na żadnym polowaniu za ptakami gnać.

– Ale na mały spacerek da radę iść?

– Pewnie. Ale po ci mój Henry?

– Chciałabym, żeby mi kaczkę złapał.

– Co znowu?!

– Po stawie za Stasiakami pływają kaczki. Jeszcze nie odleciały, a nasz Jakub ma dosyć kurczaków. Nabrał, wyobraź sobie, ochoty na kaczkę. Ja już je trochę oswoiłam i jakby ten twój Henry... – zawiesiła znacząco głos.

– Okropne! – skomentował.

– Dlaczego? Jak ty wypalasz do nich z dubeltówki, aż pióra lecą, a potem wysyłasz w szuwary tego swojego biednego psa, albo na środek głębokiej wody w rzece, gdzie łapie w zęby jeszcze trzepoczącego ptaka, to jest w porządku. A jak prawie z brzegu capnie zębami, to nie? – oburzyła się i potrząsnęła głową w eleganckim kapeluszu z rondem.

– Ja się ze zwierzętami, na które poluję, nie zaprzyjaźniam! O to mi chodzi!

– A z tymi, które hodujesz, a potem zabijasz?

– To co innego!

– Jesteś hipokrytą, bo mój drogi, to jest dokładnie to samo, więc dajesz mi tego swojego jaśnie wielmożnego Henrego?

– Wejdź, chociaż na herbatę – poprosił błagalnie. – Albo...

– Nie mam czasu ani na herbatę, ani na albo. Dawaj psa.

– Henry! Henry! – gwizdnął.

– A jak myślisz, jaka kaczka jest bardziej koszerna, wyciągnięta przez psa, czy zabita z broni palnej?

– Nie mam pojęcia. Spytaj rabina.

– Skąd ja wezmę rabina, a nawet jeżeli, to jeśli powie mi
coś zupełnie nie po mojej myśli? – zastanowiła się. – Coś niewy-
godnego, to nie będę mogła się zasłaniać, że nie miałam pojęcia
o zasadach koszerności. Ale tak na prosty rozum, to jak myślisz?

– Myślę, że wyciągnięta szybko i bezboleśnie przez psa jest
bardziej koszerna niż rozerwana śrutem.

– Tak też sobie sama myślałam – uśmiechnęła się do niego
z ulgą. – Jesteś kochany! – pocałowała go delikatnie w policzek.

– Do widzenia – wyślizgnęła się z jego zamykających się, stęsk-
nionych ramion.

Gwizdnęła na psa, który ruszył za nią chętnie. Obejrzała się
z żalem na pięknego i samotnego, smutnego mężczyznę na progu
równie pięknego i samotnego domu.

Wróciła nad staw i sypała kaczkom okruchy słodkiej chałki,
myśląc, że to im się od niej należy, na być może, ostatni posiłek.
Wysokie obcasy wchodziły w miękką, rozmoczoną deszczami mura-
wę, jak w masło. Zaczynał siąpić delikatny deszczyk, a ona nie miała
parasolki. Wyżeł Henry stał obok niej drżący z przejęcia i szczęśliwy,
czuła to doskonale, że zaraz skoczy, kiedy tylko da mu sekretny
znak, którego nauczył ją Kazimierz. Rosnąca nad brzegiem wierzba
sypała na wodę żółte listki, żeby kołysały się leniwie na wodzie.
Czekali, ona i pies, delektując się tą piękną chwilą przed, wiedząc,
że właśnie teraz jest doskonała. Bo po już nie będzie, przynajmniej
dla niej z powodu ptasich zwłok, które pojawią się u jej, obutych
w pantofle na wysokich obcasach stóp i zaznaczą swoją obecność
koralowymi kroplami krwi, jakże ożywiającymi ten jesienny, szary
pejzaż. Zatem jeszcze cierpliwie odliczała sekundy, czekając, nie
wiadomo na co, może na silniejszy podmuch, albo na wątły promień
słońca zza zbitych, szarych chmur. W końcu, spod lasu uniosła się
w górę stróżka dymu, zakrakał żałobnie gdzieś daleko kruk i Henry
podniósł łeb, ich oczy spotkały się i zrozumieli to doskonale, bez

żadnych wyuczonych sztuczek, więc tylko skinęła mu głową i wtedy skoczył, stary pies myśliwski na emeryturze, jak strzała, jak przed laty, za młodu i złapał kaczkę mocno, zadając jej błyskawiczną, koszerną, Lena wiedziała to na pewno, śmierć. Reszta krzyżówek rozpierzchła się w popłochu, kwacząc rozpaczliwie. Pies położył delikatnie dziką kaczkę na trawie u jej stóp, dumny, zadowolony z siebie, radosny z powodu odzyskanej na parę chwil młodości. Podrapała go za uchem i schowała ptaka do torby ostrożnie, żeby nie pobrudzić płaszcza. Założyła pasek na ramię, poczęstowała Henrego kawałkiem kiełbasy, wolno założyła rękawiczki. Odeszli, wyciszeni i spełnieni.

– Wiesz, Henry! – zwróciła się do niego po chwili. – Jeśli byś chciał, moglibyśmy tu przychodzić częściej. Blum oczywiście nie potrzebuje aż tylu dzikich kaczek, ale w mojej gospodzie znaleźliby się amatorzy, przyrządzanych według starych, sprawdzonych receptur. Co o tym sądzisz, mój drogi Henry? Twój rodowód jest zapewne lepszy od mojego, ale prawdopodobnie w ogóle ci to nie przeszkadza, więc jestem pewna, że nasza współpraca będzie układała się wprost doskonale.

Pies dreptał obok niej blisko i konfidencjonalnie ocierał się mokrym bokiem o połę jej płaszcza. Jak bliscy sobie spiskowcy zanurzyli się we mgłę, która nie wiadomo skąd, pojawiła się niespodziewanie. Przez chwilę Lena miała złudzenie jakiejś filmowej nierealności tego późnego popołudnia, ciężaru martwego ptaka w siatce i wyżła u boku. Wszystko wydało się takie, nieprawdziwe, udawane, ale przez to właśnie jakby dziwnie ważniejsze, bardziej wyraziste od zwykłej, codziennej rzeczywistości.

Zachęcony spodziewanymi, niebłahymi zyskami, Jakub Blum zgodził się wejść w spółkę z Eleonorą Jarecką i pomóc jej swoją wiedzą i doświadczeniem w zorganizowaniu linii produkcyjnej. Józef, tak jak przewidywała, nie zaaprobował pomysłu, mało tego, mocno się całemu przedsięwzięciu sprzeciwiał. W końcu jednak, postawiony przed faktem dokonanym, został niejako zmuszony do udziału.

Oparty o wykrochmalone sztywno poduszki, Blum pół leżał, pół siedział w łóżku ustawionym tak, żeby widział wszystkie trzy pary drzwi oraz wielkie okno ogrodowe i objaśniał Lenie szczegółowo, co jest nieodzowne dla ich wytwórni.

– Ty mię Lena słuchaj uważnie, co ja do ciebie mówię – kiwał na nią długim, zakrzywionym palcem. – Ty to musisz załatwić nie na jutro, nie na pojutrze, ty to musisz załatwić na wczoraj. I ja ci jeszcze powiem, ty się musisz nauczyć wszystko tak załatwiać! W interesach to konieczne, żeby na swoje wyjść, trzeba reagować natychmiastowo. O! Tu ci rysuję, o co mi się rozchodzi. O, taki zaworek! Pójdziesz do tego ślusarza z Kilińskiego. Jak mu było? Nie pamiętam, chyba Lejb... Czy ja wiem, czy on żyje? Ty idź. Ty to sprawdź! Sprawdź, czem prędzej! On jest, był przed wojną najlepszy, najlepszy... I jak on, ten ślusarz przeżył, to on mię zrobi zawór, jak trzeba... Co? Dobrze, niech będzie. Nam zrobi. Na wszelki jednak wypadek niech ich zrobi jeden, ten ślusarz z Kilińskiego. Hę? ... Co ty się Lena tak niecierpliwisz, że ja się powtarzam, że on z Kilińskiego? Żebyś nie zapomniała, że był ślusarz na Kilińskiego, w razie gdyby jednak nie przeżył, był dobry ślusarz i trzeba abyś pamiętała, jak wyjadę. *Ad rem*, mówisz, ile tych zaworów nam potrzeba? No, trochę potrzeba – zamyślił się Jakub, kręcąc młynki kościstymi kciukami i zasępił się. – Jak to, po co jeden? A czy my wiemy, w jakim on stanie przeżył? Może mu dłonie przetrącili, albo mu się coś w głowie poprzestawiało? To po co ja mam mu płacić, jak ja nie wiem, czy on dalej taki dobry fachowiec, jak był przed wojną. I dlatego, ty Lena jeden zawór zamówisz i jak dobry on będzie, zamówisz tyle, ile nam trzeba, albo i jeszcze więcej. I do naszej pompy brakuje, o takiego czegoś. Weź ze sobą, co ci Abram z piwnicy przytargał i niech naprawi, bo pękło, a bez wody wytwórnia wód gazowanych nie da rady, mimo naszych dobrych chęci, Lena, nie da rady! – zaśmiał się szaleńczo. – Ha, ha, ha, mamy gaz, a nie mamy skąd wody czerpać, ha, ha, ha. Ale świetny geszeft obmyśliliśmy! – zaniósł się w końcu okropnym, duszącym go kaszlem. – Lena, ale ty się nie martw, bo nasza studnia głębinowa przepastna i przed wojną to się ludzie chcieli przepaść za moją wodą sodową. Mówię ci! Ale co ja mówię, sama wiesz najlepiej, jaki to był rarytas. – I niedrogo – dodał po namyśle. – Poproś Józefa, żeby narysował etykiety. Co, ciągle pijany chodzi? Ja też ostatnio zauważyłem, że jakiś taki się zrobił... – podniósł dłoń do głowy i wykonał obrotowy ruch, łypiąc na nią spod oka – ...meszugene. Niedobre to czasy, oj niedobre – westchnął głęboko zatroskany i zaczął się kiwać w pościeli, jak stary pomarszczony bożek z płonącymi oczami na ciemnej twarzy.

A taki był przecież zażywny w swoim poprzednim życiu Jakub Blum, myślała Lena przyglądając mu się badawczo, poprawiając sztywne od krochmalu poduszki.

Kiedy już wszystko pozałatwiała – pościągała potrzebne rzeczy z miasteczka i okolic, odnalazła sąsiadów najlepszego ślusarza w okolicy, Lejba z Kilińskiego, i dowiedziała się, że przepadł, wywieziony pierwszym transportem do Chełma, więc poszła do innego, być może wcale nie najlepszego, ale za to żywego i on zrobił na próbę zawór, który Jakub ostatecznie zaaprobował, ciesząc się, że jego fachowiec żyje, ponieważ nie uznała za stosowne przekazać mu, że prawdopodobnie zginął w tym samym obozie, co rodzina Bluma – nadszedł najtrudniejszy moment montowania linii w piwnicy. Józef na tę okoliczność postanowił nawet wytrzeźwieć, chociaż cały dzień czuł uspakajające, pieszczotliwe kołysanie jarzębiaku w subtelnie płaskiej piersiówce, niewypychającej prostacko kieszeni marynarki.

Nie obyło się bez wizyty Bluma w piwnicy, chociaż doktor Strauss głośno się temu sprzeciwiał. Kazała stolarzowi Sowiń-

skiemu zrobić wygodne nosze i ułożonego na nich Jakuba zno-
szono teraz do piwnicy, dookoła domu, przez taras, ogród od
strony podwórka, ponieważ wewnętrzne schody były za wąskie.
Mordowali się przy tym nieludzko, bo Sowiński, nie wiedzieć
czemu, zrobił ciężkie jak diabli, dębowe nosze i Lena o mało się
nie oberwała, dźwigając, dyrygującego nią i Zawidzkim, Bluma,
po stromych jak sama Golgota, betonowych, prowadzących do
piwnicy schodach.

– Cholera, ale dlaczego one są dębowe? – sapał jak miech
Kazimierz.

– Dębowe, ponieważ Sowiński zawsze mię szanował. Pan lepiej
uważa, żeby mię nie upuścić – wyjaśnił sprawę Jakub.

– A mnie Sowiński chyba nienawidzi… – wystękała Lena. –
I dlatego postanowił mnie wykończyć razem z tobą, Blum, obaj
postanowiliście mnie wykończyć. Jeszcze dostanę przepuklinę…
Nie możesz znieść, że będę miała twój dom, za cenę, która wydaje ci się stanowczo za niska, chociaż wiesz dobrze, że nie jest…
jak na te czasy, oczywiście. W prawo Kazik, w prawo. A Sowiński
dobrze wiedział, że to ja, a na pewno nie Józef, będę dźwigać to
przeklęte nosidło. Stań. Muszę złapać oddech!

– Jak to stać? – zaniepokoił się Jakub. – W tym przeciągu,
żeby mię zawiało? – wytrzeszczył oczy w niemym oburzeniu, by
po chwili zmusić ich do dalszej wędrówki w dół. – Mogłaś mi Lena
dać ten swój szal puszysty, bym się okrył.

– Masz sweter i kurtkę.

– W piwnicy jest zimno – protestował, ponieważ, od kiedy
postanowił nie umierać, bardzo się zrobił drażliwy na punkcie
swojego zdrowia.

– A i tu się mylisz – sapnęła z satysfakcją. – Wstawiłam kozę.
Już Ludka i Abram rozpalili.

– A nie okopci mię czasem?

– Nie. Uwaga! Jeszcze jeden stopień! Uf, to już ostatni.

Weszli do oświetlonego lichą żarówką korytarza i skierowali się ku podwójnym drzwiom z ozdobnymi, piaskowanymi w piękny wzór szybami, zza których przeświecało słońce.

– Co właściwie było przed wojną w tym pomieszczeniu? – wydyszała z ciekawością.

– Ty taka ciekawa nie być Lena, bo kociej mordy dostaniesz – uciął Jakub.

– Oj, coś sekretnego tu miałeś. W całym domu nie ma takich paradnych drzwi, jak w tej piwnicy z wielkimi oknami w fosie – błysnęły jej zielono, niezaspokojoną ciekawością oczy. – Powiesz mi kiedy?

– Zobaczę – mruknął. – Zamknij drzwi, bo ciepło uleci. Postawcie, ale tak, żebym widział, co tu naknociliście beze mnie. Zaraz i tak obejrzę. Abram, daj no laskę. A ty Lena leć po ten szal, bo jak będę wychodził, to muszę mię okryć.

Kiedy wróciła, trzymając w objęciach szal, wszyscy przenieśli się do następnego pomieszczenia, tego ciemnego i pozbawionego okien. Blum już coś łączył, uszczelniając konopiami i smarując gęstym, śmierdzącym smarem. Józef podawał mu narzędzia, a Ludka i Abram wpatrywali się w niego jak w wizerunek Boga jedynego, na jakiego rzeczywiście wyglądał, kiedy tak wsparty na ramieniu Zawidzkiego kuśtykał wokół czarnych maszyn, sam usmarowany z rozwichrzoną brodą i zaaferowanym obliczem. Na pikowany, wiśniowy szlafrok, który plątał się przy samych kostkach, zbyt obszerny i długi, założył sweter, a ona narzuciła przed wyprawą do piwnicy kurtkę Józefa i teraz Jakub wyglądał jakby z trudem odnajdywał się w tych wielkich ubraniach, a mimo to i tak na pierwszy rzut oka wyglądał na szefa. Popatrzyła z żalem na śnieżnobiałą, nieskazitelną biel swojego wyjściowego eleganckiego okrycia.

– Słuchaj Lena, trzeba kogoś zatrudnić – powiedział zdecydowanym głosem.

– Myślisz? – spytała na moment zrezygnowana.

– Wiem. Kogoś zaufanego.

– Tylko skąd takiego wziąć?

– Rozejrzyj się. Będziemy dobrze płacili.

– Jak dobrze? – zaniepokoiła się.

– Po prostu dobrze, żeby kupić dyskrecję.

– Rozejrzę się.

– I żeby nie był idiotą. Tacy nie umieją trzymać języka za zębami, to po pierwsze i najważniejsze. A po drugie – popatrzył na nią, marszcząc groźnie czarne krzaczaste brwi. – Ty mię słuchaj uważnie, on musi się choć trochę znać na takich – zatoczył łuk sękatą dłonią – urządzeniach – ii – machnął nią lekceważąco. – Nie chodzi o to, że coś nam zepsuje, tylko – podniósł w górę usmolony paluch – on nas może wysadzić w powietrze! Mię i mojego wnuka… i was oczywiście – potoczył wzrokiem po wpatrzonych w niego spiskowcach i czarnymi rękami zainscenizował katastrofę.

Ludka i Abram z przerażenia wstrzymali oddech, a kiedy wreszcie udało im się oderwać od niego wzrok, jednocześnie skierowali go na stojące w centralnym punkcie dwie odrapane butle z gazem. Józef przewrócił oczami, przesyłając Lenie czytelny komunikat, a nie mówiłem, że to nie będzie takie proste, jak ci się wydawało. Zawidzki tylko cicho gwizdnął.

– Mam kogoś, kto może wam pomóc, jeśli wy mu pomożecie, panie Blum, pani Eleonoro – zwrócił się do nich oficjalnie.

– A kogo ty możesz mieć? – zdziwiła się.

– Mam kogoś, kogo trzeba na jakiś czas ukryć, bo jest w niebezpieczeństwie. Szukają go.

– Kto go szuka? – spytał bezbarwnym tonem Jakub.

– Komuniści. Jak go złapią to koniec. To mój kuzyn. Udało mu się uciec z zasadzki na wschodzie, gdzie jeszcze walczył po lasach…

– Niebezpieczna sprawa … – sapnęła Lena.

– Niebezpieczna – potaknął Blum.

– Przed wojną pracował jako inżynier! – wyrzucił z siebie Kazimierz.

– Bierzemy! – powiedzieli prawie chórem.

– Na razie jest u mnie, ale to nie jest bezpieczne miejsce. Ja sam nie wiem, kiedy będę musiał się wynieść z dworu.

– A po ulicy może chodzić? – spytała.

– Raczej nie powinien.

– Jak by co, to mówimy, że jest zięciem Bluma, uratowanym z... – zastanowiła się. – No nie wiem, z obozu?

– Jest szczupły – potwierdził Zawidzki. – Ale... – spojrzał, jakby ukradkiem na Jakuba, chciał jeszcze coś powiedzieć, ale się powstrzymał.

– Zgadzasz się Jakubie? – spytał milczący do tej pory Józef.

– Zastanowię się – odburknął majstrujący znowu przy hydroforze Blum.

– Moglibyśmy go na wszelki wypadek ucharakteryzować, żeby nikt nie miał wątpliwości i nie czepiał się zbytnią podejrzliwością – zapaliła się. – Zresztą teraz taki jest przepływ ludności, że nikt specjalnie na nowych przybyszy nie zwraca uwagi. Wtopi się – zastanowiła się. – Może zresztą lepiej, żeby się tak specjalnie nie chował. To zawsze budzi podejrzenia. Jak myślicie?

– Zobaczy się. Zo–baczy! – powtórzył Blum.

– Co się zo–baczy? – zirytowała się na niego Lena. – Prawdziwy inżynier spada nam prawie z nieba, a ty wybrzydzasz! On nam pomaga, my go ratujemy! Jest tak jak trzeba. W dodatku powiedziałeś, że bierzemy!

– Nie wiadomo, czy mię się spodoba.

– A mię już się podoba. Tylko, czy to na pewno taki inżynier, jakiego potrzebujemy, a nie na przykład od budowy mostów, albo... – zastanowiła się. – No nie wiem, nie znam się na inżynierach, ale budowniczy chyba nam się nie przyda?

– Przyda wam się, przyda. Zapewniam.

– I tak byśmy go zapewne ukryli – zapewniła go niespodziewanie Lena.

Józef spojrzał na nią, lekko zaskoczony jej szlachetnością, ale potem uśmiechnął się prawie niezauważalnie pod nosem.

I tak, jeszcze tego samego wieczoru pojawił się w domu prawdziwy wywrotowiec Ksawery Zawidzki, chudy jak rzemień, wiecznie naburmuszony, patrzący na nich wrogo, spod krótko wygolonej głowy, szczególnie na Jakuba. Ledwo się do nich odzywał, a jak już, to Lenę nazywał wprost kolaborantką, a po pracy upijał się z Józefem, chociaż uważał go za niespełna rozumu, kiedy dowiedział się o jego przedwojennych PPS-owych sympatiach, choć chylił czoła przed jego legionową przeszłością. Zamieszkał w piwnicy, chociaż proponowała mu pokój z balkonem na piętrze. Trzeba przyznać, że wszystkie przykrości związane z jego trudnym charakterem, a wynikające z wojennej, a szczególnie powojennej przeszłości w partyzantce na wschodzie, rekompensowała Lenie jego niebywała pracowitość. Nosił skrzynki jak wół, wypacając z wysuszonego ciała litry wody, znał się na konspiracji i nie trzeba go było pilnować, żeby nie napytał sobie i im biedy. Jeśli wychodził z piwnicy to tylko na podwórko podczas ładowania skrzynek na wóz, albo do ogrodu, gdzie siadał pod południową ścianą domu i palił papierosa za papierosem, osłonięty ze wszystkich stron krzewami. Zawsze nosił ze sobą pistolet i odgrażał się, że jakby co, żywego go nie wezmą. Zapłacą drogo za jego życie.

Nie polubili się z Blumem od pierwszego wejrzenia. Początkowo Jakub nie miał zaufania do jego umiejętności i nie pozwalał się dotykać do maszyn, ale z czasem, kiedy zrobiło się zimno i wyprawy do piwnicy przez ogród, zaczęły mu, tak jak ostrzegał doktor Strauss, szkodzić, powoli Ksawery Zawidzki przejmował nadzór techniczny nad całym przedsięwzięciem.

Wytwórnia Wód Gazowanych „Jutrzenka", ponieważ taką nazwę wybrali z Blumem, a jedynym jej uzasadnieniem było to, że była kretyńska i w związku z tym nikt na nią nie będzie zwracał uwagi, ruszyła pełną parą. Telefon na etykiecie był numerem gospody, gdzie przyjmowano zamówienia. Eleonora wtajemniczyła swoich pracowników. Miała do nich zaufanie, ponieważ wszystkich dobrze znała i sowicie opłacała ich milczenie i pomoc.

Wcześniej rozgłosiła, że kupiła hurtem dużą ilość warzyw do swojej restauracji i wobec faktu braku lodowni i podpiwniczenia, będzie to musiała trzymać w swoich piwnicach. Pierwsze butelki wody sodowej „Jutrzenka" zaczęła sprzedawać swoim własnym klientom. Nie był to napój, który jakoś specjalnie różnił się od innych, ale zawsze był, w dodatku schłodzony, czego osobiście pilnowała i samo to wystarczyło, żeby smakował. Z czasem w ogrodzie na tyłach restauracji kazała wykopać rów, który przykrywali słomą i kupiła pierwsze bloki lodu. A później w długą i mroźną zimę kazała wozić kawały lodu wyrąbane z okolicznych stawów i składowała w podobnie zabezpieczonych dołach. W upalne lato następnego roku, jako jedyna w okolicy serwowała lodowate napoje.

Początkowo do gospody wozili wózkiem skrzynki przykryte workami z warzywami. Ciągnęła sama, albo z Józefem lub Ludką i Abramem. Potem za wysoką, litą bramę jej podwórka zaczęły zajeżdżać konne wozy, a z czasem nawet ciężarówki. Wjeżdżały, bramę zamykano, ładowali i wyjeżdżały. W kuchni, a potem również w jasnym pomieszczeniu piwnicy, znów pod okiem Jakuba produkowano soki do kolorowania wody. Problem z cukrem rozwiązała, nawiązując bezpośredni kontakt z pobliską cukrownią, którą zaopatrywali z Kazimierzem Zawidzkim w części zamienne do maszyn, ściąganych z ziem wyzyskanych, jak o nich mówili. Interes rozwijał się nadzwyczaj dobrze, aż się Józef martwił, żeby jakiej biedy z tego nie było. Wszystkie niemałe nadwyżki zamieniali na dolary. Z tym mieli największy kłopot.

No i z Ksawerym, który im dłużej się ukrywał, tym większą miał obsesję na punkcie konspiracji i tego, że jak się robi taki szum, to w końcu, nie ma siły, żeby ktoś na nich nie doniósł. Jeśli tylko pozwalał na to czas, każdą wolną chwilę poświęcał na obserwację terenu wokół domu. Podglądał sąsiadów, czy aby ich ukradkiem nie obserwują. Wkrótce znał dokładnie wszystkie dziury w płocie. Z napięciem podpatrywał, co się dzieje na ulicy, kto zbliża się do furtki i do głównych drzwi, a także czym i o jakich godzinach zajmują się sąsiedzi. Każda zmiana wywoływała histeryczną niemalże reakcję. O zmroku zaczął wychodzić poza posesję, żeby sprawdzić, czy czasem nie knują czegoś wieczorami. Zaglądał im, niespodziewającym się, w okna. Przeglądał pocztę, jeśli nie zdążyli jej wcześniej zabrać ze skrzynek, lub spod drzwi. Nerwowo reagował na niewielkie nawet odchylenia od drobiazgowo ustalonego wcześniej wzorca. A ludzie, jak to ludzie w małym miasteczku, żyli trochę bałaganiarsko, niespiesznie, często zmieniali zamiary, zapominali o wielu sprawach, zasypiali i kiedy Ksaweremu już się wydawało, że uwięził ich w siatce planu, wymykali mu się, nie zdając sobie nawet sprawy z tego, jak straszliwie ich za to nienawidzi i o jakie okrutne męki niepewności przyprawiają go podejrzenia, czym zajmują się w tych nieujętych w grafik godzinach.

Wszystkich ich poddawał próbom prawdomówności, bez końca wypytywał domowników o mieszkańców miasteczka, o ich rodziny, co robili w czasie wojny, co obecnie robią w wolnym czasie, czy ktoś z bliskich im osób zapisał się do partii, czy ktoś ich czasem nie wypytuje o coś… I to wszystko z takim nieznośnym napięciem w oczach, że Lena obawiała się, że mu jeszcze któregoś razu te gałki eksplodują. Zmarszczka między brwiami niebezpiecznie się ostatnio pogłębiała z każdą, można powiedzieć, bezsenną nocą Ksawerego.

– Panie Ksawery, ludzie u nas porządni. Proszę się nie bać – tłumaczyła.

– Ja się niczego nie boję – wrzasnął na nią. – Moje życie skończyło się, ale nie pozwolę się zaskoczyć tym gnidom.

– Gnidy albo nic o nas nie wiedzą, albo im płacimy.

– Trzeba mieć plan awaryjny – upierał się.

– Dobrze. Co pan proponuje? Tylko, żebyśmy z torbami nie poszli. A! I zbroić się też nie będziemy.

– Już wymyśliłem, potrzebuję tego – wyjął z kieszeni pomiętą kartkę z listą.

Spojrzała i pokiwała głową na znak zgody, wzruszając jednocześnie ramionami. Jeśli to ma go uspokoić, to czemu nie... Tym bardziej, że rozszerzył krąg inwigilacji z najbliższych sąsiadów, na cały kwartał. I chociaż jej nie znosił, każdego rana zaczął ją informować w formie oficjalnego komunikatu, co kto robił niedozwolonego.

– Nie chcę tego słuchać! – krzyknęła poirytowana, machając obieraną właśnie marchewką na obiad dla Bluma. – Nie obchodzi mnie, z kim sypia Wojtala.

– A powinno! Kto ma wiedzę, ten ma władzę! Może przyjść taka chwila, że trzeba będzie komuś zamknąć usta, żeby przetrwać. A tu proszę, pierwszy sekretarz spotyka się z gospodynią księdza! – zaśmiał się histerycznie i triumfująco. – Co, nie wie pani... – zawiesił głos, zbliżając do niej swoją szyderczą twarz – ...jak to działa? Proszę nie udawać takiej świętoszki.

– Nigdy, nikogo nie szantażowałam i nie zamierzam! – ryknęła z furią.

– Akurat! – prychnął bezczelnie, patrząc jej prosto w oczy.

Odwzajemniła to spojrzenie, bez mrugnięcia powieką i obiecała mu spokojnie i solennie.

– Sprowadzę do pana doktora Straussa.

– Wilk w owczej skórze – pokręcił głową z niedowierzaniem.

– Może coś panu zapisze na uspokojenie – ciągnęła niewzruszenie dalej.

– Nie potrzebuję lekarza! W dodatku tego pani lekarza... – chciał coś dodać, ale się zaciął.

– Co? – spytała czujnie.

– Nic. Proszę się ode mnie odczepić – odwrócił się na pięcie i trzasnął drzwiami do piwnicy tak mocno, że aż odskoczyły jak sprężyna i walnęły w ścianę.

– Aj, aj! – lamentował Jakub z pokoju. – Co jemu się dzieje!? Mię się zdaje, że on zwariował. Jak nic jemu się od tej konspiracji w głowie pomieszało. Niedobrze Lena, niedobrze! Ty coś wymyśl, bo ja widzę, że jemu już się krew w mózgu gotuje. Ja widziałem takich nie raz w czasie wojny i oni jej końca nie doczekali – obracał w palcach guzik ciepłej flanelowej piżamy w kolorze buraczkowym, może niezbyt pięknym, ale gładkim, bez pasków.

– A co ja mam robić? – rozłożyła ręce.

– Kobiety jemu trzeba – szepnął do niej, kiwając palcem, żeby się zbliżyła i drzwi za sobą zamknęła.

– A która takiego wariata będzie chciała? – puknęła się znacząco w czoło, zniżając głos i siadając na brzegu łóżka.

– A w gospodzie nie masz tam jakiej dziewuchy chętnej, co jej młoda krew w żyłach kipi? – nachylił się do niej i spojrzał znacząco.

– A co to ja rajfurą jestem? – szepnęła do niego z urazą.

– No, skądże znowu, Lena! – żachnął się. – Ale problem nam trzeba rozwiązać, zanim nasz piękny, podziemny geszeft zmiecie, a i nas przy okazji, a w szczególności mię. A ty wiesz, że ja muszę wnuka na ludzi wychować, na prawego Żyda, zanim dorośnie i jakąś, nie daj Boże, gojkę pozna.

Lena łypnęła na niego urażona i zamyśliła się, machając stopą i gryząc kawałek marchewki ze smakiem. Ksawery Zawidzki, myślała, jak nic, szalony, ale mogą się znaleźć amatorki na jego ponurą, żylastą urodę. W dodatku pan, jakby nie patrzeć, nie żaden cham, chociaż maniery ma przez tę wojnę, proste, żołnierskie… Żeby tylko go dobrze sprzedać, to może…

– No, trzeba by go dobrze zaprezentować – nachyliła się do Bluma. – Że niby taki nieszczęśliwy bohater wojenny, przez to ma fobię i nie może w dzień na ulicę wychodzić.

– Dobrze, dobrze – ucieszył się Jakub. – Niektóre kobiety uwielbiają się poświęcać. Tylko wiesz, trzeba delikatnie, bo jak się zorientuje, nie daj Boże ... – wzniósł obie ręce do góry. – To ja bym chciał, żeby mię przy tym nie było.

– Wiadomo, a potem i tak wszystko jest na mnie – powiedziała z goryczą.

Bała się, że pomysł Jakuba z zajęciem tego drugiego Zawidzkiego kobietą, niezbyt jest trafiony, a źródło jego frustracji tkwi raczej w nich obojgu – starym Żydzie i komunistce, bo tak ją właśnie postrzegał. Lena prawie czuła nienawiść Ksawerego do siebie i wściekłość, że to właśnie z nią musi się liczyć. Gardził nią i Blumem tym mocniej, im bardziej był od nich zależny. Nie mógł znieść, że żyje z nimi i pracuje pod jednym dachem. Nie lubił również doktora Straussa. No i pozostawała jeszcze otwarta kwestia jej relacji z jego kuzynem, której się domyślał i z pewnością nie pochwalał.

Mimo, że cały czas przekonywała Ksawerego Zawidzkiego, o lojalności i dobroci miejscowych, sama, oczywiście, w to nie wierzyła. Wiedziała, że od większości te godne podziwu cechy, trzeba po prostu kupić. Kupić, albo... coś wiedzieć, po prostu... Z tym też miał rację. Przekonała się, kiedy to ni z gruszki, ni z pietruszki, mieli w gospodzie niezapowiedzianą inspekcję młodych komisarzy. Dobrze, że zaufany człowiek dał im znać, że jadą z samej Łodzi sprawdzić, czy dobrze lud karmią i nadużyć nie robią. No cóż, karmić karmili bardzo dobrze, ale akurat pożyczyli sobie jak zwykle z dziedzicem pieniądze z kasy i była pusta jak bęben. Nie miała od kogo pożyczyć tak wielkiej sumy. Zamarło jej serce od fatalnej wiadomości, która zawierała jeszcze informację o tym, kto ją będzie kontrolował. Słyszała o nich, a nawet widziała na jakimś zebraniu.

Ci łapówki nie wezmą i oczu sobie zamydlić nie dadzą. Zimni, kulturalni, nieludzcy. Coś jednak z nimi trzeba zrobić. Tak, bała się, naprawdę bała. Nie dosyć, że ją wyrzucą z pracy, to jeszcze wsadzą do więzienia jako wroga ludu. Wzięła głęboki oddech i pobiegła do apteki Maurycego Kwirama. Głośno stukały po chodniku jej wysokie obcasy i powiewało szalowe wiązanie zielonej, jedwabnej bluzki. Jasna cholera, nie pozwoli, żeby te buty zamieniły się w więzienne chodaki. Stary aptekarz wyciągnął rękę z buteleczką z białym proszkiem, kiedy wyłuszczyła, o co jej chodzi. Szczyptę, tylko szczyptę, powtarzał, zawsze lubisz przesadzić, ale pamiętaj Lena! Szczypta, czyli tyle ile w dwóch palcach, patrzył na nią z napięciem, a jakby co, to dałem ci lek na wzdęcia. Dobrze, dobrze, muszę się jakoś ratować, skoro taka wzdęta jestem, przestępowała z nogi na nogę, ale on trzymał lekarstwo, przed czymś jeszcze ostrzegając, aż się zirytowała, pierwszy raz w życiu na niego. Dawaj, zaraz będą, już słyszę ten dźwięk, Niemcy też tak warczeli, nic się nie zmieniło. Jak nas nakryją, to koniec. Pomachała mu ręką na pożegnanie i już biegła z powrotem, stukając obcasami. Jeszcze po drodze wpadła do sklepiku i kupiła najbrzydszą bluzkę, jaką mieli.

Ciekawe, kto doniósł, zastanawiała się chwilę później na zapleczu gospody, ktoś musiał przecież, tak dobrze nam szło. Może to przypadek, uspakajała ją kelnerka Tereska. Nie wierzę w takie przypadki, szarpała nerwowo wiązanie bluzki, zawsze dawali znać. Zrzuciła ubranie i kopnęła pod stół. Drżącymi dłońmi wyciągnęła różową bluzkę z taniego perkalu. A jak, nie daj Boże, do domu zajrzą, złapała się za głowę.

– Leć Tereska do mnie i powiedz im, że mamy alarm. Mają uważać. Najlepiej niech im tylko dzieci otwierają. I niech Blum w łóżku leży i jęczy …jakby co! – Chodziła po jeszcze pustej o tej porze gospodzie w te i we twe, słuchając uspakajającego stukotu obcasów. – Tylko wracaj szybko! Musisz mi pomóc. Zaraz się zaroi od ludzi i jeszcze tamci, żeby ich jasna cholera trafiła… – zdjęła buty i wzuła zwykłe klapki.

Młodzi towarzysze przyjechali na pięknym zadbanym motorze z przyczepką, w skórach, zrobieni na bojowników. Kobieta z idealnie przylegającymi do czaszki ciemnymi włosami wydawała się Lenie szczególnie surowa. Miała szczupłą, bardzo piękną twarz i ściągnięte w gniewnym grymasie brwi. Bardzo szczupłe ciało odziane było w długi skórzany płaszcz z szerokim pasem. Pod spodem miała przerażająco białą, koszulową bluzkę z mankietami na spinki, ze sztywnym kołnierzem, zawiązany po męsku krawat i oczywiście spodnie. Lena też miała przed wojną spodnie. Tylko szerokie, a la Marlena Dietrich, marynarkę, a także kapelusz prawie męski, ale noszony zupełnie inaczej, bo właściwie tylko na połowie głowy, zakrywający całe oko i pół twarzy. No i makijaż, z dużym naciskiem na brwi i rzęsy... Nosiło się ekstra, pierwsza klasa. Wchodziła w to przebranie, w tę kreację jak w masło, więc rozumie tę młodą rewolucjonistkę. Tylko ciekawi ją, kim ona jest naprawdę, oprócz tego, co jak na dłoni widać. Towarzyszący jej mężczyźni nie byli aż tak wysmakowani, ale też eleganccy jak trzeba. Włosy przystrzyżone modnie, wysokie buty i skóry. Mówili jak ludzie wykształceni, bez błędów gramatycznych, piękną polszczyzną, nie tak jak ci prości, miejscowi towarzysze. Tacy czyści, wyczesani, idealni. Kobieta miała wysokie oficerki, jej rękawiczki były z niebywale cienkiej skórki, a smukłe palce kończyły się wypielęgnowanymi paznokciami. Lenie, która obserwowała ich z perspektywy swojej odrażającej wręcz kreacji, którą udało jej się stworzyć tak na zawołanie i z której była w gruncie rzeczy dumna, te polerowane, błyszczące pazury wydawały się do granic wyrafinowane i niebezpieczne. Nie musiały się zresztą wydawać, w końcu przyjechali ją kontrolować, a potem wsadzić za zdradę systemu. Niedoczekanie, pomyślała spokojnie i z determinacją!

Ktoś im musiał donieść. Ciekawe, kto? Nawet się nie domyśla. Ktoś nieprzyjaźnie nastawiony do niej, albo do Zawidzkiego, a może nawet do starego Bluma z wnukiem. Liczyli się z tym, że ktoś może zdradzić, ale wierzyli w swoją szczęśliwą gwiazdę, no i skądś musiała przecież brać na utrzymanie powiększonej rodziny i kupno domu. A sam Kazimierz, ze swoim kuzynem – wrogiem ludu, chciał uciec za granicę z jakimś solidnym zabezpieczeniem. Najpierw myślał, że może nie będzie tak źle, ale potem jednak uznał, że wprost przeciwnie. Szczególnie jak się dowiedział, że w jego majątku będzie PGR, a we dworze biura. Może komuś w oczy wleźli, wymieniając złotówki na dolary? Oboje to robili. Ani Blumowi, ani Kazimierzowi złotówki nie były potrzebne, więc ktoś mógł coś skojarzyć.

Przywitali się bez uśmiechu. Zaprosiła ich do lepszej sali na piętrze, ale nie zgodzili się, pragnęli bratać się z pospólstwem w ogólnej sali. Nawet się ucieszyła z ich decyzji. Podała im grochówkę, a potem miała być sztuka mięsa z buraczkami i ziemniaki. Zjedli. Odczekała chwilę przed podaniem drugiego, ale zanim pojawiło się na stole, postawiła przed nimi pieniące się, specjalnie schłodzone piwo. Na zapleczu wsypała biały proszek z buteleczki, tak jak przykazał aptekarz, szczyptę, ale potem dołożyła jeszcze trochę… i jeszcze trochę, dla pewności. Sobie też nasypała, tyle ile trzeba, czyli na sam czubek łyżeczki, żeby nie wyszło, że dywersantka. Rozmawiali bardzo poważnie. Młodej z rozpędu usta się czasami układały do jakiegoś obcego słowa, na przykład *vous*…, *bien*, ale szybko dawała radę je cofnąć w głąb nieposłusznego gardła, co dawało znać, że nie godzi się na żadne ograniczenia. Starej jak świat babce Eleonorze też się tak wyrywało z głębi serca i z rozpędu przemawiała do Brygidki całymi, niezrozumiałymi zdaniami jak z powieści. Pamięta do dziś, jak przytomniała i obudzona ze snu milkła, po raz kolejny patrząc na synową, jak na kogoś z innego świata. Później to już się pilnowała i czasami tylko wargi chciały się dziwnie wygiąć, a podniebienie szykowało się do francuskich nosówek, zupełnie jak tej chudej lafiryndzie trzydzieści lat później.

Zaczęli pytać o dokumenty, ale już dziewuchy z kuchni postawiły przed nimi dymiące talerze.

– To ja może dokumenty przyniese, co by se zerknęli – zerwała się gorliwie po te księgi, ale na szczęście zatrzymali ją, że za chwilę. – O! Patrzta towarzysze, przyszedł nasz tutejszy chluń! – zareklamowała chudego chłopinę, co właśnie wszedł do gospody. – Nie wieta, ile on może zeżryć! – zatrzepotała rzęsami, ciężkimi od nałożonego grubo i niechlujnie tuszu. – We wojne podobno głodował, to se tera odbija. Towarzysze niech jedzom, bo widze, że też zabidzeni – pokiwała nad nimi głową. – Może chore? – zainteresowała się z troską.

Zaczęła już wątpić w skuteczność aptekarzowego cudownego proszku, kiedy wreszcie zaczęli na siebie zerkać podejrzliwie, a potem zawstydzeni po ludziach. Pierwsza zaczęła młoda komunistka i okryła się pensjonarskim pąsem, a dwaj towarzysze nie wiedzieli, gdzie oczy schować. Otarła drżącą dłonią zroszone w jednej sekundzie zimnym potem alabastrowe, pożyłkowane niebiesko skronie. Ale już za moment nie musiała się czuć osamotniona w upiornym i chamskim, publicznym puszczaniu wiatrów. Nawet z początku nie było specjalnie tych bąków słychać, ale potem to już im się dupy rozwarczały całkiem jak na froncie. Ludziska znad piwa i swoich talerzy zaczęli na nich spoglądać i uśmiechać się już całkiem otwarcie, bądź wręcz wybuchać głośnym śmiechem. Lena też popierdywała całkiem porządnie, ale w porównaniu z nimi, to jeszcze można powiedzieć, pełna kultura, jakoś tak półgębkiem, chociaż słyszalnie. To nie ma już specjalnego znaczenia, bo liczy się, kto pierwszy zaczął ten koncert i całe odium niesławy spada jednak na posągową rewolucjonistkę. Lena tłumaczy ich i siebie grochówką, chichocząc co trochę głupawo, rozbawiona sytuacją. Księgi migiem przyniesione gorliwie pod nos podtyka, kiedy wkładają te swoje skóry na grzbiety w wielkim pośpiechu i uciekają z gospody, poganiani przez wstyd, co nie jest wcale proletariacki, tylko wprost przeciwnie, pański i teraz będzie zabijał ich po kawałku, jak tylko sobie przypomną tę swoją hańbę w Łasku. Lena stoi w drzwiach gospody z księgami w objęciach i wspaniałym wyrazem zawodu w przepastnych, choć debilnych oczach. Naprawdę, Modrzejewska niech się przy niej teraz schowa. Ale gdzie tam, trójka komunistów nawet nie chce na nią patrzeć i ona już wie, że znowu się udało i wcale się nie martwi, że wrócą. Nie będzie żadnego powrotu do miejsca, gdzie straciło się twarz. Przyjedzie kto inny, a ona już będzie miała pieniądze z powrotem. Mogą ją pocałować w dupę, ę, ę!

Tereska pobiegła, ale pechowo Józef zabrał dzieci do młyna i po długim, natarczywym dobijaniu się, otworzył jej Jakub. Weszła do środka, przejęta nad wyraz swoją rolą, wyłuszczała mu wszystko, co miała do przekazania. Blum, w niedbale zarzuconym na ramiona szlafroku, stał oparty o ścianę i przyglądał jej się spod przymrużonych oczu, aż jej ciarki szły po krzyżu w tym ciemnym korytarzu, gdzie światło dochodziło tylko przez zazdrostki w drzwiach. A kiedy już miała odwrócić się na pięcie i polecieć z powrotem do gospody, stary Żyd mruknął – Chwileczkę – i zapukał energicznie w drewnianą ścianę schodów prowadzących do piwnicy.

– Panie Ksawery! – zawołał zaskakująco donośnym głosem.
– Pan tu pozwoli, ważna wiadomość od Leny.

Przez jakiś czas nic się nie działo, tylko ten stary człowiek znowu wlepiał w nią swoje smoliste, przerażające oczy. Potem usłyszała lekkie kroki na drewnianych schodach i zza załamania w korytarzu wyłonił się jakiś wysoki, chudy cień.

– Czego? – spytał dosyć opryskliwie, umorusany jakimś smarem mężczyzna. – Przecież pan wie, że jestem zajęty. Kto to jest? – spytał ostro, dopiero ją zauważając.

Przełknęła ślinę i westchnęła mnąc w palcach kawałek swojej nowej sukienki w czerwone groszki.

– Lena ją przysłała. Jakąś kontrolę ma niespodziewaną i twierdzi, że może być niebezpiecznie – wyjaśnił mu Blum spokojnie.

– Mamy uważać… Pan masz uważać. Przyczaić się. Wyłączyć pompę. Zamaskować pomieszczenie. A ja kładę się do łóżka.

– Czułem przez skórę, że coś się dzisiaj może wydarzyć! – westchnął Zawidzki, patrząc na nich oboje z napięciem. – A pani kto? – spytał obcesowo.

Dziewczyna spłoszyła się pod jego świdrującym spojrzeniem i zasłoniła połami lekkiego sweterka połyskujący biało, głęboki dekolt.

– Ja, ja … – zaczęła się jąkać. – Pracuję w gospodzie u pani Leny – trzepotała rzęsami trochę nerwowo, w żadnym razie kokieteryjnie. – I kazała mi powiedzieć, że… Mamy nalot… i ona obawia się, że ktoś nas wydał… Chociaż to może być zwykła, rutynowa kontrola.

– A może ktoś za panią szedł? – spytał niby od niechcenia Blum, a Ksawery błyskawicznie znalazł się przy zazdrostce, patrząc zza niej czujnie na hol.

– Chyba nie… – szepnęła, ale pod jego pytającym spojrzeniem dodała śmielej. – Nie wiem. Nie przyszło mi do głowy, żeby się za siebie oglądać.

– Ja bym radził, żebyście wyjrzeli na ulicę przez okna piwnicy, bo przez te drzwi nic nie widać i żeby pan, pannę za jakiś czas dopiero wypuścił od podwórka – doradził Jakub, zakładając na siebie szlafrok i mocno wiążąc w pasie.

– Ale pani Lena na mnie czeka – westchnęła z przerażeniem dziewczyna. – Prosiła, żeby szybko wrócić i pomóc.

– To tylko chwila – powiedział stanowczo Ksawery, prowadząc ją do schodów.

Blum uśmiechnął się pod nosem i zniknął w kuchni.

– Jak tu stromo! – pisnęła Tereska, schodząc na dół.

Ksawery skrzywił się, ale wiedziony odruchem dobrego wychowania, zatrzymał się i podał jej szarmancko rękę. Złapała się oburącz, puszczając trzymany pod brodą sweterek. Prawie odkryte obfite piersi pokryły się gęsią skórką. Stał u podnóża schodów i kiedy ukazały się nagle w blasku nieosłoniętej kloszem żarówki, nie mógł od nich oderwać wzroku. Stali tak naprzeciw siebie. Kiedy jej podał dłoń miał zimne palce, ale teraz nagle zrobiły się gorące. Chciała zabrać swoje ręce, ale jakoś nie mogła się na to zdobyć. Mężczyzna, który dosłownie przyssał się oczami do jej piersi, nie był specjalnie przystojny, ale miał w twarzy jakiś tragiczny smutek, gorycz, które chciałoby się wytrzeć pocałunkami, tak ni stąd ni zowąd pomyślało się Teresce.

– To może wyjrzymy na tę ulicę – bąknął i nie zabierając ręki, poprowadził ją piwnicznym, łamiącym się korytarzem do okien, które wychodziły tuż nad chodnikiem i skąd widać było kawał ulicy, studnię i całe skrzyżowanie.

– To może ja się przedstawię – opanował się pierwszy. – Ksawery Zawidzki – stuknął obcasami po żołniersku.

– Teresa Drzecka – dygnęła przed nim.

Przez kilka minut w milczeniu obserwowali ulicę, na której nic szczególnego się nie działo. Ksawery po raz pierwszy, od bardzo, bardzo długiego czasu poczuł spokój, chociaż cały czas zdawał sobie sprawę z zagrożenia. Miał ochotę ją dotknąć, albo lepiej, żeby to ona jego dotykała.

Kiedy Tereska wróciła do pracy, trafiła akurat na koniec spektaklu. Stanęła z szeroko otwartymi z zadziwienia ustami i patrzyła na kobietę w krzyczącym różu z kołtunem na głowie, z brwiami uczernionymi nieudolnie korkiem, jak z tępym wyrazem twarzy wciska księgi eleganckim komisarzom partyjnym, a oni pospiesznie odjeżdżają, nie rzuciwszy nawet okiem na jej księgi i kasę.

– Nich chociaż rzucom okiem. Bedom mieli z głowy. Po co se głowe zawracać drugom razem – namawiała ich przekrzykując silniki.

– To gdzieś na tak długo przepadła? – spytała swoim normalnym głosem Lena, kiedy już zniknęli za rogiem.

– Pani, to naprawdę, jak jakaś aktorka – westchnęła nabożnie dziewczyna. – Ten pani Żyd mi otworzył – relacjonowała dalej. – Powiedziałam mu wszystko, co do litery, co mi pani przykazała powiedzieć. I już miałam wracać, kiedy on się nagle przejął, że może ktoś za mną szedł i zawołał takiego pana z piwnicy. Ja się domyśliłam, że to pewnie pani pracownik... – spłoniła się nagle.

– Tak i co dalej? – spoglądała na nią ponuro Lena.

– Ten, co pani tak narzeka na niego, że niby taki mruk i mnie się też z początku taki wydał, ale w końcu jednak myślę, że to całkiem przystojny mężczyzna, chociaż nie na pierwszy rzut oka – zastrzegła. – ...No trochę, przyznam chmurny i nerwowy, ale jednak inny niż wszyscy.

– No masz ci los! – jęknęła Jarecka. – I co, spodobał ci się?

– No... – zawahała się Tereska. – Sama nie wiem... Tak, chyba tak.

– On jest trochę... – zastanowiła się Lena, ważąc słowa. – Nie tyle niebezpieczny, co w niebezpieczeństwie. Nie mów nikomu o nim, bo możesz zaszkodzić i nam i sobie. Pamiętaj! – powiedziała z mocą i powtórzyła jak zaklęcie. – Pamiętaj!

– A komu ja mogę o nim powiedzieć? Nikogo bliskiego tu nie mam – roześmiała się dziewczyna. – Pani wie, że można mi zaufać. Języka do gości nie strzępię, chyba o pogodzie, albo innej błahostce.

– Co prawda, to prawda – przyznała uspokojona Jarecka. – Teraz ja zajrzę do domu. Zostań tu i pilnuj wszystkiego – poprosiła i popędziła, żeby rozprawić się z Blumem.

– Coś ty najlepszego zrobił? – wpadła do kuchni wściekła jak osa.

Siedział zawinięty szczelnie w swój pikowany szlafrok i mimo ciepłej pogody grzał ręce nad ogniem.

– Czy to ty, Lena? – udał, że jej nie poznaje. – Jak ty wyglądasz? – spojrzał ze zgrozą na jej różową bluzkę i nienaturalne rumieńce.

– Nieważne – machnęła ręką niedbale. – Dlaczego doprowadziłeś do poznania Ksawerego i mojej Tereski? – spytała go oskarżycielsko.

– Przecież mieliśmy plan, żeby go odprężyć – odpowiedział niewinnie, przesuwając pogrzebaczem fajerki na płycie kuchni.

– Mieliśmy? Ty miałeś!

– Ciszej. Jeszcze usłyszy… Przyznałaś mię rację i zgodziłaś się.

– Ale nie chciałam Ksawerego Zawidzkiego, tego gbura, moją Tereską odprężać. Jest mi… – spojrzała na niego spod uczernionego oka i utapirowanej grzywki – …potrzebna do pracy, a nie do amorów.

– Od razu amorów – wzruszył ramionami.

– Widziałam ją. Chyba się zadurzyła. Zrobił na niej piorunujące wrażenie.

– Co ty powiesz? – ucieszył się.

– Tak.

– Mię się też tak wydało, że ona na nim również zrobiła pewne wrażenie. Powiedziałbym nawet, że to się dało prawie fizycznie odczuć – zatarł dłonie z zadowoleniem. – No, ale popatrz, jak nam się udało, tak bez zwłoki i prawie przypadkiem dwoje samotnych ludzi skojarzyć. A to wcale, wbrew pozorom, nie jest takie łatwe.

– Tobie się udało.

– Mię, ale i tobie. A poza tym, byłem przekonany, że o to ci chodzi, skoro tak ni stąd ni zowąd, przysyłasz piękną dziewczynę, więc nie zgrywaj świętoszki, zmyj z siebie to świństwo i zrób mi coś do jedzenia, bom zgłodniał od tych emocji, związanych z kojarzeniem młodych.

– Rzeczywiście, aleś się narobił – mruknęła, podchodząc do lustra.

Patrząc na siebie krytycznie, odkręciła kran i umyła dokładnie twarz. Gwałtownie rozczesała włosy i na nowo gładko je ułożyła.

– Znacznie lepiej – zawyrokował Jakub. – Później się przebierzesz.

– Despota. Gdzie dzieci i Józef?

– Poszli na ryby do młyna. Może co na kolację przyniosą. Takiego dajmy na to srebrzystego pstrążyka by się usmażyło dla mię.

– Będziesz smażył?

– No nie, ty usmażysz Lena.

W nocy, jak cień przyszła do ogrodu i zastukała cichutko w furtkę. Czekała chwilę, czując jego przyśpieszony oddech po drugiej stronie. Otworzył, a ona szybko weszła, oglądając się trwożnie na boki. Utonęli w cieniu rzucanym przez wysoką bramę.

– Jednak pani przyszła – szepnął.

– Przyszłam. Sama nie wiem, jak to się stało, że tu przyszłam – odszepnęła i wspięła się na palce, żeby zajrzeć mu w oczy.

Zauważył, że miała świeżo umyte włosy, pachnące jakimś ziołem, to chyba rumianek, pomyślał na pół odurzony, tą letnią nocą, księżycem i jej obecnością. Poczuł zadowolenie, że zdecydował się na dokładną kąpiel, pierwszą od dawna. Aż ten Żyd się z niego podśmiewał, więc w akcie zemsty wlał jeszcze na siebie trochę jego wody kolońskiej, którą mu Jarecka skądś ostatnio wytrzasnęła. Dziewczyna zarzuciła mu ręce na szyję i już nie mógł się opanować i pocałował ją tak, jak jeszcze nikogo nie całował. Całe ciało pulsowało, kiedy w piwnicy wyłuskał jej białe piersi i do rana nie mógł od nich oderwać ust i rąk. I pierwszy raz w życiu chciał być z kobietą delikatny, wyrafinowany w miłości, biegły, tak, żeby na pewno chciała do niego wracać wieczorami, żeby się nie znudziła i żeby on mógł jej dawać rozkosz, więc naprawdę się starał, tak, jakby miał to być jego i jej pierwszy i ostatni raz. Jakby nie było tych kilku lat wojowania, ukrywania się, zwierzęcego, pospiesznego zaspakajania żądzy po wsiach, z niedomytymi, prostymi dziewuchami, do których nie czuł nic prócz wdzięczności. Jakby z powrotem stał się niewinny i wrażliwy na każde jej pragnienie, na każde jej poruszenie, na jej rozczulające wilgotnienie, kiedy ją pieścił, kiedy w nią wchodził i kołysał się w niej, bezpieczny, jak w muszli. A taki się zrobił jej głodny, że kochał się z nią raz za razem do białego rana i nie był nasycony. Co ją zaspokoił i zapadli w krótką, pełną erotycznych majaków drzemkę, znowu wystarczyło, żeby musnął jej sterczących sutków, a już jej krągłe uda rozchylały się przychylnie, a jemu natychmiast twardniał korzeń i wślizgiwał się w nią, gorącą i ciasną. Nawet nie pomyślał o nocnym szpiegowaniu sąsiadów ani innych mieszkańców miasteczka, ani nie obudziło to w nim jakichkolwiek wyrzutów sumienia.

I stała się wielka miłość. Ksawery przez jakiś czas, zgodnie z przewidywaniami Bluma, rzeczywiście nie szpiegował po nocy. Instynkt mu się całkiem stępił konspiracyjny, na rzecz, jak żartował Jakub, prokreacyjnego. Ale po jakimś czasie jego obsesje wróciły ze zdwojoną siłą. Zaczął się bać już nie tyle o siebie, co o Tereskę. Wokół domu i ogrodu powstała cała sieć skomplikowanych alarmów włączanych w nocy, ponieważ w dzień Zawidzki zajęty pracą, jakoś nie czuł się szczególnie zagrożony.

I tak minęło im lato i zaczęła się piękna, ciepła jesień. Wtedy przyjechała nieszczęśliwa i zapłakana Amelia, z małym i wychudzonym jak nieszczęście chłopcem. Lena przyjęła siostrę z otwartymi ramionami, szczególnie, że Tereska zaabsorbowana była swoją świeżą do Zawidzkiego miłością i nie pomagała już w gospodzie jak kiedyś, z pełnym zaangażowaniem.

Ameliowy narzeczony został zaszlachtowany jak prosię, w ciemnym zaułku, kiedy wracał do niej nocą, przemykając podwórkami, żeby nie rzucać się zbytnio w oczy. Ale i tak się rzucał, bo piękny był i kobietom na jego widok grzeszne myśli przychodziły do głowy. Sama Lena spoglądała na niego łakomie. Tej nocy tragicznej, siostra czekała na niego bezsennie do białego rana, chociaż nie raz coś go zatrzymywało w mieście, albo wyjeżdżał nagle niespodziewanie i nawet specjalnie się nie martwiła, ale tym razem sen miała dziwny i zły. A ona snom swoim zawsze wierzyła, więc teraz niespokojna czekała, nerwowo przechadzając się wokół stołu. Deski w podłodze trzeszczały aż ciarki chodziły, aż zapiał kogut, co go sąsiedzi w końcu podwórka trzymali z kurami. Stanęła łapiąc się trwożnie za szyję, spojrzała na śpiące dziecko, poprawiła mu kołdrę, wysunęła się z koszuli nocnej i założyła sukienkę. Boso wyszła na korytarz i zbiegła metalowymi, ażurowymi schodami. Odpowiadały jej głucho, kiedy wzuwała sandały u podnóża. Stanęła w pustej bramie i dopiero po namyśle skręciła w podwórko, nie w ulicę. Mrok jeszcze zalegał po kątach i tylko ptaki właśnie się budziły i ten kogut… Popędziła na sam koniec, tam gdzie komórki zakręcają i jest wąskie przejście na następne podwórko, a jak pójdzie się w lewo, obok śmietnika, to można przecisnąć się na podwórko przy następnej ulicy. I tam właśnie, tuż za załomem smutnej, ślepej ściany bez okien, w kałuży czarnej, przynajmniej tak się wydawało, krwi, leżał z poderżniętym gardłem jej ukochany Taras i patrzył martwymi oczami wprost na nią, jakby czekał, aż przyjdzie i go odnajdzie.

Nakryła dłońmi usta, żeby nie rozdzierać krzykiem tej wielkiej ciszy, która zdawała się tulić jej ukochanego do wiecznego snu bez marzeń. A potem ręce opadły i zrobiło się tak strasznie smutno, tak smutno, że nie znalazła w sobie ani jednej łzy, żeby nad nim i nad sobą, osieroconą tak nagle i niespodziewanie, zapłakać.

Leżał dziwnie spokojnie z rozpłatanym równiutko gardłem, pewnie jakimś dobrym ostrzem, pomyślała mimochodem jak świetna kucharka, co się zna na nożach i cięciach. Nie cierpiał. Nie zdążył się nawet zdziwić, tak szybko przyszła śmierć. Dobre i to, że nie zdążył się przestraszyć, pocieszyła się, chociaż wiedziała, że niczego się nie bał, nieustraszony i piękny, z tym rzadkim seksualnym powabem, który ma się długo, aż do śmierci. Taras go miał też do śmierci, tyle, że krótko. Zbyt krótko i… dlaczego, dlaczego akurat on, cisnęło się pytanie i kto? Kto?

Nachyliła się nad nim uważnie. Na szyi miał jak zwykle swój woreczek na pieniądze, nietknięty, więc o co tu chodzi, jeśli to nie rabunek, zdziwiła się i przestraszyła nie na żarty po raz pierwszy. O co tu chodzi? Po raz drugi przestraszyła się, kiedy zdjęła mu z szyi ten woreczek, własnoręcznie uszyty na jego prośbę z jasnego atłasu, żeby nie rzucał się w oczy przez koszule, dla bezpieczeństwa, tak mówił, a tam było tyle pieniędzy, że ledwo się mieściły i wystawał kawałek papieru, zapisany drobnym pismem… Przyjrzała się mu w słabym świetle ledwie bladego świtu, pańskie pismo, nie żadne tam kulfony ołówkiem, piórem wiecznym… Skoro nie zabrali takich pieniędzy, TAKICH pieniędzy, powtarzała cicho sztywnymi wargami, to sprawa musi być naprawdę poważna. Ważniejsza niż pieniądze. I nagle poczuła się zagrożona. Schowała pieniądze do stanika, a woreczek do kieszeni swojej letniej sukienki. Wygładziła ją spracowaną dłonią, zapędziła pasmo włosów za ucho, prze-żegnała się i spojrzała ostatni raz na swojego ukochanego. Nie wystarczyło, więc uklękła po tej suchej stronie i przytuliła się do jego zimnego jak kamień czoła, musnęła usta i policzek z zaro-stem. I po coś tak gnał, szeptała mu do ucha. Po co? Ludzie teraz niebezpieczni, mówiłam ci nie raz, zepsuci przez wojnę, ale ty nie słuchałeś, nie słuchałeś, śmiałeś się w głos i co teraz będzie? Co będzie? Żeby się tylko do dziecka nie dobrali. Zaraz ta nowa milicja się do ciebie dorwie, tylko czy złapią tych morderców? Czy złapią? Żebym umiała czytać! Co jest na tej karteluszce? Co jest?… A tak nic. Nic. Nie dam im. Obiecuję ci, słyszysz? Słyszysz? Damy sobie radę, choć ten nasz Miki taki pechowy! Taki osobliwie pechowy!!!

W końcu, kiedy się już prawie rozwidniło, podniosła się na nogi ciężko, spojrzała na niego raz ostatni, odwróciła się na pięcie i zniknęła jak duch za rogiem komórki, ze swoją rozpaczą bez łez.

Śledztwo było krótkie. Nikt się specjalnie nie rozczulał nad śmiercią niebieskiego ptaka i pewnie kryminalisty, co z tego, że nigdy nienotowanego. U nas nie, ale gdzie indziej, kto wie? Mało to przestępców wyrzyna się za pieniądze, w wyniku zemsty, czy choćby zwykłej bójki o dziewuchę na przykład. Widać na Tarasa ktoś złość jakąś miał. Być może zadawnioną, jeszcze wojenną i teraz, tu, w mieście Łodzi spotkało go przeznaczenie. Tak mówił ten starszy milicjant, a skoro pani, znaczy obywatelka, nic nam ciekawego nie jest w stanie powiedzieć, to co my, bez żadnych śladów możemy zrobić – rozłożył ręce, niby bezradnie, ale patrzył czujnie, wyczekująco, a nuż coś powie, ale ona nawet nie pisnęła o karteluszku zapisanym drobnym pismem. Tak dokładnie, to nawet nie wiedziała, dlaczego, ale na wszelki wypadek postanowiła nie mówić, więc tylko pokiwała głową ze zrozumieniem, że faktycznie, po prostu taki los spotkał jej kuzyna, na jaki zasługiwał swoim nieunormowanym życiem. Ot, młody był jeszcze i nie miał czasu zmądrzeć. I oddał jej tylko, ostatecznie zamykając śledztwo, cienki pierścionek bez oczka, który Taras trzymał w zaciśniętej dłoni.

– To… – pokazał jej swoją otwartą dłoń – oddajemy. Może o kobietę zatem poszło, skoro ten pierścionek…? – podał jej niedbale, ale oczy znowu śledziły ją czujnie.

– Być może – odpowiedziała lekko, zbierając wszystkie siły, żeby wyciągnięta dłoń nie drżała.

– A ten mały chłopczyk to czyj?

– Mój.

– Cóż, to ja już dziękuję.

– A kiedy mogę zabrać ciało kuzyna?

– Zawiadomimy.

Wstała sztywno od biurka i skinęła mu głową, patrząc w oczy, żeby czasem nie myślał, że coś przed nim ukrywa, bo to był jeszcze dobry przedwojenny policjant i czuł przez skórę, że coś jest grubo tajemnicze w tej pozornie prostej sprawie.

Na ulicy obejrzała sobie dokładnie pierścionek. Nie był wartościowy i już go widziała u Tarasa. Sama dostawała od niego cenniejsze ozdoby. Same tajemnice. Jego życie i początek życia Mikołaja to same tajemnice. Tyle razy obiecywał, że jej opowie, ale jeszcze za wcześnie, jeszcze nie teraz. Nie teraz... Nie dowie się już nigdy, nigdy... Może zresztą lepiej, że nie wie. Może to nie było nic ciekawego, a nawet może by ją do niego bezpowrotnie zraziło? Kto wie, pewnie życie byłoby jeszcze trudniejsze?

Nazajutrz, również bladym świtem, powodowana niepokojem spakowała walizkę, zabrała dziecko i wyjechała do siostry. Zostawiła pieniądze na pogrzeb sąsiadce z ostatniej klatki, którą szanowała, ale nigdy się nie przyjaźniła i poprosiła o odebranie ciała Tarasa z kostnicy. Wcześniej załatwiła wszystkie pogrzebowe formalności. Przemykała ulicą Gdańską i Kopernika do samego Dworca Kaliskiego, często przystając w wietrznych bramach i odpoczywając z popłakującym Mikołajem na ręku, a także rozglądając się nerwowo po pustej jeszcze ulicy. Było już chłodnawo, a nieporęczna walizka obijała się boleśnie o nogi. Odetchnęła, kiedy usiadła zmęczona w pociągu i wreszcie zapłakała w poczuciu dotkliwej, bolesnej straty kochanka i tego, że nie będzie na jego pogrzebie.

Siostra ucieszyła się szczerze na jej widok.

Lena sunęła ulicą ubrana w elegancki, dopasowany żakiet w kolorze butelkowej zieleni z karakułową stójką i takimiż szykownymi mankietami. Spódnica, z tej samej tkaniny, przyjemnie opinała się na pośladkach. Stukały, jeszcze przedwojenne buty z paskiem na szerokich, wysokich obcasach. Czuła się w tym ubraniu bezwstydnie dobrze w ponurej powojennej scenerii. Przystanęła odruchowo, jak zwykle przed opuszczoną na zawsze, żaluzją sklepu kapeluszniczego Lilienów i zamyśliła się. Niebieska farba zaczynała się już nieprzyjemnie łuszczyć. Wyobraziła sobie ukrytą za nią witrynę. Gdyby nie wojna, stałaby przed nią i oglądała wystawione kapelusze, a potem weszłaby po dwóch stopniach do środka i przywitała się ze starszą panią Lilien z uroczo wymykającymi się niesfornymi lokami spod peruczki. Spędziłaby miłą godzinę, wybierając kapelusz do swojego nowego kostiumu i rozmawiając o dzieciach i innych sprawach. Może wszedłby jej mąż, bardzo tradycyjny i zachwyciłby się jej wyglądem. Może... Stoi przed zasuniętą żaluzją, próbując ją przebić wzrokiem, dopatrzeć się sensu, ogarnąć umysłem ten szczególny, porażający brak Lilienów i zapamiętać. Zapamiętać twarze Lilienów i wstążki Sonki Cukerman, ale nic więcej, nie więcej... Widzi tylko poziome linie i wcale nie chce przypominać sobie, tego co było potem, ale drewniana żaluzja znika i pojawia się...

– Lena! Lena! Co ci jest? Stoisz tu jak słup, aż się przestraszyłem i przyleciałem – zaniepokojony Czesław potrząsał ją za ramię.

– Nic, nic – otrząsnęła się.

– No, to dobrze – odetchnął. – Sklep Lilienów – pokiwał głową.

– Właśnie – potwierdziła.

– Jakoś dziwnie.

– Właśnie.

– Jak była wojna, to nie było tak dziwnie, a teraz jest... – zastanowił się, nie znajdując odpowiedniego słowa.

– Gorzej – podpowiedziała.

– Przerażająco – powiedział Rękaw.

– Tak.

– To nasza wina? – spytał ich Rękaw oskarżycielsko.

– Nie! – odpowiedzieli chórem.

– Co mogliśmy zrobić? – spytał kpiącym głosem. – Właśnie – odpowiedział sobie za nich.

– Właśnie – odpowiedzieli znowu razem.

– Właśnie – przedrzeźniał ich.

– Przepraszam – powiedział Czesław.

– Nic nie szkodzi. Sama czasami myślę, że może... Nieważne. Stało się.

– Właśnie – westchnął Rękaw i zaraz za nim powtórzył to Czesław. – Szykowny kostium – dodał z uznaniem.

– Dziękuję. Nawet nie uwierzysz, skąd go mam. Z Unrry! Do widzenia, muszę lecieć. Dziękuję za waszą troskę.

– Do widzenia – pokiwali jej.

Perfekcyjny wygląd zawdzięczała wielu popołudniom, spędzonym na przerabianiu unrrowskiej kurtki i ozdabianiu jej starym karakułowym kołnierzem doktora Straussa. Pamięta złośliwe miny obserwujących ją kobiet, kiedy podały jej monstrualnie wielkie odzienie, którego nikt nie chciał, z obłudną miną, że tylko niestety to zostało. Pogładziła miękką wełnę o głębokim, zielonym kolorze, wywinęła na lewą stronę. Błysnęła przepiękna podszewka, uśmiechnęła się z zadowoleniem, skinęła głową i wyszła. Spojrzała na zegarek i udała się do Remika, gdzie doktor Strauss właśnie pił swoją kawę.

– Co tam masz? – zainteresował się od razu jej wykwintnym bagażem.

– Kurtkę od ciotki Unrry – rozwinęła przed nim ubranie.

Przez krótką, ulotną chwilę zapachniało lepszym światem.

– Chyba dla słonia – zaśmiał się, widząc rozmiar.

– Dlatego ją mam – wyjaśniła spokojnie. – Te kurwy... – nawet nie zmrużyła oka, kiedy skrzywił się z niesmakiem – ...zawsze informują mnie na samym końcu i dostaję jakieś dziwaczne rzeczy, których nikt nie chce.

– Nie lubią cię – bardziej stwierdził niż spytał.

– Nie, i jeszcze uważają, że nie potrzebuję się ubrać, bo jestem bogata i wredna.

– I co z tym zrobisz?

– Właśnie w tej sprawie przyszłam. Sprzedaj mi swój karakułowy kołnierz.

– Po co?

– Potrzebny mi.

– Nie.

– Dlaczego?

– Nie.

– Bo?

– Nie.

– Przecież nie używasz.

– Ja nie.

Podniosła pytająco brew.

– Kot na nim śpi – mruknął, podnosząc do ust delikatną, porcelanową filiżankę, którą specjalnie dla niego Remik trzymał pod ladą.

– Pchły ma?

– Nie wiem – wzruszył ramionami.

– Pewnie ma. Gryzie cię coś?

– Nie.

– To nie ma. Sprzedaj do mojego nowego kostiumu.

– A kot?

– Uszyję mu z tego, co zostanie, cud poduszkę – obiecała.

– Więc ile?

– Co ile? – prowadzili niespieszne negocjacje, popijając kawę małymi łyczkami, jakby się wcześniej umówili, że właśnie tak zrobią, przeciągając w nieskończoność taką niezobowiązującą, miłą chwilę w środku pospiesznego, pracowitego dnia.

Strauss, oparty niedbale o oparcie niewielkiego krzesełka, z uwagą przyglądał się swojej stopie, w znoszonym, ale dalej eleganckim bucie i kiwał nią delikatnie w prawo i w lewo.

– A może by tak przegryźć tę kawę francuskim rożkiem? – zaproponował.

– Możemy przegryźć drugą. Tę już wypiłam – przed chwilą zirytowało ją to wolne tempo i jednym, potężnym, łapczywym haustem skończyła swoją kawę.

Zaczepiła przemykającego z zaplecza chłopaka, opasanego długim, białym fartuchem. – Powiedz, że dla doktora dwie kawy i francuskie rożki. Dobry pomysł z tą długą szmatą zamiast tych mikroskopijnych, piździejcowych fartuszków – powiedziała, a on pokiwał z dezaprobatą głową i rozmarzył się.

– Jak we Francji – przymknął oczy.

– Też tak zrobię – podjęła decyzję. – Co z tym kołnierzem?

– No, nie wiem – powiedział rozwlekle, zerkając na nią swoimi różnokolorowymi oczami, spod grzywy siwych włosów.

– Daj spokój! – sapnęła.

Już widziała takie oczy u kogoś, tylko u kogo, nie mogła sobie przypomnieć. Doktor ma jedno zielonkawe, no może bardziej niebieskie niż zielonkawe, ale to zależy, jaką akurat ma koszulę, a drugie jest prawie czarne. Jakby nie było takie bardzo ciemne, to pewnie nie rzucałoby się w oczy, ale na tej głuchej wsi, koło Krzucza, gdzie przeżył wojnę, budziło strach to jego różnokolorowe spojrzenie. Dzieci bały się go, i chłopi, najbardziej jednak kobiety, choć ich wszystkich leczył i pomagał, w czym mógł. Oni go karmili i chronili, bardziej ze strachu, niż lojalności. Wszystko dlatego, że puściła plotkę o jego nadzwyczajnych mocach. Przypadek, bo zaraz po tym puszczonym sprytnie kłamstwie, uratował życie dzieciakowi po wypadku, ugruntował jego pozycję i rolę, w jakiej go obsadziła. Dodała również istotną informację o jego mściwym charakterze. Poparła kilkoma mrożącymi krew w żyłach egzemplifikacjami i tak jakoś, prawie cudem, udało się. Zachichotała niespodziewanie, kiedy przypomniała sobie jego pełną zdziwienia opowieść, jak to ludzie zawsze starali się do niego ustawiać z lewej strony. Pewnie, pomyślała wtedy, też bym tak się ustawiała, jak by mi ktoś wmówił, że w prawym, czarnym oku mieszka czart, a w lewym anioł. Ta wieś to była taka leśna kolonia i ludzi od pokoleń leczyli znachorzy, których mieli za czarowników, albo wiedźmy. Raczej wiedźmy, ale zdarzali się mężczyźni, dlatego tak łatwo było go tam, po śmierci starej Kasprzykowej, osadzić.

– Z czego się śmiejesz?

– Nic. Nic. Przypomniało mi się coś. To ile?

– A co dokładnie zrobisz z moim kołnierzem?

– Stójkę i mankiety… i może toczek, ale chyba nie wystarczy.

– Czyli zniszczysz mój pamiątkowy kołnierz?

– Nie zniszczę, dam mu nowe życie.

– Cóż… – zastanowił się. – Nowe życie… To nawet ciekawe.
Dlaczego nie możesz dać go mnie? – spytał z odrobiną goryczy.

Rozłożyła bezradnie ręce, a on pokiwał głową, pomilczał
i w końcu oświadczył zdecydowanym głosem.

– Ewentualnie mogę ci go dać.

– Nie proszę, żebyś dał. Sprzedaj.

– Dam – powiedział tonem nieznoszącym sprzeciwu. – Niech
mam tę satysfakcję, że przyłożyłem ręki do twej niezwykłej elegancji… tylko ten twój język… niewyparzony – znowu spojrzał
na nią zdegustowany.

– Pozwól choć poduszkę dać kotu w zamian.

– A daj! – machnął lekceważąco smukłą dłonią.

Lena poprawiła szew na pończosze, Strauss odchylił się na
krześle i wyjrzał przez okno na uliczkę, którą właśnie przeciskał
się wyładowany sianem wóz.

– Wkrótce jadę do Łodzi – oświadczyła Lena. – Przywieźć ci
coś?

– Po co tam gnasz?

– Siostra mnie prosiła, żebym coś sprawdziła. A i tak mam tam
kilka spraw do załatwienia – wyjaśniła.

– Ta siostra, której… – zawiesił głos.

– Tak, Amelia. Mam sprawdzić, czy pogrzeb się odbył.

– Dziwne to wszystko. Uważam, że nie powinnaś. To niebezpieczne – spojrzał na nią z niepokojem.

– Nie martw się o mnie – wybuchła perlistym śmiechem.

– Dobre! – zaśmiał się również. – Nie żartuję – powiedział
po chwili poważniejąc. – Coś w tym musi być, skoro twoja siostra

tak pośpiesznie uciekła, zabierając w popłochu dziecko, zacierając ślady, nie grzebiąc ukochanego…

– Tak, tak… – jak zwykle lekceważyła czyjeś obawy, jeśli tylko kolidowały z jej planami. – Z pewnością masz rację, ale będę uważała – wyciągnęła rękę i uścisnęła serdecznie jego dłoń, dłużej niż to było konieczne. – To co ci przywieźć, doktorze?

– Nie wiem, może jakąś książkę, jakbyś znalazła. Coś z klasyki. Wiesz, co lubię. Mówiłem ci… Tylko bądź uważna – zaklął ją na koniec drobnym ruchem kościstych palców.

– Coś jednak z tych zabobonów zostało – parsknęła śmiechem.

– Odruchowo, wybacz – zmieszał się. – Zresztą, nie zawadzi – wzruszył ramionami.

– Muszę iść. Nie pij więcej kawy – pożegnała go i wybiegła lekkim krokiem na ulicę.

Zajrzała do gospody, gdzie siostra zaczęła królować w kuchni, szepcząc pod nosem swoje litanie: „Młodą, tłustą, z największym staraniem oczyszczoną kaczkę, osolić i włożyć do rondla, piec pół godziny na mocnem ogniu, następnie wrzucić pod spód kaczki uszatkowane pieczarki i śliwki, podlać winem czerwonem, dusić pod pokrywą. Na patelni rozgrzać masło, dodać mąkę, rozprowadzić rosołem, włożyć korzeni, cukier, dodać cytrynowego soku, osolić, gotować razem…"

Następnie pobiegła do domu, gdzie Ksawery znowu awanturował się z Jakubem o coś zupełnie nieistotnego, a potem trzasnął drzwiami i zniknął w piwnicy.

– Znowu? – mruknęła zniechęcona.

W drzwiach kuchni pojawili się Ludka i Abram z małym Mikim. Wkrótce ktoś brutalnie załomotał do drzwi. Zanim otworzyła, zdążyła jeszcze nacisnąć dzwonek alarmowy zainstalowany przez Ksawerego.

Kiedy tylko przekręciła klucz, do korytarza wtargnęło dwóch nieznajomych milicjantów w cywilu i zaczęli metodycznie przetrząsać cały dom. Blum chodził za nimi cały czas i zawodził teatralnie, choć Lenie wydawało się, że niezbyt przekonująco.

– Co to za szykany do mię? Ja mam mieć spokój w moim własnym domu. Mię lekarz absolutnie zabronił się denerwować, a co to jest? Co to jest? Wtargnięcie! Ja dużo przeszedłem – prezentował im swój wytatuowany na nadgarstku numer. – Dlaczego? Ja się pytam, dlaczego? – wlepił w nich oskarżycielsko swoje przeraźliwie smutne oczy.

– Mieliśmy doniesienie o nielegalnym interesie, jaki tu obywatele prowadzicie.

– Jaki interes? – zdziwił się Jakub niebotycznie. – Interes to ja miałem przed wojną. Złoty interes. Co ja mówię? Brylantowy interes! Ja miałem Wytwórnię Wód Gazowanych! – powiedział z nabożeństwem, wymawiając każde słowo. – To był cud, nie interes. Ale teraz?! Panowie zobaczą, co zostało z mojego interesu. Lena, zaprowadź państwa, do tej zbombardowanej ruiny w końcu ogrodu – zarządził władczo, aż ją skręciło ze złości na niego.

– Sami trafią – burknęła, mimo wszechogarniającego ją strachu i machnęła ręką, kierując ich na taras.

– Najpierw mamy obowiązek przeszukać dom – tajniacy nie byli tacy głupi jak zazwyczaj nowi funkcjonariusze z ludu i bezbłędnie skierowali się do piwnicy.

Jakiś skurwiel musiał im dać dokładny cynk, myślała mściwie, prowadząc ich na dół. Miki zaczął się za nią wydzierać wniebogłosy, więc wzięła go na ręce, ciesząc się, że z dzieckiem w ramionach nie wygląda na wroga ludu. Może zresztą to wcale nie chodzi o wytwórnię, tylko lewe interesy z Kazikiem Zawidzkim? Kto wie? Tak, czy siak zrobiło się gorąco, żeby tylko skrytki z dolarami nie znaleźli. A może przywlekli się tu za Amelią, przyszło jej zupełnie niespodziewanie do głowy.

Oprowadziła ich po każdym pomieszczeniu. Stosy skrzynek wytłumaczyła przedwojenną działalnością Bluma. Dobrze, że nie przyglądali się zbyt dokładnie etykietom, zirytowani wrzaskiem dziecka. Kiedy doszli do piwnic od strony ogrodu kamień spadł jej z serca, bo zobaczyła, że Zawidzki zdążył wszystko uprzątnąć i teraz zastali tylko Józefa, udającego, że naprawia znowu zepsutą pompę. Półki maskujące kolejne pomieszczenie były na swoim miejscu, ukrywając sekretne przejście i samego Zawidzkiego, który stał, była tego pewna, gotowy do walki, ściskając swój pistolet w dłoniach, spięty i oczekujący zupełnie tak samo jak Henry, pies jego kuzyna,

Poszli, ale zostawili po sobie niepokój, chociaż Lena zdaje się, że zdołała wojewódzkim funkcjonariuszom wmówić, jaką to wrogością jest otoczona przez fakt swojego politycznego zaangażowania w nowe porządki. Tak, tak, kiwali głowami ze zrozumieniem, niektóre wrogie siły chcą nas skłócić, zasiać ferment, ale my się nie damy, towarzyszko Jarecka, nie damy się. Opowiedziała im łzawą historię swojego przedwojennego biedowania, jak to czasami z głodu przymierali, popłakała przy tym, aż czuli się w obowiązku pocieszyć ją, że to się więcej nie powtórzy. Dobrze, że Józef został w piwnicy i nie słyszał, z pewnością nie obyłoby się bez jakiegoś złośliwego komentarza, rujnującego jej misterne sugestie. No i nie każdemu podoba się jej opieka nad starym, schorowanym więźniem obozu koncentracyjnego i sierotami, woleliby zapewne..., zawiesiła głos i spojrzała wymownie swoimi melancholijnymi, bezbrzeżnie smutnymi oczami na jednego z nich. Odetchnęła z ulgą, widząc jego zaciskającą się bezwiednie dłoń. W końcu poszli, odprowadzeni do samego chodnika. Wróciła do kuchni, gdzie Jakub bił brawo.

– Nu, Lena, to było naprawdę wspaniałe, wspaniałe wystąpienie! Wzruszyłaś mię do łez – powiedział.

– Ciekawe, czy wrócą?

– Ci na pewno nie, ale trzeba uważać.

– Z każdym miesiącem wszystko się jednak zmienia. Umacniają się. Nawet Wrocław obstawili rogatkami i teraz jest trudno coś wywieźć. Chyba, że się im nie spodoba i przyjmą haracz. Wszystko to w ramach walki z szabrownikami.

– Znaczy z tobą i Zawidzkim?

– Między innymi. My przynajmniej nie jesteśmy bandytami, jak niektórzy!

– Czy ja coś na ten temat mówię? – wzniósł dłonie do góry.

– No, niby nie mówisz...

– Ale?

– Na przykład taki Józef i Ksawery... Mniejsza – mruknęła zniechęcona.

– Daj spokój Lena, przecież i tak robią, co każesz – uspokoił ją.

– Muszę was nakarmić, bo od tych nieszczęść człowiek robi się głodny jak wilk.

– Nie jestem głodny.

– Ale ja jestem i pewnie dzieci też.

Postanowili przyczaić się, aż sytuacja ostatecznie się wyjaśni. Zawidzki znowu patrolował w nocy okolice, węsząc nerwowo i niecierpliwie, jakby wyczekując z utęsknieniem jakiegoś nieszczęścia. W dzień wyznaczył dzieciom, Blumowi i Józefowi specjalne warty. Nie byli zachwyceni. Zrobiło się nerwowo, tym bardziej, że mieli co stracić. Sama Jarecka pojechała do Łodzi.

Najpierw załatwiła swoje sprawy. Potem zakupiła w antykwariacie książki dla Straussa i zadowolona z siebie udała się na ulicę Gdańską do mieszkania siostry, skąd miała zabrać jakieś niezbędne, a zapomniane rzeczy. Weszła na ostatnie piętro. Przypomniała sobie o przesadnych upomnieniach Amelii, żeby była cicha i ostrożna, ale jak mogła być cicha na tych wysokich obcasach od samego Berkowicza, więc wspinała się po żeliwnych, zakręcanych schodach, łomocząc niemiłosiernie, aż niosło po klatce schodowej. Wzruszyła ramionami, pewnie wszyscy w pracy i tak nikt jej nie zauważy. Chwilę biedziła się z otworzeniem drzwi, a potem stanęła osłupiała na progu zdemolowanego doszczętnie wnętrza. Nawet poduszki zostały poprute i wszędzie walały się pióra, wylatując przez uchylone okno. Delikatnie zamknęła za sobą drzwi. Że też nie spojrzałam w górę, syknęła zirytowana na siebie. Spojrzała na ślady butów na białym parapecie. Firanka zwieszała się na zewnątrz wywleczona zapewne przez wiatr... lub przez tego, co wdarł się tu przez dach i zostawił za sobą to pobojowisko. Ciekawe, czego szukał? Ciekawe! Wyjrzała na ciemny korytarz przez dziurkę od klucza, zdjęła buty i bezszelestnie, na palcach wymknęła się z mieszkania. Przypomniała sobie kolejne upomnienie Amelii, że jakby coś było nie w porządku, miała iść do tej zaufanej sąsiadki strychem, od którego dała jej klucz. Ktoś szybko wbiegał na górę, łomocząc jeszcze głośniej niż ona. Błyskawicznie wspięła się na strome schodki, które niczym obudowana deskami drabina, prowadziły na strych i zamknęła za sobą liche drzwi. Przez szpary spoglądała w dół na korytarz, rozjaśniony w tym miejscu wielkim oknem z klatki schodowej. Jakieś dwa cienie przemknęły niżej i zaraz usłyszała szarpanie za klamkę. Nie miała wątpliwości, że do mieszkania siostry. Spociła się, słysząc kłótnię. Stąpając ostrożnie przeszła z frontowej kamienicy do oficyny, zeszła ostatnią klatką do sąsiadki. Tej sąsiadki, o której Amelia mówiła, że wcale nie jest z nią zaprzyjaźniona, tylko darzy ją szacunkiem i właśnie dlatego jej zostawiła pieniądze na pogrzeb i poprosiła o pomoc. Zapukała. Otworzyła blada kobieta w średnim wieku z pełnymi policzkami i natychmiast wciągnęła ją do środka.

– Pani Stępień mówiła, że pani przyjdzie – powiedziała bez wstępu, obserwując uważnie podwórko zza dyskretnie uchylonej zazdrostki. – Proszę usiąść.

Jarecka usiadła przy stole zarzuconym klockową serwetą. Na samym środku stał wazon ze zbyt krótko uciętymi gladiolami.

– Skąd pani wiedziała, że to właśnie ja? – zdziwiła się Lena.

– Opisała mi dokładnie i ze szczegółami. Od razu poznałam – odpowiedziała z niezachwianą pewnością siebie. – Nie jest dobrze! Proszę jej powiedzieć, żeby się nie pokazywała.

– Dlaczego?... Przez ten bałagan w domu?

– Nie tylko. Szukają jej. Ktoś niezbyt dobry.

– Kto?

– A skąd ja mam wiedzieć? Pani spyta siostrę – wzruszyła ramionami.

– Prosiła, żeby spytać o pogrzeb. Czy wszystko w porządku? – wypytywała sumiennie, wyciągając głowę, kiedy krążąca od stołu do okna kobieta, chowała się za bukietem w wazonie.

– Tak. Załatwiłam, co jeszcze było do załatwienia. Zapłaciłam, ale na pogrzeb nie poszłam. Pani Amelia uprzedziła mnie, żebym się nie narażała i jak poczuję, że coś jest nie tak, mam nie iść. Na wszelki wypadek nie poszłam – poinformowała ją z pewną stanowczością, po to, żeby niezwłocznie dodać. – Patrzyłam tylko z daleka, chociaż na wszelki wypadek pani siostra kazała podać inne nazwisko na nagrobku i w dokumentach. I wie pani, co? – popatrzyła z napięciem na Lenę przez wąską przerwę w bukiecie, sadowiąc się, zupełnie bez sensu, dokładnie po drugiej stronie stołu za wazonem. – Na pogrzebie byli jednak jacyś żałobnicy! A miało nikogo nie być! – wyciągnęła dłoń, można powiedzieć, pytająco.

– Jak to?

– No tak, że nikt go tu nie miał prawa znać pod tym wymyślonym nazwiskiem, a tu nagle takich dwóch za trumną, rozglądających się czujnie wokoło. Mało tego – podniosła palec do góry i otworzyła szerzej oczy, patrząc ze zdumieniem na wychyloną zza wazonu Jarecką.

– Może zbieżność tego wymyślonego nazwiska? – zasugerowała Lena.

– Może. Usiadłam na ławeczce przy grobie nieopodal i omiatając go z liści obserwowałam tych żałobników... – złapała ją za

nadgarstek, omijając wazon. – Mówię pani, dziwni byli. Żaden łzy
nie uronił, a rozglądali się, jak jakie... – zastanowiła się, szukając
odpowiedniego porównania – ...jastrzębie! Dobrze, że założyłam
czarny kapelusz z woalką. Nie widzieli, że też gapię się na nich.
A potem rozpierzchli się po alejkach cmentarza, zaglądając ludziom,
szczególnie kobietom i dzieciom w twarze. Jak nic, paninej siostry z dzieckiem szukali. Jak nic! Dobrze, że tę woalkę na twarzy
miałam. A potem schowałam się za drzewem, zdjęłam kapelusz
i schowałam zwinięty do torby, a na ramiona zarzuciłam kolorowy
szal, co go przedtem z tej mojej torby wyjęłam. Tak odmieniona
wyszłam głównym wyjściem, nie rozglądając się na boki, ale oni
tam byli i tak ich widziałam. Nerwowi tacy, dziwni, oj dziwni...
Pani patrzy na mnie zaskoczona – bardziej stwierdziła niż spytała,
poprawiając szpakowate włosy.

    – Tak. Trochę – potwierdziła, balansująca na krześle Lena,
żeby patrzeć na znikającą za bukietem kobietę. – To jak z filmu –
dodała. – Ja bardzo lubię chodzić do kina – wyjaśniła.

    – Ja nie z kina taka jestem ostrożna. Byłam w czasie wojny
w ruchu oporu. Czasem opowiadałam pani siostrze i zapewne dlatego poprosiła mnie...

    – Ach tak!

    Nagle wszystko stało się jasne, tylko po co Amelia z tym sza-
cunkiem... Zawsze taka skryta była. Zawsze, ale w takiej sytuacji
mogłaby prawdę powiedzieć... Czyli to jest coś znacznie grubsze-
go, niż się początkowo wydawało. Wdał się ten młody narzeczony
w coś, co go przerosło... To wcale nie wygląda na zwyczajne porachunki drobnych kombinatorów i przestępców.

    – Tak. Ona czuła, albo wręcz wiedziała, że grozi im, znaczy jej
i dziecku, niebezpieczeństwo.

    – A pani wie, o co w tym wszystkim chodzi?

    – Nie mam pojęcia, ale ona, bez względu na wszystko, niech
nie wraca – zaklinała sąsiadka. – Musi się przyczaić. Ten jej...

– sąsiadka nie wiedziała, jakiego określenia użyć – …kuzyn, wpląttał się prawdopodobnie w jakąś wielką aferę, a że wyobraźni chłopczyna nie miał, to go zaszlachtowali bez litości, ale i tak coś musiało pójść nie po ich myśli, coś musiał przed nimi zataić, że po śmierci nie dają spokoju. Jedno pewne, o Amelii i dzieciaku nie pisnął ani słowa. Potem dopiero musieli do nich dojść, bo już by ją mieli.

– Co pani powie? – przestraszona Lena zastygła bez ruchu, wpatrzona w czubek głowy, wystający zza gladiolii po drugiej stronie stołu.

– Tak – pokiwała głową sąsiadka. – Tego świtu, kiedy siostra znalazła… kuzyna – Lenę rozczuliła jej lojalność wobec siostry – …między komórkami, o tu niedaleko, gdzie jest przejście między posesjami – wskazała palcem kierunek – to podobno umówiona była, że jeśli nie wróci do tej i do tej godziny, ma zabrać dzieciaka i uciekać, co sił w nogach. Tyle miał rozumu, co by ją ostrzec – znowu pokiwała głową. – Może ja herbaty naparzę? – zaproponowała i zerwała się od stołu.

Lena z ulgą przestała wychylać się raz w jedną raz w drugą stronę na twardym krześle.

– Coś takiego! – zdumiała się. – A mnie mówiła, że coś ją tknęło, żeby wyjść nad ranem między te komórki! Niepokój jakiś taki nieokreślony. Kłamczucha!

– Proszę się jej nie dziwić – kobieta odwróciła się od kuchni z czajniczkiem z esencją herbacianą w ręku i nalała do filiżanki. – Zapewne uznała, że tak będzie lepiej dla pani i dla niej.

Znowu podeszła do okna i dyskretnie zlustrowała podwórko.

– Nikt pani nie widział? – spytała nagle czujnie.

– Nie.

– Na pewno?

– Tak. Siostra nie pozwoliła mi pokazywać się na podwórku, gdyby coś było nie tak.

– A było?

– Tak. Straszny bałagan w mieszkaniu. Okno otworzone. Ktoś się musiał włamać z dachu.

– Widziałam tę wywleczoną firankę.

– Właśnie. Czegoś usilnie szukali. I nie znaleźli, bo chyba obserwują dom. O mało na nich nie wpadłam. Na szczęście dała mi klucze od strychu.

– Ja jej poradziłam – ucieszyła się sąsiadka.

– Kto to jest?

– Nie wiem. Rozpytywali wszystkich sąsiadów o nią, ale pani Amelia jest strasznie skryta i prawie nic o niej nie wiedzieli. Ot, że kuzyn się odnalazł z wojny i wdowa dziecko sama chowa.

– I co teraz?

– Dalej będą szukać. Są przekonani, że to, czego nie dał im on, ma pewnie ona.

– Tylko co to może być? Pieniądze?

– Na pewno nie. Miał przy sobie. Nie wzięli.

– Może niewyobrażalnie większe pieniądze, albo coś, za co je można dostać? – snuła przypuszczenia Lena, delektując się świetną herbatą.

– Być może. Jeśli tak, to pani siostra powinna im to zwrócić jak najszybciej, wtedy dadzą jej spokój.

– Ale ona na pewno tego nie ma! Powiedziałaby mi!

– Nie powiedziała jednak pani wszystkiego – kobieta z naciskiem zwróciła jej uwagę.

– W tak ważnej sprawie skonsultowałaby się ze mną na pewno... – zawiesiła głos. – Jestem przekonana, że sama nie wie, w czym rzecz – stwierdziła, siląc się na stanowczy i kategoryczny ton. – Wspaniała herbata – pochwaliła.

– Prawda? Mam słabość do dobrej herbaty – zza wazonu wysunęła się dłoń i wygładziła serwetę.

– Teraz trudno ją dostać.

– Tak, ale czasem trafia się na bazarze.

– Muszę iść – Lena wstała od stołu.

– Lepiej będzie, jak pani wróci tą samą drogą – poradziła jej sąsiadka, drobiąc nerwowo przy oknie. – I z bramy od razu na ulicę. Nikt nie powinien pani zauważyć. To co, udaje się pani na Kaliską?

– Nie – zdziwiła się, otwierając szeroko oczy, Lena. – Pojadę tramwajem. Mieszkamy w Zgierzu. Bardzo pani dziękuję w imieniu siostry – uśmiechnęła się promiennie do kobiety i uścisnęła serdecznie jej dłoń.

– Wyjdę na ulicę rozejrzeć się – zaproponowała sąsiadka. – Jeśli coś będzie nie tak, dam pani znać.

Zaczęła się wspinać po schodach, kobieta wyszła na podwórze i skręciła w lewą stronę w kierunku bramy. Lena przystanęła na półpiętrze, a następnie, odczekawszy kilka chwil wymknęła się za kobietą, skręcając w prawo i znikając błyskawicznie za komórkami. Szła szybko, ale spokojnie. Minęła zaułek, gdzie sądząc po przysypanym piaskiem bruku, zginął jej prawie szwagier i wyszła na sąsiednią ulicę. Odrzuciła włosy na plecy, zadowolona ze swojej przezorności. Strzeżonego Pan Bóg strzeże, mruknęła do siebie, coś paniusia z ruchu oporu za dobrą herbatę pije. A tak sprytnie się zachowała, te pytania tak perfekcyjnie, od niechcenia rzucone... Lepiej uważać, niż gryźć ziemię, ktoś tak ciągle powtarzał w czasie wojny... Ksawery zresztą też... A może to paranoja, która jej się od niego udzieliła? Ta sąsiadka, jeśli nawet jest szczera, to lepiej dmuchać na zimne.

Tylko jak teraz wrócić do domu? Kaliska niebezpieczna. Może jakaś furmanka będzie do Pabianic jechała, albo tramwaj? Do pociągu wsiądzie najbliżej w Pabianicach, a oni, jeśli są jacyś oni, niech jej szukają w Zgierzu. Ruszyła raźno w kierunku Głównej, obmacując z ciekawością mały, twardy pakiecik leżący w kieszeni żakietu, a wyjęty zza cegły na strychu. Tknięta jakimś złym przeczuciem, zawróciła i skręciła w bramę naprzeciwko tej, z której przed momentem wyszła. Wspięła się na klatkę schodową. Okna wychodziły na ulicę. Ukryta za murem czujnie obserwowała bramę i ulicę. Przecież musi tę babę sprawdzić. Musi wiedzieć, po czyjej jest stronie. Informacje przyniesione Amelii, mimo, że ta nie jest z nią specjalnie szczera, jak zwykle zresztą, muszą być rzetelne i prawdziwe, żeby wiedziała, co robić i wszyscy byli bezpieczni, bo nagle przestali być, i o dziwo wcale nie chodzi o jej Wytwórnię Wód Gazowanych, jak nieustannie przepowiadał Józef, tylko o coś tajemniczego i zbrodniczego, co już teraz ciągnie się za Amelią, a jak za Amelią to i za nimi wszystkimi.

Nie czekała długo, z bramy wybiegło dwóch mężczyzn. Gorączkowo rozejrzeli się po ulicy. Dali sobie znaki i rozbiegli się, jeden w lewo, drugi w prawo. No tak, niestety miała rację, będąc do przesady ostrożną, pomyślała z ulgą. Wspięła się na najwyższe piętro i ciężko usiadła na schodach, podkładając sobie pod siedzenie jedną z książek dla Straussa. Obejrzała dokładnie sekretny pakunek, po który przysłała ją siostra – gruby notatnik z wieloma luźnymi kartkami, ale wszystko było po niemiecku, więc otworzyła „Czerwone i czarne" Stendhala. Czytała do zmierzchu. Zaczął padać jesienny deszcz. Niżej trzaskały co chwilę drzwi, ale wyżej, na strych, nikt nie wchodził. Zmorzył ją sen. Położyła głowę na kolanach, oparła się o ścianę. Usnęła zmęczona, ale jednocześnie zadowolona z siebie.

Kiedy wreszcie wróciła do Łasku, zastała w domu istne pandemonium. Wszyscy, łącznie z Kazimierzem i doktorem Straussem, czekali wystraszeni jej całonocną nieobecnością. Józef stał przy oknie jakiś taki zgarbiony i jakby jeszcze starszy niż zazwyczaj, prawie tak stary jak Blum, który z kolei siedział przy piecu całkiem nieobecny. Amelia była najbledsza, po prostu prześcieradło w niebieskiej farbce wymoczone. Obaj Zawidzcy palili przy uchylonym oknie. Kazimierzowi trzęsły się ręce. Dzieci oderwały się od pieczenia na blasze macy. Ludka zapłakała na jej widok, po chwili przyłączył się Abram, najgłośniej beczał Miki, który wczoraj poparzył się fajerką i miał zabandażowaną rękę, aż po sam chudy i bulwiasty łokieć.

– Pani Leno! Ostrzegałem! Ostrzegałem! Przychodzę ci ja wczoraj wezwany do tego nieszczęsnego dziecka i co słyszę?! – zrobił dramatyczną przerwę. – Że pani nie ma! – gorączkował się, zazwyczaj spokojny doktor.

– Co się stało? – rzucili się witać, rządni wyjaśnień.

Tylko siostra milczała jak zaklęta, chociaż to ona właśnie miałaby najwięcej do powiedzenia. Popatrzyły na siebie poprzez gromadę skupioną wokół kuchennego stołu.

– Przywiozłam doktorowi książki – bąknęła głupio, bo nie wiedziała, co miałaby im powiedzieć przy dzieciach.

– No wiesz! – oburzył się Józef. – Myśleliśmy, że cię aresztowali, albo napadli, a ty tu wyjmujesz książki dla Straussa.

– Dziękuję, dziękuję – powtarzał oszołomiony doktor.

– No, ja myślałem, że nam zniknęłaś na amen! – powiedział Jakub. – Jeszcze po tej rewizji! – machnął ręką z taką rezygnacją, jakby już naprawdę przeżył i odżałował jej zniknięcie.

– A co? – skoczyła do niego, nagle rozwścieczona jak osa. – Myślałeś pewnie, że z twoimi pieniędzmi uciekłam?

– Nie, nie – zarzekał się bez przekonania. – I dlaczego moje, skoro to przecież są nasze, wspólnie zarobione pieniądze – próbował zatrzeć przykre wrażenie Blum.

– Nie mąć Blum! Myślisz, że cię nie znam. Każdy myśli po sobie!

– Co? – tym razem oburzył się Jakub, wstając dla większego efektu i zaciskając bezwiednie pasek od szlafroka na swojej chudej talii.

Wrzeszczeli na siebie, aż zabrakło im argumentów i zapadła cisza, w której słychać było tylko pochlipywanie dzieci. Przytuliła całą trójkę, obdarowała je kupionymi na Piotrkowskiej łakociami i wyprowadziła z kuchni.

Kiedy wróciła, znalazła siostrę w ogniu pytań. Szczególnie szybko połapał się w sytuacji Ksawery i oczywiście doktor, ale ten przecież wiedział znacznie więcej, bo to z nim rozmawiała wcześniej na temat tajemniczej śmierci Tarasa. Stanęła w drzwiach niezdecydowana, co im powiedzieć. Obsiedli stół wokół, mimo dnia, niebo zachmurzyło się silnie i światło wiszącej lampy oświetlało dramatycznie ich zdenerwowane twarze. Jedynie Blum siedział przy piecu i grzał się, wiecznie spragniony ciepła. Patrzyli na nią wyczekująco. Nagle zastygli w jej oczach i zobaczyła ich jak na starym obrazie w grubej, złotej ramie, takim, jaki wisiał jeszcze w salonie dworu Zawidzkich.

– I co? – ponaglił ją mąż.

– Właśnie – pisnęła cichutko Amelia.

– Co? – spojrzała na nią wrogo. – Masz doszczętnie splądrowane mieszkanie! W dodatku jest pod ścisłą obserwacją. Ta twoja zaufana sąsiadka, albo była z nimi w zmowie, albo ją przekupili potem, albo ją czymś przestraszyli. W każdym razie, cudem się stamtąd wyrwałam.

– A pogrzeb? Odbył się? – bladymi jak trup wargami spytała siostra.

– Mówiła, że tak jak chciałaś, pod zmienionym nazwiskiem – patrzyła badawczo. – Przyszło dwóch dziwnych żałobników… Rozglądali się uważnie wokoło, jakby kogoś szukali.

– Niesamowite – szepnął Kazimierz.

– Pewnie – przyznała mu rację. – A czy wiedziałaś, że ta sąsiadka była w ruchu oporu w czasie wojny?

– Nie. Teraz ludzie wolą się to tego nie przyznawać.

– A ona się przyznała i twierdziła, że właśnie dlatego powierzyłaś jej tę pogrzebową misję.

– Dobrze. A teraz proszę opowiedzieć po kolei, co się wydarzyło w Łodzi przy Gdańskiej? – poprosił stanowczo Ksawery Zawidzki.

Opowiedziała ze szczegółami. Kiwał głową, po raz pierwszy, od kiedy się poznali z uznaniem, bez zwykłego szyderstwa, kiedy streszczała swoje działania zmierzające do sprawdzenia wiarygodności sąsiadki.

– Kto to może być? – spytała ich wszystkich na koniec.

– Komuniści z bezpieki – bez wahania powiedział Ksawery.

– Nie jestem pewien – powiedział Strauss. – A co pani o tym sądzi? – zwrócił się do Amelii.

– Nie mam pojęcia – rozpłakała się. – Taras był taki tajemniczy. Nie chciał, żebym coś wiedziała. Tłumaczył, że to dla naszego bezpieczeństwa.

– Niemożliwe, żeby nic pani nie przychodziło do głowy – wyraził swoją wątpliwość Blum.

– Może to ci jego kompani od ciemnych interesów? Pokłócili się o pieniądze, popili i od słowa do słowa, wywiązała się bójka…

– I sprawnie poderżnęli mu gardło? To nie wyglądało na bandycką bójkę, tylko jakieś mafijne porachunki, albo… wyrok! – rozważał Strauss.

– A może to rzeczywiście jakaś polityczna sprawa? – zastanowił się Józef.

– On się nie interesował polityką – szepnęła Amelia w powodzi bezgłośnie płynących dwiema, nieprzerwanymi strugami łez.

– Nie wiesz tego, bo nic ci przecież nie mówił.

– Nie był bandytą – mruknęła twardo.

– Tego nie wiemy.

– Ja wiem – powiedziała tonem ucinającym wszelkie spekulacje na ten temat.

– A przestępcą? – łagodnie spytał Kazimierz.

– Mógł nim być – potwierdziła szczerze. – Ale nie bandytą, ani mordercą. Myślę… – otworzyła się niespodziewanie przed nimi – …że mógł dużo wiedzieć i mógł za to właśnie otrzymywać pieniądze.

– Od kogo?

– Od różnych ludzi. Z różnych środowisk.

– A może to jakiś niemiecki szpieg? – padł kolejny pomysł spod pieca.

– Albo żydowski – dodał Ksawery, a od strony pieca powiało lodem.

– Prędzej radziecki – rzucił doktor. – Albo wszystko razem.

– Nie rozwiążemy tej zagadki. Nawet, jeśli byśmy mieli ochotę, nie leży to w naszym interesie, a może nas i nasze dzieci, a także Bluma, narazić na niebezpieczeństwo. Śmiertelne. Nie mówiąc o innych równie nieprzyjemnych – wyraziła swoją opinię Lena, patrząc głównie na Jakuba, odwzajemniającego ze zrozumieniem spojrzenie i potakującemu ledwie widocznym ruchem głowy.

Generalnie wszyscy się z nią zgodzili. Oprócz, oczywiście, Ksawerego Zawidzkiego, który gotowy był na natychmiastową podróż do Łodzi, na Gdańską, żeby sobie porozmawiać szczerze z zaufaną sąsiadką, a także z samą podejrzaną, jak jasna cholera, panią Stępień.

Pozostawało jednak pytanie, czy rzeczywiście są bezpieczni, czy za jakiś czas, ktoś nie znajdzie u nich Amelii i Mikiego. Dyskutowali o dziwnych wydarzeniach jeszcze długo, a tymczasem ona sama wymknęła się cicho z domu do gospody.

Mimo zmęczenia, Lena nie miała ochoty na poważne rozmowy z Józefem, dlatego udała się do pracy, tłumacząc się obowiązkami. Odprowadził ją Kazimierz, zwierzając się po drodze ze swojego potwornego lęku o nią.

– Gdy cię nie było…

– Tak? – spytała prawie obojętnie.

– Myślałem, że zwariuję.

– Skąd wiedziałeś, że nie wróciłam na noc? – spytała zaciekawiona.

– Spotkałem doktora Straussa na kawie u Remika i on coś strasznie był zdenerwowany tym twoim wyjazdem. Potem przybiegł po niego rozgorączkowany Abraham, żeby się zbierał do tego nieszczęsnego dziecka twojej siostry, który właśnie strasznie się poparzył. I doktor zanim uzyskał informacje, co się dokładnie stało dziecku, spytał, czy wróciłaś, dziwnie się zdenerwował, kiedy chłopak powiedział, że nie i czekają.

– Aha.

– Poszedłem z nim. Wróciłem rano. Znowu cię nie było. Czekaliśmy. Czekaliśmy… Dzieci marudziły. Blum marudził. Nawet Józef nie pił i mój kuzyn milczał, bez zwyczajnych zgryźliwości. Ale najgorzej czekała twoja siostra. Nie miała śladu koloru w śmiertelnie bladej twarzy, a nawet nie było widać, że się denerwuje. Nic, tylko jak kawał lodu. To było najgorsze, kiedy na nią patrzyłem, wiedziałem, że ona jedna zdaje sobie sprawę z niebezpieczeństwa. Ona i… – spojrzał na nią badawczo – i doktor Strauss. Zwierzasz mu się? – spytał wprost.

– Rzeczywiście ostatnio trochę rozmawialiśmy przy kawie – odpowiedziała wymijająco. – Jesteśmy zaprzyjaźnieni – stanęła na progu gospody. – Przepraszam cię kochany, ale muszę zobaczyć, co się tu działo podczas mojej nieobecności.

Stał, patrząc na nią z boleścią w oczach, kiedy znikała w zadymionym wnętrzu knajpy, w której od jakiegoś czasu jej siostra podawała gościom wyszukane potrawy godne samego Ritza. Nawet się nie obejrzała, nie przesłała przepraszającego spojrzenia, za które ją kochał do szaleństwa.

Amelia gotowała właśnie coś szalenie perwersyjnego, jak zwykle, kiedy czuła, że życie zaczyna ją przerastać. Była skoncentrowana na swoim zajęciu i nawet nie zauważyła młodszej siostry, która weszła do dosyć obskurnej kuchni gospody i przyglądała jej się od dłuższego czasu z zaintrygowaniem, jak obiera mózg wołowy z błonki.

– …po zupie podaje się wino mocne: Maderę, Xeres, Marsalę – szeptała pod nosem, wykonując przy tym perfekcyjnie celowe i doskonałe ruchy. – Przy rybie i ostrygach wina białe francuskie:

Chablis, Barsac, Sauternes lub też… – zrobiła przerwę, na sięgnięcie przez stół do wielkiego słoika z bukietem pietruszki i kopru – …wszelakie wina reńskie. Przy pieczystym lżejsze Bordeaux lub też cięższe burgundzkie. Te… – ostrzegła samą siebie – …powinny leżeć w specjalnych koszyczkach, aby… – podniosła swój szczuły palec do góry, zupełnie jak Brygidka, chociaż nie była jej córką – …aby osad, który się w nich ze starości tworzy, nie zamącił wina przy nalewaniu. No, można również raczyć się półwytrawnym węgierskim. Przy deserze: Malaga, Tokaj, Constanzia. Wina białe z chłodu, reńskie z lodu. Wina czerwone, ciężkie najlepsze podgrzane lekko, lecz… – uzbrojona w tasak i oblepiona zieleniną dłoń znowu ostrzegawczo wycelowana została w sklepiony łukowato sufit – … nie nadto, najlepiej, gdy mają temperaturę biesiadnego pokoju, to znaczy szesnaście stopni Reaumura.

Posiekany błyskawicznie ostrym nożem mózg, wylądował w uduszonej na maśle cebuli, a Amelia zajęła się ubijaniem na parze żółtek. Drgnęła, kiedy Lena podeszła bliżej, ujawniając wreszcie swoją obecność.

– Zostaw ten pierdolony mózg! Musimy porozmawiać! – rozkazała.

– Teraz nie mogę – odpowiedziała siostra. – Przywiozłaś?

– Przywiozłam, przywiozłam. Zostaw to!

Amelia bez żadnej reakcji dodała do żółtek mózg, zieloną pietruszkę i pianę z białek, muszkat i śmietanę. Przesypała bułką.

– Daj!

– Nie dam, dopóki mi nie opowiesz, o co w tym wszystkim chodzi.

– Przecież sama nie wiem.

– Nie wierzę ci. Nie powiedziałaś mi prawdy. Mogli mnie zabić! Siadaj. Czas porozmawiać.

Usiadły po obu stronach wielkiego, zawalonego warzywami i rozebraną półtuszą cielęcą, stołu.

– A teraz opowiadaj! – zażądała kategorycznie Lena.

– A ty myślisz, że jest dużo do opowiadania? – spojrzała na nią przeciągle siostra.

– Jestem o tym przekonana.

– Nie wiedziałam, że mieszkanie jest pod obserwacją – powiedziała tonem, który siostra przyjęła jako przeprosiny. – Taras rzeczywiście kazał mi zabrać dziecko i uciekać, gdyby właśnie tego ostatniego dnia, co wyszedł przed wieczorem załatwić jakiś interes swojego życia, nie wrócił przed północą – schyliła głowę, błysnął biały, równiuteńko wytyczony przedziałek, a na wysokim, żyłkowanym czole pojawiły się na chwilę zmarszczki, by zniknąć, kiedy ją podniosła, patrząc pusto na okno.

Zamigotały zupełnie jak woda na stawie, pomyślała Lena i czekała na dalszy ciąg relacji.

– To nie był napad rabunkowy, chociaż mimo wszystko, nie wykluczam takiego pechowego zbiegu okoliczności. Być może... – ciągnęła beznamiętnie, jakby coś się w niej bezpowrotnie zapadło.

Splotła dłonie i oparła je na samym brzegu wyszorowanego blatu, tuż obok martwego cielaka.

– Myślę, że to musiało być tak – skupiła się. – Coś poszło nie tak z tym spotkaniem. Nie tak! Wracał do domu i tam, między tymi naszymi podwórkami, ktoś na niego czekał. Jakiś zwykły bandyta – pomyślała chwilę.

Lena, patrząc na nią, jak zwrócona do siebie, analizuje prawdopodobne wydarzenia, przypomniała sobie, jak niepiśmienna siostra zawsze potrafiła wyciągać wnioski i nagle postanowiła uwierzyć we wszystko, co za moment padnie, bez względu na to, co to będzie. Pani Amelia ma taki zadziwiająco analityczny umysł, zachwycił się kiedyś Strauss, kiedy nieśmiało rzuciła jakąś uwagę w dyskusji na temat bezpieczeństwa wytwórni i sytuacji w Polsce. Teraz znowu długo milczała, aż sięgnęła po nóż, nigdy nie umiała trzymać rąk w bezczynności i zabrała się za sprawianie mięsa. Lena poruszyła się na stołku niecierpliwie, kiedy nóż oddzielił skórę od tłuszczu.

– Bandyci! – rzuciła z pasją, zabijają ich w swojej głowie po raz pierwszy. – Musiało ich być dwóch. Inaczej by sobie poradził – nóż i poręczna siekierka zawzięcie kroiły i rąbały, a czoło pozostało alabastrowe i nietknięte, jak przy hafcie albo czytaniu lekkiej powieści, zauważyła Lena.

– Mógł być jeden i podszedł go od tyłu.

– Tarasa trudno podejść od tyłu. Miał oczy dookoła głowy, dlatego przeżył wojnę. Coś musiało odwrócić jego uwagę. Coś musiało! Nieważne. Ten, co go zabił… – siekierka spadła z ogromną siłą na żebra i wtedy uśmierciła zabójcę Tarasa po raz drugi – …zabrał pieniądze. Wtedy, niespodziewanie, pojawił się ktoś trzeci. Nie wykluczam, że nawet kilka osób. Dokładnie tych, którzy nie przyszli na umówione spotkanie.

– Dlaczego nie przyszli?

– Nie wiem. Nie jestem duchem świętym.

Pewnie, że nie, pomyślała Lena, obserwując błyski noża, poruszającego się wśród kości i mięsa, zwinnie jak wąż.

– Nie przyszli. Może specjalnie, a może coś im przeszkodziło. I tak musiał mieć ogon, skoro wiedzieli, dokąd iść, ale jak widać, nic to nie dało. Nie dało. Spóźnili się, wpadając na tego, lub ich… – zabiła ich po raz trzeci, podrzynając gardła – …z woreczkiem Tarasa w skrwawionych łapach. Musieli być wściekli, kiedy ich obszukali i nie znaleźli tego, na czym im tak bardzo zależy.

– Czyli czego? – z zapartym tchem, spytała siostra.

– Tego, co przywiozłaś… Zostawili pieniądze i list do mnie, żebym wiedziała, czego ode mnie oczekują.

– List? – zdziwiła się Lena.

– A list. Nie przeczytałam, oni nie wiedzieli, że nie umiem. To nie ma znaczenia. I tak wiem, co tam było. Samo zostawienie pieniędzy to znak dla mnie, żebym oddała, bo będzie krucho. Krucho

ze mną i dzieckiem – nagle zastygła z nożem w dłoni. – Zaraz...
Chyba żyję dzięki tym bandytom.

– Jak to?

– Dzięki nim nie doszedł do domu. Wtedy nie wiedzieli jeszcze,
gdzie mieszkam. Dlatego udało mi się uciec.

– Wtedy – Lena wzięła wiszącą nad piecem patelnię – od-
dałabyś im to coś i poszliby w diabły. Miałabyś swojego Tarasa
żywego.

– Wtedy – powiedziała z naciskiem Amelia, rzucając na pod-
stawioną patelnię dwie polędwiczki – nie byłoby tu ani mnie, ani
małego. A teraz dawaj to! – wyciągnęła zakrwawioną rękę.

Lena odsunęła kuchenne fajerki pogrzebaczem i postawiła na
ogniu naczynie. Zawinęła w róg śnieżnobiałej ściereczki kilka ziaren pieprzu, utłukła dość grubo obuchem tasaka i posypała obficie
duże kawałki polędwicy.

– Zaraz – ociągała się.

– Dawaj!

– Już, już – umyła ręce w misce z wodą i sięgnęła do swojej,
wiszącej na haku w drzwiach torebki.

– Masz – wyciągnęła zawiniątko w grubym, pakowym papierze.

– Oczywiście – stwierdziła Amelia bez zdziwienia, a tylko
z pewnym osobliwym znużeniem, pobieżnie wycierając dłonie
o fartuch. – Oczywiście musiałaś przy tym grzebać, choć cię prosiłam, żebyś tego nie robiła. To może być naszą kartą przetargową
– podniosła na nią swoje spokojne oczy. – O życie, moja droga
młodsza siostro! O życie! Wybebeszyłaś wszystko i teraz nikt nam
nie uwierzy, że o niczym nie wiedziałyśmy! Rozumiesz?

– Rozumiem, ale aż żal było nie zerknąć, na tych pustych schodach. Nie mogłam sobie odmówić! – poskarżyła się, bez cienia żalu
w głosie. – A tu taki zawód! Jakiś notes – prychnęła lekceważąco.
– W dodatku po niemiecku, a ja przecież nie znam niemieckiego.

– Jasne! Ty nigdy, od czasu, kiedy dorosłaś, nigdy, przenigdy, nie umiałaś sobie niczego i... nikogo odmawiać – podsumowała ją siostra. – Jesteś taka sama jak twoja matka.

– Nie taka sama! Może trochę podobna, ale nie taka sama – powiedziała spokojnie, jak na gorącą i zawiesistą materię rozmowy o Brygidzie, sięgnęła po gorącą patelnię i odstawiła ją daleko od głównego paleniska na żeliwnej płycie.

Z odkrytej półki nad zlewem wyciągnęła dwa talerze i postawiła je po drugiej stronie stołu, odsuwając przedtem, rozłożyste jak kwoki kapusty włoskie w kierunku poćwiartowanego już młodego byczka. Z kamiennego garnka wyjęła ogórki kwaszone i czosnek. Dołożyła polędwicę z patelni. Siostra stała bez ruchu przy drzwiach, cały czas zaciskając na paczuszce dłonie z zaschniętą brązowo krwią.

– Jedzmy – zachęciła ją gestem Lena, sama przysuwając sobie stołek.

Amelia stała dalej zamyślona. W końcu schowała pakunek do kieszeni fartucha i umywszy ręce, usiadła obok siostry.

– Muszę stąd wyjechać – oświadczyła znienacka.

– Nie żartuj – zaprotestowała, przełykając ze smakiem.

– Dotrą do ciebie prędzej czy później.

– Pokażmy notes Straussowi, przetłumaczy i będziemy wiedziały, w czym rzecz. Kazimierz też dobrze zna niemiecki. I Józef trochę.

– Lepiej nikogo w to nie wplątywać. Wystarczy, że ja mam kłopoty.

Zapadło milczenie.

– Dokąd chcesz się udać?

– Do Sopotu. Mam tam znajomych.

– Do Sopotu? – zdziwiła się Lena.

– Tak. Gdybym znała jakiś język obcy... – wyjechałabym z tym twoim Zawidzkim zagranicę, na Zachód. Albo nawet z Blumem... – zamyśliła się. – Może prędzej z Blumem. Tam jest pewnie dużo ludzi z Polski. Nie byłabym z Mikim taka... osamotniona... językowo – mówiła dziwnie bez wyrazu i przełykając bez apetytu.

– Ale tak pojadę do Sopotu. Zaraz pojadę – oznajmiła znienacka, zrywając się od stołu.

– Coś ty, Amelka?! – zaprotestowała. – A z czym ten mózg podać? – spytała zrezygnowana.

– Z sosem chrzanowym i ziemniakami z wody. Pasowałby też kaparowy, ale przecież nie masz. Mogłabyś zrobić z nasturcji, ale już za późno – wyplątywała się gorączkowo z fartucha.

Lena czujnie patrzyła na siostrę zza zapory mięsa, nastroszonej kapusty i innych warzyw. Nadzieja zgasła w jej oczach, kiedy tamta wróciła do rzuconego na stołek fartucha, żeby wydobyć z jego kieszeni paczuszkę i wybiegła z kuchni, zderzając się w drzwiach z wymiętą, rozognioną Tereską. Jaka szkoda, jaka wielka szkoda, że zdołała przepisać tylko kilka stron tego tajemniczego notesu na wolnych stronach Stendhala. Ale kto by pomyślał, że z tej Amelii taka oszukanica? Nie dawała wiary wersji wydarzeń siostry, chociaż wierzyła w jej dobre intencje. Zastanawiała się nad pobudkami takiego postępowania. Chciwość tłumaczyłaby wszystko, ale ona nigdy nie była chciwa, nigdy nie ryzykowałaby bezpieczeństwa Mikołaja i swojego dla pieniędzy. Po prostu dziwna taka…

Wyjechała jeszcze tego samego dnia, zabierając ze sobą dziecko.

– Daj czasem o sobie znać – poprosiła Lena. – Masz! Wystarczy nakleić – podała siostrze plik niewielkich karteczek z elegancko wypisanymi adresami.

– Dobrze. Będę wysyłała pocztówki – zgodziła się siostra.

– Szkoda, że nie możemy do siebie pisać.

– Nie martw się, jakoś się porozumiemy.

– Jak? Jak ja dam ci znać, co u nas słychać? Czy ktoś cię czasem nie szuka?

– Coś wymyślę – Amelia rozejrzała się czujnie po prawie pustym peronie.

W co ona się wplątała, po raz kolejny zastanowiła się Lena i po raz pierwszy nie była pewna, czy rzeczywiście popędzi do doktora

Straussa z wyrwanymi stronami książki, prosić o tłumaczenie.

Po jakimś czasie Amelia zaczęła przysyłać kartki w zaklejonych kopertach. Wypełniała całe wolne miejsce na kartoniku pieczołowicie wyrysowanymi rysuneczkami. Informowały krótko, ale dosyć dokładnie, co dzieje się z nią i dzieckiem. Niektóre były bardzo jasnym i klarownym przekazem. Na przykład pierwsza, z dwiema malutkimi postaciami, obrysowanymi domkiem z wieżyczką i słoneczkiem. Inne wymagały skupienia i wysiłku, żeby je właściwie zinterpretować.

Dzisiaj przyszła kartka z plażą, morzem i drzewami. Zza jednego wyglądała mała postać. Brzegiem szła większa figurka i płakała. A potem mała postać miała nogę, chyba w bandażach, ale niewątpliwie żyła, ponieważ większa uśmiechała się. Lena zdenerwowała się. Nie wiedziała dokładnie, co się stało, ale jedno było jasne, że Miki znowu uległ wypadkowi. Ciężko westchnęła nad pechowym dzieckiem, ale widok zadowolonej siostry, pocieszył ją, chociaż brak dokładnych wiadomości z pewnością irytował.

Martwiła się również tym bardziej, im większą poczuła ulgę, że pech Mikiego nie został z nimi, a poszedł za nim, co wiedziała z obserwacji, czasami się zdarzało.

Następne pocztówki informowały, że starsza siostra znalazła gdzieś posadę jako kucharka, a następnie została szefową kuchni w restauracji jakiegoś hotelu Carlton.

Ksawery Zawidzki i Teresa Drzecka wzięli potajemnie ślub w kaplicy łaskiego kościoła. Przyjęcie weselne odbyło się jeszcze we dworze kuzyna. Kazimierz chodził po pokojach i mówił, że to ostatnia uroczystość w tym domu, takie wielkie święto na pożegnanie rodzinnego gniazda i jaka to szkoda, że już nigdy więcej... Robił mnóstwo zdjęć na pamiątkę, jakoś tak gorączkowo, żeby nie uronić żadnego szczegółu, zarówno wesela jak i wszystkiego innego. Rozstawiał weselników po pokojach, salonie, bibliotece, kuchni. Robił im zdjęcia w oborach, stajniach, nad stawem i w alejach wiekowego parku, którego drzewa sadzili jego przodkowie. Kazał sobie zrobić zdjęcie z Leną pod najstarszym dębem. Ona czuła również rozpaczliwą tęsknotę, chociaż jeszcze przecież nie wyjechał. Miała wrażenie, że wszystko dzieje się w zwolnionym tempie, jak czasem na filmach. Widziała siebie w przyszłości, jak ogląda te fotografie na błyszczącym papierze i spogląda na detale, których teraz nie jest w stanie dostrzec, a także więcej rozumie ze spraw obecnie niejasnych i zagmatwanych. Ludka snuła się jak cień z Abrahamem. Oboje wiedzieli, że blisko już definitywny koniec ich znajomości, ale akurat ten fakt cieszył jej matkę. Wszyscy, oprócz słaniającej się ze szczęścia pary młodej, patrzyli na siebie i dwór ze skurczonymi sercami, choć każdy z innego powodu. Józef upił się szybko do nieprzytomności i po raz kolejny miała go ochotę znienawidzić i zostawić samego na pastwę losu, ale znowu pachniał muszkatem od amelinego ciasta i nic z tego nie wyszło.

Jakub i jego wnuk Abraham wyjechali do Izraela. Kazimierz Zawidzki opuścił nielegalnie Polskę z rozdartym sercem. Towarzyszyła mu zapłakana Tereska w ciąży. Dwa dni po ich wyjeździe do dworu Zawidzkich wkroczyli ubecy z nakazem aresztowania. Przetrząsnęli cały majątek, przesłuchiwali wszystkich znajomych, nawet Eleonorę Jarecką. I gdyby nie wstawiennictwo partii z pewnością nie odpuściliby tak łatwo. Gratulowała sobie, że udało się wcześniej zwinąć Wytwórnię Wód Gazowanych. Zresztą i tak nie miałby w niej kto pracować, pocieszała się.

Ksawery Zawidzki zamierzał dołączyć do ukochanej i kuzyna później, ale najpierw Lena ubłagała go, żeby udał się do Sopotu, zorientować się w sytuacji siostry. Przychodzące od niej kartki były coraz bardziej ponure i aż emanowały jakimś tajemniczym zagrożeniem. Tereska za nic nie chciała się na to zgodzić, płakała, błagała, powołując się na swój stan błogosławiony, ale Jarecka, jakimś sobie tylko znanym sposobem, zdołała go nakłonić do opóźnienia własnego wyjazdu i pomocy Amelii. A przecież nawet jej nie lubił. Zabrał swoją wypielęgnowaną broń, wsiadł w pociąg i pojechał.

– Dlaczego go tam wysyłasz? – denerwował się Józef.

– Ponieważ tylko on jest w stanie załatwić ten problem.

– Jaki? – nie wiedział, o czym mówi jego żona.

– Problem, jakim dla mojej siostry jest ktoś, kto z jakiegoś powodu ją śledzi, przed którym nie może się nigdzie ukryć – wyjaśniała cierpliwie, nie chcąc mu wyjawiać wszystkiego, co wie.

– Czy ty mnie masz za głupiego? – pytał. – Myślisz, że nie domyślam się, o co tu może chodzić? Że nie składam wszystkiego do kupy? Kłopoty Amelii zaczęły się od śmierci jej kochanka, który mówiąc oględnie, był typem spod ciemnej gwiazdy, zamieszanym w jakieś ciemne wojenne sprawy.

– Skąd wiesz? – spojrzała na niego przerażona.

– Od niej.

– Rozmawiała z tobą na ten temat? – zdziwiła się.

– Bardzo oględnie, ale i tak się zorientowałem. Powinna im oddać to, na czym im tak zależy.

– Tak, a potem ją po prostu zlikwidują. Ją i dziecko.

– Ciekawość, czyje to dziecko – powiedział, jak gdyby nigdy nic.

– Sierota wojenna, przecież wiesz.

– Nic nie wiem. Nic nie wiemy. Może sierota uratowana z wojennej zawieruchy, a może i nie... – zawiesił głos.

– Co sugerujesz? – zmartwiała.

– Nie tyle sugeruję, co rozważam różne możliwości.

– Bzdury – wzruszyła ramionami. – Teraz to dziecko mojej siostry i koniec.

– Nie uważasz, że ktoś się musi cholernie bać tych informacji, z tego tajemniczego notesu, skoro aż tak mu na nim zależy?

– Uważam, dlatego wysyłam tam Ksawerego.

– A kim ty jesteś, żeby wysyłać kogokolwiek na śmierć? – spytał wściekły.

– Ja go nie wysyłam na śmierć, chcę, żeby on zlikwidował problem Amelii.

– Czyli, żeby on kogoś zabił, tak?

– Chcę, żeby moja siostra i dziecko, które kocha, żyli! I tyle! – powiedziała twardo.

– On również spodziewa się dziecka. Tereska ci tego nie daruje, tyle przeszła w czasie wojny, układa sobie życie na nowo. On też. To prawie cud, że się odnaleźli i pokochali.

– Zaraz się rozpłaczę. Dzięki mnie się odnaleźli... No i Blumowi, oczywiście. I mam nadzieję, że jak kuzyn Zawidzkiego zrobi, co trzeba, spotkają się w jakim Paryżu, Londynie, czy gdzie tam, będą żyli długo i szczęśliwie w godziwych warunkach, do jakich są z urodzenia przyzwyczajeni, dzięki temu właśnie wyjazdowi Ksawerego.

– Nie możesz być pewna.

– Nie mogę, ale staram się. W razie czego nie będzie sama. Kazimierz się nią zajmie. Przyrzekł mi to. Zresztą, we dwoje mają większą szansę, niż mieliby się w trójkę przemykać przez zieloną granicę. Blum musi dostać pieniądze, które przemycają dla niego, a Ksawery jest popędliwy i nieobliczalny. Stanowi zagrożenie. Lepiej, żeby się sam potem przedzierał przez granicę. Tak jest bezpieczniej, z Kazimierzem, który ma zimną krew i umie panować nad emocjami, moja Tereska, którą kocham jak córkę, ma większą szansę.

– Nie do wiary – patrzył na nią ze zgrozą. – Wszystko masz, widzę obmyślane i wykalkulowane w najdrobniejszym szczególe.

Wzruszyła ramionami i wyszła. Nie miała ochoty dalej rozprawiać na ten drażliwy temat. Nawet Józef, mimo rozmów z jej starszą siostrą, nie miał zielonego pojęcia, o co w tym wszystkim naprawdę chodzi. Sama Amelia wiedziała zaledwie trochę, tyle tylko, ile powinna, żeby się na śmierć nie wystraszyć. A Lena nie zamierzała im niczego wyjaśniać. Jeszcze dziś miała umówioną telefoniczną rozmowę z Ksawerym, więc wsiadła na rower, żeby dojechać na pocztę.

– No i co? – spytała go nerwowo bez żadnych wstępów.

– Nic. Jestem tu już tydzień. Obserwuję ją i tego nieszczęsnego dzieciaka. Dzisiaj pobiły go dzieci z piaskownicy.

– Jakieś złamania?

– Tylko sińce i zadrapania. Tu nic się nie dzieje – powiedział z naciskiem, jakby sugerując, że obie z Amelią zwariowały, uroiły sobie niebezpieczeństwo, którego w ogóle nie było.

– Dziwne... – zastanawiała się długo.

– Jest tam pani? – zaniepokoił się.

– Tak. Dziwne! Na kartkach od niej, dalej ktoś się czai.

– Może ja?... – zastanowił się. – Niemożliwe. Zna mnie przecież. A wydawało się, że wszystko poprzednio załatwiliśmy.

– Mnie też się wydawało.

– Zapłacili przecież.

– Zapłacili, ale może uznali, że kopia ich jednak nie satysfakcjonuje i jest coś jeszcze?

– A jest?

– Tylko notes, który ma Amelia – wiedziała, ponieważ skopiowała tylko kilka stron notatnika Tarasa.

– Może to ktoś inny szantażowany przez niego. Coś tam było o depozytach banków wrocławskich ukrytych w górach...

– Cicho – westchnął ciężko. – Pobędę tu jeszcze kilka dni i wyjeżdżam. Umówmy się za trzy dni o tej samej porze. Numer cztery.

– Dobrze. Proszę na siebie uważać.

Numer cztery oznaczał odległą pocztę, żeby nie zwracać na siebie niepotrzebnie uwagi.

– Faktycznie ktoś jest – powiedział ledwo podniosła słuchawkę. – Nie wiem, jakim cudem ją znaleźli.

– Namów ją, żeby im to dała.

– Twierdzi, że nie ma.

– Nie wierzę. Zawsze mówiła, że to jej polisa na życie.

– Zaklina się, że tak.

– Zniszczyła?

– Podobno.

– Spróbuję się dowiedzieć, kto to jest i w jakim stopniu zagraża pani bliskim. Jeśli rozwiążę wasz problem lub uznam, że nie da się go rozwiązać, znikam. Nie mogę się narażać. Do usłyszenia.

– Do usłyszenia, proszę uważać – długo nie odkładała słuchawki, przepełniona niespodziewanie złymi przeczuciami, ale rozmowa została przerwana i nie było już odwrotu.

Próbowała dzwonić na ten sam numer i powiedzieć im, żeby uciekali razem z Amelią i Mikim czym prędzej, nie oglądając się za siebie, ale nie udało się. Ksawery Zawidzki zdążył wyjść.

Następna, wyznaczona za trzy dni rozmowa, nie odbyła się, ani również żadne następne. Tereska nigdy więcej nie zobaczyła ojca swojego dziecka. Amelia od tej pory prawie przestała mówić, tylko jeszcze więcej kuchennych litanii mamrotała pod nosem. Udało jej się uciec cało ze strzelaniny i pożaru pensjonaciku pod pompatyczną nazwą „Hotel Carlton". Nawet Miki uszedł, o dziwo, prawie bez szwanku, ot niewielkie, jak oczywiście na niego, oparzenia. Tylko Ksawery... Ksawery i ten drugi, który przyszedł wyciągnąć od Amelii, wywierając na nią presję poprzez dziecko, tajemniczy notatnik Tarasa.

Bez Bluma, a dokładniej bez ich wspólnej, konspiracyjnej fabryczki, zrobiło się jakoś pusto i zupełnie bez sensu, a na dodatek biednie, więc Lena znowu postanowiła zająć się czymś przynoszącym dodatkowy dochód. Namówiła starszą siostrę, która wróciła z Sopotu, do produkcji dojrzewających serów i z powrotem uruchomiła piwnicę po Wytwórni Wód Gazowanych. Zawsze dobrze mieć jakiś interes, szczególnie po tych nieszczęściach, żeby myśli i ręce zająć. Każdy w trudnych chwilach powinien mieć jakąś wytwórnię, dywagowała, przygotowując piwniczne pomieszczenia pod produkcję przetworów warzywnych, owocowych i leśnych.

W latach pięćdziesiątych została kierownikiem spółdzielni szyjącej koszule, fartuchy i inne rzeczy, w zależności od zamówienia. Kobiety miały takie zręczne ręce, tak dobrze im to szycie wychodziło, aż żal brał, że to nie własny interes. Lena uczyła się od nich, ile mogła. Nie wiadomo, co się kiedy może człowiekowi przydać. Czasy teraz takie niepewne.

– Pani Leno, patrz no tu – zawołała ją któregoś razu Jadźka.

– Podali na kwicie, że jest trzydzieści metrów popeliny.

– No i?

– A jest z pięćdziesiąt. Pewnie się pomyliły baby w fabryce.

– A w innych? – popatrzyła z nadzieją na Jadźkę.

– Innych nie sprawdzałam.

– To sprawdź!

W całej dostawie były znaczne nadwyżki, a tylko w jednej, niewielki brak w stosunku do wystawionych faktur.

– Ciekawe! – zachodziła głowę Lena. – Nigdy tak nie było. I co z tym zrobić? Przecież im nie oddamy. Słuchaj Jadźka! Sporo szwaczek po ostatnich zwolnieniach siedzi po domach w całej okolicy… – zaczęła i znacząco zawiesiła głos.

– No..! – Jadźka szeroko otworzyła oczy, w lot chwytając, o co chodzi szefowej.

– Rozwieziemy te nadwyżki, powiemy im, co i jak szyć. Wykroje przygotujemy tu, u nas. Zresztą, wcale nie musimy robić tych nudziarstw, co nam na ogół zlecają. Pamiętasz, co nam się trafiło cztery miesiące temu?

– Pamiętam – rozmarzyła się dziewczyna, bo to były przepiękne bluzeczki z bufkami dla jakiegoś niemieckiego odbiorcy.

– No właśnie.

– Nie mamy już wzorów. Całą teczkę kazali oddać, jeszcze policzyli dokładnie, czy wszystko jest, co do najmniejszego kawałeczka papieru. A i żadnych nadwyżek nie było, jak czasem, że można sobie coś dodatkowo zostawić – rozżaliła się.

– Ty się dziewczyno nie przejmuj! Skopiowałam wykrój. Rzeczywiście rewelacyjny i taki, że z jednego parę rzeczy można wykombinować.

– Pani to naprawdę! – westchnęła dziewczyna z podziwem.

– Powiem ci więcej – zrobiła długą przerwę dla lepszego efektu. – Skopiowałam wszystko, cokolwiek dawniej u nas szyli!

– Pani jest genialna! – klasnęła w dłonie Jadźka.

– Pojadę na bazar do Łodzi. Mam tam znajomych... – zamyśliła się. – Jeszcze z dawnych czasów. Popytam, czego kobitki w wielkich miastach szukają. Tylko na razie ani mi pary z gęby nie puść, bo jeszcze jaka bida z tego będzie.

Okazało się, że zapotrzebowanie jest na wszystko, ale największe na bieliznę niemowlęcą, opalacze, haftowane bluzki i sweterki wełniane.

– A także na plastikowe torebki, broszki, klipsy i takie tam tandetne pierdoły, ale to nie nasza branża. A i będą karty chałupnicze. Taki niby gest, żeby było łatwiej, bo chałupników zżerają podatki.

– Podatki? – spytała Jadźka, która z podatkami nigdy się bezpośrednio nie zetknęła.

– Sześć procent wartości towaru tytułem przedpłaty podatku. A wydziały finansowe tak ich traktują, że przestaje się opłacać. Jednej babie to zaliczkę za pierwszy kwartał naliczyli 3442 zł, podczas gdy za sprzedane wyroby dostała 3800. Wyobrażasz sobie, jakie zdzierstwo!

– Złodziejstwo zwykłe. Po prostu! – przyznała wstrząśnięta dziewczyna.

– Najzwyklejsze! Teraz rozumiesz, że nie możemy pozwolić się oszukiwać. A spragnione deficytowych towarów społeczeństwo czeka – przybrała zbolałą minę.

– Właśnie.

– Kobitki pracę potraciły w fabrykach i nie mają roboty.

– A dzieci trzeba nakarmić.

– Tak! I tu wkraczamy my, tak jak wcześniej rozmawiałyśmy. Dobrze, że te karty będą. Zawsze jakaś możliwość zamotania, jakby coś przeciekło.

– Ale tak całkiem nielegalnie? – zaniepokoiła się Jadźka.

– Nielegalnie, zaraz nielegalnie... Trochę tylko... Legalnie to trzeba by państwu oddać kupę szmalu, a czy to państwo daje ci, czego potrzebujesz? – spytała retorycznie. – Nie, ponieważ jest zajęte ważniejszymi sprawami i w gruncie rzeczy będzie nam wdzięczne, że tak sobie same znalazłyśmy... – Lena zmarszczyła brwi – ... niszę i radzimy sobie świetnie, nie wyciągając ręki po zapomogi. Ale również nie pozwolimy się okradać tym z finansowego.

– Nie pozwolimy!

Lena poczuła się świetnie. Zupełnie tak samo, jak rozkręcała wytwórnię w piwnicy. Teraz najwyraźniej nadszedł czas na Wytwórnię Wód Gazowanych bis.

Pierwsze bluzeczki z bufkami poszły jak woda. Wyglądały jak ze sklepu, każda z metką i nazwą WWG III „Jutrzenka".

– A co to znaczy WWG III? – dziwiła się Jadźka.

– Musi być przecież jakaś nazwa. Im bardziej tajemnicza, tym bardziej wiarygodna, a z kolei Jutrzenka, kojarzy się z czymś całkiem swojskim.

– Tkaniny nam się kończą.

– Nie martw się. Pojadę do fabryki i postaram się coś załatwić u tamtych pakowaczek i brakarek.

Załatwiła. W zamian za śliczne bluzeczki z haftem. W szczegóły wtajemniczona była jedynie Jadźka. Szwaczkom mówiły tylko tyle, ile musiały. Kobiety były przekonane, że szyją w ramach spółdzielni, tylko trochę na lewo.

Mimo, że Ludka skończyła studia i od dawna pracowała, jakoś nie zamierzała układać sobie życia i wychodzić za mąż. Matka się irytowała, że zostanie starą panną. W końcu jednak Ludka spotkała przystojnego Gustawa Rogusza, który zauroczył ją do tego stopnia, że postanowiła go poślubić. Był inżynierem włókiennikiem z rolniczymi zainteresowaniami i pszczelarską pasją.

JÓZEF I SARA

Dziecko pojawiło się niewielkie i milczące. Dopiero później roz-
wrzeszczało się na dobre. Od początku było trudne… Despotyczne,
wymagające, niewyobrażalnie wręcz uparte, ale Józef pozwalał jej
na wszystko. W każdym razie, kiedy był trzeźwy. Wymagał tego
również od innych, czyli od niej, od Ludki i od Gustawa, który
próbował czasem oponować, kiedy miał czas.

Lena siedziała w biurze i pstrykając długopisem usiłowała skupić
się na papierkowej pracy, która zawalała całe jej biurko. Nienawidziła
tego. Wolała gdzieś wyjechać, z ludźmi pogadać, doradzić. O, w do-
radzaniu była świetna, najlepsza. Zawsze coś wymyśliła. A jak nie, to
się zadzwoniło, gdzie trzeba i dowiedziało… Praca w Lidze Kobiet nie
była najgorsza, ale te dokumenty… i jeszcze głowę sobie zaprząta,
co tam w domu… Może ta nowa dziewczyna od Kopalów będzie
lepsza… Jaśka jej jest. Może ona da sobie radę z Józefem i Sarą. Cholera! Brzydka ta Jaśka!… Jeszcze ładne jakoś sobie z nim dają radę…

– Lena! Co się tak zamyśliłaś? – do pokoju weszła Grażyna
z siatką pełną zakupów.

– A tak mnie jakoś wzięło dzisiaj. Wszystko na mojej głowie. Córka
i zięć cały dzień poza domem, na Józka nie dosyć, że nie można liczyć,
to jeszcze trzeba go pilnować. Czy oni nie zdają sobie sprawy, że ja
muszę iść do pracy, do fryzjera, obiad zrobić… I cały czas zamartwiać
się, jak sobie te głupie dziewuchy najmowane do pilnowania Sary dają
z nią radę i czy mąż czasem, czego głupiego nie zrobi – westchnęła
ciężko, wyjmując jednocześnie z torebki lusterko i malując usta na
pocieszenie. – Może by tak skoczyć do cukierni na kawę i ciastko?

– Ja na pewno nie. Odchudzam się. Ludka i twój zięć cały czas
dojeżdżają do Łodzi?

– Tak. I dobrze, bo nie wiem, jak by tam sobie sami z dziec-kiem dali radę – westchnęła znowu Lena, otwierając puderniczkę i oglądając z satysfakcją swoje perfekcyjnie wyskubane i przyciem-nione brwi.

– Co ty mówisz Lena? Co by sobie nie mieli dać rady? A bo to oni jedni mają kapryśne dziecko? Jedną ją macie, to wami rządzi, czemu tu się dziwić? A jak nie chcesz ich od siebie puścić, to nie narzekaj – wzruszyła ramionami koleżanka.

Faktycznie, Sara nigdy nie robiła niczego, na co nie miała ocho-ty, albo co ją nudziło. Nie przepadała też za jedzeniem. To przez jakiś czas było problemem numer jeden. I wszystko, oczywiście, na jej głowie. Wczoraj, kiedy ta czarna Felka poleciała na randkę, a dziecko się obudziło, zabrał ją do gospody!!! Mówiła jej potem Cichecka, co akurat ogródek od ulicy pieliła. Szli se wolno, spokoj-nie, bez żadnych ryków i pretensji, że buciki nie takie, sukienka niewygodna, a kokarda uwiera w głowę. Po prawdzie, w ogóle jej nie było. Rudawe, poskręcane w pierścionki włosy poruszały się pewnie w takt głośnych kroków dziecka i połyskiwały w słońcu. Szli sobie podobno i nawet mała jej się ukłoniła grzecznie, bez wcześniejszego szturchania i przypominania. Czasem coś tam do siebie powiedzieli, ale na ogół milczeli, tylko patrzyli uważnie, jak to oni – dookoła w skupieniu. Przystanęli koło studni, pomedyto-wali nad jej wytartą z zielonej farby do żywego metalu rączką, nad strumieniem wody lejącej się pod ciśnieniem do podstawionego przez Bartosiewiczową wiadra. Cichecka opowiedziała jej wszyst-ko potem, a jakże... Weszli do kałuży, a chociaż nie powiedzieli do siebie ani słowa, tylko tak zerknęli w przelocie i na suchym, rozgrzanym przez południowe słońce chodniku zaczęli stawiać mokre ślady stóp dookoła studni... dookoła Bartosiewiczowej, aż się jej w głowie zakręciło, kiedy tak dreptali najpierw ona, a za nią on. Maczali stopy w wodzie, dreptali, a potem stali w milczeniu i obserwowali jak szybko wysychają ślady... Żeby jeszcze coś sobie żartowali, gadali, ale oni nic, tylko tak na poważnie… Stała jeszcze przez chwilę i śledziła ich wzrokiem, kiedy wreszcie poszli, ale nie daleko – do Oazy. I miała takie wrażenie, że nie na wystawę patrzą, tylko znowu obserwują świat, co się odbija w wielkich witrynach… chmury, kiosk po przeciwnej stronie, a nawet ją – Bartosiewiczową z pełnym wiadrem. Nawet była tego pewna, bo się parę razy odwrócili i jakby porównali… No, a potem to już skręcili za róg, to i ona wróciła do domu.

Dalej pewnie kontemplowali widoki z drugiej strony Oazy, co się w nich odbijają kamieniczki i sklep spożywczy. Gdyby nie wojna, toby się w nich odbiły jeszcze ze trzy sklepy… zaraz, zaraz, czyje to były? Mięsny Finkela… pasmanteria Sonki Cukerman… czapki i kapelusze Lilienów… no i spożywczy, ten na szczęście został i działa, jako spółdzielnia spożywców.

Podobno przy sądzie zatrzymał ich ten dziad, co zawsze się tam plącze i jak zwykle wdali się z nim w długą, zawiłą rozmowę z licznymi dygresjami. O czym? O niczym konkretnym przecież… A swoją drogą, ciekawe jak to jest, mieć tyle czasu, aż po horyzont dnia i tak sobie móc niezobowiązująco przystanąć i pogawędzić nie spiesząc się nigdzie.Taaaak, ale żeby mieć tyle wolnego, trzeba być dzieckiem, albo starcem. W obu przypadkach jakoś nieprzyjemnie… No więc dalej szli w kierunku rynku, ale nie od razu, bo przecięli ulicę i wstąpili do księgarni, gdzie kupił jej karty, prawdziwą talię. A i jeszcze obejrzeli książki dla dzieci. Wszystko opowiedziała jej sąsiadka, co akurat kupowała papeterię. Na rynku wstąpili do Remika na lody. Jeszcze pół godziny i by na siebie wpadli, bo ona była tam trochę później na kawie. No i dalej, to już jak po sznurku do gospody… Trafiał tam z zamkniętymi oczami. Kompania Józefa od kart, szachów i kieliszka już czekała, witając z niebywałą atencją jego wnuczkę. Nauczyli ją w mig kolorów i co bije co, ale dalej pedagogiczny zapał im się skończył, a może uznali, że skoro Sara jest taka smarkata, to może trochę na resztę poczekać, bo im do gry spieszno. No, trzeba przyznać, że tylko dwa kufle piwa wypił, ale ile się dziecko smrodów nawdychało... Zgroza, przecież sama najlepiej wie, jak tam jest... Chociaż za jej czasów, to była prawie elegancka restauracja... i jedyna w mieście. Sara nie nudziła się z szemranym towarzystwem dziadka wcale. Układała przy sąsiednim pustym stoliku piramidy z kart i tylko czasem coś do Józefa zagadała, albo on do niej. Za to jak pojawiła się ona, zaczęło się istne piekło.

– Przyszła piękna Eleonora! – powitali ją. – Usiądź z nami i napij się piwa.

– Zwariowaliście?! Przecież z pracy wyszłam po dziecko!

– A co, już ci doniesiono? – spytał Józef i spokojnie wyłożył kartę. – Czy sama się domyśliłaś?

– Sara. Idziemy!

– Nigdzie nie idę! – ryknęło dziecko, aż pod łukowate sklepienia knajpy. – Gram z dziadkiem w karty. Nie widzisz?

Dalej było już tylko gorzej. Łącznie z chowaniem się pod stół i wrzaskami, aż się niosło po rynku, a ludzie na przystanku autobusowym rozglądali się i kręcili głowami ze zgrozą, a niektóre kobiety ze złośliwą satysfakcją, jakiego to bachora ma córka tej Jareckiej, co taką damulkę na co dzień struga. Lena najchętniej udusiłaby swojego męża, jego przyjaciół, a smarkatą wnuczkę wzięłaby pod pachę, albo zawlekła siłą do domu. ale nie wypadało... Co prawda ona liczyła się tylko z tym, co wypadało, kiedy osobiście jej to pasowało.

– Daj jej spokój Lena – powiedział w końcu kategorycznie Józef. – Jak będziemy mieli dosyć, wrócimy.

– Jak zwykle z milicją? – spytała słodko.

– Nie martw się. Jeszcze jedno piwo i koniec.

Sara stała ze splecionymi na piersiach rękami, wysuniętą, przygotowaną do tupania nogą, obutą w wysoki sznurowany but na skórzanej podeszwie i wojowniczo wysuniętym podbródkiem.

– A obiad? – Lena powoli kapitulowała.

– Coś nam tu podadzą przecież.

Pogroziła Sarze palcem i wyszła, stukając wysokimi obcasami. Niech siedzą. Ona pójdzie sobie do fryzjera, a potem na coś dobrego. Jak będzie Remik, a nie ta jego sucha żona, to na pewno wyciągnie jakieś dobre wino. A co tam, odpręży się, porozmawia, a może nawet... zagra.

Tak, nawet bardzo przyjemnie spędziła to popołudnie wczoraj i wczesny wieczór, uśmiechnęła się na to wspomnienie, znowu wyciągając lusterko i poprawiając włosy. Twarde krzesło przy jej biurku nieprzyjemnie paliło ją w tyłek. Spoglądała nerwowo na zegarek. Ciekawe, co tam się w domu dzieje? Jak Jaśka Kopalówna radzi sobie z Sarą? E, nie będzie się znowu tym tak zamartwiała. W końcu naprawdę wczoraj jej się udało. Remik wyciągnął świetne francuskie wino. Ciekawe, skąd on to bierze? Przyszedł mecenas Milicz, stary doktor Strauss i zagrali w pokerka. Ograli ich z Remikiem, aż miło. Jutro kupi sobie perfumy... prawdziwe perfumy, francuskie, a nie te smrody z drogerii. Nie, jutro nie, bo by się Józek domyślił, a obiecała, że już nie będzie grała na pieniądze. Ale co to za przyjemność, tak jak oni w tej gospodzie dla zabicia czasu, dla samej gry... Ona gra, żeby wygrać, a nie dla przyjemności. Prawdę mówiąc, to nawet nie lubi grać w karty. Lubi grać o stawkę. A po perfumy pojedzie do Łodzi po pierwszym, dla niepoznaki. Pójdzie tam, gdzie zwykle można kupić dobre, drogie rzeczy... Przez chwilę pogrążyła się w słodkim nieróbstwie, z którego wyrwało ją nieśmiałe pukanie. Do pokoju weszła szczuplutka kobiecina w robionym ręcznie, zielonym sweterku. Wyraźnie ożywiona Lena skwapliwie wskazała jej krzesło. Kobieta, w całkowitym milczeniu, otoczyła się malowniczym wiankiem siatek z zakupami, roztarła ręce, zesztywniałe od wrzynających się rączek, wygładziła spódnicę, nabrała powietrza w płuca i popłynął potok barwnej opowieści o trudach życia samotnej i biednej matki, wdowy od dziesięciu już lat bez mała. No i, żeby jej zapomogę obłatwić, bo ona i do dodatkowej roboty by poszła, bo ona, Jolka Okrasek, nie lubi łapy wyciągać po jałmużnę, ale z małym dzieckiem trudno. Lena kiwnęła współczująco głową i naszykowała sobie kartkę na notatki.

    – To ile tych dzieci pani ma?

    – Czworo.

    – W jakim wieku?

    – No, najstarszy ma trzynaście lat – sumiennie wylicza kobiecina. – Potem Julka jedenaście, Franuś osiem i najmłodszy Mareczek dwa lata. Najgorzej to z tymi starszymi. Do szkoły trzeba wyprawić, ubrania, książki – machnęła ręką. – Sama pani wie, co tu będę powtarzała. A Mareczek szkódny taki, że strach mówić, co będzie dalej, jak podrośnie? – popatrzyła na Lenę tak, jakby oczekiwała natychmiastowej odpowiedzi.

    – No, ale mówiła pani – zdziwiła się Lena – że mąż zmarł prawie dziesięć lat temu... A najmłodsze ma... dwa lata?

    – Tak – przyznała. – Mąż zmarł, ale ja żyję! – uśmiechnęła się pogodnie.

    – No tak, to prawda, więc musi pani... – i tu Lena cierpliwie jej wyjaśnia, co powinna zrobić i jakie papiery złożyć z prośbą o przyznanie pomocy.

    Jolka Okrasek podziękowała, a załatwiwszy sprawę, już gęby sobie po próżnicy nie strzępiła, tylko starannie zebrała swoje siatki i tobołki, a jak się jaki ziemniak wysypał, to skrupulatnie schowała i związała na supły długie rączki, żeby czasem czego nie uronić. Pożegnała się w drzwiach krótko, uśmiechnęła przepraszająco i zniknęła.

    Jak ona sobie jednak mimo wszystko dobrze radzi, Lena pomyślała z sympatią o Joli. Dobrze, że się dzieci rodzą... I dobrze, że nie tylko jej jedyna, jak na razie wnuczka jest taka niemożliwa. Może nie taka szkódna, jak Mareczek Okrasek, ale... też trudna. To pewnie przez to imię, co się Ludka uparła, chociaż nigdy przecież uparta nie była i można było nią bez problemów pokierować... Może, dlatego jej dziecko takie jest chimeryczne, żeby się wyrównało... Czasami to nawet chciała, żeby Ludka sprzeciwiła się, nie zgodziła z nią, matką, ale nie, zawsze jak po maśle, chociaż Lena wyczuwała, gdzieś głębiej istniejący opór, ale z wierzchu grzeczna, porządna, układna. Grzech tak myśleć, ale aż się niedobrze czasem robiło. No bo, żeby dorosła córka nie miała nabożeństwa do mężczyzn. Lena nie mogła tego zrozumieć. Bała się, że nigdy nie zostanie babką. Że będzie miała wykształconą córkę, ale samotną. Jakby hormony nigdy nie miały się obudzić. Na szczęście pojawił się Gustaw i Ludka wreszcie poczuła wolę bożą... I to jak! Trzeba przyznać kawał chłopa z niego, chociaż z innego niż Lena obozu... politycznego. Póki co wybacza, wdzięczna, że dali jej wnuczkę z tym imieniem po wnuczce starego Bluma. Pamięta jak dziś tę rozmowę, krótko przed urodzeniem Sary. Zapadł zmierzch, za kuchennym oknem panowały nieprzeniknione ciemności i padał śnieg.

– Czy to bezpieczne dawać dziecku takie imię? – niepokoiła się Lena. – Może jakieś bardziej swojskie... Dorota, albo Agnieszka.

– Sara! – uparła się Ludka.

– Ale czy to nie jakieś fatalne imię? – zastanawiała się Amelia, która właśnie przyjechała w odwiedziny. – Czy takie imię nie przyniesie nieszczęścia?

– Nie przyniesie! – nie na żarty denerwuje się Ludka. – Przestańcie krakać! – i aż się zachłystuje, bo na co dzień jest okropnie przesądna.

– A co to? – zadźwięczały szybki w drzwiach i podchmielony Józef wkroczył w sam środek dyskusji, pachniał tytoniem, alkoholem i mrozem. – Mieszkamy w ich domach pełnych duchów, używamy ich rzeczy i nie boimy się? A mamy jakieś lęki przed użyciem pięknego imienia?

– Ale czy to aby na pewno chrześcijańskie imię? – szwagierka miała poważne wątpliwości i nie mogła się z tym pogodzić.

– Tu chodzi o bezpieczeństwo naszej wnuczki – wrzasnęła Lena. – O nic innego! Pomyślą, że to Żydówka! A przecież wiesz... pamiętasz... Jeszcze nic nie wiadomo... Czasy takie... niespokojne...

– Wiem, ale to piękne imię i już prawie niespotykane, więc niech ma... na pamiątkę Sary Blum, która byłaby teraz w wieku naszej córki! U nas zawsze niespokojnie, a żyć po swojemu trzeba, po swojemu...

– Dziękuję ci tato – Ludka przytuliła się do ledwo trzymającego się na nogach ojca.

– Wasze zdrowie moje piękne panie – i zanim żona wyrwała mu piersiówkę, którą wyczarował z kieszeni marynarki, pociągnął zdrowo. – Moja wnuczka jak najbardziej może nazywać się Sara.

– Ciekawe, co na to powie rodzina Gustawa? – zaciekawiła się Amelia. – Na pewno się nie zgodzą... Gustaw się nie zgodzi? – spytała jeszcze z nadzieją.

– Gustaw się zgodził – rozwiała nadzieje ciotki Ludka. – A rodzina nie ma żadnych obiekcji. Żadnych! – podkreśliła. – A teściowa to się nawet ucieszyła. A poza tym, to przecież nasze dziecko, moje i Gustawa.

– Właśnie! – Józefowi odbiło się chyba czystym spirytusem, kiedy opadał na swoje ulubione miejsce przy rozgrzanym piecu w kuchni. – Może napijemy się herbatki? – zaproponował radośnie, wstając chwiejnie, ale z determinacją.

– Siadaj! – mruknęła z irytacją Amelia. – Jeszcze się poparzysz! Ja zrobię. I nawet im się spodobało?! – mruczy do siebie pod nosem niedowierzająco.

I tak wnuczka, która miała być Agnieszką albo Dorotą, została nazwana Sara.

Ciekawe, jak też sobie z nimi radzi ta Janka Kopalówna? Czy aby dopilnuje, żeby zjedli i czy da radę położyć Sarę po obiedzie na drzemkę? Lena wierci się niespokojnie na skrzypiącym krześle. Coś nie daje jej spokoju, a tu dopiero minęło południe. Dobrze, że biuro Ligi Kobiet jest w starej kamienicy z oknami na wschód i teraz skwar nie wlewa się do środka. A może by tak zajrzeć do którejś podopiecznej, spytać, jak sobie radę daje i czy pomóc nie trzeba, a po drodze do domu wpaść, uspokoić serce. Zrywa się szybko, maluje pospiesznie usta i wybiega z torebką, krzycząc do koleżanek, że musi w terenie popracować.

W domu przywitała ją cisza. Nawet, kiedy otworzyła drzwi i jak zwykle głośno rozdzwoniły się szybki i rozklekotany zamek, nikt nie wyszedł na spotkanie, ani z głębi nie doszedł żaden dźwięk. I ogród też jakiś taki przygaszony, tylko firanka przez otwarte okno wprosiła się do kuchni i leciutko dygoce.

– Józef! – krzyczy Lena i biegnie przez korytarz, zaglądając do łazienki i do każdego pokoju.

Pusto. Drzwi na werandę są szeroko otwarte, a na tarasie w wiklinowym fotelu drzemie Józef z prawie pustą butelką wódki w bezwładnej, zwieszonej przez oparcie ręce. Lekki wietrzyk porusza gałęziami wielkiego, włoskiego orzechowca i czasami przez gęstwinę liści przedzierają się ostre promienie słońca. Józef i jego fotel na tle szarego tarasu są trochę przejrzyści, jakby byli, a jednocześnie nie byli, tak trochę tu a trochę, gdzie indziej... Lena przygląda się mężowi z podejrzliwą uwagą. Gdzie on jest, kiedy tak odpływa w niebyt pod wpływem alkoholu, bez którego nie może się obyć. Gdzie jest, kiedy się zamyśla na trzeźwo, zapada w jakieś nieznane jej światy, albo kiedy po raz setny ogląda te swoje mapy, które widocznie już jakiś czas temu zsunęły mu się z kolan i wiatr poroznosił je po trawniku. Zbiera je zamyślona, popatrując na niego, rozmyślając o nim, o jego tajemnym, nieuchwytnym życiu wewnętrznym. Dawniej wędrował po tych starych mapach z Ludką, pomagał jej w geografii, zwiedzili cały świat, przepłynęli każdą cieśninę, przeszli każdą pustynię i każdą puszczę, wdrapali się na wszystkie najwyższe szczyty... Teraz, jak jest trzeźwy, albo może lepiej powiedzieć, niezbyt pijany, milczy nad nimi z Sarą. Milczy, bo niewiele rozmawiają, jakby rozumieli się bez słów, jakby...

Co tu tak cicho? Delikatnie składa i wygładza ostatnią mapę. Gdzie ta Janka? Znowu pojawia się wyprowadzające z równowagi poczucie zagrożenia i wyrywa Lenę z chwilowego zawieszenia. Wraca właściwą jej energię.

– Józef! – potrząsa jego ramieniem i wyjmuje z dłoni butelkę. – Obudź się! Gdzie Janka i dziecko? Gdzie dziecko?

A on, ze śmiertelnym wysiłkiem, wydobywa się na samą powierzchnię rzeczywistości i mruczy coś pod nosem, macając po omacku rękami w poszukiwaniu swojej półlitrówki. Po bezowocnych próbach, osierocone dłonie podnoszą się wreszcie do twarzy, przecierają ją i dopiero wtedy oczy, jego łagodne brązowe oczy, spoglądają na nią przytomniej.

– Gdzie dziecko? Ty pijaku, żeby tak od samego rana! W taki skwar! Jeszcze się wykończysz! No gadaj mi zaraz. Gdzie one są? – Lena niecierpliwi się coraz bardziej.

– Poszły do piaskownicy – bełkocze Józef, a jego ręce latają rozedrgane wokół fotela.

– Tu jest – pokazuje mu flaszkę żona. – Ale na teraz koniec. A swoją drogą, jak ty to robisz, że w stanie kompletnego odlotu jeszcze nigdy nie wypuściłeś z ręki butelki? – patrzy na niego przez chwilę z prawdziwym zainteresowaniem, po czym odwraca się na pięcie i biegnie alejką, obramowaną starymi cegłami, za którymi kwitną róże. Skręca za karłowatą wiśnią, a serce bije jej jak szalone, bo w miarę zbliżania się do niewielkiego podwóreczka za domem nic nie słychać. Kompletna martwa cisza. Wreszcie Lena otwiera drewnianą furteczkę, zeskakuje z kamiennego stopnia i na moment traci oddech z wrażenia.

– Sara! – krzyczy w panice. – Co ty do cholery robisz?

Sara klęczy w jasnym, ledwo żółtawym, bo rzecznym piasku, co go Józef kazał dla niej przywieźć z Grabii i sypie go spokojnie, dostojnie niebieską łopatką na leżącą bez ruchu Jaśkę. Lena mruży oczy od palącego, pełnego słońca.

– Cicho! – szepnęła wnuczka swoim despotycznym szeptem.

– Jaśka umarła! – popatrzyła na babkę z naganą. – Umarła, a ty przeklinasz! – pokręciła z dezaprobatą głową.

– Skąd wiesz, że umarła? – prycha Lena.

– Siedziała i nagle upadła. Nie odzywa się. Złapałam ją za rękę. Nic. Połaskotałam stopę. Nic. Oczy miała zamknięte. Podniosłam powiekę, a tam nie ma oka, tylko samo białe. Oczy już pewnie poszły do nieba. To umarła – stwierdza spokojnie dziecko.

Lena łapie ją za rękę i zdecydowanie podrywa z klęczek. Sama przysiada nad Jaśką, która leży na baczność do połowy ud zagrzebana w piasku, udekorowana różami i malwami. Przełyka ślinę i podnosi głowę zemdlonej dziewczyny. Otrzepuje ją z piasku i lekko poklepuje policzki.

– Dlaczego sypałaś na nią piasek? Mogłaś ją zabić! – pyta za złością, nie licującą z delikatnymi ruchami, jakimi stara się obudzić Jaśkę.

– Nie sypałam piasku, tylko ją zakopywałam. Sama mówiłaś, że jak człowiek umiera, to się go zakopuje.

Leną, mimo upału, wstrząsa zimny dreszcz. Co za upiorna dziewucha! Faktycznie, jak umarł stary Bartosiewicz, a zaraz za nim sąsiadka przez płot, Sara bardzo się dopytywała, co się z ludźmi dzieje po śmierci. Bez najmniejszego zainteresowania wysłuchała głodnych kawałków Ludki o duszach, które wędrują do nieba i zadała pytanie, które zmusiło ich do obcesowej szczerości.

– Ale, ja się pytam, co się dzieje z ciałem?

Józef patrzył na nie spod pieca z wyraźną uciechą, jak się obie wiły, żeby obejść to kłopotliwe pytanie, żeby się jakoś wywinąć, żeby może samemu nie skonfrontować swoich wyobrażeń z rzeczywistością, jakby pierwszy raz nazywaną, z prawdą bolesną, którą trzeba było wyznać dziecku. Nie dało się łatwo zwieść. Było konkretne, pragmatyczne i naukowo ciekawe.

– Ale, co się dzieje z tym pustym ciałem? – dociekało.

– Ciało... ciału trzeba wyprawić pogrzeb...

– A potem? Co się dzieje potem?

– Potem – westchnęła ciężko Ludka, bo Lena postanowiła się już nie odzywać. – Potem ciało trzeba oddać ziemi... no... zakopać w ziemi – patrzyła zaniepokojona, jak na to zareaguje, ale córka podniosła tylko do góry lewą brew i mruknęła. – Aha – przyjmując gładko i naturalnie to, co normalnie przejmowało dorosłych grozą i lękiem.

I teraz, kiedy uznała, że Jaśka umarła, postanowiła ją po prostu zakopać.

– Ona nie umarła – warknęła na Sarę Lena. – Zemdlała od tego upału i tyle. Mogłaś jej zrobić straszną krzywdę, rozumiesz?

– Nie mogłam jej już zrobić większej krzywdy, skoro i tak nie żyje – upierała się wnuczka.

– Żyje! – wrzasnęła babka. – Przynieś trochę zimnej wody. Tylko szybko!

– Nie żyje! Przecież widzisz! Nic nie mówi i ma zamknięte oczy!

– Leć migiem i niech dziadek wezwie lekarza... o ile jest w stanie to zrobić.

Sara wróciła szybko, rozchlapując wodę ze swojego blaszanego wiaderka. Lena skrapiała skronie i szyję Jaśki, aż do momentu, kiedy ta otworzyła oczy.

– Dziadek jest w stanie spać – poinformowała babkę. – O, zmartwychwstałaś ją! Jak Chrystus Łazarza. Teraz już jej nie dotknę i nie pozwolę, żeby ona mnie dotykała. Brzydzę się! – oznajmiła i poszła sobie.

Lena zacisnęła mocno usta, policzyła w duchu do pięciu, potem do dziesięciu, do trzydziestu. No tak, przecież wnuczka z fascynacją, oglądała starą, ilustrowaną przez Gustava Doré Biblię i nieustannie domagała się opowieści. Dopiero po chwili udało jej się zdusić w sobie złość i pomogła wstać Jaśce. Powoli szły do domu. Józef, który w międzyczasie zdążył odzyskać odrobinę świadomości, popijał coś ze szklanki.

– Oj, coś pani licho wygląda, Jaśko – stwierdził krytycznie, chociaż trochę niewyraźnie.

– Ty wiesz, co by się o mały włos stało? – żona wytrzeszczyła na niego, połyskujące niebezpieczną zielenią, oczy.

– Wiem, Sara mi mówiła... że nic się jednak nie stało – wyciągnął w jej kierunku swoją szklankę. – Słuchaj, kapnij mi trochę...

– Ani myślę. A skąd masz picie? – zainteresowała się znienacka.

– Wnuczka mi własnoręcznie zrobiła z cytryną, zimne – pochwalił się, pękając z dumy.

– Ona ci zrobiła? Nie wierzę... Pewnie woda nieprzygotowana...

– Przegotowana – uśmiechnął się z satysfakcją.

– O mały włos, a byłoby nieszczęście, przez twoje pijaństwo, ale ty niczym się nic przejmujesz.

– Przeze mnie? Dlaczego panna Jaśka nie powiedziała, że ma słabowite serce i nie może w upał w pełnym słońcu siedzieć? – zwrócił się do siedzącej na schodach dziewczyny.

– A tak jakoś nie było okazji – wzruszyła ramionami.

– Chodź dziecko do kuchni. Herbaty ci zrobię – zaproponowała Lena, ale wróciła tknięta natrętną myślą do męża.

– Słuchaj, a może ona przez to imię jest taka?

– Kto?

– Jak to kto? – zirytowała się na niego. – Sara!

– Jaka? – spojrzał na nią zdumiony.

– No taka... nie jak te inne dzieci... taka na szpic. I tak dobrze, że my ją mamy, a nie taka jak moja matka, na przykład... Brygida to by ją chyba zatłukła... Może gdyby miała jakieś inne imię, łagodniejsze, jak... Zofia albo Lodzia ... No, chociażby Eleonora, po mnie.

– Ty jesteś łagodna? – próbował nie chichotać aż tak otwarcie, ale to rozbawiło go jeszcze bardziej i śmiał się teraz głęboko, perliście jak córka.

– Żałujesz, że ona nie ma imienia na L? A jakie byś wybrała? Lenata?

– Lukrecja! – wrzasnęła Lena i poszła, goniona jego serdecznym śmiechem, który wybuchał wciąż od nowa, jeszcze przez parę chwil.

Co za dzień, pomyślała strapiona, mijając się w drzwiach z Sarą, która dźwigała bajki Brzechwy, zapewne żeby jej dziadek poczytał. A po chwili do jego śmiechu dołączył drugi trochę wyższy i bardziej niespożyty.

Po herbacie odprowadziła Jaśkę do domu. Na szczęście dziewczyna nie była specjalnie lotna i nie zdawała sobie sprawy z niebezpieczeństwa, jakie jej zagroziło tego dnia, a ona zamierzała zadbać, żeby tak pozostało. Powiadomiła tylko Kopalów o zdarzeniu i poprosiła, żeby jednak pomyśleli o badaniach, bo to kochani państwo, nigdy nie wiadomo, lepiej dmuchać na zimne, niż potem płakać. Tak, tak, ma pani świętą rację, kochana pani Jarecka, podziękowała jej matka Jaśki.

Wracała wolno, zatroskana. No i co teraz będzie z Sarą? Trzeba ją będzie chyba do przedszkola oddać, ale to przecież jeszcze taka kruszyna… Czy oni tam będą umieli o nią zadbać? Przecież ona nic sama nie chce jeść. Z każdym kęsem trzeba za nią chodzić i opowiadać, opowiadać, opowiadać do znudzenia. Za każdą łyżkę krótka historia, a za posiłek długa, najlepiej z licznymi dygresjami, oryginalna i, nie daj Boże, dydaktyczna. Lena czasami naprawdę była zmęczona, a opowieści wyczerpywały się błyskawicznie.

Na domiar złego, ni stąd ni zowąd, wróciły nocne koszmary, które dręczyły Sarę we wczesnym niemowlęctwie. Ludka i Gustaw byli wtedy przerażeni, kiedy wzywany nieustannie doktor Strauss wymyślił, że małą dręczą złe sny i to one są powodem nocnych krzyków i płaczu. Trzeba, powiedział patrząc na nich tą swoją wszystkowiedzącą, połyskliwą czernią i niepokojącą zielenią, codziennie przesuwać łóżeczko w inne miejsce, a zmory się skończą. Wytrzeszczyli na niego oczy. Skąd u takiego niemowlęcia koszmary? Pokręcił głową i wzruszył ramionami. Mózg ludzki skrywa jeszcze wiele tajemnic. Nie chcieli mu wierzyć, Gustaw i Ludka, ale ona wiedziała, że jak zwykle ma rację... I miał, stwierdzili już następnego ranka, kręcąc głowami z niedowierzaniem. Może to przypadek? To niemożliwe, żeby sny... To pewnie kolka... Ale przecież koper włoski nie pomagał, a przesuwanie tak. Kolejne dni udowodniły rację doktora. Od tej pory przesądna Ludka zaczęła uważać go prawie za czarownika i dopytywała się, czy czasem nie stawia kabały?

– Nie stawia – stanowczo stwierdzała Lena, która wprost przeciwnie, nie miała żadnych skłonności do przesądów, wróżb, horoskopów i przepowiedni. Gdyby tak było, nigdy nie pozwoliłby się tak okrutnie ogrywać w karty. Doktor Strauss jest po prostu najlepszym lekarzem i mądrym człowiekiem. Jakie to szczęście, że udało mu się przeżyć.

Ciekawe, co tym razem poradzi na strachy Sary? Wczoraj Józef miał do niej pretensje, że to jej wina, bo opowiada wnuczce okropne historie... Ale przecież już dawno jej się skończyły bajki i koncept się wyczerpał, a jak zaczyna coś nieudolnie wymyślać, Sara odwraca głowę, nie chce jeść i protestuje przeciwko opowieściom niskiej jakości.

– Mów prawdę! – żąda wtedy stanowczo i poważnie.

No i wtedy, czasami Lena rzeczywiście się zapomina i zaczyna wspominać wojnę jedną, potem drugą i wszystkie jej okropieństwa, zagładę łaskich żydów, bitwy, strach...

A potem Sara znowu ma koszmary...

– Dlaczego jej to opowiadasz? – pyta z wyrzutem Józef. – To pewnie dlatego budzi się z krzykiem po nocach.

– Przecież budziła się tak już wcześniej, jeszcze przed moimi opowieściami...

– Mimo wszystko... Nie powinnaś Leno ... – prosi ją, jak zwykle zawiany, ale przecież głęboko rozumiejący wszystko, mąż.

– Wiem – przyznaje mu rację. – Wcale tego nie chcę, ale tak nie wiadomo skąd, między jedną łyżką a drugą, zaczynam wspominać pod tym jej badawczym spojrzeniem, które jakby mnie na wskroś przenikało i to ponaglanie surowe, kiedy mówi do mnie, pamiętaj, mów tylko prawdę, nie zmyślaj! I czasami, jakby jaką tamę przerywała woda, mówię, mówię... Wszystko, co widziałam w czasie wojny... ty wiesz... A ona mnie pyta, co zrobiliśmy, żeby..., a ja mówię, że nic nie mogliśmy zrobić, nic... – zamyśliła się. – A czy ty myślisz, że ja nie mam złych snów?

– To już nie mów... Opamiętaj się. Ona jest jeszcze bardzo mała... A sny... Przecież wszyscy mamy złe sny...

Któregoś dnia, Ludka i Gustaw przywieźli córce śliczne, białe sandałeczki z tego innego, lepszego świata. Szczęśliwi patrzyli, jak przymierza z uśmiechem. Idealne. Zrobiła kilka kroków po kuchni. Cisza. Postukała nogą w podłogę i znowu tylko głuche dudnienie. Zmarszczyła nos z niezadowoleniem. Lena już czuje, co się będzie działo, ale woli nie uprzedzać faktów. A nuż, jakimś cudem rozejdzie się po kościach. Sara wybiegła przed dom, żeby sprawdzić na chodniku. Ludka i Gustaw popatrują na siebie niepewnie, kiedy wróciła zagniewana, zdjęła sandałki i z rozmachem rzuciła je w kąt.

– Co się stało? – spytał Gustaw.

– Nie tupią! – wrzasnęła córka. – Nie tupią! Są wstrętne i nie będę ich nosiła! Ja noszę tylko tupiące buty!

– Ale to są tylko sandałki – próbował ją przechytrzyć. – Sandałki są na świetnej gumie i nie tupią.

– Chcę, żeby tupały! Zapomnieliście, że nie lubię butów i... sandałków – spojrzała na niego wymownie – ...które nie tupią.

– Będziesz je nosiła i kwita – zdenerwował się ojciec.

– Nie będę! – oznajmiła głośno córka.

– A właśnie, że będziesz! – krzyknął.

– A właśnie, że nie będę! – wrzasnęła.

– Albo będziesz chodziła w tych sandałkach, albo boso – wypalił i już pożałował, bo Sara założyła ręce na piersiach, wysunęła bosą nogę do przodu, co było oznaką totalnego, nieugiętego uporu i oznajmiła.

– Będę chodziła boso!

Patrzyli na siebie ojciec i córka, ona z zadartą głową, on wysoki, schylał się prawie, żeby zajrzeć jej w czarne, uparte oczy. Sara nie miała nic do stracenia, a jemu nic nie przychodziło do głowy, co dalej począć z tym fantem. No i co mądralo?, myślała Lena, klasyczny pat. Co zrobisz, żeby wyjść z twarzą? Ani myślała o przyjściu mu z pomocą, chociaż wiedziała, że za chwilę wszystko to obróci się przeciwko niej i Ludce, a i jeszcze przeciwko Amelii, chociaż ta miała najmniejszy udział w wychowywaniu Sary.

– Ona jest niemożliwa – Gustaw zwrócił się do Leny z pretensjami, tak jak przewidziała.

– A owszem! – zgodziła się z nim.

– Trzeba z tym coś zrobić. To mama pozwala jej na wszystko! – wysunął działo Gustaw, no a potem poszło jak zwykle, czyli sodoma i gomora, łącznie z wypominaniem nieodpowiednich sympatii i jej zaangażowanie w nowy ustrój. A i to, że gospodarka leży i wszyscy kradną, to też jej, Leny, osobista wina. Oczywiście, nie pozostawała mu dłużną. Wyzwała go od kapitalistycznych krwiopijców, którzy w nowej rzeczywistości w ogóle nie mogą się, mimo swych dyplomów i obycia, odnaleźć. Zdawała sobie sprawę, że płynie, ale co tam... Ludka najpierw prosiła, żeby przestali, a potem złapała Sarę za rękę i wybiegła do ogrodu. A oni na siebie jeszcze jakiś czas pokrzykiwali bez większego przekonania, kiedy na schodach od ulicy dało się słyszeć dziarską legionową pieśń śpiewaną na dwa głosy i trzaskanie drzwiami, a potem teatralne szepty i kulturalne pukanie. Otworzyła. Na progu stał milicjant, a na nim wisiał Józef.

– My, pierwsza brygada
strzelecka gromada

Na stos rzuciliśmy
swój życia los
Na stos, na stos... – intonował. – O, mój zięć! Szanowanie!
– Gustawie, przejmij teścia od pana dzielnicowego – poleciła
Lena.
– To ja już pójdę. Do widzenia państwu – pożegnał się milicjant.
– Bardzo panu dziękujemy. Do widzenia! – Lena znała młodego
dzielnicowego.
– No proszę, jeszcze mój teść brata się z władzą ludową! –
mruknął urągliwie do Leny. – Ale, jakżeż jest wyedukowany, zapewne przez mamę, do widzenia państwu, a nie obywatele. Na drugi
raz będziecie sami zbierać rodzinę z chodnika, bo funkcjonariusz
ludowy przeznaczony jest do innych, wyższych zadań. Tata pozwoli
– zwrócił się ciepło do teścia. – Posadzę tatę, bo zaraz wpadnie
Ludka i obie będą się na tobie wyżywały.
– Mama ma widzę, jako radna, nawet była, specjalne względy
u władzy – zwrócił się do niej złośliwie.
– A mam – wrzasnęła na niego, bo już dosyć miała tego ką-
śliwego jadu i wyszła z kuchni. – Ciebie by na pewno zostawili.
A już na pewno ani ty, ani nikt z twojej rodziny nie odważyłby się
śpiewać legionowych piosenek.
– A pewnie, że nie! Mój ojciec nigdy nie był za sanacją – poszedł za nią.
– Ale za to twój teść jest legionistą i przedwojennym socjalistą,
czy ci się to podoba, czy nie! Wolną Polskę wywalczył!
– Na krótko. A teraz mama zaprzedaje się czerwonym szujom...
Nie wiem naprawdę, jakim cudem mój teść, piłsudczyk nieskrywa-
jący swoich wrogich uczuć do państwa ludowego, ma kombatan-
cką emeryturę? – Gustaw idzie długim korytarzem za teściową do
pokoju, zostawiając Józefa samego w kuchni.
– A co ci do tego? – syczy Lena, wyciągając z kredensu świeży
obrus. – Co, może nie jest kombatantem? Może nie przeszedł

całego szlaku bojowego z Pierwszą Brygadą, od początku do końca?

– No właśnie dlatego jest prawie wrogiem, przeszedł szlak, ale nie ten, co trzeba...

– Nie wrzeszcz tak, bo się dowie, że coś nie tak z tą jego emeryturą, a wiesz, jacy są oboje z Ludką przewrażliwieni – szepcze już do zięcia pojednawczo.

– To on nie wie? – dziwi się Gustaw.

– Pewnie, że nie! – piorunuje go wzrokiem teściowa. – Przecież nigdy mi nie darował partii i w ogóle... Myśli, że to tak normalnie, za pracę i walkę o niepodległość...

– Ach tak... – zamyśla się Gustaw i patrzy na Lenę z mieszaniną złości i podziwu.

– Biedny Józef – mówi wolno. – No to już się nie dziwię, że pije...

– Pije, bo się już w czasie wojny rozpił. A zresztą, wcześniej też za kołnierz nie wylewał. Niby żołnierz, ale ta druga wojna go wykończyła nerwowo. A w ogóle, to przy jego pracy trudno było nie pić, więc nie sugeruj mi tu... tego... co sugerujesz... – zaplątała się Lena. – Wracam do niego. A ty idź po Ludkę i Sarę do ogrodu.

Sara twardo wkroczyła do kuchni na boso, czym zadziwiła i otrzeźwiła, tracącego już poczucie rzeczywistości dziadka, który przerwał kolejną pieśń legionową.

– A co ci się – czknął potężnie – dziecko kochane stało? Jeszcze na jakieś szkło wdypniesz... Coś nie tak – zastanowił się, obracając w ustach obco brzmiący wyraz nieposłusznym językiem. – Wdepniesz! – oświadczył wszystkim triumfująco. – Wdepnie i będzie bieda! – popatrzył na nich surowo.

– Tata mi kazał! – poskarżyła się wnuczka.

– Jak to?... Gustawie!

Gustaw tłumaczył teściowi trudną sytuację, w jakiej znaleźli się chwilowo on i jego pierworodna córka Sara, zastanawiając się jednocześnie, dlaczego tak właśnie jest, że rządzi on – zapijaczony staruszek, który każdego wieczoru ledwie trzyma się na nogach, śpiewa zakazane piosenki, gra w karty, robi za wywrotowca i nic się nie dzieje... Czyżby pozycja Jareckiej była aż tak mocna? To chyba niemożliwe... Może wszyscy go po prostu lubią? Przecież on też go lubi... mimo wszystko... Nawet bardzo... Ma w sobie stary skubaniec coś... No i to, że sobie nic nie robi... to imponuje...Tylko Ludka się martwi, że ojciec zapija się na śmierć, bluźni przeciwko władzy i mogą wywalić ich z pracy...

– No tak... – zastanowił się Józef. – Szczerze mówiąc... sytuacja jest... trudna... mówiąc krótko... I żeby nie podejmować pochopnie jakiś decyzji, które mog...ły...by – starannie stara się wymawiać każdą sylabę, nienaturalnie dbając o ich nienaganną artykulację – ...uczynić ją jeszcze trudniejszą... odłóżcie ten spór na jutro... dobrze radzę... A teraz pozwolicie – popatrzył na nich, jak udzielny książę. – Udam się na spoczynek.

Wstał z wielkim trudem, ale do końca trzymał fason, kiedy sztywno wyprostowany zniknął w ciemnej czeluści korytarza, gdzie, Gustaw to doskonale słyszał, złapał się rozpaczliwie ściany, która doprowadziła go bezpiecznie do łazienki, a potem do pokoju, gdzie zwalił się bezwładnie do łóżka w ubraniu.

W kuchni Ludka załamywała ręce z rozpaczy, że ojciec w końcu się wykończy... No i wstyd przed miasteczkiem, żeby tak prawie codziennie milicjant, albo czasem i dwóch, bo jeden nie dawał rady, do domu go dostarczali, ponieważ kompani również się starzeli i nie zawsze dawali radę, a nieraz też byli w stanie.

– Nie martw się, mamusiu – pociesza Sara. – Milicjanci nie codziennie odprowadzają dziadka, czasami koledzy z gospody... jak są trzeźwi i mają siłę – dodała skrupulatnie.

– Jemu nie wolno – westchnęła Ludka. – Coś trzeba zrobić.

– Tylko co? – spytał Gustaw fatalistycznie.

– Zabronimy mu chodzić do gospody!

– Akurat pozwoli sobie zabraniać – parsknęła Lena i popatrzyła z politowaniem na córkę.

– Żeby chociaż w domu nie pił!

– Skonfiskujmy mu trunki! – podejrzanie zapalił się Gustaw, aż teściowa łypnęła na niego wrogo.

– Tak zrobimy. I oświadczymy, że musi ograniczyć picie – zgodziła się Ludka.

Sara uśmiechnęła się delikatnie. Już nie raz była świadkiem takich rozmów. Doskonale wiedziała, że akcje utrzymania dziadka w trzeźwości kończą się klęską. Nawet chowanie alkoholu nic nie dawało, z tej prostej przyczyny, że po prostu prawie niczego nie mogli znaleźć. Dziadek nie był głupi, ani nigdy do samego końca otumaniony i miał swoje sekretne miejsca, o których wiedziała tylko wnuczka.

Rano rodzice wyjechali do Łodzi, a Lena poszła do pracy, obudziwszy wcześniej męża i zaklinając go na wszystkie świętości, postawiła na nogi i kazała sobie przysiąc, że będzie odpowiedzialny, nie upije się i zajmie Sarą. I tak ma być, aż do chwili, kiedy nie zapiszą jej do przedszkola.

– Dobrze, kobieto, idź już. Zrozumiałem. Dam sobie radę... – z potwornym wysiłkiem otworzył oczy. – Mogłaś mi chociaż kawę zrobić, skoro budzisz mnie o tak nieludzkiej porze.

– Zrobiłam. Jest w kuchni.

– Taki kawał?! Dlaczego nie przyniosłaś?

– Wstań, umyj się i ubierz – rozkazała i wyszła pachnąca, trzasnąwszy drzwiami.

Pozostawiła za sobą jakąś egzotyczną woń, od której zebrało mu się na mdłości i zakręciło w głowie, chociaż nie była brzydka, a nawet wprost przeciwnie, piękna... zbyt piękna. I dlatego postanowił jednak na przekór sobie wstać i udać się do kuchni na świeżo zaparzoną kawę, której zapach już w długim korytarzu zwycięsko poradził sobie z mocnymi perfumami Leny. Po drodze skręcił do zalanej słońcem łazienki i ulżył sobie z przyjemnością. Przyjrzał się sobie w lustrze z odłamanym rogiem. Twarz odbijała się wyraźnie od czarno-białych kafli na ścianie. No proszę, czego one od niego chcą, wcale nie widać po nim, że pił wczoraj i przedwczoraj, że pije codziennie… No, może tylko lekko podpuchnięte powieki i sine smugi pod oczami… Ale kto ich nie ma rano… w pewnym wieku. Zaniósł się astmatycznym kaszlem i postanowił jednak umyć zęby, żeby kawa mu lepiej smakowała. Miał tego nie robić, bo rano każda czynność, nawet najprostsza, sprawiała mu kłopot. Nie dlatego, że nie miał siły, nie. Po prostu mu się nie chciało. Nic mu się nie chciało, ale lubił pić rano dobrą kawę z cukrem. Wróci sobie z kubkiem do łóżka i spokojnie poczeka, aż Sara się obudzi. Miał nadzieję, że długo to nie nastąpi, bo po takim wysiłku, jak marsz do kuchni i łazienki musi zregenerować siły czymś mocniejszym… ale potem ani kropli, aż do wieczora.

Leżał sobie oparty o poduszki, kiedy wkroczyła do sypialni w różowej, flanelowej piżamie w ohydne różyczki. Wspięła się i usiadła na nim okrakiem, przyglądając mu się uważnie.

– Nic ci nie jest? – spytała rzeczowo.

– Nic… A co ma mi być? – zaciekawił się.

– Mama powiedziała, że się w końcu zapijesz na śmierć.

– Aha…

– Ale ty się nie zapijesz, co? Bardzo cię proszę, nie rób tego.

– Dobrze. Nie zapiję się.

– Ale już łyknąłeś.

– Łyknąłem, ale mało… Skąd wiesz?

– Czuję. Dolałeś sobie do kawy i myślałeś, że nie poczuję?

– Ty to masz nos!

– Prawda!? Ja to mam nos – powtórzyła z zadowoleniem.

– I wiem, gdzie trzymasz flaszki – wyznała triumfujący głosem.

– No gdzie?

– Za biblioteczką, w tych filarach z drugiej strony, od ściany są półki – wskazała palcem energicznie, aż się zakołysały rudawe pierścionki na głowie.

– Ty to masz oko – powiedział z zachwytem.

– Ja to mam oko! – zgodziła się z nim. – Co będziemy robili? Pójdziemy do gospody?

– Nie.

– Dlaczego? Tam jest przyjemnie.

– Obiecałem babci, że nie pójdę.

– Szkoda. Mogłeś nie obiecywać, no ale skoro obiecałeś, to trudno.

– Wiesz co, ubierz się, umyj... albo odwrotnie... Pomyślimy przy śniadaniu... Łapcie załóż – krzyknął za nią.

– Nie mogę. Przecież dzisiaj chodzę boso, bo tych sandałków nie założę.

– Zapomniałem o sandałkach – mruknął zrezygnowany, opadając z westchnieniem na poduszkę. – Co za obrzydliwą piżamę ma to dziecko!

Po godzinie mycia i ubierania się siedzieli w kuchni przy stole i jedli, pogadując sobie spokojnie i niespiesznie. Za oknem ogród migotał różnymi odcieniami zieleni w ostrych promieniach letniego słońca. Sara jadła bułkę z masłem i czereśniową konfiturą. Józef skubał kawałek suchego chleba.

– Nigdy nie jesteś głodny, dziadku.

– Jakoś nie...

– Zobacz, jaki piękny kolor mają te konfitury na jasnym maśle.

– Prawda! Ty to masz oko! I błyszczą srebrem.

– Tak, masz rację, błyszczą srebrem. Spróbuj – podsuwa mu pod nos swoją nadgryzioną bułkę. – Jest dobra. Najpierw słodkie przykleja się do podniebienia, potem masło, zimne i takie... słodkie, ale inaczej, no i na końcu bułka i puszysta i chrupiąca. Niby to samo, a ma dwa smaki… Ciekawe, co? – macha nogami zwisającymi z wysokiego krzesła.

– Bardzo ciekawe.

– Lubię jak jesteśmy sami w domu. Nikt nam nic nie każe i jest tak… spokojnie.

Józef wstaje i wyciąga z kąta poniewierające się tam od wczoraj białe sandałki. Obraca je w dłoniach dłuższą chwilę.

– Wiesz? Nie są takie złe te twoje nowe sandałki.

– Coś ty, dziadku! Są okropne. Nie tupią. Są ciche. Będę w nich chodziła jak kot. Nikt mnie nie będzie słyszał – Sara oburzyła się od nowa.

– To może – podrapał się w ucho – pójdziemy do szewca, pana Zbycha i poprosimy, żeby nam coś poradził, co?

– Jakiś ty dziadku mądry! Najmądrzejszy na świecie! – Sara nie mogła się nadziwić mądrością dziadka.

– Tylko załóż je, bo trzeba dojść do warsztatu pana Zbycha.

Dziewczynka trochę się krzywiła, ale w końcu dała się przekonać, że warto się trochę poświęcić, żeby mieć najgłośniejsze buty w miasteczku, albo i w całej Łodzi nawet.

No i poszli. Szli sobie z wolna, znowu oglądając niebo w sklepowych witrynach i pogadując chwilę z kobietami przy studni. Straszyły się nawzajem wojnami i chorobą, więc szybko poszli dalej, nie zatrzymując się nigdzie dłużej, bo Sarze spieszyło się do nowych sandałów. Józef mrużył oczy w słońcu i czasami przymykał powieki, a wtedy wybuchały pod nimi fioletowe gejzery i pomarańczowe plamy, raniąc mu bez litości wnętrze głowy, zadając straszny ból.

– Poczekaj – wychrypiał. – Musimy iść w cieniu, bo to słońce mnie wykończy.

– Dobrze dziadku… Mnie to słońce też wykończy – solidaryzowała się z nim całkowicie wnuczka.

– Żeby tylko Zbych otworzył już warsztat – wyraził nadzieję Józef, myśląc jednocześnie w panice, że jeżeli on też wczoraj zabalował, to chyba nie dojdzie z powrotem do domu, tylko umrze gdzieś na chodniku, oby jeszcze po cienistej stronie, a żona nigdy mu nie wybaczy, że umarł na oczach dziecka.

Przystanął na chwilę przed wystawą księgarni, żeby złapać oddech i pomarzyć o przyłożeniu rozpalonej głowy do brudnego, ale chłodnego chodnika. Poczuł ulgę, gdy zerknął na róg, gdzie Zbych właśnie otwierał swój zakład. Składał ze zgrzytem drzwi w obrzydliwym kolorze zjadliwej zieleni, od której znowu poczuł w mózgu gwałtowną eksplozję. Dlaczego ludzie wybierają coś tak potwornego, zadawał sobie po raz kolejny pytanie, na które w żaden sposób nie znajdywał odpowiedzi.

– Otwiera! – Sara pociągnęła go za rękę i z jej pomocą przeszedł palącą rzekę płynnego, złocistego bólu, jaką była rozpalona ulica, kiedy wyszli zza budynku księgarni. – To tylko kilka kroków, tylko kilka…

Niby tak blisko, a tak daleko, czas rozciągnął się dla Józefa w wieczność, kiedy tak przechodził z wnuczką przez jezdnię, grzeczniutko po pasach, aby dotrzeć do wilgotnej, chłodnej nory, jaką był zakład szewski Antoniego Zbycha. Osunął się z dziękczynną modlitwą na krzesło przy drzwiach. Natychmiast poczuli intensywne zapachy kleju, skóry i kurzu, z lubością wciągnęli je głęboko w płuca i przez chwilę delektowali się nimi w ciszy. Wszędzie panował nieopisany, malowniczy bałagan, bo Zbych nigdy nie sprzątał. Sara rozejrzała się dookoła z uznaniem i podziwem.

– Jak tu pięknie – szepnęła.

– A, dziękuję ci dziecko. Jesteś w swoich sądach odosobniona… – zawiesił głos Antoni – … ale za to niezależna.

– Boże, jak gorąco! – wymamrotał zamiast dzień dobry do Zbycha.

– A powitać, powitać… – rzucił okiem na Józefa. – Może klinika? – zaproponował usłużnie.

– Mowy nie ma. Pełnię dzisiaj ważną rolę opiekuna i przedszkolanki.

– Widzę, ale nie daj sobie umrzeć przez obowiązki. A twoja żona wsiadła właśnie w autobus i pojechała prawdopodobnie
w teren.

– Tak, tak, nieść pomoc biednym, uciśnionym przez wszystkich
kobietom. No to dawaj, tylko naprawdę małego, na lekarstwo.

– To wódka ci pomoże? – zdziwiła się wnuczka.

– Jeszcze jak – zaśmiali się obaj wychylając po niewielkim
kieliszku.

– I co was sprowadza? – chciał wiedzieć Zbych.

Józef królewskim gestem ręki zachęcił Sarę do wyłuszczenia
swojego problemu.

– Buty są za ciche… – zaczęła, wysuwając nogę obutą białym,
eleganckim sandałem, ale widziała, że chudy szewc z intensywnie
czerwonymi policzkami nie bardzo rozumie, o co jej chodzi. –
No… nie tupią…

– Nie tupią – powtórzył i schylił się, żeby obejrzeć. – Nie tupią,
bo nie mogą. Są na jakimś kauczuku chyba. Dobre!

– No właśnie – włączył się Józef, który powoli łapał pion i coraz lepiej radził sobie z chaosem w głowie. – Chodzi o to, żebyś
je przerobił na tupiące.

– Już się robi szefie! Usiądź sobie na tym zydlu dziecko i daj
to obuwie.

Sara siedziała boso na zydlu i wbijała gwoździe w kawałek
drewna.

– A mogę sobie zrobić zabawkę? – spytała, patrząc na stos
klocków pod rozpałkę, rozrzuconych wokół kozy w rogu.

– A proszę cię. Rób, co tylko chcesz – zgodził się Zbych.
– A te twoje sandały tupiące, uprzedzam, stracą trochę na urodzie
i elegancji.

– Nie szkodzi.

– Powiedz mi Zbychu, kto ci pomalował wrota na taki… wybacz… niedopuszczalny kolor? – spytał z bólem na twarzy.

– Administracja. Nie miałem nic do powiedzenia. A myślisz, że oni mają jakiś wybór? Kupują to, co akurat jest w sklepie.

– Wiem, ale dlaczego wybierają te najgorsze z najgorszych, jakby chcieli sobie zrobić na złość i zohydzić i tak paskudną rzeczywistość. I jeszcze te płaskie brązy i żółcie… Nie mam słów.

– Pamiętasz Józefie, jak się kiedyś malowało? – zapatrzył się w przeszłość z rozmarzeniem Zbych. – Jak ci czasem pomagałem przy dużych robotach?

– Nie mów… Były czasy… – uśmiechnął się Józef. – Kościół w Zelowie… Coś pięknego nam wyszło… Nawet ramy do obrazu dorobiłeś takie, jakie były, zanim je korniki zeżarły… czysty barok. Aż mi się nie chciało tego pięknego drewna złotem przykrywać, dwoma kolorami jasnym i ciemnym… Miałem swoje sposoby, żeby nie wyglądało jak nowe… A ściany… niby czyste, świeżo malowane, a jednak trochę spatynowane… Poezja…

– Farby sprowadzałeś z Wiednia, najwyższa klasa…

– Albo z Paryża szablony…

– Jakie to wtedy było proste… – w głosie szewca zabrzmiało niedowierzanie.

– To jest tak, jakby w innym świecie, jakby nie o nas ta pamięć była… – odprężył się wspomnieniami Józef, wyjął zmiętą paczkę papierosów i zapalili, on w szklanej fifce, Zbych bez.

– Ja też chcę zapalić – oświadczyła Sara.

– Dzieci nie palą – odpowiedzieli jej prawie chórem.

– Bez filtra? – spytała domyślnie.

– Nie, w ogóle nie palą.

– Jak dorosnę będę paliła jak ty, w szklanym – złożyła deklarację, włożyła między zęby kawałek grubszej drzazgi, jak Zbych i wypuszczała jak on fachowo wyimaginowany dym, zbijając razem drewno, patyki, resztki skórek i stare podeszwy. Wyszedł jej klocowaty, ale dosyć sympatyczny potworek płci żeńskiej. Szewc pomógł jej zbić go solidnie, żeby nie skaleczyła się ćwiekami.

– Musisz dać mu, czy jej, imię. Bez tego się rozleci – poradził.

– Józek. Tak jak dziadek.

– Obawiam się, że to dziewczynka.

– Dlaczego się obawiasz? – spytała go zdziwiona.

– No… – Zbych pomilczał chwilę zakłopotany – …bo imię, chyba nie pasuje…

– Tak – przyznał rację przyjacielowi Józef. – Wygląda na kobietę.

– Co ty powiesz? Robiłam co innego – przyjrzała się krytycznie swojemu dziełu. – Ale chyba faktycznie baba. Niech będzie Józia, Józia Paciorek.

– Dlaczego Paciorek?

– Dlatego! – ucięła krótko wszelkie, ewentualne dyskusje.

– Zostaw mi ją do jutra. Jeszcze ją podkleję. Józia Paciorek będzie solidniejsza. A pamiętasz, jak naszą kolegiatę łaską malowaliśmy?

– Pewnie, co mam nie pamiętać? Proboszczowi się ciągle kolory nie podobały, że niby jarmarczne… Tak się wyraził… I za ciemne… – Józef zaciągnął się głęboko i pociągnął dłonią po wyimaginowanym sklepieniu.

Dzień zszedł im w zakładzie szewskim bardzo przyjemnie. Zbych podkuł sandałki cienkimi blaszkami i teraz całe miasteczko będzie słyszało, że idzie Sara. Założyła je i wybiegła na chodnik, żeby sprawdzić. Poskakała uszczęśliwiona, a potem wróciła do swojej pracy.

– Możesz mówić, że masz sandały od Antoina – zaśmiał się dziadek.

– I możesz stepować – zaproponował Zbych.

– No wiesz – zakpił Józef. – To burżuazyjny przeżytek.

– Co ty powiesz? – zadziwił się szewc. – Stepowanie nadal jest… tym, co powiedziałeś?

– Nie wiem, może już nie – zaśmiał się Józef zaraźliwym śmiechem, że zaraz mu zawtórowali. – Oj, wypiłoby się – spoważniał niespodziewanie Józef.

– Oj, wypiłoby się.

– Chyba już pójdziemy, bo nie zdzierżę – podniósł się ciężko z krzesła. – Chodź Saro na spacer wypróbować te twoje tupiące buty.

– Podoba mi się tu u ciebie – zwróciła się dziewczynka do szewca. – Jeszcze przyjdę! – obiecała solennie. – I – podniosła palec do góry – będę ci pomagać.

– Dobrze – zgodził się. – Będę czekać. Do widzenia.

– Do widzenia.

I poszli, dziecko w podkutych sandałach i stary, umierający człowiek. Jedno sprężyście wystukiwało rytm na nierównych chodnikach, drugie z niechęcią odrywało od nich stopy, z trudem utrzymując równowagę. Nawet nie wiedząc, jak znaleźli się dwa kroki od gospody.

– Cholera – westchnął Józef. – Nie wiem, jak to się stało. Wybacz.

– Nic nie szkodzi. Wejdźmy, jeśli bardzo musisz – powiedziała Sara z troską obserwując kroplę potu na czole dziadka, jego urywany oddech i drżącą rękę, którą oparł się o mur.

– Nie – szepnął. – Nic nie muszę. Przejdziemy obok… jak gdyby nigdy nic… Przejdziemy sobie obok, chociaż ciało i nogi wcale mnie nie słuchają i nie chcą wcale przechodzić obok. Całe moje ciało chce wejść do środka. Ono się tego domaga. Wręcz żąda tego ode mnie, ale ja, Józef, mówię mojemu ciału, nie. Nie.

Józef zatacza się prawie na drzwi gospody i odgrywa jakąś dziwną pantomimę. Wnuczka nie wie, czy to tylko zabawa, czy on rzeczywiście walczy ze swoim ciałem, które koniecznie chce zasiąść w mrocznym wnętrzu przy ulubionym stoliku i czekać z utęsknieniem na kieliszek zimnej wódki, którą Sabinka trzyma specjalnie dla niego w lodówce. I wcale nie ma ochoty wałęsać się bez celu po miasteczku w taki nieludzki upał. Patrzy uważnie i rozważa, co mówi jego mokra twarz i udręczone oczy. W końcu łapie go za rękę i ciągnie ku obwieszonym gazetami składanym drzwiom trafiki.

– Bądź błogosławiona, moje dziecko – szepcze do niej dziadek. – Bądź błogosławiona po trzykroć – Dlaczego po trzykroć? – zastanawia się zaraz. – Człowiek ma jednak skłonność do takiej barokowej przesady.

Siada z westchnieniem na niskim stopniu trafiki, tuż obok stołka Czesława.

– Józef, czy to ty? – pyta mężczyzna. – Czy to naprawdę ty ominąłeś przed chwilą drzwi naszej krynicy?

– Ja Czesiu. Jestem dzisiaj niańką.

– Dzień dobry panu – przywitała się grzecznie Sara.

– Dzień dobry. Co słychać? Słyszałem, że wykończyłaś kolejną pannę do pilnowania? – spytał życzliwie.

– Tak mówią – dziewczynka spuściła skromnie oczy.

– Tak mówią – powtórzył za nią Józef. – Ale proszę nie wierzyć we wszystko, co mówią, albowiem jest to zazwyczaj tylko połowa prawdy, a czasem wręcz ćwierć.

– A czasami prawdy w tym, co mówią, nie ma za grosz – zgodził się skwapliwie Czesław.

– Czyli kłamią! Zaprawdę!

– Zaprawdę, mądrze prawi to dziecię o tycjanowskich włosach.

– No cóż, twoja szkoła. Nie powinienem jej tu przyprowadzać, bo nabiera od ciebie tej nieznośnej maniery – westchnął z naganą Józef. – A poza tym jest ryżawa.

– Ryżawa – powtórzył ze wstrętem Czesław. – Okropne słowo. Tycjanowskie jest o wiele bardziej poetyckie…

– I nieprawdziwe.

– Właśnie. Jestem ryżawa i to mi się podoba – tupnęła nogą, aż się echo odbiło w wąskiej uliczce. – Dziadek musi zapalić, żeby nie pić.

– Dobra. Chociaż jak zapali… – mruknął do siebie Czesław i zniknął na chwilę w ciasnym wnętrzu trafiki.

Sara wepchnęła się za nim, żeby w upojeniu powdychać mieszaninę różnych tytoni, farby drukarskiej i papieru.

– Jak tu przecudnie pachnie u ciebie. Najpiękniej na świecie, no oczywiście, po zapachu piwa i kleju u pana Zbycha.

– Dziękuję pięknie za to uczciwe wyznanie. I tak czuję się nim zaszczycony, mimo trzeciego miejsca.

– Nie ma za co. A jak ręka? Co mówi? Będzie deszcz?

– Nie, moja droga, nie będzie deszczu – powiedział nagle dyszkantem i potrząsnął podpiętym, pustym rękawem marynarki.

– Szkoda. Upał męczy dziadka, a i ja lubię deszcz.

– A ja wprost przeciwnie! – wrzasnął Rękaw – Jak pada, rwie mnie w łokciu, moja panno i proszę nawet nie wspominać o deszczu i wilgoci. Nasze gazety też jej nie lubią. Czy panna myśli, że miło jest tłoczyć się z nimi w tej ciasnocie? – zatrzepotał rozdrażniony rękaw, omiatając przestrzeń wokół. – Co innego teraz – rozmarzył się. – Teraz możemy się z gazetami wygrzewać na słońcu, pachnieć oszałamiająco i widzieć! Widzieć możemy wprost nieporównywalnie więcej ze stołka na ulicy, niż zza zamokniętej szyby. A i ludzie, moja panno, przystaną chętniej w słońcu, porozmawiają o polityce i pogodzie ze starym weteranem wojennym. Bo oczywiście też pytają. Tylko o słońce, a nie tak bezczelnie, o deszcz – pienił się cienki głos, a prążkowana tkanina marynarki przybierała różne miny i pozy, perfekcyjnie animowana przez prawą rękę.

– To jakie dzisiaj? – spytał rzeczowo swoim głosem Czesław.

– Bez filtra.

– Proszę.

– I to szklane, bo chyba zgubiliśmy gdzieś po drodze.

– Proszę. Myślisz, że to mu pomoże?

– Nie jestem pewna, bo jak zapali to sobie przypomni o piciu.

– Nie przypomnę sobie – wtrącił Józef ze stopnia. – Nie muszę. Cały czas pamiętam. Cóż, jak mówi filozof, zmarnowany jest czas, którego nie spędza człowiek w gospodzie.

– To może zapalę sobie z tobą dla towarzystwa? – życzliwie zaproponowała mu wnuczka.

– Mowy nie ma – mimo widocznego drżenia palców, osadził delikatnie papieros w fifce, zapalił i zaciągnął się z lubością.

– Chociaż połówkę – prosiła.

– Co ci do głowy przychodzi? – zdziwił się i zakasłał.

– Dzieci nie palą – przypomniał jej przemądrzałym tonem pusty Rękaw Czesława, marszcząc się w gniewnym grymasie.

– A jakby cię nie daj Boże babka zobaczyła, albo usłyszała... – Józef machnął ręką, znanym jej gestem. – Szkoda gadać.

– Babki nie ma.

– Ale w każdej chwili może się zjawić. Przecież ją znasz. Czesiu, a może byś mi dał tytoń do zwijania. Ręce bym zajął.

– A dasz radę? – spytała z powątpiewaniem Sara.

– Taak – pokiwał głową do swojego Rękawa Czesław. – Dzieci są takie prostolinijne i okrutne. Czyż nie? Cóż... dzieci mówią prawdę – odpowiedział mu Rękaw i przybrał melancholijną pozę.

– Dam ci radę, Saro. Dam radę. Ciało mdłe, ale pamiętaj, to dusza jest najważniejsza i ona zwycięża... Czasami... A czasami przegrywa... Moja przegrywa... za często... Ale ty pamiętaj, nie musi tak być... To chodźmy dalej, bo coś mnie nosi dzisiaj. Wybacz Czesiu.

– Do zobaczenia.

– Pa!

Józef z trudem podniósł się ze stopnia i ruszył w kierunku Placu Kościelnego, usilnie starając się nie patrzeć na gospodę. Do kieszeni wepchnął paczkę tytoniu. I znowu poszli, trzymając się tym razem za ręce, udekorowani, dokładnie co czwarty krok błękitnawym dymkiem z papierosa.

Lena wysiadła z autobusu i postanowiła kupić w kiosku niebieski szampon do włosów dla Sary, odebrać „Amerykę" dla Gustawa i ukryć przed wnuczką, ponieważ uwielbiała nadzwyczajną gładkość papieru i kolorowe zdjęcia miesięcznika, a z kolei jej ojciec nienawidził czytać pogniecionej, złachanej, jak się wyrażał, prasy.

– Co to, mąż dzisiaj wnuczki pilnuje? – spytała kioskarka Gienia, siorbiąc słabą herbatę z zatłuszczonej szklanki.

– Tak. Trzeba ją będzie zapisać do przedszkola… A skąd pani wie? – spytała tknięta przeczuciem.

– Widziałam, jak szli – Gienia zrobiła dłuższą przerwę dla lepszego wrażenia. – Do gospody! – patrzyła na Lenę z wyraźną satysfakcją. – Pan Józef chyba coś nie najlepiej się czuł – uśmiechnęła się złośliwie.

– Dziękuję pani bardzo – odpowiedziała, patrząc zimno. – Pani uważa na szklankę, bo coś niebezpiecznie blisko łokcia stoi.

Przestraszona Gienia zatrzepotała w przestrachu jak kura i zawadziła ręką o szklankę, która wywróciła się zalewając gazety herbatą.

– A nie mówiłam – z udanym współczuciem skwitowała to Lena, odwróciła się na pięcie i poszła do gospody.

Szlag, warknęła w duchu, nawet na parę godzin nie można go samego zostawić. Wychodzi na to, że nawet jak Sara zostanie przedszkolakiem, trzeba będzie i tak kogoś najmować do opieki, żeby się na śmierć, jak to prorokuje Ludka, nie zapił… Tylko, czy można kogokolwiek przed nim samym uchronić, zastanawiała się, wkraczając do gospody. Powiodła władczym wzrokiem po wnętrzu i zdziwiła się nie znajdując w nim ani męża, ani wnuczki.

– Nie było go – poinformowała ją Sabinka.

– Jak to?

– Normalnie – wzruszyła ramionami. – Ale przechodził z Sarą. Tam – wskazała upierścienioną radziecką biżuterią dłonią.

– Dzięki. Trzymaj się Sabinka.

Wałęsali się zatem, bo go nosiło. Nie mógł usiedzieć w domu, bo to byłoby za dużo, więc poszli się włóczyć. Poważne, rzadko uśmiechające się dziecko i stary człowiek na głodzie. Niezła para. A za nimi ona w charakterze psa gończego, chichotała w duchu przez chwilę. Oczywiście, zatrzymali się u Czesława i tej jego drugiej osobowości, którą ujawniał bardzo rzadko. Różnie ludzie sobie rekompensują straty. Czesław tak zrekonstruował swoją rękę. Dlaczego jej Józef nie mógł w podobny sposób wynagrodzić sobie listy swoich prawdziwych i urojonych strat? Westchnęła ciężko. I dokąd teraz? Dokąd mogli się powlec? Może wrócili do domu? Tylko, kto to wie? Rozejrzała się po prawie pustym o tej porze dnia placu. Nawet nie ma kogo spytać. Może do kościoła? Trzeba by ją wreszcie ochrzcić. Tylko jak, kiedy ona nie lubi księży i zakonnic, a tłumu w czasie mszy wręcz się boi. Ile to razy Gustaw i Ludka najedli się za nią wstydu. W końcu przestali ją zabierać do kościoła. Ale o tej porze posadzki są puste, a dźwięki roznoszą się cudnie, aż po wysokie sklepienia ich łaskiej kolegiaty, a Sara to lubi. Ciekawe, jak Józef wybrnął z problemu obuwniczego? Bo jakoś przecież musiał. Boso z nią nie poszedł, to pewne, za bardzo mu na niej zależy, żeby tak jej odpuścić, więc Lenę bardzo intryguje sposób, w jaki się z tym uporał.

Lena zbliża się do kościoła zdecydowanie, bo już słyszy dźwięki, których źródłem, czuje to przez skórę, są nogi jej wnuczki Sary.

W środku, w ławce przy samym wejściu dogorywa jej mąż Józef, bezczelnie paląc papierosa, a na środku szaleje dziecko stukając podkutymi sandałami i nasłuchując, co się dzieje z hałasem w tym akustycznym wnętrzu.

– Mogłam się domyślić, że na to wpadniesz – szepnęła do niego z uznaniem, opadając z ulgą obok niego.

– Nie było trudno na to wpaść. Zbych nas uratował. Słychać nas wszędzie. Ale najwięcej ja. Obijają mi się te dźwięki po głowie, jak żelazne kulki i zaraz przebiją czaszkę. Będziesz sobie mogła zrobić z niej durszlak.

– Zgaś papierosa, bo zaraz przyleci proboszcz i będzie awantura, że ty bezcześcisz świątynię, a ja…

– Komunistka – wszedł jej w słowo. – I masz jedną nóżkę bardziej.

Śmiali się tak bardzo, że przybiegła Sara.

– O, babcia! Jak nas znalazłaś?

– Mam swoje sposoby… Po twoich tupiących sandałach.

– Świetne, co? I jakie praktyczne, czyż nie?

– Ależ tak! Praktyczne są wprost niebywale! Jak najbardziej – powiedziała Lena, próbując znaleźć choć odrobinę czegoś praktycznego w podkutych sandałach wnuczki. – Chodźmy już do domu.

– Ano chodźmy… A może bym tak teraz… na jedno małe piwo? – spytał z nadzieją.

– Mowy nie ma. Za gorąco, a ty ledwo żyjesz. Przecież widzę – patrzyła na niego z niepokojem. – Jedliście coś?

– Ja jadłam. Dziadek nie był głodny – zeznała Sara.

– Chodźmy, zaraz zrobię wam jakąś lekką zupę….

– Migdałową! – zaproponowała wnuczka. – I omlet!

– Dobrze.

– Super. Co nie dziadku?

– Super.

Następnego dnia zapisała wnuczkę do najbliższego przedszkola. Sara poszła bardziej z ciekawości niż chęci, ale została spokojnie, bez manifestacji i histerii, czego Lena obawiała się najbardziej. Przez kilka dni wszystko układało się pomyślnie, ku zadowoleniu Gustawa, który martwił się, że córka rośnie jak dzikus i jest nieuspołeczniona. Z kolei Ludka miała nadzieję, że Sara przestanie być odludkiem i zacznie się częściej uśmiechać. Bo Ludka, nie wiedzieć czemu, chciała mieć dziecko takie jak wszystkie inne dziewczynki. A nie miała. Z kolei problem córki był powodem zachwytów Józefa, który czasami obserwując Sarę mawiał, że ona jest taka cudownie niezwykła, inna niż wszystkie okoliczne dzieciaki. Lenę bawiło, że oboje, i Ludka i Józef, używali tych samych słów, mając tak odmienne zdania na temat jej wnuczki, bo to przecież ona była najbardziej jej, mimo czasami znacznej różnicy zdań i mimo niezwykle silnej więzi między Sarą i Józefem. Lena też była zadowolona, ponieważ mogła sobie pozwolić na luksus czystego sumienia, bo jak wyjeżdżała, tak jak teraz, w teren, miała spokojną głowę, że nic się złego nie stanie.

Czekała na autobus i jak zwykle, z kamienicy naprzeciwko przystanku już biegł do niej Zdzisio Machny. Zawsze do niej wychodzi i niezmiennie od lat obiecuje jej, że za miesiąc, no najdalej za dwa, będzie mieć swój samochód i zawiezie Lenę tam, gdzie Lena ma potrzebę jechać, a nawet jeszcze dalej, w świat, bo on ją nie tylko podziwia, ale lubi, a w świat lepiej wybrać się z kimś ładnym i mądrym niż brzydkim i głupim, czyż nie? Pyta, a ona mu odpowiada, że rzeczywiście trudno się z tym nie zgodzić. Zresztą, co ma odpowiedzieć temu dużemu, łagodnemu dziecku, które nigdy nigdzie stąd nie wyjechało i pewnie nie pojedzie. Nosa z miasteczka nie wyściubi. Będzie do końca życia hodował sałatę i pomidory na tyłach kamieniczki przy rynku. A jak umrze w końcu jego stara matka, rodzina pewnie odda go do przytułku, razem z jego wielkimi marzeniami o wędrówce. Teraz rysuje jej patykiem na wydeptanym trawniku przy kiosku zarys Polski i pokazuje, dokąd chce jechać i co zwiedzić. Łódź, Warszawę, Bydgoszcz, Gdańsk... wylicza skrupulatnie, wykazując zadziwiającą, jak na niego, wiedzę geograficzną, aż podjeżdża PKS, Lena wsiada, a on macha jej zawzięcie i tak jakoś zazdrośnie.

I czego on jej zazdrości, myślała siadając przy oknie. Wałęsania się po okolicznych wioskach i nieustających rozmów z tymi zahukanymi kobietami o ich problemach i doradzania. Jest emisariuszką Ligi Kobiet na prowincji i od wielu lat nie dziwi ją już nic. Szczególnie, kiedy to poradziła sobie z bezpłodnością pewnej młodej kobiety, ładnych parę lat temu. Gdzie to było? Już nawet nie pamiętała. W jakiejś ubożutkiej wsi, gdzieś koło Szczercowa, gdzie same piaski i ziemia nie chce rodzić. Ledwo ta niebieskawa trawa rośnie. I co tu uprawiać? Najwyżej kozy hodować. Tak, Lena zdecydowanie hodowałaby tam kozy. To im potem zresztą powiedziała, jak sobie z tą ich bezpłodnością poradziła, bo kozę łatwo utrzymać a mleko zdrowe jest i pożywne. Przyszli oboje speszeni i zarumienieni wydukali jej swój wielki kłopot. Od dwóch lat po ślubie, a dziecka, jak nie ma tak nie ma. Oboje młodzi, prości, jacyś tacy jeszcze trochę dziecinni. Podobno sieroty, co się ze sobą szczęśliwie zeszły.

– A byliście u lekarza? – spytała.

– Nie.

– No to trzeba by do lekarza ginekologa iść – poradziła.

I wtedy okazało się, że nigdy w życiu u lekarza nie byli. Żadnego, nie mówiąc już o ginekologu. I czy Eleonora nie pomogłaby im bez tego geologa, bo oni nawet nie wiedzą, gdzie go szukać, a przed wsią wstyd, że dziccka jeszcze nie ma.

– To ja wam znajdę i umówię jakiegoś najbliższego, żebyście daleko nie jechali. Będę tu za jakieś dwa tygodnie. No, a do tej pory śpijcie ze sobą i starajcie się, tego dzieciaka zrobić – uśmiechnęła się do nich życzliwie. – To może bez lekarza się obejdzie.

– Śpimy, śpimy – zapewnili oboje przejętym chórem. – Kładziemy się wcześnie, każdej nocy.

I wtedy tak popatrzyła na to ich rzetelne przejęcie, zbyt rzetelne jak na sprawy seksualnej materii i coś ją tknęło. Właściwie najpierw poczuła, to co się zawsze czuje, wchodząc na tematy związane ze sferą ciała i zmysłów. To wywołało jej uśmiech i przyjemny dreszcz, a potem ich poważne twarze, ani niezawstydzone, ani frywolne, ani rozweselone podnieceniem, tylko właśnie rzetelne. To ją właśnie tknęło i dlatego spytała.

– Kładziecie się i co?

– Co?

– No… kochacie się?

– Tak.

– Każdej nocy?

– Prawie każdej – wyznali solennie.

– I co?

– I nic.

– Niemożliwe. Wyglądacie na zdrowych.

– Prawda. Nie chorujemy – przyznała kobieta.

– Miesiączkę pani ma regularną?

– Jaką?

– Każdego miesiąca?

– Tak.

– Co ile dni?

– Nie wiem – spojrzała na Lenę z niebotycznym zdziwieniem.

– Trzeba zapisywać. Powiecie potem lekarzowi. Od pierwszego dnia krwawienia, aż do następnego krwawienia. I myć się codziennie, oboje.

– I to pomoże?

– Na pewno nie zaszkodzi, a może pomóc – powiedziała gładko, zadowolona, że szkolenie z higieny osobistej również przeprowadziła.

– A jak się kochacie, to jest przyjemnie? – spytała znienacka.

– Tak, przyjemnie, ale potem mnie wszystko boli – wyznał chłopak. – I Danuśkę też.

– Jak to boli? – zdziwiła się teraz Lena, bo z własnego doświadczenia wiedziała, że jest właśnie wprost przeciwnie.

– No, zwyczajnie.

– A jak się kochacie?

Zapadła cisza. Młodzi popatrzyli na siebie, na nią i rozłożyli ręce w tym samym geście.

– No, normalnie... – wzruszyła ramionami Danuśka.

– Pytam – zirytowała się Lena – żeby wam pomóc. Jak się dzieci pieprzycie? Po kolei i bez fałszywego wstydu.

Topornie to szło i musiała zadawać im pytania pomocnicze, będącą dla niektórych z pewnością czystą pornografią, ale dowiedziała się wszystkiego. Na szczęście Antkowi przyrodzenie stawało, a tego się właśnie obawiała, że chłopak jest impotentem, bo i to się zdarzało. Nie raz baby wypłakiwały jej się w mankiet. Radziła im wtedy, żeby chłopy mniej piły, to większy pożytek będzie z nich w łóżku. No, ale zdarzało się, że wcale nie od picia nie stawał. No, ale Antka ten problem nie dotyczył. W końcu, po długim śledztwie ustaliła, że owszem młodzi się w nocy poobściskują, wycałują, ale do niczego nie dochodzi, to znaczy nie dochodzi do penetracji. Zanim jednak doszli do tego punktu, musiała spytać oszołomionego Antosia.

– No, czy jej wsadzasz? O to cię od pół godziny pytam?

Nie wsadzał. Leżał na niej, powiercił się trochę, szukając po omacku tego, czego istnienie instynktownie przecież musiał przeczuwać i koniec. A Danuśka, jak dziewicą była w dniu ślubu, tak po dwóch latach małżeństwa nią pozostała. Gdyby dziewczyny nie wychowała stara ciotka, mówiąca jej, że całe ciało mężczyzny jest grzeszne i nie należy go specjalnie dotykać, a chłopak nie wychował się jako parobek na plebanii, to pewnie jakoś by sami doszli do sedna, do tych wspólnych cudów, a tak Lenie przypadło w udziale szkolenie seksualne. Całe zresztą szczęście, ponieważ już zaczęli tracić zapał, po dolegliwościach związanych z silnym i niezaspokojonym popędem. Lena najpierw rozmawiała z dziewczyną, ta robiła wielkie oczy, ale widać instruktaż bardzo ją zaintrygował. Potem wyprostowała ją w kwestii grzesznego ciała. Odwołała się do nauk kościoła, żeby łatwiej trafić, do skrzywdzonej przez ciotkę kobiety. Ciało jest świątynią ducha świętego, a zatem nie może być grzeszne i to jeszcze w parze z zaślubionym w obliczu Boga mężem. I absolutnie trzeba dotykać, wszędzie, i całować. To prawie to samo, co modlitwa. Dlatego też trzeba się myć, żeby było jeszcze przyjemniej. A i chorób się unika, a wtedy płodność jest większa. Znaczy, dzieci będzie więcej. A ciotka? Panna? To pewnie, dlatego nie wiedziała, co i jak względem małżeńskich rozkoszy… albo też mogła być chora, więc w ogóle dziewczyno się tym nie przejmuj.

A potem wysłała czerwoną z wrażenia Danuśkę na spacer,

żeby ochłonęła, a sama wzięła się za prostowanie i uświada-
mianie Antka. W duchu kobiecej solidarności, oczywiście. Wyjęła zeszycik w kratkę, długopis i wszystko mu narysowała,
razem ze strzałką, w które miejsce ma celować, a które jest
dla Danuśki... w każdym razie, dodała po chwili zastanowienia, może być, najważniejsze z punktu widzenia przyjemności,
która z pewnością wpłynie na liczbę posiadanych przez nich
w przyszłości potomków. I jak się z tym czymś i samą Danuśką
najlepiej obchodzić.

Sądząc po pęczniejących spodniach i przyspieszonym oddechu,
wiedziała, że jej fachowy instruktaż trafił do Antka, a nawet bardzo
przypadł mu do gustu.

– No i myć się musisz, a także nie pij za dużo, bo za wiele
gorzały niszczy życie małżeńskie, nie tylko w łóżku.

Przyjechała po dwóch tygodniach i ledwie zmordowana
doszła do wioski, od dalekiego przystanku autobusowego już
oboje biegli do niej szczęśliwi i roześmiani. Po rękach ją chcieli
całować.

– Jakby nam pani oczy przetarła! – uścisnęła ją Danuśka.

– Życie nam pani odmieniła. Ja to teraz czuję, że my się już
bez tego specjalnego lekarza obejdziemy.

– Ja też tak myślę.

A potem dali jej w podzięce kaczkę. Za rok poprosili, żeby
została matką chrzestną ich pierworodnego, któremu później re-
gularnie, co trzy lata, dostarczali kolejnego brata. Jedyne, co lekko
mąciło ich szczęście był fakt, że ni cholery nie chciała urodzić się
dziewczynka. I nawet na tych piaskach nieźle im się wiodło, dzięki
kozom. Załatwiła im parę. A w lud poszła za nią sława wielkiej
uzdrowicielki. Lena zaśmiała się głośno do tych wspomnień. Sie-
dząca obok baba w czerwonej chustce we wzory i wielkim koszem
z jajami na kolanach spojrzała na nią koso.

Amelia jak zwykle przyjechała w sezonie truskawkowym i jak

tylko schodziła rosa, zrywała błyszczące dojrzałą czerwienią owoce, układając je delikatnie w wiklinowym koszyku jedną obok drugiej. Lena patrzyła lekko poirytowana z okna na tę przesadną, jej zdaniem, ostrożność. Potem siostra siadała przy świeżo wytartym kuchennym stole, jakby nie był dla niej wcześniej wystarczająco czysty i wyjętym ze swojej przepastnej torby pędzeleczkiem, czyściła każdą, rozgrzaną jeszcze słońcem truskawkę z ziarenek piasku, trzymając za szypułkę, z większą uwagą niż by to było niemowlę. I tak jedna po drugiej, jedna po drugiej, z nieziemską cierpliwością, aż Lena nie wytrzymała i mruknęła.

– Jak się tak będziesz z tymi truskawkami pierdoliła, to do końca sezonu jeden słoik ulinisz! Weź na przetak i wypłucz! Ja płuczę.

– Nawet ten jeden, jak mówisz słoik, będzie wart całego sezonu! – odpowiedziała Amelia, wzruszając obojętnie ramionami. – Sama zobaczysz.

Lena popatrzyła na nią z powątpiewaniem, ale wiedziała, że starsza siostra, jak zwykle ma gdzieś jej opinię i wszystkich innych, zresztą, również.

Sunąc dłonią po ścianie doczłapał do nich Józef, a wkrótce po nim, poprzedzona głośnym łomotem swoich sandałów, Sara. Oboje wciągnęli głęboko intensywny zapach truskawek w płuca, ale tylko on zaniósł się gwałtownym kaszlem i dopiero po dobrej chwili wziął jedną za szypułkę, podniósł do nosa, trzymał długo z przymkniętymi powiekami, po czym odłożył z powrotem na piętrzący się na stole stos. W tym samym czasie jego wnuczka zdążyła pochłonąć z pół tuzina oczyszczonych przez ciotkę owoców. Zza otwartego szeroko okna dobiegało dalekie gdakanie kur i rżenie konia zaprzęganego przez sąsiada z prawej. Skupiona Amelia sprawnie sięgała po kolejne truskawki spracowanymi, białymi dłońmi z niebieskim rozgałęzieniem mocno zaznaczonych żył. Lena pamiętała, że od wczesnej młodości siostra używała do ich pielęgnacji soku ze świeżych ogórków, a na twarz kładła całe ich plasterki i do tej pory, mimo wieku, dalej miała porcelanową, gładką cerę, tylko odrobinę poznaczoną siecią regularnych, jakby pajęczych zmarszczek. Czasem wydawało się Lenie, że byle wietrzyk zza okna je zdmuchnie i twarz Amelii pozostanie na zawsze taka jak wtedy, kiedy przyjeżdżała do rodzinnego domu na wsi we wczesnej młodości. Albo nawet później, kiedy przyjeżdżała na krótko z Łodzi, albo po wojnie, kiedy przygarnęła tego nieszczęsnego Mikiego i jego spod ciemnej gwiazdy opiekuna Ukraińca, co był tak piękny, jak jaki aktor przedwojenny.

Amelia skończyła, ale zostawiła kilka najpiękniejszych truskawek dla Sary, która od dłuższego czasu domagała się swojej porcji fascynującego zajęcia. Wszystko, co robiła ciotka, warte było jej zdaniem spróbowania, więc teraz też, marszcząc nos, omiatała owoce ciotczynym pędzelkiem. Z kolei ciotka sięgnęła do swojego starego, płóciennego sakwojażu z wytartymi żelaznymi okuciami i wyciągnęła flaszkę czystej wódki. Wstała i otworzyła drzwi szafy, aż zabrzęczały w nich szybki i wyjęła z niej szklankę. Spojrzała na nią krytycznie pod światło, aż Lenę po raz wtóry tego popołudnia zatrzęsło z oburzenia, postawiła na stole i teraz maczała każdą oczyszczoną truskawkę, aż po zieloną szypułkę, a następnie odkładała na czysty talerz. Intensywny zapach alkoholu rozniósł się po całej kuchni, mieszając z aromatem owoców i siedzący pod oknem Józef poruszył się niespokojnie, a czujna wnuczka spytała ze spokojem.

– To co, idziemy do gospody?

– Nigdzie nie idziecie! – sprzeciwiła się Lena. – Smażymy konfitury!

– Ciocia smaży! – zauważyło z denerwującą precyzją dziecko.

– Daj Amelu łyczek – poprosił Józef.

– Tylko łyczek! – zastrzegła kategorycznie szwagierka. – Daj kieliszek! Nie taki duży, bo jeszcze mi zabraknie.

Józef łyknął i znowu niejako na zagryzkę, powąchał truskawkę.

Amelia poprawiła fajerki i ustawiła na piecu miedziane naczynie z gęstym, cukrzano truskawkowym syropem, do którego wpadały teraz, pozbawiane szypułek precyzyjnym ruchem zakrzywionego kozika, owoce. Mieszała wolno, manewrując drewnianą kopyścią między truskawkami, aby je jak najmniej potrącać. Józef, Sara i Lena nie spuszczali z niej wzroku, zupełnie jakby odprawiała jakieś niezwykle ważne egzekwie.

– Dasz spróbować? – nie wytrzymała Sara.

– Jeszcze pięć minut – odparła ciotka swoim specjalnym tonem i dziewczynka od razu wiedziała, że jest nieodwołalny.

Po długim czekaniu, które wydawało się wieczne, Amelia postawiła przed nią talerzyk, którego wyjęcie poprzedził charakterystyczny dźwięk szybek, ale dziecko nawet tego nie zauważyło wpatrzone magnetycznie w perkoczący niespiesznie gar. Na kryształowym naczyniu spoczywały czerwone truskawki, które pod wpływem ciotczynej obróbki nic a nic nie straciły ze swej intensywnej czerwieni, a nawet jeszcze bardziej błyszczały i mocniej pachniały. Sara wsadziła sobie do ust cały owoc i szczelnie otuliła językiem, przyciskając lekko do podniebienia, a następnie poruszyła nim lekko w jedną, a potem drugą stronę, wyczuwając ich drobne, nienaruszone pesteczki.

– I co? – teraz nie wytrzymała jej babka, łakomie przełykając ślinę, podczas gdy ciotka patrzyła na Sarę bez cienia emocji, absolutnie pewna efektu swojej żmudnej pracy.

– I nic – nieoczekiwanie odpowiedziała dziewczynka, a ciotka, co jej się zdarzało niezwykle rzadko, poruszyła ledwie zauważalnie lewą brwią, a co jej młodsza siostra spostrzegła z trudno dającą się ukryć satysfakcją.

Po twarzy Józefa przemknął uśmiech.

– Jak to nic? – spytał wnuczkę.

– Nic się nie zmieniła… Ta truskawka – odpowiedziała trochę zawiedziona.

– No! – wyraźnie odetchnęła ciotka. – Chcecie spróbować?

Lena gorliwie kiwnęła głową i nawet nie czekała, aż truskawki odrobinę przestygną, tylko od razu, łakomie wpakowała sobie do ust pełną łyżeczkę.

– Delicje! – westchnęła z nabożną czcią, patrząc na Amelię.

– Delicje!... Z hotelu Carlton? – wykrzyknęła w nagłym olśnieniu.

Siostra oszczędnie skinęła głową. Józef podniósł swój talerzyk do nosa i długo delektował się ich zapachem, po czym nienaruszone odstawił.

– Nie jesz? – skwapliwie spytała Lena i jak zwykle nie czekając na jakiś znak przyzwolenia, przyciągnęła do siebie jego porcję.

– Czas na jagody – powiedziała w zadumie po wymieceniu talerzyka do czysta. – Lada moment przyjdzie moja jagodowa baba.

Po paru dniach chodzenia Sary do przedszkola idylla się skończyła, ponieważ dziecko zaraz po drugim śniadaniu po prostu wracało sobie do domu, do dziadka. A jak go nie zastało, szło do gospody, albo wędrowało w swoich tupiących sandałkach po miasteczku i zaglądało w każdą dziurę. Panie przedszkolanki postanowiły, że dziewczynka do ogródka będzie chodziła w kapciach. Jako jedyna ze wszystkich nie mogła zmieniać obuwia. To miało ją powstrzymać od samowolnego opuszczania przedszkola.

– Ale dlaczego znowu to zrobiłaś? – roztrząsała sumienie wnuczki Lena. – Przecież tak cię prosiliśmy. Nie rozumiesz, że tak nie wolno?

– Rozumiem.

– No to dlaczego wyszłaś?

– Nie lubię chodzić w kapciach po ogródku. A poza tym, tak jakoś samo wyszło.

– Jak to samo?

– Stałam sobie na chodniku, słońce grzało i było mi strasznie nudno. Patrzyłam na moje stopy w łapciach, starałam się usłyszeć jakikolwiek dźwięk, ale nic, głucha cisza. To przecież tak jakby mnie nie było! I nogi same, naprawdę same zaczęły iść do szatni. Najpierw jeden mały kroczek. Potem drugi. Nawet sobie tłumaczyłam, że nie powinnam, ale nie dałam rady, bo nogi mnie nie słuchały. A potem… to już wiesz. Nie było odwrotu.

– Jakim cudem panie wypuściły cię do szatni? – zdumiała się po raz kolejny Lena.

– Wcale mnie nie wypuszczały. Poszłam dookoła ścieżką i weszłam wejściem od ulicy. Tak samo jak rano. Wzięłam swój worek z tym obrzydliwym muchomorem, założyłam moje sandałki i wyszłam.

– Dlaczego obrzydliwym? – zaciekawiła się Lena.

– Dziadek mówił, że nigdy w życiu nie widział czegoś tak obrzydliwego. A jeśli inne dzieci też mają takie paskudne znaczki, to on się niepokoi o moją przyszłość.. ee… estetyczną… Nie wiem, co to znaczy, ale też się martwię.

Lena ciężko westchnęła. Kierowniczka przedszkola powiedziała, że jeśli Sara jeszcze raz ucieknie, zostanie wydalona z przedszkola, ponieważ ona nie zamierza brać odpowiedzialności za to nieprzystosowane dziecko. Jeszcze nigdy nie spotkała się z takim przypadkiem. I jeszcze na dodatek nie chce się bawić z innymi dziećmi, dodała ze zgrozą wybałuszając pomalowane na zielono oczy. A to było już trzy ucieczki temu, Lena zamyśliła się nad Sarą. Ludka dostanie spazmów, jak się o tym dowie. A gdy Lena wyraziła swoje zdziwienie, że nie są w stanie dopilnować pięciolatki, która wielokrotnie znika im niepostrzeżenie z oczu, tleniony babiszon poradził zrobienie badań psychologicznych. Wredna, stara suka. Niech sama sobie zrobi badania!

Trzeba teraz spróbować zapisać ją do tego drugiego przedszkola. Może tam spodoba się Sarze bardziej.

Nie spodobało się.

– No więc, dlaczego i tym razem wróciłaś sama do domu? –

pytała, patrząc na swoją krnąbrną wnuczkę.

– Nie wiem.

– Przecież powiedziałaś, że to przedszkole podoba ci się bardziej.

– Owszem, panie są miłe, ale jedna dziewucha powiedziała, że mam brzydką skórę.

– Jaką? – zdziwiła się Lena, a Józef odwrócił się od pieca i słuchał z wielkim zainteresowaniem.

– Ciemną – wzruszyła ramionami Sara, jakby w gruncie rzeczy nic jej to nie obchodziło.

– Masz ładną skórę, a jest trochę ciemniejsza od soku z marchwi. I co jeszcze powiedziała?

– Że mam oczy jak Cyganka, a wszystkie rude są wredne. No i że jestem smarkata, bo ona jest starsza ode mnie.

– I co, przejmujesz się? – spytał Józef.

– Co ty, dziadku? Powiedziałam jej, że szybciej umrze, umrze, umrze... skoro jest starsza i ją zakopią, zakopią, zakopią głęboko, bardzo głęboko w ziemi. No to się rozbeczała i poleciała do pani na skargę. No, a potem to już było po prostu potwornie nudno.

– Dlaczego?

– Pani kazała mi ją przeprosić.

– A ty, jak zwykle nie przeprosiłaś? – domyśliła się Lena.

– I stałam w kącie, a jak mi się znudziło, wróciłam do domu. Nogi same mnie zaniosły. Ja nawet tak bardzo nie chciałam. Wiedziałam, że będziecie się martwili.

Każdego dnia spali trochę dłużej. Wolno celebrowali śniadania, podczas których Sara nie zawsze domagała się historii. Ale Józef i tak opowiadał, kiedy tylko miał na to ochotę. Jedli w kuchni, albo na tarasie w cieniu włoskiego orzecha. Czasami nawet szli z jedzeniem do kurnika na samym końcu ogrodu. W części zrujnowanej wytwórni wód gazowanych Lena trzymała drób i czasami prosiaka.

Reszta, porośnięte dzikimi krzewami róży i głogu, rumowisko gruzu i kamieni, była wybiegiem dla zwierząt. W jedno miejsce zabraniała Sarze chodzić. Do sporego loszku, który się zachował po tym, jak jakiś zabłąkany pocisk rozwalił zabudowania, a dawno temu, jeszcze przed kataklizmem służył jako magazyn do przechowywania wód w chłodzie. I tam właśnie ciągnęło ich najbardziej. Ją, Sarę, a ten durny staruch, jej mąż, schodził ze swoją smarkatą wnuczką do piwnicy, szukać tajemnych przejść, prowadzących w stronę rzeki i łączących się, gdzieś pod rynkiem z korytarzami kościelnymi, prowadzącymi daleko za rzekę. W ich istnienie Sara święcie wierzyła, podobnie zresztą jak w ukryte pod śmietnikiem cudowne skarby. Skąd to przekonanie u dziecka, zastanawiała się. Pewnie nasłuchała się od Cicheckiej o potopie szwedzkim i od Józefa, jak z grupą Żydów uciekał przed Niemcami.

Nietrudno było tego lata zrekonstruować leniwie dni Sary i Józefa. Lena odnajdywała po powrocie z pracy ślady ich wędrówek po domu, ogrodzie, miasteczku i okolicach. Zgubiona w loszku niebieska wstążka od włosów już z daleka odcinała się od czerwonego gruzowiska cegieł na podłodze. Nie, żeby ich specjalnie tropiła, po prostu zajrzała tam w poszukiwaniu zgubionej nioski, która lubiła znosić jaja w różnych, trudnych do odnalezienia zakamarkach. Biały kubek z resztką czekolady, zostawiony na szerokiej balustradzie balkonu był zapewne świadkiem, Lena rozejrzała się po okolicy i zastanowiła, ich uważnej kontemplacji wież kościoła, które sterczały malowniczo zza drzew. Zajrzeli też chyba na taras Zylbergów i przez gęstwinę kwitnących pnączy wyśledzili zapewne błękitnawy dymek z jego eleganckiej fajki. Kto wie, może nawet poczuli egzotyczny, tak uroczo niepasujący do dzisiejszych czasów, zapach zagranicznego tytoniu? Zylbergowa ma też najpiękniejsze w okolicy róże, ale stąd nie mogli ich podziwiać. Lena schyliła się po pusty już koszyk z praniem i jeszcze raz rzuciła okiem na ulicę.

Może pomachali ręką Cicheckiemu, pędzącego krowy na pastwisko za miastem. Daleko ma chłopina do pola i łąki, ale za to ona może codziennie kupować świeże mleko po drugiej stronie ulicy. Tak więc, jeśli byli akurat na balkonie to zapewne Sara do niego krzyknęła, a on rozejrzał się bezradnie wokoło, nie wiedząc, skąd dobiega głos i dopiero po chwili rozjaśnił się na widok dziecka i Józefa. A ten stał pół kroku za nią z fifką w dłoni. O, tu spadł popiół z papierosa, trzeba mu będzie zwrócić uwagę, żeby uważał, bo jeszcze dom puści z dymem... Stał i uśmiechał się, jak to on, łagodnie i dyskretnie, bez pokazywania zębów, jak niektórzy, co muszą się od razu wyszczerzyć i ryczeć coś przyjacielskiego i zupełnie bez znaczenia przez ulicę. Więc pozdrowili sąsiada i co potem? Już miała iść, uznawszy, że te jej rekonstrukcje ich dnia są zupełnie pozbawione sensu, kiedy biorąc kubek, zawadziła wzrokiem o balustradę. Na pewno zwrócił jej uwagę na przecudną fakturę starego betonu, poprzerastaną obcym organizmem jakiś porostów, czy mchu. I na idealnie wyważone proporcje balustrady spinającej oszczędne w formie kolumienki. Zachichotała, na pewno tak jej powiedział, a ona, Sara, pokiwała poważnie głową, zgadzając się z nim zawsze w sprawach piękna.

O! A na zewnętrznym parapecie stoi kolejny kubek z precyzyjnie ponacinaną w słoneczko słomką. Oczywiście, westchnęła, znowu nie będzie miała, w czym prać. Józef nauczył wnuczkę puszczania baniek z balkonu, skąd spływały kaskadami na trawnik, a jak wiał pomyślny wiatr, docierały na ulicę, budząc zdumienie i uśmiech przechodniów. Sarę zachwycały i bańki i te uśmiechy, po równo. Powtarzała, że to takie miłe, że aż się dziwnie robi.

Z koszem na biodrze i kubkiem w dłoni zajrzała jeszcze na mały, duszny stryszek przy pokoju. W półmroku wirował złoty kurz w smugach wpadającego przez małe okienko światła. Na pewno tu weszła, zawsze tu wchodzi. Intensywnie szuka śladów, znaków, pozostałości po poprzednim życiu domu i jego otoczenia.

Co to za czajnik?, pyta znajdując na strychu biały, duży imbryk z czerwoną rączką, obwódką i pokrywką. Nie jest nasz. Kto go używał?... No i inne, nieskończenie trudne pytania, na które nie ma czasem odpowiedzi, bo na dom nakłada się właśnie kolejne życie, kolejna historia i nie wiadomo, które pozostawione przez mieszkańców przedmioty należą do prawdziwych, byłych mieszkańców, a które do najeźdźców. To nie powinno Sary w ogóle obchodzić, tak jak nigdy nie obchodziło jej. Lena po prostu objęła ten pusty, bo Niemcy zdążyli wywieźć z niego wszystkie rzeczy przed ucieczką, dom w posiadanie, skolonizowała po swojemu, pokochała i związała się z nim wręcz organicznie. Teraz należał do niej, a „przedtem", nie miało żadnego, praktycznego znaczenia. Rozmyślanie nad przeszłością nie były jej do niczego potrzebne, a nawet wprost przeciwnie... Obciążało, przypominało wszystko, o czym chciała zapomnieć... No i skąd ona ma wiedzieć, kto sobie parzył kawę w tym cholernym, nieporęcznym imbryku? Lena po raz kolejny odstawiła kosz na poprzecznej belce trzymającej dach i ogląda uważnie czajnik. Wygląda na niemiecki, jest taki parszywie schludny, porządny i całkowicie pozbawiony wdzięku. Niestety, nie ma symbolu na dnie. Chociaż, wzrusza ramionami, czy to by cokolwiek wyjaśniło? Każdy mógł go kupić, i stary Blum i niemiecki barbarzyńca, który wyrzucił go z domu zaraz na początku wojny. Żeby się chociaż obił w tej apokalipsie, która się przetoczyła przez miasteczko i cały świat. A on nic. Połyskuje, jak gdyby nigdy nic, nieskazitelnie białą emalią i wabi wzrok czerwoną obwódką. Ale Sarze czajnik się wyraźnie podoba. Chciałaby, żeby w domu było dużo ludzi, tak dużo, że wielki imbryk byłby akurat. Żałuje, że w domu do posiłków zasiada tak mało osób.

Dlaczego akurat ona wyczuwa tę inną przeszłość domu, kładącą się cieniem historię? Może wszystkie dzieci mają ten szczególny rodzaj wrażliwości, intuicję, dzięki której wiedzą i czują więcej? To pewnie stąd te dziwne poszukiwania, a Józef, zamiast ją zbyć czymś, odwrócić wzrok ku sprawom bardziej aktualnym, namacalnym, podąża za smarkatą i zawsze mówi prawdę.

Lena zabiera kubek, a na jego miejscu stawia imbryk. Jeszcze raz omiata pomieszczenie spojrzeniem. Zatrzymuje się na stosie starych, rozczłonkowanych lalek na pół zagrzebanych w piasku. Zauważa więdnące w suchym gorącu stryszku kwiatki z pietyzmem ułożone dookoła kadłubów, głów i kończyn z jakiegoś tworzywa. Chociaż Sara odkryła ten upiorny skład już dosyć dawno, nigdy się nie upierała, żeby sobie coś z niego wziąć, albo żeby dziadek naprawił którąś z lalek. Niektóre były kompletne i dałoby się to zrobić. Ale nie, ona uznała to miejsce za nietykalny cmentarzyk i przynosi kwiatki. Dzisiaj też przyniosła. A on stał przy samych drzwiach i kopcił, a tu przecież wszystko suche jak pieprz. Denerwowała się i jej ruchy przez moment stały się szybsze, bardziej kanciaste, aby po chwili znowu wrócić do prawie leniwego kontemplowania śladów obecności męża i wnuczki na stryszku.

– Czyje te lalki?
– Nie wiem…
Sara patrzy niedowierzająco.
– Wydaje się, że córek i wnuczek starego Bluma, co tu mieszkał przed wojną.
– A gdzie one teraz są?
– Nie wiem.
– Nic, tylko nie wiem, nie wiem. Jak możesz nie wiedzieć?
– Córki i wnuczki starego Bluma…
Co miała jej powiedzieć? Że nie żyją? Że żadna nie przeżyła wojny, a jedna zaginęła bez wieści. Tak, jej imienniczka. Zaginęła jest zresztą łagodnym wybiegiem, ponieważ nie wiadomo tylko dokładnie, gdzie zginęła.
Wnuczka patrzy na Lenę wyczekująco.
– Córki i wnuczki starego Bluma… wyjechały bardzo daleko.

– Mogą wrócić?
– Nie. To zupełnie niemożliwe.
A jakiś czas później powiedziała.
– Okłamałaś mnie. Rodzina Bluma nie żyje. Dziadek mi mówił. Zginęli w czasie wojny.
– Zanim zginęli, wyjechali. Widocznie potem zginęli.
– Tak, może potem. Może jednak któraś przeżyła i wróci tu kiedyś po swoje lalki?
– Może.

I Józef jej w końcu powiedział. Jak to on, oględnie i delikatnie, bez wdawania się w bolesne szczegóły ich śmierci. Zamknęła za sobą ostrożnie drzwi, mając wrażenie, że zamyka wieko trumny. Podłoga w pokoju poskrzypywała cichutko, kiedy zmierzała zdecydowanym krokiem na korytarz, wyciągając klucze z kieszeni. Miły ten pokój z kamiennym balkonem. Tylko Amelia, jak przyjeżdża, za nic nie chce w nim spać, zaklinając się, że tu straszy. Zatrzymała się w połowie drogi, starając się poczuć to coś, co tu rzekomo buszuje w nocy, a było, według relacji starszej siostry, po prostu zwykłą zmorą... Ciekawe, starej Emmy, co tu parę ładnych lat mieszkała, nigdy żadne zmory ani duchy nie straszyły. Co tam upiory, jej we własnym domu nic nie przeszkadza. Nawet jeżeli jakieś są, to jej nie szkodzą. Widocznie dom ją zaakceptował i dlatego jest jej tu tak dobrze. Zamknęła wreszcie drzwi na klucz. Sroczyńska akurat wracała z toalety, więc przywitały się bez zbytnich wylewności.
– Proszę do nas na kawę – zaprosiła ją niespodziewanie. – Właśnie mąż i wnuczka zaszli do nas na pogawędkę.
Zawahała się, ale w końcu, myśli sobie, co mi szkodzi, pranie powieszone. Przez niewielką kuchnię przeszły do widnego pokoju od strony ogrodu. Przy stole siedzieli Józef z wnuczką i Sroczyński. Dwie młode Sroczyńskie starannie wyczesywały szczotkami do włosów frędzle dywanu. Sara nie odrywała od nich wzroku. No

chyba tylko po to, żeby z zazdrością zerknąć na kredens ze szklaną rybą i półmiskiem plastikowych owoców. Taką rybę, myśli Lena, mieszając kawę w szklance z metalową obejmą, jeszcze mogłaby jej kupić na odpuście pod kościołem. Józef śledził kierunek jej spojrzeń i delikatnie się uśmiechał. Zresztą, te ryby nie są takie straszne. Chociaż Ludka na pewno będzie miała odmienne zdanie na ten temat... Wtedy będą mogli powiedzieć, że i tak jest sto razy lepsza od owoców. A Józef na pewno ją poprze. W końcu, czy to takie ważne, ta cała estetyka, skoro można zrealizować takie łatwe, niewymagające dziecięce marzenie. Józef ze Sroczyńskim częstowali się nieustannie papierosami, aż Sroczyńska zaniepokoiła się, że firany zżółkną od tego dymu. Józef natychmiast zgasił swojego, przyznając jej rację. Że też u siebie w domu nie jest taki dbający o firanki, z irytacją pomyślała Lena. Inna rzecz, że te grube, bawełniane nie żółkną tak łatwo od byle czego. No cóż, trzeba się zbierać, niech sobie ci Sroczyńscy wreszcie odpoczną po pracy.

– Dlaczego my nie czeszemy frędzli? – spytała oskarżycielsko Sara po powrocie do domu.

– Bo ich nie mamy – parsknął rozbawiony Józef.

– A dywaniki przy łóżkach? – drążyła inkwizytorskim tonem.

– No cóż, mają resztkę frędzli – przyznał dziadek.

– Bo nie wyczesywaliście i to jest skutek. Zaniedbaliście frędzle i szlag je trafił.

– Chyba rzeczywiście tak było.

– No tak... Szkoda... – Sara musiała się, niestety, pogodzić z faktem, że w domu nie ma frędzli do czesania. – To może będziemy jedli z jednego talerza jak Sroczyńscy? – zaproponowała z nadzieją w głosie. – To niesamowita oszczędność. Nie trzeba tyle zmywać!

– Akurat na taką rozrzutność nas stać – odpowiedział Józef stanowczo.

I nawet nie było awantury, jak jakiś czas temu o oszczędnościowe mycie Sroczyńskich, czyli w jednej wodzie po kolei. Najpierw dziewczynki, potem Sroczyńska, a na sam koniec Sroczyński. Józef tak łatwo trafia do Sary.

Sara asystuje im przy obiedzie. Przy jednym końcu kuchennego stołu siedzi Sroczyński w białym, siatkowym podkoszulku razem ze swoją młodszą córką Iwoną i jedzą zupę z jednego talerza, zagarniając łyżkami raz za razem, na przemian, bardzo rytmicznie i spokojnie. Z drugiego końca Sroczyńska i starsza córka, tak samo solennie pożywiają się z jednego talerza. Oparte o framugę drzwi dziecko, z nabożeństwem wpatruje się w rodzinę. Odprowadza każdą łyżkę z zalewajką, albo białym barszczem od zaczerpnięcia do ust. Nie chce uronić ani kawałka tego żywego obrazu. Za spożywającą godnie obiad rodziną przez szeroko otwarte okno wlewa się żar letniego popołudnia. Tylko, że z tego niewielkiego okienka nie ma ładnego, rozległego widoku, ponieważ wychodzi na odrapaną ścianę sąsiedniego domu. Z miejsca przy drzwiach wydaje się Sarze, że mogłaby ją dotknąć nawet nie wychylając się specjalnie, ale wie, że jakby to jednak zrobiła, zobaczyłaby zieloną studnię i wielkie witryny Oazy.

Następnego dnia Sara i Józef poszli na spacer za miasteczko. Zabrali ze sobą Józię Paciorek. Poszli przez rynek południową pierzeją i kupili sobie słodkie bułki w piekarni, nie w cukierni, bo wtedy musieliby iść północną i minąć gospodę.

– Zobaczymy, co słychać nad rzeką.

– Nad rzeką byłam już parę razy z mamą i tatą – Sara wolała iść do warsztatu szewskiego. – Mam ochotę pomajstrować.

– A ja mam ochotę iść w ostre tango – wyznał szczerze. – U Zbycha zawsze jest pół litra i czuję, że jak raz zacznę, to na jednym nie skończę i napytamy sobie oboje biedy. Rozumiesz?

– Rozumiem – dziecko pokiwało głową.

– Nie martw się, pokażę ci coś ciekawego.

– Co?

– Młyn wodny. Chyba, że już widziałaś?

– Nie.

– To dobrze. A przy tej uliczce była synagoga. Teraz jest remiza.

– Wiem. Tata mi mówił. Żydzi się tu modlili. A ten drewniany kościółek był ewangelicki. Niemcy się w nim modlili.

– Nie tylko Niemcy.

– W każdym razie, nie ma ani jednych, ani drugich. Jedni wymordowali drugich, potem my ich wypędziliśmy i zostaliśmy sami.

Przeszli ruchliwą łaską obwodnicę i zagłębili się w cienistym parku. Sara pokazywała Józi Paciorek wielkie, pomnikowe drzewa.

– Drzewa są dziwne – oznajmiła.

– Dlaczego drzewa są dziwne?

– Nie wiem.

– A co nie jest dziwne? – usiłował zrozumieć wnuczkę Józef.

– Chodnik nie jest dziwny, ani remiza, ani domy. Domy wcale nie są dziwne.

– A krzak? Jaki jest krzak i… trawa?

– Dziwne – wzruszyła ramionami na tę oczywistość Sara.

– Zaskakujące jest to, co mówisz – zadumał się. – Ja bym raczej powiedział, że jest odwrotnie – podrapał się w nos zakłopotany. – Całkiem odwrotnie… A krzesło? Czy jest dziwne? Jakie jest krzesło? – pytał zaciekawiony.

– Co ty, dziadku? Krzesło wcale nie jest dziwne – popatrzyła na niego z politowaniem.

Józef westchnął i przez chwilę szli w zupełnym milczeniu przez cichy i pusty park.

– A od kościoła do lasu za rzeką jest podziemny korytarz. On też jest zupełnie normalny.

– Jaki korytarz? – zaciekawił się Józef, który dyszał oparty o ławkę. – Nie leć tak. Nie nadążam za tobą.

– Podziemne przejścia do ucieczki przed wrogiem.

– Nie słyszałem.

– Sam mi mówiłeś.

– Niemożliwe.

– Mówiłeś.

– Nie ma takich podziemi w naszym miasteczku. Czasem w najstarszych domach można jeszcze spotkać rozległe piwnice, które łączą się z innymi równie rozbudowanymi, ale to wszystko.

– Ale były. Teraz wszyscy o nich zapomnieli. Nawet ty.

– Niemożliwe... To tylko takie opowieści... Każde miejsce ma jakieś legendy... Jak byłem młody, mieszkałem dosyć długo w miejscu, gdzie ludzie raz na jakiś czas urządzali sobie biegi w podziemnych jaskiniach. Wierzyli, że kto wygra, czyli mówiąc krótko wyjdzie cało z tego labiryntu górskich, podziemnych korytarzy, spełni swoje najskrytsze marzenia. Wierzyli tak bardzo, że aż narażali życie.

– A nagroda była?

– Była, ale nie jakaś wielka. Taka sobie.

– To po nią biegli dziadku.

– Nie! – zaprotestował, dosyć gwałtownie Józef. – Oni biegli przede wszystkim po marzenia.

– Słyszałaś Paciorkówna? Oni biegli po marzenia. Niech ci będzie dziadku. Biegli po marzenia, nie po nagrodę... Ja bym biegła po nagrodę.

– No, cóż... Jesteś przecież również wnuczką swojej babki.

– To źle? – zaniepokoiła się.

– Nie, skądże – zaprzeczył trochę zbyt gorliwie.

– A ty byś biegł po marzenia – bardziej stwierdziła, niż spytała Sara.

– Chyba tak.

– Ale co to właściwie znaczy?

– ...Wiesz co? – westchnął ciężko Józef. – Siądźmy tu sobie na mostku i zjedzmy bułki. Popatrzmy na wodę, łąkę, dróżkę, a wyjaśnię ci innym razem, bo teraz za nic nie mam siły.

– Szkoda.

– Spróbuj to sama rozważyć.

– Rozważyć?

– Zastanowić się.

– Dobrze.

– Tylko nie dosłownie – zastrzegł.

– Czyli?

– Czyli... na przykład... na pewno nie biegli po czerwony rower...

– Skąd...

– Bo cię znam...

– Dobrze, dobrze! Nie dosłownie!

Dziewczynka była zawiedziona, ale tylko trochę. Machała nogami nad wodą i jadła słodką drożdżówkę, mrużąc oczy od blasku odbijających się od wody słonecznych promieni. Potem położyła się na brzuchu na poprzecznie nabitych deskach wdzięcznie wygiętego nad Grabią mostku, a właściwie szerokiej kładki. Sypała okruszki do rzeki. Józef popatrzył z niechęcią na swoją bułkę i z wyraźnym wstrętem nadgryzł. Natychmiast tego pożałował. Niewielki kawałek oblepił suchy język rosnąc do gigantycznych rozmiarów wypełnił mu całe usta.

– Dlaczego nie jesz dziadku? – Sara podniosła głowę i oparła ją na dłoniach.

– Nie jestem głodny. Jestem spragniony – poskarżył się, wypluwając kęs bułki do rzeki.

– Mogliśmy kupić orenżadę.

– Oranżadę. To z francuskiego – poprawił ją automatycznie i jęknął. – Obawiam się, że nie pomogłaby mi... A nawet wprost przeciwnie – zadygotał w upale.

Sara popatrzyła na niego z niepokojem.

– Połóż się na chwilę. Znowu jesteś chory, co?

– Znowu.

– Jak się ta choroba nazywa?

– Ładnie się nawet nazywa. Krótko i treściwie. Kac się nazywa.

– Kac?

– Kac.

Wyciągnął się na ciepłych deskach na wznak obok niej i patrzył z grymasem cierpienia na błękitne niebo. Wnuczka obserwowała ryby w rzece, ale po chwili również odwróciła się na wznak.

– Ani jednej chmurki... Nudno jakoś na tym niebie.

– Zaraz przeleci myśliwiec i zostawi za sobą białą wstęgę, albo, jak będziemy mieli szczęście, dwa i goniąc się pomalują nam cały ten nudny błękit w wymyślne esy floresy. Wystarczy poczekać – powiedział i przymknął oczy.

– Skąd wiesz, że przylecą?

– Zawsze przylatują o tej porze.

– Narobią hałasu i spłoszą ważki – dziewczynka z powrotem przekręciła się na brzuch i obserwuje z uwagą zarośnięte szuwarami brzegi rzeki. – Zobacz, jakie piękne zielone i niebieskie.

– Piękne – przyznał.

– Nawet nie spojrzałeś.

– Spojrzałem.

– Nie. Masz zamknięte oczy.

– Spojrzałem oczami wyobraźni.

– Czyli?

– Czyli... – Józef pomyślał, że tym razem też nie może sobie pozwolić na śmierć w tym, skądinąd rajskim zakątku. Absolutnie. Tutaj byłoby nawet gorzej niż na chodniku w miasteczku. Nie może zostawić dziecka samego. Lena by mu nie darowała. – Czyli, widziałem już takie ważki. Niejeden raz w życiu zachwycałem się nimi, tak samo jak ty i po prostu teraz przywołałem ich obraz i nie muszę już otwierać oczu, żeby mi je słońce wypalało razem z mózgiem i nie muszę, a nawet nie mogę w tej chwili odwrócić się, żeby na nie spojrzeć.

– Za każdym razem wyglądają tak samo? – Sara była wyraźnie zawiedziona.

– Nie, za każdym trochę inaczej.

– A widzisz! – ucieszyła się.

– Słuchaj, Saro. Weź tę chusteczkę, zejdź ostrożnie nad brzeg, stań w tej piaszczystej zatoczce i zmocz. Tylko nie wykręcaj!

– Dobrze.

– Nie wchodź do wody!

– Dobrze!

Kiedy dziewczynka przyniosła ociekającą wodą chusteczkę, położył ją sobie na twarzy. Westchnął z ulgą.

– Miło? – spytała retorycznie.

– Miło.

– Lepiej ci?

– Lepiej.

– Znalazłam kamyk. Zobacz, jaki ładny. Co można by z niego zrobić?

– Nie wiem. Kamyk to kamyk. Ktoś powiedział kiedyś, że jest nieskończenie doskonały.

Dziewczynka przyjrzała się krytycznie swojemu kamykowi.

– Ten nie jest doskonały – stwierdziła.

– Dlaczego?

– Nie ma dwóch dziurek, a ja potrzebuję, żeby miał.

– Jakoś poradzisz sobie z tym brakiem. Przyjrzyj mu się dokładnie i pomyśl o doskonałości.

– Pewnie, że sobie poradzę – prychnęła. – W ogóle kamienie rzeczywiście są dobre. Można z nich zrobić mnóstwo rzeczy: drogi, zamki, kościoły i ogrodzenia. Nawet rzeźby. Ja w ogrodzie, kiedy padał deszcz, zrobiłam tamę i deszczówka z dachu zalała babci grządkę. Najpierw się złościła, ale potem powiedziała, że nawet dobrze, bo ogórki się lepiej podlały, bo one lubią wodę, więc masz rację.

– Tam, gdzie byłem, w Rumunii, robiłem z kamieni ulice.

– Z tego kamienia zrobię guzik.

– Koniecznie musisz mi go pokazać, jak zrobisz.

Nagle, ciszę okolicznych łąk przerwały dźwięki lecących z naddźwiękową szybkością samolotów. Józef skrzywił się boleśnie pod chusteczką.

– Latają. Tak jak mówiłeś. Dwa. Ty to jesteś mądry, dziadku. Dziwne, wiesz?

– Co takiego?

– Jak nadlatują, podnoszę głowę i patrzę w niebo, ale ich nie ma tam, gdzie patrzę, tylko w innym miejscu.

– Myśliwce lecą szybciej niż dźwięk i dlatego, zanim dotrze do ciebie ryk silników, one są już dalej.

– Nie przepadam za nimi. Po co one tak latają codziennie?

– Ćwiczą.

– Po co?

– Żeby nie wyjść z wprawy.

– Ale po co?

– Żeby być gotowym – kluczył dziadek.

– Do wojny? – i tak domyśliła się Sara.

– Co ci przychodzi do głowy?

– Słyszałam. Ludzie przy studni ciągle mówią o wojnie. Boją się, ale czekają.

– Bzdury! Nie będzie wojny – obruszył się i gwałtownie zdjął z twarzy chusteczkę.

– To po co ćwiczą?

– To ich zawód. Nie będzie wojny.

– Będzie. Na pewno. Tak mówią przy studni. Wojna to okropna rzecz – pokiwała głową mądrością starych kobiet, przychodzących po wodę i plotki do studni. – Ale i tak długo jej nie było, więc już wszyscy się niepokoją… Tak się jej boją, że czasem myślę, że już by chcieli, żeby przyszła. Wtedy niepokój by zniknął. Powinni na wszelki wypadek wyczyścić te hełmy, z których kury wodę piją u Cicheckich i po innych podwórkach. Ludzie się lubią straszyć.

– Tak?

– Tak. Zauważyłam. Boją się wojny, ale na nią czekają, straszą się chorobami i innymi okropnościami.

– Nie powinnaś za dużo wystawać przy studni.

– Stasiek nasłuchał się swojej babci, wiesz, tej z rogu, o Niemcach i wojnie, a potem o Ruskich, że jeszcze gorsi. O zwykłej porze nadleciały samoloty i akurat zaczęły wyć syreny, to wszedł do psiej budy i do wieczora nie mogli go znaleźć. Te syreny są chyba gorsze od myśliwców, ale babcia wzrusza tylko ramionami, albo w ogóle nic nie robi, to i ja też nigdzie się nie chowam i niczego się nie boję.

– A czego ty się boisz Saro?

– Ja boję się tylko snów, chociaż wiem, że to tylko mara, tak mówi ciocia Amela, a jak jest straszny, to mogę się obudzić, kiedy tylko zechcę, ale i tak się boję.

– Dlaczego, skoro możesz to przerwać?

– Bo jak wyjdę z tego okropnego snu, to jestem ciekawa, co będzie dalej, no i spać mi się przecież chce, nie można nie spać, więc wracam.

– Opowiedz, co ci się śni – poprosił po raz kolejny wnuczkę.

– Nie – odpowiedziała jak zwykle krótko i kategorycznie.

Westchnął ciężko i wstał.

– Wiesz co? Już mi trochę lepiej. Pójdziemy dalej?

– Pewnie – poderwała się ochoczo.

– Kiedyś, dawno temu nie moglibyśmy tak sobie tu wygodnie wędrować wytyczonym łagodnie wałem. Musielibyśmy płynąć łódką, albo szukać brodu, a także uważać na bagna i podmokłe łąki – Józef rozejrzał się dookoła.

– Dlaczego?

– Wszędzie była woda. Rzeka Graba meandrowała... wiła się w te i we w te – pokazał jej jedną ręką. – A druga, ta mniejsza Pisia też wchodziła jej w paradę – wyginał dramatycznie obie ręce.

– Skąd wiesz?

– Ze starych map Gillya-Crona. Sam zresztą pamiętam, jak to przed wojną jeszcze wyglądało. Teraz ludzie tu strasznie namieszali, ale jest za to wygodniej. Trochę może za porządnie, równiej, nudniej, ale zdecydowanie łatwiej... Chociaż przez to stawów w parku Łaskich już nie ma, wyschły.

Zeszli z mostku i ostrożnie wspięli się na wał przeciwpowodziowy, którego szczytem biegła wąska ścieżyna. Szli wolno, ale uparcie wzdłuż rzeki, która wiła się przez łąki i nieużytki. Pierwsza szła ochoczo i energicznie Sara, a za nią prawie powłócząc nogami, Józef. Wszystko dookoła było poziome i symetryczne. Po lewej stronie ściana parku i mniejsza rzeczka Pisia, równoległa do Grabii, pas łąk prawy i prawy wał przeciwpowodziowy, Grabia, pas łąk i lewy wał, znowu, tym razem, szerokie pasmo łąki i wreszcie na samym horyzoncie, równoległe do wszystkiego tory kolejowe, którymi przetaczały się długie jak dżdżownice pociągi towarowe.

– Tam, gdzie mieszkałem, w tym miejscu, o którym ci już kiedyś wspominałem, też była rzeka, tylko większa od naszej. I ważki. I była tam dziewczynka, bardzo podobna do ciebie. To było bardzo dawno temu w Rumunii.

– Naprawdę? – ucieszyła się Sara. – A jak miała na imię?

– Inka. Lubiła ważki i też była trochę inna.

– Inna Inka, cha, cha?!

– Chodziła zawsze swoimi ścieżkami jak kot.

– Jestem jak kot?

– Trochę.

– Dziewczynka -kot. Zrobię sobie taką zabawkę, jak pójdziemy do Zbycha. A dzisiaj wieczorem poproszę, żeby mi babcia uszyła dla Józi Paciorek ubranko, takie jak moje. Ładne mam, prawda? –

odwraca się do dziadka.

– Rzeczywiście, wyjątkowo ładna tkanina i dobra. Czysta bawełna. Pewnie babcia ze starych zapasów wyciągnęła? – spytał domyślnie.

– Z szafy wyciągnęła różne kolory, chociaż wszystkie jasne i bez wzorów. Sąsiadka z końca ulicy uszyła mi całą kolekcję. Wczoraj wieczorem wszystko odebrałyśmy.

– Nie wiedziałem.

– No nie... Jak wróciłyśmy, leżałeś na chodniku i spałeś.

– Przepraszam.

– Nie szkodzi – powiedziało pogodnie dziecko.

– Nie dałem rady pokonać tych wysokich schodów od ulicy – machnął trochę bezradnie dłonią, tłumacząc się przed wnuczką.

– Wiem. Nie są łatwe te schody od ulicy. Twarde i ostre – pokiwała głową ze zrozumieniem i współczuciem. – Pobiegłam po Sroczyńskiego i cię wnieśli. Babcia była wściekła.

– Wyobrażam sobie. Ale komplecik pierwsza klasa.

– Babcia mówiła, że mogłabym w tym jechać – wskazuje na swoje beżowe szorty i bluzeczkę safari – do Afryki!

– Mogłabyś, ale na nasze łąki też się nadają. O zobacz! Tam za drzewami, za zakrętem rzeki widać młyn.

– Nie widzę.

– Podskocz, to zobaczysz.

– Podskakuję i nic.

– No, to jeszcze kawałek. Podskocz na jednej nodze. Na jednej skacze się wyżej.

– Żartujesz?

– Żartuję.

– ... Nie umiem skakać na jednej nodze – wyznała z trudem Sara.

– Spróbuj. Zegnij nogę w kolanie i podskocz – instruował wnuczkę Józef.

Próbowała, ale dalej skakała na dwóch nogach.

– Pokaż mi – zażądała w końcu.

– Nie dam rady – próbował się wykręcić.

– Pokaż! – prosiła.

Józef jęknął i podskoczył kilka razy na jednej nodze. Przez dobre kilka minut trenowali na wąskiej ścieżce, aż w końcu Sara nauczyła się odrywać jedną nogę od ziemi, tej drugiej ufając.

– Teraz widzisz, że nie musisz się aż tak kurczowo trzymać ziemi, że można się trochę oderwać, no powiedzmy na kilka centymetrów. To co prawda nie jest latanie, ale zawsze – wydyszał i zaniósł się uporczywym kaszlem.

– To nie jest latanie – stanowczo zgodziło się dziecko.

– Nie – otarł pot z czoła. – Zobacz, widać młyn bez podskakiwania i słychać jak śpiewa.

– Buczy i chlapie.

– Niech będzie, że buczy i chlapie, ale za to jak srebrzyście.

– Jest czarny.

– Czarny, ale chlapie srebrzyście. Spójrz na te ryby, czyż nie są piękne? Migoczą tęczowo w słonecznej wodzie.

– Można je zjeść?

– Można – westchnął Józef. – Ale nie musisz patrzeć na wszystko tylko pod kątem wykorzystania.

– Dlaczego?

– …Bo potem trzeba cię uczyć skakać na jednej nodze…

– Nie rozumiem.

– Nie szkodzi, to jeszcze trudne.

Czarny i przysadzisty młyn obracał wielkim kołem, zagarniając wodę z rzeki, turkocząc na dwa głosy z wozem, co się właśnie przetoczył po drewnianym moście i oddalał się od nich prostą jak strzelił aleją, wysadzaną ciasno starymi drzewami. Zmęczony mężczyzna i dziewczynka przystanęli na moście i wdychali zapach drewna, oleju i czegoś chłodniejszego, co niosło się od stawu i wody wzbieranej dla potrzeb młyńskiego koła. Sara z przyjemnością słuchała stukotu swoich podkutych butów na deskach mostu. Z młyna wyszedł starszy, brzuchaty mężczyzna i przywitał się z nimi serdecznie, zapraszając na werandę stojącego nieopodal niewielkiego domu. Miał bardzo niebieskie i wesołe oczy. Poprzetykane siwizną, poskręcane w korkociągi włosy opadały mu na czoło i nieustannie podrzucał głową, żeby się ich pozbyć.

– Mam wędzone pstrągi – pochwalił się przed gośćmi. – I lekarstwo dla ciebie Józefie – uśmiechnął się puszczając filuternie oko.

– Nie mogę się dzisiaj leczyć. Wybacz Franiu.

– Trochę się możesz poleczyć – powiedziała Sara. – Tylko nie przesadzaj.

– No dobrze – Józef nie dał się długo namawiać. – Jednego na kaca, Franiu. Pod te twoje rybki srebrzyste.

– Nie są srebrzyste – zauważyła Sara.

– Nie są, ale były. Teraz są bursztynowe od wędzenia.

– Czyli jakie?

– Cichecka w niedzielę nosi na szyi bursztynowe korale, jak będziesz z babcią szła do niej po mleko to się przyjrzyj.

– Dobrze. Czesław idzie – krzyknęła.

– Niedobrze, wnusiu, niedobrze – zasępił się Józef.

Czesław długo zabawiał Sarę i Józię Paciorek swoim Rękawem, po czym oświadczył, że musi odpocząć, więc poszła poskakać na moście i poszwendać się po okolicy.

Trzech niemłodych mężczyzn siedziało na ocienionej werandzie z widokiem na rzekę i młyńskie stawy. Niemrawo grali w karty, palili ze szklanych fifek papierosy i czasami popijali z krążącej niespiesznie piersiówki, zagryzając wędzonymi rybami.

– A ta Rumunia – nieoczekiwanie wyrosła na werandzie tupiąc niemiłosiernie sandałami – to nie jest przypadkiem gdzieś w okolicach Zgierza?

Czesław i młynarz Franciszek popatrzyli przeciągle na Józefa.

– Co ty jej opowiadasz? – spytał trafikarz.

– Właśnie – mruknął młynarz, odciągając jedną szelkę od spodni i drapiąc się po ramieniu.

Czekając na odpowiedź wzięła ostrożnie w dwa palce odłożony na sam brzeg stołu papieros i zaciągnęła się. Zmarszczyła nos, ale nie zakrztusiła się.

– Zostaw! – ostrzegł groźnie dziadek.

– To gdzie ta Rumunia? – chciała wiedzieć.

– Rumunia jest bardzo daleko od Zgierza. W domu pokażę ci na mapie.

– I opowiesz o dziewczynce?

– Co ty? Wszystko jej zamierzasz opowiedzieć? – zaprotestował Czesław, a jego rękaw dodał poważnie się marszcząc. – Przecież to nie dla dzieci.

Józef wymijająco wzruszył ramionami. Zapadła cisza i wszyscy na niego patrzyli. Czesław i Franciszek z ciekawością, a Sara badawczo i wyczekująco.

– A dlaczego ma mi nie mówić wszystkiego? – nieoczekiwanie zwróciła się do mężczyzn.

– Musisz poczekać, aż podrośniesz – odpowiedział za Czesława Rękaw swoim przemądrzałym do granic wytrzymałości głosikiem.

– Dziadek może nie doczekać.

– Właśnie – skwapliwie zgodził się Józef, uśmiechając się do nich szelmowsko. – Mogę nie doczekać. Wszyscy mi przepowiadają, że się w końcu zapiję.

– Na śmierć – uzupełniło dziecko.

– Ja nie wytrzymam – pisnął dramatycznie Rękaw. – Co za obcesowość! Tak się nie mówi – pouczył ją. – To nie wypada.

– Przecież to prawda – zdziwiła się.

– Czasami niegrzecznie mówić prawdę – wyjaśnił Rękaw.

– Chodzi o śmierć, tak? – spojrzała prosto w oczy Czesława, omijając ewidentnie pośrednictwo jego gadającego Rękawa.

– Tak, chodzi o śmierć…, ale nie tylko – odpowiedział jej swoim osobistym głosem, a zaraz potem Rękaw zaczął lamentować.

– Zlekceważyła mnie, widzieliście? Za nic ma mnie i moje dobre rady. A wy chcieliście ją nauczyć grać w kanastę!

– Naprawdę? – zaświeciły jej się oczy.

– Naprawdę. Kolory już znasz?

– Znam.

– To słuchaj uważnie, bo potrzebujemy czwartego do gry.

Czesław, na zmianę z Rękawem, wyjaśniali Sarze zawiłości gry, podczas gdy Franciszek pokazywał jej karty, pomagając koledze, który miał zajętą animacją rękę. Józef rozparł się wygodnie w krześle i patrzył spokojnie po łąkach, po czym zapadł na krótko w sen. Kiedy się ocknął, wnuczka była już jako tako wdrożona do gry.

– Ludka mi tego nie daruje. A Gustaw, mój zięć, chyba jeszcze bardziej. Oni chcą, żebyś się uspołeczniała.

– A co to znaczy? – spytała, uważnie rozdając karty, mistrzowsko przetasowane przez Franciszka.

– No, żebyś z ludźmi umiała się dogadać – wrzasnął cienko Rękaw.

– Przecież się dogaduję… z wami.

– Z ludźmi w twoim wieku, a nie z takimi starymi prykami, jak my. O to chodzi twoim rodzicom.

– Wolę was, przynajmniej się czegoś nauczę i dowiem – spojrzała wymownie na dziadka, dając do zrozumienia, że nie zamierza dać się zbyć kartami i wyrzec opowieści o dziewczynce podobnej do niej.

– No cóż – westchnął Józef do kolegów. – Po prostu lubi opowieści.

– Słyszałem – zaśmiał się młynarz i odgarnął z czoła niesforne włosy. – Podobno jeść nie chcesz, jeśli babcia nie opowie ci jakiejś historii. Za każdą łyżkę opowiadanie.

– Za łyżkę, krótkie – sprostowała.

– A za cały obiad?

– Długie i prawdziwe.

– A skąd wiesz, że jest prawdziwe?

– Czuję.

– A babcia opowiada ci też bajki?

– Nie, bajki mi czyta mama.

– Z morałem – zaśmiał się krótko Józef. – Bardzo pouczające.

– O? – zaciekawił się rękaw.

– Bohater – łobuz, pod wpływem jakiegoś, na ogół dramatycznego wydarzenia zmienia się na lepsze. Jest po prostu grzeczny, rozsądny i czysty – wyjaśnił Józef, energicznie wykładając karty. – Wtedy moja wnuczka traci zainteresowanie i oświadcza swojej wyczulonej na moralność matce – dalej możesz nie czytać.

– Co za wyczucie! – zachwycił się Rękaw.

– No… A Ludka się zamartwia, co z niej wyrośnie. Patologia?

– Nie wiadomo, ale brzmi nieźle – przyznał młynarz. – Mnie, szczerze mówiąc, bardziej niż bajki interesują opowieści Leny.

– Przyjdź kiedyś. Poproszę, żeby ci opowiedziała – uśmiechnęła się promiennie Sara.

– Przyjdź, przyjdź – poparł wnuczkę Józef. – Nie będziesz zawiedziony!

– Brzmi obiecująco.

Siedzieli długo przy stole na werandzie, leniwie gawędząc i usiłując przystosować do gry Sarę, która jednak nie mogła za długo usiedzieć na miejscu. W końcu, kiedy słońce schowało się za linią drzew i od rzeki powiało chłodem, Józefowi wróciło poczucie czasu. Zerwał się gwałtownie od stołu, pożegnał pośpiesznie z przyjaciółmi i poszli z Sarą aleją do szosy.

– Dlaczego tędy?

– Zasiedzieliśmy się i babcia już nas pewnie niecierpliwie wypatruje.

– Nogi mnie bolą – poskarżyła się.

– Nie myśl o nogach. Pośpiewaj sobie.

– Nie lubię śpiewać.

– To ja ci zaśpiewam.

– Nie śpiewaj. Nie umiesz. Babcia też nie umie. Tylko mama umie ładnie śpiewać.

– Dlaczego babcia nie umie śpiewać? – zainteresował się Józef.

– Babcia kłamie, jak śpiewa.

– A mama?

– Mama nie kłamie.

– Ale co to właściwie znaczy?

– No, głosem kłamie.

– Udaje?

– Nie, kłamie, bo ona nie jest taka jak śpiewa. Lepiej mi coś opowiedz. O tej dziewczynce z dalekiego kraju, co jest do mnie podobna.

– Była do ciebie podobna.

– Dlaczego była?

– Dorosła przez te wszystkie lata i nie jest już dzieckiem tylko kobietą i ma swoje własne dzieci.

– Skąd wiesz?

– Nie wiem. Domyślam się.

– Dobrze. Zacznij. Nikomu nie powiem, jeśli chcesz, żeby to była nasza tajemnica.

Szli przez chwilę w milczeniu, trzymając się za ręce, drobne dziecko i niepozorny, szczupły staruszek. Słońce śledziło ich zza szerokich pni drzew. Józef wciągnął w płuca ciężkie powietrze, które zapachniało nagle dalekim deszczem. Zastanawiał się przez dobrą chwilę, czy chce mieć z wnuczką tajemnice i w końcu podjął decyzję, że jednak nie. Skoro przez tyle lat trzymał wszystko w pokładach swojej niepamięci i nigdy nie miał nawet cienia ochoty, żeby komukolwiek, nawet córce, opowiedzieć o latach swojego życia w Dolinie, to niechaj dalej wszystko zostanie tajemnicą.

Przechodzili obok cmentarnego muru, na którym siedziały

rzędem miniaturowe kurki i bajecznie kolorowy kogucik. Przy-stanęli dla zaczerpnięcia tchu i ptaki płynnie, jeden za drugim zaczęły sfruwać z parkanu, tuż przed nimi, aż wreszcie zniknęły w zaroślach przy drodze. Już mieli ruszać w dalszą drogę, gdy coś jeszcze zaszeleściło w krzakach na cmentarzu i na murze pojawiła się ostatnia, najmniejsza kurka i rozejrzała się zaniepokojona za swoim stadem. Z zarośli wrócił kogucik, zagdakał do niej i razem zniknęli sprzed oczu Sary i Józefa.

– Widzisz! Kogut, a umie liczyć!

– Co tam kogut! Opowiadaj!

– Co tu opowiadać, kiedy na wyciągnięcie ręki masz takie historie jak właśnie ta przed chwilą.

– To nie historia.

– Nie? A co?

– Obrazek. Opowiadaj, bo mnie nogi bolą i za chwilę ustanę.

– Mnie boli wszystko – poskarżył się cicho Józef.

– Mnie jeszcze swędzi ręka.

– Swędzi, swędzi, drap, drap! Boli, boli, cierp, cierp! Jak sobie tak powiesz, od razu będzie lepiej.

– Swędzi, swędzi drap, drap! Bóli, boli, cierp, cierp – powtó-rzyła. – No, może trochę – mruknęła niezdecydowana. – Opowiedz coś, proszę.

– Pewnego upalnego rana…

I poszli dalej.

Następnego dnia, późnym popołudniem, po powrocie z pracy Lena zastała wnuczkę i męża przy radiu z zielonym okiem, roz-kręconym na cały regulator. Ryczały ludowe melodie i przyśpiewki z różnych regionów Polski, ulubiona audycja Józefa.

– Ty też lubisz tego słuchać? – spytała zdziwiona Sarę.

– Nie. Tylko góralskie i niektóre inne.

– To dlaczego się męczysz?

– Dziadek uczy mnie tańczyć.

– Uczysz ją tańczyć? Przecież ledwo nogami powłóczysz – popatrzyła z troską na męża.

– Zaraz powłóczę. O! Słuchajcie, jaki śliczny sztajer – wydyszał z wysiłkiem.

Lena patrzy na Sarę i Józefa. Wzięli się pod boki i drobią po całym pokoju. Oj ridi, ridi, ridi; oj ridi, ridi, rada... On ledwo odrywa stopy od podłogi, właściwie sunie, zachowując rytm, a nawet markuje raźne przytupywanie oj ridi, ridi, rada, oj ridi, ridi, ridi rach ciach ... Ona wprost przeciwnie, leci nad podłogą, jak w walczyku, tylko przytupuje, kiedy trzeba, rzetelnie. Spogląda poważnie na dziadka i marszczy brwi na jego świszczący oddech i odzywający się coraz częściej kaszel... Oj ridi, ridi, ridi, nie chce się skończyć sztajer, więc jeszcze raz okrążają pokój. Na czole Józefa kropli się pot i obie patrzą z niepokojem na niego, ale on z uporem drobi jedna noga do drugiej, jedna do drugiej, rach ciach ridi, ridi, ridi, jedna do drugiej. Lena patrzy na ten ich taniec przemijania i już odkłada ten widok do archiwum pamięci, zanim się nawet skończył. Taniec Józefa jeszcze trwa, a już jest przeszłością. Czasem tak po prostu jest, Lena o tym wie i dlatego skurcz wzruszenia chwyta ją za gardło. Chce się jej płakać nad nim, coraz bardziej odchodzącym z ostatnimi nutami mężem, ale też pociąga nosem nad sobą i nad wnuczką już osamotnionymi. Oj ridi, ridi, ridi... Józef z ostatnimi taktami opada bez siły na tapczan i zanosi się upiornym kaszlem.

– Nie powinieneś się tak męczyć – mówi Lena, ocierając mu z czułością pot z czoła, pachnącego jak zawsze w jej pamięci czekoladą, muszkatem i świeżą farbą.

– Nie męczę się. Wcale się nie męczę. Bynajmniej! – wycharczał z wysiłkiem.

– Bynajmniej! – powtórzyła za nim Sara.

– Jak to nie? Przecież widzę.

– To nic. Idźcie już. Chyba się trochę zdrzemnę.

Wyszły, zamykając za sobą cicho drzwi.

– Nie możesz się tak z dziadkiem bawić. On nie ma siły – tłumaczyła Sarze, robiąc jej czekoladę z pianą.

– Wiem, że nie ma siły i dlatego tańczy.

– Może mu się… coś stać.

– Wiem, że może umrzeć, ale mówi, że taniec odgania śmierć.

– Tak mówi?

– Tak, więc tańczymy sztajera, bo oboje możemy i lubimy. Inne też… zależy…

Lena nie chciała wiedzieć od czego zależy, czy tańczą, czy nie…

– Ukręć no trochę kawy w młynku. Napijemy się z dziadkiem, jak trochę dojdzie do siebie – zdjęła z górnej półki kredensu staroświecki młynek i podała wnuczce.

Sarze podobało się poczerniałe ze starości drewno w czerwonawym odcieniu, mosiężne części i mała szufladka, ale nade wszystko czekała na cudowny zapach mielonych ziaren i chrobot ukrytego w środku mechanizmu.

Lena nalała wody do czajnika i postawiła na piecu. Usiadła przy kuchennym stole i melancholijnie patrzyła na zmierzch za wielkim oknem. Wnuczka klęczała na krześle obok i w milczeniu zmagała się z młynkiem.

Wszystko tak szybko odchodzi w przeszłość, tak zatrważająco szybko teraźniejszość zmienia się w przeszłość. Jeszcze przed chwilą trwał taniec i minął na zawsze. Nieświadoma płynącego nieprzerwanie czasu, Sara w skupieniu kręci korbką młynka i te miłe minuty też odchodzą, prawie tak szybko, jak gęstniejący mrok za oknem. Za moment nic nie będzie widać, ani cieni drzew, ani żadnych świateł, tylko czerń obramowana bielą weneckiej ramy. Za to z drugiej strony domu przez okna można o tej porze zobaczyć, zapalające się latarnie na ulicy. Kolejny wieczór i kolejna noc do przeżycia dla Józefa.

A tak niedawno był silnym mężczyzną. Tuż przed samą wojną zatrudniał piętnastu pracowników. Malowali kościoły, dwory, urzędy. Mieszkaniami też nie gardzili. Z Wiednia sprowadzał farby i prawie wszystkie akcesoria. Miał taką smykałkę do tego dłubania w tynku, mieszania farb, wytwarzania przedziwnych kolorów. Umiał sprawić, żeby stary zagrzybiony kościół wyglądał tak wspaniale jak przed wojną, albo jeszcze wcześniej. A Ludka to chyba po nim tak dobrze rysowała. A w szczególności do ornamentów miała nadzwyczajny pociąg i dryg. Sam Strzemiński chwalił ją w Łodzi... No, ale jak go potem Lena zobaczyła, jak się z głodu słaniał na ulicy... Na jakiej to ulicy? Chyba na Gdańskiej, bo właśnie odwiedziła Amelię... A może to na Narutowicza było? Nieważne, naprawdę nie wiadomo, z jakich powodów człowiek tak usilnie próbuje sobie przypomnieć takie drugo i trzeciorzędne detale, nieistotne dla samego wydarzenia. Czy gdyby spotkała tego Strzemińskiego na innej ulicy, to zareagowałaby inaczej? Dlaczego czasem okoliczności wychodzą nieoczekiwanie na pierwszy plan? Okoliczności i przeszłość, mimo, że najważniejsze jest to, co teraz, ponieważ było się zbyło, a będzie jest najmniej pewne, a w szczególnych przypadkach może go wcale nie być...

Na przykład w przypadku Sary, wnuczki starego Jakuba i reszty jego rodziny... Nie ma znaczenia, w jakiej sukience była matka, której gruby, czerwony na twarzy Niemiec wyrwał maleńkie dziecko... I dlaczego przechowuje się w pamięci ten niebieski kolor, ten niemożliwie niebieski kolor, jakby zaprzeczał istnieniu piekła, które przyszło wtedy do jej miasteczka...

W każdym razie ten Strzemiński wkrótce potem, jak nią wstrząsnął, zmarł. A za nią ten jego widok chodził, oczy takie miał napięte, gorejące od wewnętrznych niepokojów, zresztą, kto to może wiedzieć, od czego? Co takiemu artyście w duszy gra? Ona przecież tylko się domyśla, co we własnym mężu siedzi w środku, a po prawdzie to chyba nie wie. Więcej ten Józef ma przed nią tajemnic niż jej się wydaje... I ona przed nim też, wzruszyła ramionami, jakby właśnie stwierdzała remis między nimi.

I to przez tego Strzemińskiego postawiła sobie za punkt honoru, że jej córka na pewno nie będzie tak strasznie bidować. Po jej, Eleonory trupie. I namówiła Ludkę na zmianę kierunku studiów, diametralną zmianę można powiedzieć. Nawet nie musiała jej tak specjalnie namawiać, tylko Józefowi się ta decyzja nie spodobała. Bardzo nie spodobała. Miał do niej o to pretensje, że manipuluje córką. Ale koniec końców, okazało się, że Ludka była zadowolona. Może jednak nie chciała aż tak bardzo być artystką. Przecież gdyby strasznie, strasznie tego pragnęła, to nikt nie mógłby jej tego wyperswadować, nawet ona, matka. Widocznie nie to jej było pisane. I dobrze. Zresztą, artystki mają na ogół ciężkie życie. U nas w Polsce im pod górkę. Co innego w takim Paryżu, czy Wiedniu. No, tam to co innego. A u nas...

Lena kręci młynki kciukami, wdychając z lubością zapach świeżo ukręconej kawy i deszczu, co właśnie zaczął szumieć w jej orzechach i czereśni pod oknem. W kuchni zrobiło się ciemno, tylko od uchylonych drzwiczek pieca bił czerwony blask. Sara wstała i zapaliła lampę nad stołem. Lena patrzy na błyszczące włosy wnuczki, kiedy po ziarenku wsypuje drugą porcję kawy do młynka. Pieszczotliwie obmacuje oleiste drewno młynka i przygląda się ledwie widocznym słojom.

Weźmy na przykład żonę tego Strzemińskiego, Katarzynę. Nie dość, że się z nim musiała męczyć, bo podobno ciężki miał charakter, to jeszcze potem sama z dzieckiem... I co? Co jej przyszło z tej sztuki? Nic! Tylko zgryzota... A oboje tacy ładni byli. Nawet on, chociaż kaleka. A mówią, że ładnym łatwiej. Gówno tam łatwiej! Oni to pewnie nawet z tych, co im nie zależy, czy piękni, czy brzydcy. Nic tylko sztuka, sztuka! A zęby w ścianę. Józef też taki... Jak te artysty... pierdolone, zirytowała się, ponieważ przypomniał jej się usunięty dawno w niepamięć, dawny kochanek, Maurycy Klonowicz.

Pamięta, jak dziś, awanturę z proboszczem o stary kościółek

w…, jak się to miasteczko nazywało, nie pamięta, więc ten młody i już niestety powojenny prosty księżyk uparł się, że u niego wszystko będzie po nowemu i jak nowe, a to przecież jest duża różnica nowe od odnowionego, przynajmniej dla Józefa. I nie pozwolił na starym fresku nowego malowidła umieszczać w bocznej nawie, chociaż i tak prawie nic już nie było widać. A co by mu to szkodziło? Zlecenie to zlecenie. Klient nasz pan i kwita. Awantura wtedy była kosmiczna wprost. W ogóle gdyby nie ona, to Józef głodem by przymierał w tych nowych czasach…

I bardzo dobrze, że tę Ludkę jednak przekręciła na porządne studia, co jej chleb dały godziwy i poszanowanie u ludzi i basta, plasnęła otwartą dłonią w stół, aż się Sara wzdrygnęła, więc uspokajająco pogładziła ją po tych lśniących pierścionkach.

Obie bardziej poczuły niż usłyszały kroki na korytarzu i w drzwiach stanął Józef. Okno otworzyło się szeroko, wpuszczając do środka wielką falę letniej wilgoci i powiew wieczornego, sierpniowego chłodu. Wciągnął w płuca zapachy. Zapatrzył się w czerń za oknem, tak samo jak Lena. Tylko Sara nie patrzyła w okno. Józef wiedział, że nie lubiła ciemności, a właściwie nie tyle ciemności, co kontrastów. Zestawione razem mrok i światło budziły w niej dziwny niepokój. Mogła iść sama nocą przez zupełnie ciemny ogród, żeby wrzucić kurom jakieś resztki, ale ta sama droga z Leną zaopatrzoną w latarkę, już nie wchodziła w grę. Wieczorne przesiadywanie na tarasie też było atrakcyjne do momentu, kiedy ktoś nie włączył nad nim światła, albo na ogrodowej werandzie, czy w pokoju z wielkim oknem. Światło przesączało się na zewnątrz i Sara nie czuła się wtedy bezpiecznie.

Teraz dziecko siedziało przy stole i asystowało im przy kawie. Odwlekało moment pójścia do łóżka, jak zwykle w nieskończoność. I skąd to się brało? U dziecka? U starego człowieka to jeszcze zrozumiałe. Zresztą, nikt w rodzinie nie miał takiej przypadłości… Może Gustaw?

Józef, popijając ze smakiem kawę z białego zwykłego kubka,

przyglądał się z troską Sarze. Lena wiedziała, że bezsenność wnuczki bolała i wzruszała go, dlatego oboje nigdy jej rano nie zrywali z łóżka, czekając cierpliwie, aż się sama obudzi. Chciał wiedzieć, co się dzieje w jej głowie, w czasie tych długich, bezsennych godzin, ale ona była skryta, a może uważała swoją bezsenność za normę i nie przyszło jej nawet do głowy, że to jakiś problem. W każdym razie nigdy się nie skarżyła, a ona razem z Józefem, nie umawiając się między sobą, postanowili, że nie będą jej straszyli i nękali na dodatek swoją niecierpliwością, uświadamiając jej problem niebotycznie długiego zasypiania. Nie powiedzieli o tym Ludce i Gustawowi. A szczególnie nie powiedzieli córce, która by prostu rozjechała Sarę swoją troską i uświadomiła jej, że zazwyczaj ludzie przesypiają całą noc od momentu, kiedy przyłożą głowę do poduszki. Taka była Ludka. Narobiłaby rabanu, przejmowała się głupstwami ponad miarę, a potem przejmowanie się przechodziło jej błyskawicznie, zapominała o kłopotach, urodzona do śmiechu ich jedynaczka. A otoczenie zostawało z nadmuchanym jak balon problemem, który nie wiadomo jakim cudem pojawił się na powierzchni rzeczywistości, burzył spokój i uwierał. A Ludce było już wszystko jedno. Patrzyła tylko czasem zdziwiona ich pamiętliwością. Tak! Ludka miała nieograniczone wprost możliwości błyskawicznej, psychicznej, duchowej regeneracji. Nieszczęścia przyjmowała histerycznie i te duże i te mniejsze, a nawet zupełne głupstwa. Odprawiała teatr, wciągając osłupiałą publiczność, wstrząsając nimi, docierając do ich najskrytszych lęków, po czym otrząsała się i było po sprawie. Z powrotem mieli przed sobą zrównoważoną, poukładaną ponad miarę, kulturalną i spokojną panią. A oni stali zmaltretowani jak ostatnie głupki.

Ona, Lena, wcale taka nie była i irytowało ją czasami nieopanowane zachowanie córki. Po kim ona to ma?

Na pewno nie po niej i nie po Józefie. Patrzyła na niego i widziała, jak bardzo się postarzał, jak niewiele zostało w nim tego zniewalającego seksualnego powabu, którym w młodości tak mocno emanował. Teraz był starym człowiekiem, chociaż twarz niewiele się zmieniła i tusza go nie szpeciła, bo dalej pozostał szczupły, ale życie, życie z niego wyciekało po kropelce kap, kap, kap, wolno, ale nieubłaganie. Nieubłaganie, bez litości, tym bardziej, że sam jej dla siebie nie miał, uciekając w samobójcze odjazdy... A jednak, kiedy się dotykali, tamten, zamierzchły urok powracał, wszystko powracało, i czas nie miał do nich dostępu... Tylko jak się dotykali, skóra, opuszki palców, język zachowały pamięć tego, co było dawniej i te zapachy zawsze przyprawiały o zawrót głowy. Taka komórkowa pamięć absolutna. Po prostu.

Rano Lena wróciła wściekła z kurnika. Kuny znowu wprowadziły się do pustej nory pod rozłożystą lipą i już zagryzły perlicę, tę największą i ulubioną. Trzeba pomyśleć jak je wykurzyć, zabić, a potem powiesić, na postrach innym darmozjadom, co się na jej drób zasadzają, perorowała zacietrzewiona. Józef spokojnie pił kawę, a Sara właśnie zabierała się do jedzenia wielkiej bułki poznańskiej z białym twarogiem i rzodkiewkami, przyniesionymi właśnie z ogrodu i lśniącymi od wody.

— Nie da się wypędzić kun. Wiesz przecież o tym dobrze — powiedział do żony.

— Niby wiem, ale trzeba coś zrobić. Nie pozwolę się okradać przez te wredne zwierzaki.

— Trzeba zamykać na noc kurnik. Nic innego nie da się zrobić. One polują nocą.

— Zawsze znajdą jakąś dziurę. Poprzednio też tak było.

— Sama widzisz.

— Co widzę? Może ktoś ma wiatrówkę? Pożyczymy i będzie po złodziejach.

— Nie szkoda ci?

— Nie.

— Lena, raz na jakiś czas zagryzą ci ptaka. To nic wielkiego.

– A jak te kuny wyglądają? – spytała Sara.

– Są okropne jak szczury – odpowiedziała jej babka, a dziadek prawie jednocześnie powiedział. – Są piękne, zwinne i wdzięczne.

– Są przede wszystkim wstrętne i żrą drób, a nawet małe króliki, a także ptaki – Lena nie cierpiała kun.

– Ale przede wszystkim żywią się szczurami i myszami. Pod tym względem ich sąsiedztwo jest dla ludzi korzystne.

– Dla mnie nie jest wcale korzystne, może dla Cicheckich, którzy przechowują zboże i inne rzeczy… Niech się do nich przeniosą i im przynoszą korzyść.

– Dziadku, pokażesz mi je?

– Pewnie, ale trzeba na nie poczekać późno w nocy, albo wcześnie rano.

– Wolę w nocy.

– No to dobrze. Pójdziemy dzisiaj – obiecał.

Późnym wieczorem poszli przez ciemny ogród na sam koniec do kurnika. Zrujnowane przez wojnę budynki rysowały się na jaśniejszym niebie dramatycznie wyszczerbioną linią. Szli w milczeniu, zaopatrzeni w latarki, do których dokupili baterie w kiosku jeszcze po śniadaniu, ale ich nie zapalili. Lena zawsze chodziła z lampą naftową albo świeczką, nigdy nie pamiętała o zaopatrzeniu latarek w baterie, a może chodziło o zupełnie coś innego… W końcu prawdziwy ogień jest jednak przyjemniejszy… Skrzypnęła furtka w drewnianym płocie oddzielającym ruiny od ogrodu. Skrzypnęła tylko cichuteńko, bo zasmarowali towotem zardzewiałe zawiasy. Przemknęli jak spiskowcy. Józef na sekundę zapalił światło, które wydłubało prawie teatralną scenerię upiornego rumowiska i ukryli się za załomem muru, siadając na pozostałości po schodach. Sara przylgnęła do Józefa. Trwali tak w bezruchu przez kilka chwil. Dwie zgarbione, przyczajone postacie w ciemności, bez czasu…

– Kiedy przyjdą? – spytała szeptem Sara.

– Pewnie niebawem. Musimy odczekać. One nas na pewno usłyszały i teraz muszą się przekonać, że nikogo nie ma.

– Jest tak ciemno, że i tak nic nie widzę – poskarżyła się.

– Spójrz w górę, na niebo. Jest zachmurzone, ale zaraz wyjdzie księżyc i będzie lepiej widać.

– A może zapalimy latarkę?

– Wtedy je wystraszymy i nie wyjdą z drzewa.

– To po co nam one?

– Żebyś się nie potknęła, jak będziemy wracali.

– I wymacać wygodne miejsce do siedzenia?

– Właśnie.

– A jak wyjdą to mogę poświecić, żeby je dokładniej zobaczyć?

– Możesz, tylko wtedy szybko uciekną.

– Ale je zobaczę. Na pewno się zdziwią. Będą zaskoczone, a my dalej będziemy tu sobie cicho siedzieć, więc może też się zaciekawią i zostaną te parę chwil dłużej, żebym je sobie mogła obejrzeć i zdecydować, kto ma rację dziadku, ty czy babcia.

– Może tak się stanie.

Powiał letni wiatr i zza ciemnych chmur wyłonił się zimny, okrągły księżyc. Drzewo w rogu ogrodu, jakby urosło w oczach Sary, a z ciemnego, podłużnego otworu u jego podstawy wysunęły się dwa cienie. Dziecko wstrzymało oddech i mocniej ścisnęło dłoń dziadka. Zwierzątka były długie i nieskończenie zwinne, kiedy wyskoczyły na środek placu między budynkiem kurnika a topolą. Myszkowały po terenie czujne i bystre, wodząc wokół czarnymi, świecącymi ślepiami. Podgardle zdobiła jaśniejsza plama sierści. Lśniły w blasku księżyca. Przecisnęły się w oka mgnieniu na śmietnik po drugiej stronie płotu i… stracili je z oczu. Słyszeli tylko szelest papieru i drapanie pazurkami, a także piski, jakby ze sobą rozmawiały i coś na kształt chrupania, ale Sara nie była pewna, czy sobie tego nie wyobraża, pamiętając, że rano wyrzuciła do śmietnika wnętrzności kury, którą sprawiła na obiad babcia.

Czekali cierpliwie, aż kuny powrócą w zasięg ich wzroku. W końcu pojawiły się i zmierzały pewnie w stronę kurnika, gdzie zamknięte ptactwo nie miało pojęcia o zbliżającym się niebezpieczeństwie. Wtedy Józef złapał rączkę Sary i skierował jej latarkę w ich kierunku. Dziewczynka zrozumiała w lot jego intencje i przesunęła włącznik. Zwierzęta zastygły, w stworzonym przez dziecko świetlnym kółku. Nie były już tylko szarymi cieniami. Wyszły ich kolory, sierść zajaśniała ciepłym blaskiem, a oczy lśniły, jak żywe klejnoty… Po czym po prostu zniknęły. Nie uciekły, tylko w jednym ułamku sekundy zniknęły.

– Widzisz! – westchnął Józef. – Są błyskawiczne. Trzeba na nie czasem dwa razy spojrzeć, żeby raz zobaczyć.

Sara zgasiła latarkę i dalej wpatrywała się w ciemność otwartymi szeroko oczami. Powieki jej nawet nie drgnęły, żeby broń Boże nie uronić ani odrobiny.

– Nie wrócą? – bardziej stwierdziła niż spytała, bez cienia żalu.

– Na pewno nie teraz. Chyba uratowaliśmy życie jakiemuś kurczakowi.

– Myślisz?

– Jestem pewien, ale może najadły się na śmietniku i szły do kurnika tylko z ciekawości – zaśmiał się cicho Józef.

– Może.

– Widzisz. Pomagają nam ze śmietnikiem. Wyjadają to, co nam nie jest już potrzebne. Chodź, wracamy. Robi się chłodno. Jutro też będzie chyba padał deszcz.

Wiatr napędził nowe chmury i znowu zrobiło się tak ciemno, że zapalili latarki, żeby wyleźć z kryjówki i wrócić na ścieżkę. Sara zaraz z powrotem zgasiła swoją. I o to samo poprosiła Józefa.

– Dlaczego wolisz jak jest ciemno? Nie boisz się? – spytał zdziwiony.

– Boję się jak jest w nocy widno.

– Ale dlaczego?

– No... wtedy za dobrze widać – wyjaśniła mu naturalną dla niej sprawę. – Z daleka nawet. A my nie widzimy niczego poza tym kółeczkiem światła. A ktoś nas widzi...I to jest niebezpieczne...

– Kto? – szepnął przez ściśnięte gardło Józef.

– Wróg. Skąd wiesz, że będzie deszcz?

– W kościach mnie łamie.

– A mnie nie – powiedziała wyraźnie zawiedziona.

– I bardzo dobrze.

– A dlaczego ciebie łamie?

– Jestem stary i kiedyś miałem malarię. To taka trochę egzotyczna choroba.

– Skąd ją masz?

– Z wojny. Tej pierwszej. Złapałem na wschodzie, w młodości, i teraz wiem, kiedy będzie zmiana pogody.

– Zawsze?

– Zawsze.

– Jesteś lepszy od radia?

– Chyba tak.

– Mógłbyś sprzedawać to do radia za pieniądze, bo oni nie zawsze wiedzą.

– Tak – zaśmiał się.

– To dlaczego tego nie robisz? – spytała surowo, jakby popełniał, jakąś grubą niestosowność.

– Nie przyszło mi do głowy, żeby brać za tę cierpką wiedzę pieniądze.

– Wiedza kosztuje, mówi tata – pokiwała głową Sara. – Cierpką?

– Ano cierpką, a właściwie bolesną, bo ją muszę odcierpieć.

– No, sam widzisz! Przynajmniej byś coś z tego miał.

Dotarli już do tarasu i Józef zmienił temat.

– No i jak z tymi kunami? Brzydkie jak szczury czy piękne?

– Piękne dziadku, cudowne jak te klejnoty, co babcia ma

w broszce.

Józef zastanowił się, w jakiej broszce, bo Lena nie miała przecież żadnej biżuterii, nawet obrączki od końca wojny, kiedy wszystko spieniężyła na kupno domu. Ach tak, była jedna. Kupiła ją sobie na rynku w Łodzi za jakąś wygraną w pokera, a i tak musiała jeszcze dołożyć. Ale twierdziła, że bardzo podobną nosiła jej babka Eleonora, jak wróciła z Syberii. Broszka była srebrna z połyskującymi granatami. Niby nic takiego, ale piękna, stylowa rzecz.

– Te klejnoty to granaty – wyjaśnił.

– Granaty? – prychnęła wnuczka. – Są na wojnie, a nie w broszkach.

– Tak się nazywają, bo przypominają kolorem owoce granatu. Nie rosną u nas. Potrzebują cieplejszego klimatu.

– Acha. Ale jednak coś w tych kunach jest, bo są i piękne i niebezpieczne... Dobrze, że nie jestem kurczakiem – wzdrygnęła się.

Wrócili do jasnej kuchni, gdzie Lena właśnie wałkowała cieniuteńkie ciasto na makaron. Część pokroiła na nieregularne większe kawałki i dała wnuczce, żeby sobie upiekła na blasze macę.

– No i co? – spytała. – Jak wam poszło podglądanie rozbójników?

– Poszło. Wyszły. Są bardzo ładne – oświadczyła Sara, obserwując jak zwykle z fascynacją, powstające w cieście bąble. – Uratowaliśmy ci chyba jakiegoś kurczaka, albo indyka.

– To się dopiero rano okaże – prychnęła ponuro Lena, stawiając na stole parujące szklanki z herbatą.

– Słuchaj Lena – zagadnął Józef. – Co się stało z tą broszką z granatami twojej babki Eleonory?

– Poczekaj, niech pomyślę – zastanowiła się. – Ona została z nią pochowana. Tak! Na pewno. Pamiętam, jak leżała w trumnie ozdobiona swoją broszką. Moja matka miała na nią ochotę, ale tym razem ojciec był kategoryczny. Bardzo się dąsała, aż obiecał, że jej kupi ładniejszą. Ale tak naprawdę, matce wcale nie chodziło o ładniejszą, tylko o tę konkretną. Chciała mieć coś takiego starego, odziedziczonego, coś co napawałoby dumą i podkreślało ciągłość, a także to, że ona, Brygida z Zelowa nie jest gorsza od innych żon Pstrońskich, bo ma rodowy klejnot, nawet jeżeli niezbyt cenny. Dlatego była strasznie zła na teściową, że jej przed śmiercią nie zdążyła ofiarować błyskotki.

– Dlaczego nie zdążyła? – zaciekawiła się.

– Nie zdążyła, ponieważ zmarła we śnie. Zasnęła i nie obudziła się więcej. Po prostu nie miała czasu na dyspozycje i pożegnania. A dysponować mogła tylko tą broszką, bo przecież nic innego jej nie zostało. I pewnie nawet nie przywiązywała do niej specjalnej wagi.

– Ale nosiła? – upewniła się Sara, siorbiąc głośno herbatę, aż Józef się wzdrygnął.

– Codziennie, dlatego syn uparł się, żeby jej zostawić broszę na wieczność.

– Czyli przywiązywała – dziewczynka siorbnęła z dużym smakiem jeszcze raz.

– Nie siorb. Eleonorze by się nie spodobało.

– Nie?

– Pewnie, że nie. Patrzyła na nas czasami, jak na jakieś dziwolągi z lekką zgrozą w zielonych, wyrazistych oczach.

– Skąd wiesz, byłaś przecież wtedy małym dzieckiem? – zdziwił się Józef.

– Małym, ale bystrym – powiedziała bez odrobiny fałszywej skromności.

– Zupełnie jak kuna – zauważyła Sara.

Babka popatrzyła na nią koso, a po twarzy męża przemknęło rozbawienie.

– Amelia była starsza i to rozumiała. Tłumaczyła mi pewnego razu, jak akurat nas odwiedziła, na czym polega różnica między życiem babci Eleonory przed wyjazdem i po powrocie. To tak samo, twierdziła, jakby matka jej chlebodawczyni, cała w koronkach i jedwabiach, jadająca na porcelanie i grająca na fortepianie została nagle przeniesiona do chłopskiej chałupy. Też by miała na twarzy ten wyraz osłupienia i szoku. Kazała mi się wczuć, ale ja wtedy nie bardzo wiedziałam o co jej chodzi, bo przecież sama wychowałam się na wsi w zwykłym, tylko trochę lepszym domu od innych we wsi. I byłam zadowolona z naszej chałupy, bo była duża. Miała facjatki i werandę. Zrozumiałam to dopiero później. A Amelia pojęła to wcześniej, bo poznała życie we dworze, więc zawsze współczuła babci, która nigdy, przenigdy nie skarżyła się na swój los. A nawet była mu wdzięczna, że choć jeden syn przeżył i dzięki temu ma kupę wnuków… Tylko to jej zdziwione spojrzenie czasem ją zdradzało…

– Zesłanie też nie było wyjazdem do wód – stwierdził Józef.

– Tak, tylko tam w większości była ze swoimi… Mimo wszystko… A u nas… Ale pamiętam, jak bardzo się cieszyła z ciepła… i jabłek. Kazała sobie przynosić zawsze parę sztuk i nawet jak nie jadła to patrzyła na nie, wąchała, a nawet delikatnie gładziła wychudzonymi palcami.

– Ja też lubię jabłka. To pewnie po tej zdziwionej Eleonorze.

– Pewnie tak – kiwnął głową Józef.

– Czasem myślę, że gdyby babcia umierała wolniej, nie tak ukradkiem i ekspresowo, to pewnie dałaby mojej matce broszkę z granatami – powiedziała zamyślona Lena.

– Kto by ją wtedy dostał? – spytała Sara.

– Nie mam pojęcia dziecko, ale na pewno nie ja.

– Dlaczego nie ty?

– Mama za mną nie przepadała. Uwielbiała swoich synów.

– Ale i tak broszkę masz ty, a nie oni – stwierdziła z satysfakcją w głosie Sara.

– A tak! – zgodziła się z zadowoleniem Lena.

– Ale jak wy będziecie umierać, to się ze mną pożegnacie? –

zaniepokoiła się całkiem poważnie wnuczka.

– Ja nie obiecuję – poinformowała ją lojalnie Lena. – U nas w rodzinie odchodzi się raczej ukradkiem. Tak jak babka Eleonora. Szczerze mówiąc, też jestem tym zainteresowana.

Sara przeniosła wzrok na dziadka i Józef powiedział, że się postara.

– Ja to w ogóle nie chcę żebyście umierali. Wcale. Chciałabym tu z wami ciągle mieszkać i was pilnować – wyznała.

Następnego dnia od wczesnego rana rozpadało się na całego. Józefa nie tylko łupało w kościach, ale miał kłopoty z oddychaniem. Sara wstała wyjątkowo wcześnie, podekscytowana ulewnym deszczem i przyniosła mu do łóżka zrobioną przez Lenę kawę i maślany rogalik. Siedział oparty o poduszki i dyszał ciężko. Usiadła na nim okrakiem, a talerz z kubkiem postawiła na przysuniętym wcześniej krześle. Wyjęła z kieszeni broszkę Leny, przypięła mu starannie do piżamy i spojrzała na niego z wyraźnym zadowoleniem.

– Ładnie ci.

– Dawniej mężczyźni też nosili takie ozdoby.

– Może to jest męska broszka?

– Ta na pewno nie jest.

– Nie szkodzi… Świszczysz jak czajnik.

– Uhm.

– Napij się kawy – poradziła.

– Słuchaj Saro, za biblioteczką… tam na tej tylnej półce…

– Wiem, wiem. Zaraz ci przyniosę – zeszła ochoczo i po chwili przyniosła butelkę.

– Pusta – stwierdziła ze smutkiem.

– Pusta?! – jęknął zrozpaczony, a ręka z kubkiem niebezpiecznie się zatrzęsła.

– Pusta.

– Zobacz, może jest coś w kredensie – poprosił.

Wróciła dopiero po dobrej chwili.

– W kredensie same puste. W kieszeni płaszcza w korytarzu tak samo. Podobnie w kaloszach. A i jeszcze poleciałam do ogrodu z parasolem, tam co to wiesz…

– I – patrzył na nią z napięciem, ale bez większej nadziei.

– I tam… – zaczęła uroczyście. – I tam znalazłam tę butelkę, co ci mój wujek Witek w tajemnicy kupił, jak przyjechał razem z mamą i tatą ostatnio – i wyciągnęła schowaną za plecami butelkę z resztką bursztynowego krupniku.

– Dobre i to na dobry początek. Szampański ten twój stryj Witold, daję słowo – uśmiechnął się i wlał wszystko do kawy, poświstując z zadowoleniem.

– Zjedz rogala. Babcia kazała, żebym cię przypilnowała.

– Nie mogę. Nie jestem głodny.

– Zjedz chociaż rożek. W środku jest masło i dżem morelowy, albo może konfitura. Babcia zrobiła. Bardzo dobre. Ja już jadłam, jak spałeś.

– Wcześnie wstałaś.

– No i byłam w kurniku z babcią. Stan ptastwa taki jak wczoraj. Upilnowaliśmy.

– Ptactwa – bąknął, krztusząc się kawałkiem odłamanego rogala.

– Popij – popatrzyła, jak odsuwa od siebie talerzyk. – Jak nie chcesz, to ja zjem – zaproponowała.

– Proszę cię bardzo.

– Poczytasz mi o baronie? – spytała z pełną buzią, przynosząc z biblioteczki wielką książkę o Münchausenie, podpisaną koślawymi literami – Gustaw Rogusz.

– Nie mam siły – wydyszał

– No to pooglądamy razem obrazki, dobrze? To książka taty z dzieciństwa, o popatrz, tu napisał swoje imię i nazwisko. Jeszcze przed wojną, strasznie dawno – zaproponowała sadowiąc się obok.

Za oknem szumiał rzęsisty deszcz, a przejeżdżające samochody cięły tępo kałuże, chlapiąc złorzeczących przechodniów. Z wielkiego, kryształowego wazonu sterczały róże. W całym pokoju unosił się ich intensywny zapach.

– Milutko, co? – spytała nasłuchując Sara i sadowiąc się jeszcze wygodniej.

– Uhm – mruknął chyba nieprzekonany.

Omówili kilka ilustracji, a właściwie zrobiła to Sara przy skąpym pomrukiwaniu i świstaniu Józefa. Po czym, widząc, że całkiem już odpływa w drzemkę, oświadczyła, że idzie odwiedzić Sroczyńskich, a potem do ogrodu powałęsać się w deszczu.

– Dobrze – zgodził się chętnie. – A jak wrócisz...

– Tak, wiem – pokiwała głową ze zrozumieniem. – Pójdziemy do miasta w tango.

– No tak – szepnął bezradnie Józef. – Pójdziemy do gospody. Dzisiaj nie dam rady. Naprawdę... Muszę... – jego dłoń na kołdrze zadrżała. – Saro. Wynieś proszę te róże. Tak mocno pachną – poskarżył się, zanosząc się kaszlem.

– Dobrze. Pośpij sobie. Dobrze się śpi w deszcz, jeśli ktoś oczywiście chce tracić na to czas, kiedy tak pięknie pada – przykryła go dokładnie kołdrą i wyszła z pokoju, dźwigając w objęciach wazon z dużymi czerwonymi kwiatami.

Rzęsisty, ciepły deszcz przeszedł w mżawkę, kiedy wreszcie ukazali się w drzwiach werandy od ulicy. Józef był jeszcze mokry od wysiłku, jaki go kosztowało umycie i ubranie, nawet z wydatną pomocą wnuczki. Schodzili długo ze schodów. On przylgnął do ściany i zsuwał się po niej, a ona starała się jak mogła, żeby go podtrzymać. Na samym dole prawie udusił się od kaszlu.

– Wiesz co? – powiedziała bardzo poważnie. – Usiądź tu sobie z parasolem, a ja pobiegnę po babcię. Gorzej z tobą dziadku.

– Nie, nie – bronił się rozpaczliwie, ocierając chusteczką zroszone potem czoło. – Lena zapakuje mnie do łóżka i nie da nic do picia, a to mnie wykończy.

– Wykończy? – upewniła się.

– Na pewno. Tylko gospoda mnie uratuje… Jeszcze tym razem… – zdobył się nawet na delikatny uśmiech.

– Na pewno nie umrzesz?

– Przysięgam – Józef był dzisiaj w stanie przysiąc, że jest tchórzofretką.

– Chodźmy, choć nie jest mi przyjemnie w tych kaloszach – zwierzyła mu się, ale Józef uparł się, żeby je założyła.

Noga za nogą, przystając przy krawężniku jezdni i przed następnym, już po drugiej stronie, dotarli do studni, gdzie na szczęście nikt nie brał wody. Wielkie witryny Oazy odbijały załzawiony świat. Spod czarnego, chwiejącego się parasola, którego Józef nie miał siły trzymać patrzyli przez chwilę na spływającą wodę. W końcu ustalili, że on pójdzie po ścianie Oazy, a ona będzie niosła parasol w wyciągniętych wysoko rękach, jak długo wytrzyma. Krótki, niebieski płaszczyk przeciwdeszczowy, z którego już wyrosła, zrobił się jeszcze krótszy i odsłaniał zupełnie chude, mokre nogi i popelinową sukieneczkę w kolorze rozbielonej zieleni.

Zanim stanęli przemoczeni w drzwiach zakładu szewskiego, Sara zastukała w okno i ryknęła co sił w płucach.

– Przybyli ułani pod okienko,
Pukają, wołają: wpuść panienko!

Zmoknięte gołębie zerwały się przestraszone z gzymsu nad drzwiami i smętnie poleciały w kierunku kina „Bałtyk". Zbych aż jęknął na ich widok.

– Dalej nie dam rady. Może potem – wydusił z siebie Józef.

– Siadaj, siadaj – podsunął krzesło Józefowi i natychmiast wyciągnął z wysokiego buta flaszkę czystej wódki.

– Masz.

– Nie – pokręcił odmownie Józef. – Z gwinta nie mogę, bo się nie odkleję, aż do dna. Mam obowiązki – skinął głową w kierunku Sary, a ona potwierdziła, potrząsając lokami dwa razy.

Zbych poszperał w głębokiej szufladzie, zawalonej różnymi szewskimi szpargałami i wyjął z niej brudny, ale za to kryształowy kieliszek. Przetarł go końcem swojej koszuli, napełnił alkoholem i dopiero podał przyjacielowi. Ten przyjął go, trzęsącą się dłonią. Wypił wolno, uroczyście, tak jak inni przyjmują komunię świętą. Westchnął, przymykając lekko oczy.

– Uch, było ciężko – wymamrotał. – Uratowałeś mnie. Ty też – zwrócił się do wnuczki.

– No – potwierdziła krótko swoją niewątpliwą zasługę. – Żeby tylko babcia się nie zdenerwowała i nie przyprowadziła jakiejś nowej opiekunki.

– Coś niełatwo o opiekunki do ciebie – mrugnął do niej Zbych.

– Oj, niełatwo, panie Zbych, niełatwo – westchnęła ciężko. – Ale ostatnio, to nie była moja wina. Nie ja poleciałam na randkę z chłopakiem.

– Co ty powiesz? – zainteresował się szewc.

– No, spałam... w dzień – przyznała lekko zakłopotana. – I Jula wyszła, no bo spałam, ale ja się obudziłam, bo mi się zachciało siku. I tam... – wzięła głęboki oddech. – Postanowiłam zrobić siku normalnie na sedesie, nie do nocnika i wpadłam... No wie pan, po pachy. I nie mogłam się wydostać. Zmarzłam i kichałam. A babcia przyszła i mnie uratowała, bo ktoś jej powiedział, że widział Julę w parku, jak się z chłopakiem ściskała. No i babcia Juli podziękowała. I znowu jesteśmy z dziadkiem we dwóch.

– We dwoje – poprawił Józef chrapliwie.

– I teraz dziadek mnie pilnuje, jak śpię w dzień, babcia mu każe, bo jak śpię, ale właściwie nie całkiem, to przychodzą do mnie różne dziwne rzeczy. Ja to się wcale ich nie boję, ale moja mama się boi.

– O czym ty mówisz? – zaniepokoił się szewc.

– O duchach – uśmiechnął się Józef.

– No – potwierdziła jego wnuczka.

– W dzień?

– No w dzień… i w nocy.

– I co? Tak sobie mówicie o tym, jak o bułce z masłem? – żachnął się przestraszony.

– Jak? – nie zrozumiała.

– Nieważne. Nie chcę wiedzieć. Ja też się boję duchów.

– To co? Coś sobie zmajstruję – zaproponowała ochoczo, przewracając skrupulatnie do góry nogami szewski śmietnik Zbycha, rozrzucony w rogu pracowni. – Kunę. Będzie miała moja Józia Paciorek przyjaciela. Ostatnio śledziliśmy je, te kuny… – wyjaśniła szewcowi – …z dziadkiem w nocy.

– To macie kłopot.

– Lena ma.

– Stolarz z placu Kościelnego, wiesz, ten, co trumny robi i wyszywa, Sowiński, rozpytywał o drzewa. Kupić chce. Mielibyście i parę groszy i problem z głowy.

– Nie chcę sprzedawać drzewa, a do kun nic osobiście nie mam… Sara je polubiła.

– To nie ma o czym mówić… A swoją drogą, ta twoja Lena to ma niezłą siatkę szpiegowską – zagadnął Zbych.

– Tak – zakasłał Józef. – Lena jak chce, wie wszystko, a jak nie chce, nie wie nic. Czysta, jak nie obrażając, dziewica.

Zaśmiali się obaj i wypili po jeszcze jednym. Dziecko siedziało na podłodze z kawałkiem starego filcu i zatopione w swoim świecie bez reszty, coś wycinało i kleiło, co chwilę przyglądając się krytycznie swojemu dziełu.

A kiedy już zrobiła, co miała zrobić, a Józef odetchnął, ruszyli w dalszą drogę. Szli krok za krokiem w niekończącej się mżawce. Załzawiony był cały rynek, nawet taksówkarze siedzieli w samochodach zamiast wygrzewać się na ławeczkach pod bombiastymi klonami. I tylko Zdzisio Machny wybiegł z bramy naprzeciwko przystanku, żeby popatrzeć na odjeżdżający do Piotrkowa autobus.

— Dzień dobry! — krzyknął do nich wesoło. — Jedziecie?

— Nie.

— To szkoda, bo bym wam pomachał, a tak muszę obcym machać — zmarkotniał.

— Przyjemniej machać swoim niż obcym, co? — Józef zawsze go doskonale rozumiał.

— Tak — rozkołysał w entuzjazmie całe swoje chude ciało. — Właśnie tak. Lubię żegnać pana żonę, panie Jarecki. Ona to mi tak pięknie odpowiada — rozjaśnił się cały. — Aż do samego końca, kiedy autobus znika za rogiem, to ona jeszcze chusteczką wyciągnie i przez okno wystawi. I to jest takie cudne, takie cudne, że aż mi się chce płakać. I potem cały dzień tak mi tu ciepło — pokazuje na swoje płuca Zdzisio Machny.

— Jak będę jechała do Łodzi, to też ci pomacham — obiecała Sara.

— Panu pomacham — poprawił ją Józef.

— Nie, nie — zatrzepał się Zdzisio. — Nie pan. Nie pan. Jaki tam ze mnie pan. Ona...

— Patrz, co mam — pochwaliła się kuną.

Machny pochylił się nad nią całym swoim ciałem i obejrzał niekształtny filc z powtykanymi w dziurki mniejszymi kawałkami. Józef znowu się dusił, ale nie mógł od niego oderwać wzroku, kiedy uważnie przyglądał się dziełu Sary.

— Kuna — powiedział pierwszy raz niepewnie i powtórzył radośnie. — To jest kuna!

— Ale jesteś mądry — dziewczynka była zachwycona. — A Gienia z kiosku nie poznała. Tylko oczu jeszcze nie ma, ale babcia ma taką broszkę i...

— Zapomnij o tym — przerwał jej groźnie dziadek. — Coś innego się wykombinuje.

– Co?

– Jak będę silniejszy pójdziemy do tego sklepiku, co ci się zawsze podoba i kupimy coś stosownego. Zapewniam cię, będziesz zachwycona. Do widzenia panu, panie Machny.

– Do wiedzenia panu, panie Jarecki – ukłonili się sobie ceremonialnie.

Poszli do Czesia po papierosy, odwlekając gospodę na później.

– Coś nie wyglądasz najlepiej – powiedział Czesław.

– Wiem.

– Dzisiaj idziemy w tango, bo dziadek strasznie źle się czuje – wyjaśniła Sara.

– To nie powinien wcale iść w tango – wrzasnął zrzędliwym głosem Rękaw. – Powinien leżeć w łóżku i leczyć malarię.

– Malarię?

– Chorobę. Przecież widzę – Rękaw był naprawdę zły. – Zobacz! – zwrócił się do Sary – jaka piękna kałuża.

Dziewczynka spojrzała na niego podejrzliwie, ale poszła kilkanaście metrów w dół ciasnej uliczki i zaczęła brodzić w wodzie.

– Potrzebny ci lekarz.

– E, tam. Nic na to nie poradzę. Po prostu umieram.

– Każdego dnia umieramy po ociupinie.

– Ja umieram po całkiem sporym kawałku. Nie wiem, czy dociągnę do zimy. Na pewno dam radę do końca wakacji Sary, czyli do końca września... To znaczy... – znowu zaniósł się kaszlem. – ...Będę się bardzo starał.

– Nie chlaj.

– Muszę. Inaczej nie wytrzymam nawet do niedzieli. Mamy gości. Teściów Ludki i rodzeństwo mojego zięcia, znaczy Gustawa: Tosię, Olgierda, Witolda i Emilię... Daj mi papierosy wreszcie. Wejdź, jak skończysz, na kielicha.

Mżawka z powrotem przerodziła się w intensywny deszcz i Czesio przymknął drzwi, żeby gazety nie zamokły. Patrzyli przez chwilę na zamoknięty rynek po prawej stronie i skaczące dziecko w kapturze po lewej stronie. Szum nasilał się z każdą chwilą. Sara przybiegła do nich rozchlapując wodę na wszystkie strony.

– Chodź, przemkniemy do gospody. Danusia da ci gorącą herbatę z cytryną – powiedział Józef, otwierając parasol.

– Do zobaczenia, panie Czesiu, panie Rękawie – pożegnała się grzecznie Sara, skłaniając ceremonialnie głowę.

Jakoś tego deszczowego dnia ani Lena, ani nikt, kto mógłby jej powiedzieć, nie zauważyli, jak Józef z Sarą udawali się do gospody, więc siedzieli w zadymionej sali do późnego popołudnia. Dołączyli do nich młynarz, potem Czesio i inni koledzy Józefa, zanim wpadła i zabrała ją do domu.

Zaniepokojone późną godziną i długą nieobecnością Józefa stały przy oknie od ulicy, wypatrując go przez strugi wody. Z zewnątrz wpadał zapach letniego deszczu. W końcu na ich twarzach pojawiła się ulga, kiedy usłyszały stłumione przez dźwięki rynny słowa piosenki.

– Chwała Bogu, jeszcze żyje – westchnęła Lena.

– Nie grają im surmy, nie huczy im róg,
A śmierć im pod stopy się miota,
Lecz w pierwszym szeregu podąża na bój
Piechota, ta szara piechota ...
Maszer...

– Panie Jarecki, ja pana proszę, ciszej... Ja już wiem, że te piosenki, co pan śpiewa, to one... – przemawiał do Józefa młody milicjant, podtrzymując go z młynarzem i prawie wlokąc.

– To co?... One? – Józef zwrócił na niego swoje szkliste oczy.

– No... one są niedobre... Chociaż bardzo mi się podobają – wyjąkał chłopak.

– A kto to panu powiedział? – młynarz zrobił się nagle dociekliwy.

– Ja...

– Dajcie spokój panu milicjantowi, pijaki! Do domu! – skróciła jego wyraźne zmieszanie Lena, otwierając szeroko okno.

– Nie, nie – ożywił się upiornie blady w świetle latarni i śmiertelnie zdyszany Józef. – Jeszcze musimy go nauczyć refrenu. No – spojrzał zachęcająco na rozglądającego się nerwowo wokół chłopaka. – Ma-sze-ru-ją strzel-cy, ma-sze-ru-... – Józef odpłynął i musieli go wnieść wprost do łóżka.

Lena im podziękowała i szybko poszli.

– Niedobrze – westchnęła. – Ma dreszcze i gorączkę.

Józef przeżył jakoś kolejny atak malarii i zaczynał chodzić po domu, a nawet czasem miewał apetyt. Lena wróciła do pracy ze zwolnienia i znowu pilnowali się z wnuczką sami. Na drugie śniadanie postanowili sobie zrobić jajecznicę.

Sara siedzi przy stole, jak zwykle przodem do otwartego okna i starannie kroi pomidory na ćwiartki maleńkim nożykiem z drewnianym trzonkiem. Józef przy lśniącej białymi kaflami kuchni topi masło na patelni. Wyciąga z wiklinowego koszyczka jajko i już ma zamiar rozbić je o brzeg, ale nieoczekiwanie zastyga i podnosi je do oczu.

– A jajko, jakie jest?

– Białe – zerka Sara. – Znam kolory – dodaje z naciskiem.

– Wiem, ale czy jest dziwne?

– No pewnie – prycha, pochylając się nad talerzem z pomidorem i tnąc długie pióra szczypioru nożyczkami.

– Acha! – Józef rozbija jajka wprost na patelnię i chlusta odrobinę mleka.

Grzebie chwilę widelcem, a potem nakłada na talerzyk i stawia przed wnuczką. Sam siada przy piecu i zaczyna jeść z patelni tę odrobinę, którą sobie zostawił.

– A jajecznica też jest dziwna? – patrzy na nią badawczo.

– No co ty, dziadku?! – odpowiada zdumiona jego ignorancją.
– Wcale nie jest.

– Acha! – krzywi się lekko. – Ale dlaczego?

– Nie wiem. Tak już jest – mówi swoim doświadczonym przez życie tonem.

Dalsze rozważanie przerwało pukanie do drzwi i Sara zerwała się otworzyć.

Odwiedził ich stolarz Sowiński z Placu Kościelnego, spytać, czy Jareccy nie sprzedaliby tej lipy, co się w niej kuny zagnieździły. Zarobiliby parę groszy, mieliby szkodniki z głowy, a on piękne deski na trumny.

– Nie, nie sprzedamy drzewa – kategorycznie powiedział Józef.

– Nie sprzedamy – poparła go wnuczka, zadzierając wysoko głowę.

– No to szkoda – nie nalegał specjalnie Sowiński, ale poinformował, że… – W lipowej trumnie najlepiej się śpi, najlepiej – kiwał głową z przekonaniem.

– Co pan powie? – Józef chciałby usłyszeć wyjaśnienie, skąd stolarz czerpie swą wiedzę na ten tajemniczy temat, ale on wcale nie zamierzał niczego wyjawiać.

Sowiński usiadł tyłem do okna, naprzeciwko dziewczynki i głośno, ze smakiem siorbał herbatę, pociągając czasami wielkim, nieforemnym nosem w kolorze buraczkowym. Sara odniosła pusty talerz do zlewu i wróciła na swoje krzesło z kredkami i blokiem, ale nie rysowała, tylko podparłszy głowę rękami patrzyła zafascynowana na stolarza, którego marynarka upstrzona była kolorowymi nitkami, a w klapie tkwiło kilka długich igieł. Na jego błyszczący, łysy czubek głowy i unoszące się wokół niego resztki puszystych włosów, którymi poruszał delikatnie wiatr, wpadający do kuchni przez otwarte szeroko okno.

– Taaa, lipowe najzdrowsze – cedził wolno słowo, za słowem.
– A dębowa z kolei na długo wystarczy. Nie macie jakiego dębu na

sprzedaż? – zainteresował się widać tylko dla porządku. – Sosnowa – siorbnął, aż się Józef wzdrygnął. – Sosnowa i dwadzieścia lat poleży – potaknął sobie. – A! – podniósł głos – ... na suchym to i nawet dłużej.

– A na mokrym? – spytała Sara.

– Na mokrym? – spojrzał na nią bardzo poważnie. – Na mokrym to nie poleży.

– Acha.

– No – siorbnął ostatni raz, nałożył wolno i z namaszczeniem kaszkiet, starając się wepchnąć pod niego włosy, podziękował za herbatę, pożegnał się i wyszedł.

– Ciekawe, skąd on to wie? – zastanowił się Józef, czyszcząc patelnię w zlewie. – Rozumiem, że zna się na drzewach, ale ta reszta...

– Po prostu wie i już.

– Na to wygląda.

– A ty dziadku, jaką chciałbyś mieć?

– Wszystko mi jedno. Naprawdę.

– Ja lipową, skoro się w niej tak dobrze śpi.

– To ja bym wolał jednak puchową. Z gęsiego puchu, miękką jak obłok.

– No tak, twoja lepsza. To ja tak samo – przyznała mu rację i narysowała dwie nieforemne trumny całe w małych niebieskich piórkach.

Pokazała mu, a on dorysował im wielkie skrzydła. Popatrzyli na siebie i zachichotali.

– Chodźmy do ogrodu – zaproponowała Sara.

Spacerowali różaną alejką, która od podstawy tarasu rozchodziła się krótką odnogą na wprost wzdłuż domu i za nim skręcała łagodnym łukiem wokół karłowatej czereśni, aż do płotku i spadała po rozłożystym stopniu na niewielkie podwórko; długa odnoga skręcała w prawo i na granicy części warzywnej znowu się rozdzielała, zamykając część kwiatową. Józef zachwycał się kolorem intensywnie czerwonych róż.

– Zobacz, jakie piękne! Mister Lincoln.

– Co?

– Tak się nazywają.

– Po co różom imiona?

– Różom po nic. Ludzie lubią wszystko nazywać.

– Dlaczego?

– Po prostu nie mogą się powstrzymać... nie wiem... niepokoją się, jak coś nie ma imienia, czują, że ze słowem, rzeczy są bardziej intensywne, a bez imienia mogą zniknąć.

– A te?

– Belle Epoque. Ulubione róże babci. Pewnie dlatego, że kwitną od czerwca do jesieni, prawie cały czas. I liście mają ładne.

– A twoje ulubione?

– Te z różowoczerwonym brzegiem, Gloria Dei.

– Ty je sadziłeś?

– Ja, twoja babcia ... Tu nie było ogrodu. Rosły tylko... – pokazał je palcem – ...najstarsze drzewa wzdłuż tego płotu i ten wysoki orzech przy samym domu. Wszystkie inne rośliny posadziliśmy my. To jest tylko nasz ogród. Cały ten teren – jego ręka zatoczył łuk – był użytkowym placem przed wytwórnią wód gazowanych, która mieściła się w budynkach z tyłu. Tam, gdzie teraz jest kurnik. Moi rodzice nam pomogli, ponieważ się na tym znali. Byli ogrodnikami. Mój ojciec, tak jak ja, uwielbiał róże – wyjątkowo rozgadał się Józef.

– A ja wolę malwy.

– Dlaczego?

– Bo można z nich zrobić coś jeszcze.

– Coś jeszcze? – zdumiał się.

– Oprócz patrzenia. Z malwy można zrobić kapelusz dla lalki, filiżankę do kakao i... – zawiesiła głos – ... parasol z liści. A jak przekwitną to tym okrągłym, co się robi z kwiatów... nasion... mogą być lekarstwa i można bawić się w aptekę.

– Ale róże są piękniejsze! – zaprotestował gwałtownie.

– Właśnie – patrzyła na niego znacząco. – Aż się dziwnie robi, o tu – puknęła się w klatkę piersiową.

– Jak z jajkiem i drzewem?

– Nie, zupełnie inaczej.

Pewnego dnia, w wielkiej witrynie Oazy pojawił się mały, czerwony rowerek i Sary nie można było od niego oderwać. Zaczął pojawiać się na wszystkich rysunkach, był tematem jej snów i rozmów. Wyjątkowo czekała na sobotnią wizytę Ludki i Gustawa, żeby ich poprosić o wymarzony prezent. Józef miał mieszane uczucia, czy rzeczywiście Sara powinna go dostać, ale marzenie o rowerku wypędziło koszmary z jej snów, dzięki czemu stały się bardziej radosne. Jednak, jeśli dziecko dostanie to, czego tak pragnęło, to przecież nie będzie już o tym śniło i nocne zmory wrócą. Z drugiej strony byłby szczęśliwy mogąc spełnić to marzenie. Córka z zięciem wyjątkowo nie mogli przyjechać. Józef z Leną odczekali kilka dni i postanowili sami kupić Sarze rowerek. Kiedy rano przyszła do kuchni, stał przy stole pachnąc nowością. Dziecku z wrażenia odebrało mowę. Podeszła wolno i wyciągnęła przed siebie rękę, żeby przekonać się, czy to prawda czy tylko sen. Całą trójkę przepełniło cudowne, błogie szczęście.

Całe przedpołudnie Sara uczyła się jeździć po szerokiej betonowej alei w ogrodzie. Początkowo szło z oporami, ponieważ rowerek miał tylko dwa koła. Lena stwierdziła, że nie będą cudowali z żadnym kijem, więc niech się lepiej Sara postara. Złapała ją za sweterek na plecach i kazała pedałować, sama zaś biegła obok, sapiąc jak miech kowalski. Józef siedział na murku w cieniu orzecha włoskiego i palił. Z tarasu dobiegała muzyka z wystawionego na okno radia.

– W snach wydawało się to takie proste – wyzipiała do niego Sara.

– To jest proste. Sama się o tym niedługo przekonasz – zapewnił ją.

– To prawda. Pedałuj szybko. A teraz spróbuj sama z tej małej górki, bo ja już nie mam siły – oznajmiła Lena, siadając obok Józefa.

Sara wepchnęła swój rower na wzniesienie, którym kończyła się aleja, przechodząc w wąską ścieżkę. Ściskała kierownicę, a jej dotyk był taki wspaniały, że zapierał dech w piersiach. Koła obracały się bezszelestnie, a wysoka trawa jedwabiście pieściła nogi. Dziewczynka przymknęła oczy przekonana, że taką doskonałą, wprost nieziemsko doskonałą chwilę, trzeba sobie zapamiętać na zawsze, bo nie będzie przecież trwała wiecznie. Zawróciła i wsiadła, próbując złapać równowagę. Trochę się zachwiała, ale babcia już ją popędzała, szybciej, szybciej, więc odepchnęła się straceńczo i popędziła po pochyłości. Przejechała prawie do samego końca, ale tam wyłożyła się już malowniczo na kupie miękkiego piasku z rzeki. Lena poszła gotować obiad, a Józef obserwował jej determinację.

– Teraz ja będę sobie jechała na moim rowerze do gospody, a ty dziadku, będziesz mógł się o niego oprzeć jak będziemy wracali i milicjant, ani młynarz nie będą nam już potrzebni.

– Co by na to powiedziała babcia?

– No nie wiem – stropiła się Sara.

– Właśnie.

W każdym razie po kilku dniach Sara na tyle opanowała jazdę, że kiedy Lena poszła do pracy, wymogła na Józefie spacer po miasteczku, żeby pochwalić się przed Czesławem, jego gadającym Rękawem i Zbychem. Najpierw zajrzeli do szewca. Należycie pozachwycał się rowerkiem i nowymi umiejętnościami Sary, a nawet wygrzebał skądś staroświecki klakson, który natychmiast zainstalował jej na kierownicy. Mimo, że wydawał przeraźliwe dźwięki, dziewczynka była zachwycona. Na rynku spotkali Zdzisia Machny, który jak zwykle o tej porze odprawiał kolejne autobusy, informując podróżnych, dokąd jadą i gdzie będą się zatrzymywali.

– No, no – powiedział z nieukrywaną zazdrością i pogładził rączkę kierownicy. – Taki rower, to już coś. No, może nie to samo, co samochód, ale też zdatny do podróżowania.

– Dałabym ci się przejechać, ale jesteś za duży.

– Tak… za duży – szepnął z żalem, a Sarze ścisnęło się serce ze współczucia. – Ale możemy przecież iść razem na wycieczkę.

– Tak, ale wiesz, w prawdziwą podróż się jedzie.

– Pożyczymy dla ciebie duży rower.

– Ale… ja nie umiem jeździć na rowerze – wyznał ze wstydem.

– Nie szkodzi. Moja babcia cię nauczy.

– Skoro tak, to bardzo dobry pomysł – ucieszył się w końcu Zdzisio Machny, a Józef uśmiechnął się smutno.

Potem udali się w stronę kościoła, obok gospody, do której jednak nie wstąpili, ale za to wdali się w krótką rozmowę z Rękawem Czesława. Józef odpoczął i znowu powędrowali razem dalej. Ledwo szedł, przystając często i opierając się o ściany kamieniczek, łapał oddech. Kiedy w końcu dotarli do parkanu otaczającego kościół, opadł bez sił na schody. Sara wciągnęła rower na górę i jeździła jakiś czas po placu przed głównym wejściem. Kościół stał na wzniesieniu i teren dookoła opadał łagodnie w stronę domów po drugiej stronie placu. Dziewczynka postanowiła zrobić to samo, co w ogrodzie. Rozpędziła się i jak strzała zmierzała w kierunku schodów, nie panując już w żadnym stopniu nad swoim pojazdem, ale za to trąbiąc okrutnie na całą okolicę. Józef patrzył na to szeroko otwartymi oczami i widział wszystko w zwolnionym tempie. Wnuczka leciała nad schodami w powietrzu, pęd rozwiewał jej ryżawe włosy, a ulicą na jej spotkanie zmierzał wóz zaprzężony w dwa rosłe konie. Droga Sary na rowerku i konnego zaprzęgu krzyżowała się idealnie w czasie, na samym środku drogi przed kościołem. Serce Józefa stanęło, kiedy zerwał się na równe nogi, machając bezradnie rękami, chcąc krzyczeć, ale poruszał tylko bezgłośnie ustami. Za to wnuczka leciała jeszcze i trąbiła. I chyba właściwie to spowodowało, że woźnica ściągnął lejce i zwolnił, czy to może sama Sara skręciła lekko kierownicą, tak, że w końcu przeleciała tuż obok oszalałych ze strachu, stających dęba zwierząt tak blisko, że otarła się o kopyta, nogi, poczuła nawet ich spoconą sierść. A kiedy one jeszcze szalały, ona przecięła ulicę, podskoczyła na nierównym chodniku i wjechała wprost w szeroko otwarte drzwi zakładu pogrzebowego stolarza Sowińskiego. Przejechała tuż przed jego nosem, pochylonym nad kolejną haftowaną czerwoną nitką różą i z hukiem wpadła na ustawione szeregiem trumny, które przewracały się za nią z hukiem, aż ostatnia, w którą wpadła, zwaliła się na nią z trzaskiem. Wszystko w jednej chwili ucichło. Ustało nawet rżenie koni i wszelkie inne dźwięki pochowały się gdzieś, być może w zwałach zmiecionych na bok wiórów. Za to zapach drewna wzmocnił się i wypełnił jeszcze szczelniej całe pomieszczenie. Stolarz zamarł z igłą w dłoni. Popatrzył po swojej stolarni, na zwalone bezwładnie surowe jeszcze jasne trumny, na wióry, światło wpadające przez drzwi i czerwoną, prawie już skończoną różę. Wstrzymał oddech i usłyszał szuranie pod tą ostatnią trumną i wtedy właśnie pomyślał, że właściwie róża powinna być złota, a nie czerwona. I zanim dotarł do niego, powłócząc nogami szary jak popiół Józef, zaczął pruć ściegi.

– Powinna być złota, nie czerwona – zwrócił się do Józefa, zdumiony, jakby właśnie dokonał jakiegoś ważnego odkrycia, które było proste, ale z jakiś tajemniczych powodów pozostawało dla niego do tej pory sekretem i pokazał mu swoją różę. Dopiero po dobrej chwili, uspokoiwszy Józefa, że wszystko z wnuczką w porządku, wstał i razem z innymi, którzy nadbiegli z okolicy, pomógł wyciągnąć całą i zdrową Sarę spod ciężkiej, dębowej trumny.

– No proszę, nawet niedraśnięta! – stwierdził ze zdumieniem Czesław, który przybiegł szybko ze swojej trafiki na pierwsze odgłosy alarmującego trąbienia Sary.

Teraz, kiedy już otrzepano dziecko z żółtych wiórów, zajęto się, ledwie łapiącym oddech Józefem. Posadzono go na wieku trumny i Czesław wyciągnął z kieszeni flaszkę czystej.

– Panie Józefie – prosząco zwrócił się do niego Rękaw. – Pan pociągnie, to panu dobrze zrobi. Pan się nie martwi, znaczy, to co się stało, to znak, że mała, chociaż od ciężkiej cholery jest, za przeproszeniem, to jednak trzeba przyznać ma szczęście, a to jest bardzo dobre wyposażenie na życie. Dwa razy uniknęła śmierci.

– Jak to dwa? – zainteresowała się rzeczowo Sara.

– A tak to! – wrzasnął Rękaw. – Pierwszy raz jak prawie wjechałaś pod konie, a drugi, że ci ta ciężka dębowa trumna karku nie przetrąciła. Napij się też Czesiu! – zwrócił się do Czesława Rękaw. – Też ci dobrze zrobi. Łyknij pan też panie woźnico!

– A trzeci, że ja osobliwie spokojny człowiek jestem, bo kto inny to by ci już łeb urwał – powiedział głębokim, dudniącym basem woźnica.

– To ja się chyba też muszę napić – oznajmiła Sara i wyjęła z jego niespodziewających się niczego dłoni butelkę i pociągnęła łyk, zanim ktokolwiek zdążył zareagować.

– Dosyć tego! – huknął Rękaw. – O mały włos, o mały!

– Śniło mi się to, tylko nie wiedziałam, jaki jest koniec – zamyśliła się znienacka. – Teraz wiem i nie będę się już bała – powiedziała do Józefa, siadając obok niego na wieku trumny.

A on spojrzał na nią, na te porozwalane dookoła trumny i wojenny koszmar, jak żywy stanął mu przed oczami i ten wieczór, kiedy karmił jej matkę maleńką łyżeczką.

Niepostrzeżenie skończył się kolejny miesiąc lata i dzieci zaczęły chodzić do szkoły. Jeszcze trochę spacerów po miasteczku, dni spędzanych w ogrodzie, wymówek Leny, że za często chodzą do gospody, do młyna i przyszedł dzień powrotu do Łodzi. Józef ostatni raz zabrał wnuczkę do Czesia, Zbycha i młynarza…

Walizka stała przy drzwiach spakowana, a Ludka już się bała, że spóźnią się na pociąg. Gustaw ją uspokajał, że mają mnóstwo czasu. Prawie wychodzili, kiedy Józef wyciągnął wnuczkę na taras i popatrzył na nią z wyrazem głębokiej troski w łagodnych oczach.

– Słuchaj, Saro! Muszę się z tobą pożegnać już teraz.

– Teraz? – udała, że nie rozumie.

– Tak, jak ci obiecałem w środku lata... A teraz wracasz do miasta...

– I... – rozpaczliwie nie chciała zrozumieć, o co mu chodzi i mocno zacisnęła oczy.

Milczeli we wspólnym cierpieniu, głowa przy głowie, ponieważ stanął na niższym stopniu. Róże kwitły jeszcze tak bogato, jak gdyby nigdy nic, jakby lato wcale się nie skończyło, a ich zapach unosił się wokół nich, czyniąc tę chwilę jeszcze boleśniejszą.

– Nie żegnaj się jeszcze teraz ze mną – poprosiła w końcu, podnosząc na niego oczy.

– Cóż... – rozłożył bezradnie ręce.

– Proszę cię dziadku.

– Przecież to nie zależy ode mnie – tłumaczył się przed nią, przestępując z nogi na nogę.

– Proszę – łzy płynęły jedna za drugą. – Proszę! Jeszcze, chociaż tylko jedno lato.

– Tego nie mogę ci obiecać, więc proszę pożegnajmy się teraz... Będzie mi łatwiej odchodzić i tobie też będzie łatwiej. Uwierz mi. Mniej będzie nas bolało.

Objęła go mocno. Pocałował ją jak zwykle delikatnie w czoło, a ona wyjątkowo pocałowała go w rękę.

– Swędzi, swędzi... – zaczął.

– drap, drap... – dokończyła, łapiąc potrójnym wdechem powietrze.

– Boli, boli ...

– cierp, cierp – odwróciła się szybko na piecie i pobiegła.

Lekko zgarbiony patrzył na puste miejsce na tarasie i słuchał tupotu jej głośnych butów. A te zatrzymały się nagle. W oknie wychodzącym na taras została odchylona firanka i ukazała się ostatni raz Sara, patrząca na niego i przez niego, tak, jakby już nigdy nie miała tu wrócić. Józef przestraszył się i wyciągnął w jej kierunku rękę, ale opadła, bo dziecko szybko zniknęło, ponaglane nawoływaniami rodziców.

Trzeba przyznać, że Józef bardzo się starał, żeby pożyć jeszcze jedno lato. Dał radę jesieni, przeczołgał się rozpaczliwie przez zimę. W czasie ferii chodzili nawet z Sarą do opalanego kozą warsztatu szewskiego i na krótkie spacery po miasteczku, do Czesia, ale do gospody już nie, bo dusił się w zadymionym, przegrzanym pomieszczeniu. Udało im się spalić dużą aż do sufitu choinkę, ponieważ Józef zatoczył się na drzewko przystrojone metalowymi uchwytami z płonącymi świeczkami. Przewróciło się, stając w płomieniach. Na szczęście Lena zarzuciła na nie szybko koc i zdusiła płomienie. Została tylko osmalona ściana. Od tej pory nigdy nie zapalano na choince świeczek i dla Sary już żadne Boże Narodzenie nie było takie piękne, jak to w pamięci, kiedy z dziadkiem zapalali wszystkie świeczki.

Przejrzeli po raz kolejny wielką jak pół drzwi, oprawioną w wytłaczane, czerwone płótno Biblię, bogato ilustrowaną przez Gustawa Doré. Rozprawiali szczegółowo o każdym obrazku. Sara słuchała go i odnajdywała różnice między opowieściami babci i dziadka, dotyczące tych samych ilustracji. Jeszcze dwa razy zatańczyli sztajera, posuwiściej niż zwykle, bo nie był w stanie nawet na milimetr oderwać nóg od podłogi, ale drobił mimo to po całym pokoju, łapiąc płytko powietrze i sapiąc z wysiłkiem. I coś jej próbował opowiadać o wojnie, swoich podróżach i życiu poza miasteczkiem... Zamyślał się również częściej niż zazwyczaj, a czasami nucił sobie ledwie słyszalnie pod nosem „Oj chmielu, chmielu, niebożę, co na dole, to po górze. Oj, chmielu, chmielu, niebożę, niech ci pan Bóg dopomoże..."

Marcowi Józef już niestety nie dał rady, nie doczekawszy urodzin swojej drugiej wnuczki, Lilki, i zmarł pewnej parszywej nocy samotnie, bo Lena wylądowała w szpitalu, gdzie usuwano jej woreczek żółciowy. Opiekująca się nim Cichecka zastała go rano siedzącego przy jeszcze nie całkiem zimnym piecu w kuchni. Wyglądał jakby sobie tylko na moment przysnął i zaraz jej powie tym swoim niskim, lekko zachrypniętym głosem, dzień dobry pani Cichecka, co słychać. A ona mu opowie, dokładając węgle do pieca, że cieplej się zrobiło, Bartosiewiczowa przypaliła mleko, aż swąd rozniósł się po ulicy, a przy studni pokłóciły się dwie baby o to, która pierwsza ma wodę brać, a podeszły obie naraz, a że się nie lubią, to kłótnia zrobiła się z tego na całe skrzyżowanie. Ale otworzyła drzwi i coś ją tknęło od progu, żeby najpierw zajrzeć do kuchni. Oparła się o framugę i westchnęła nad nim żałośnie, bo niby wiedziała, że to jego ostatnie dni, ale mimo to, człowiek wobec śmierci zawsze jest zaskoczony i zadziwiony jej gwałtownością.

I teraz Józef leży wygodnie z poduszeczką w róże złotą nitką haftowane, wysoko na marach w pokoju z biblioteczką od ulicy, w powodzi duszących kwiatów, przyjmując defiladę sąsiadów, rodziny i najbardziej bolejących ze wszystkich kolegów, co nie chcą się od niego odczepić, tylko stoją pod ścianą w osamotnieniu, mnąc w zniszczonych dłoniach czapki i kapelusze, nie wyobrażając sobie, jak to teraz będzie bez niego. Koło południa zamarło wszystko na trochę i nikt się nie kręci, tylko oni stoją bez ruchu, bez słowa, zmartwiali w swej niekłamanej, najprawdziwszej wielkiej żałości. Wchodzi, opierając się trochę, Sara z jakimś workiem w dłoni. Zadziera głowę do wysoko umieszczonej na stole trumny. Wspina się na palce, więc Zbych ją podsadza i niczemu nie dziwi, kiedy wysypuje do trumny wokół Józefa piórka, a nawet obnosi ją dookoła, żeby je równo i bardzo starannie rozmieściła, mając szczególny wzgląd na głowę, bo wciska tam sporą garść. Trzyma ją nawet, kiedy patrzy zmartwiona na udekorowanego piórami dziadka i skarży się.

– Tylko skrzydeł nie mam.

– Nie szkodzi – pociesza ją Rękaw Czesława, chociaż zupełnie nie wie, o co chodzi.

– Naprawdę?

– Zapewniam cię, że pióra wystarczą.

– Jesteś pewien?

– Tak, wszyscy jesteśmy pewni, że piórka wystarczą – zapewniają ją gorliwie chórem.

– To może jeszcze wsadź Józię Paciorek, żeby miał towarzystwo – podaje zabawkę Zbychowi. – Albo nie. Podsadź mnie jeszcze raz. Dziadku! Z tego kamienia, co go znaleźliśmy nad rzeką wtedy, co wiesz… zrobiłam guzik. Owinęłam gumką i przyszyłam Józi do ubranka – nachyliła się do ucha Józefa i szepnęła mu jeszcze. – Już nie jest dziwny.

Zbych ostrożnie postawił ją na podłodze. Zadarła głowę i powiedziała.

– Dobrze… To ja już pójdę. Mama mnie woła. Będę miała siostrę. Babcia mówi, że się wymieniają… dziadek i ta… siostra Lilka – pobiegła tupiąc zimowymi, podkutymi przez Zbycha jeszcze w ferie butami.

Kolejne lato Sara spędziła sama z Babką, nie licząc wyjazdu nad morzem z Gustawem. Ludka opiekowała się niemowlęciem i wolała zostać w domu.

Zapachy stołówki w Międzyzdrojach przyprawiały Sarę zawsze o mdłości, a niekiedy wręcz o wymioty, szczególnie rano, kiedy serwowano zupy mleczne. Poza posiłkami, które były dla ojca i córki gehenną, a także czesaniem poskręcanych włosów Sary, nadmorskie wakacje spędzili nadzwyczaj miło. Resztę lata spędziła w Łasku, pierwszy raz sama bez dziadka, tylko z Leną.

Sara siedziała przy stole w kuchni, a Lena gotowała rosół.

– Chcesz rapcie? – pyta wnuczkę, ale nie czeka na odpowiedź, tylko kładzie je na seledynowym talerzu razem z marchewką.

Sara przygląda im się z uwagą, ich szczególna biel odbija się od talerza ze złotą obwódką. Dotyka palcem stawów, mięsistych zgrubień, a potem bierze tylko marchewkę, stwierdzając, że bez niej na talerzu zrobiło się smutniej.

– Nienawidzę rapci.

– Coś takiego! Pierwsze słyszę. Zawsze lubiłaś.

– Nieprawda. Nigdy nie lubiłam rapci – sprzeciwiła się gwałtownie Sara. – Jak mogłam lubić coś tak wstrętnego?

Jednocześnie jakieś odległe wspomnienie załaskotało ją dziwnie i mozolnie próbowała sobie przypomnieć, czy rzeczywiście lubiła te okropne kurze rapcie.

– Lubiłam, tak samo jak zapiekane móżdżki i inne rzeczy – przyznała po długim namyśle. – Ale to chyba było bardzo dawno i to byłam inna ja.

– Inna ty? – zdziwiła się Lena.

– Inna. Inna ja lubiła rapcie dawno, dawno temu. Inna ja niczego się nie bała i nie wstydziła i nigdy się nie nudziła i nie wymiotowała, ale już jej nie ma. Zostały mi po niej tylko tupiące sandały, ale już niedługo, bo i tak od dawna są na mnie za małe. Inna ja chciała nauczyć się grać na organkach jak niczego bardziej na świecie…

– Przecież tata kupił ci organki.

– Kupił. I co z tego?

– Jak to, co z tego? To, że możesz się jeszcze nauczyć.

– Już nie mogę.

– Ależ możesz.

– Nie.

Lena zdenerwowała się na wnuczkę, która nigdy nie była łatwa, ale teraz przekraczała wszelkie granice tej swojej szczególnej trudności i nieprzystawalności. Próbowała nawet wrócić do rodziców. Sama. Wyszła bez pytania z ogrodu, minęła studnię, nie obejrzała jak zwykle nieba odbitego w wielkich witrynach Oazy, nie zajrzała nawet do szewca Zbycha, tylko zwyczajnie, jakby robiła to codziennie, udała się na przystanek autobusowy. Zdzisio Machny stał z nowiutką, choć niezbyt elegancką walizką i czekał na autobus.

– Dzień dobry – powiedział jakoś tak bez zwykłego blasku. – Dzisiaj jadę. Daleko. Wreszcie jadę.

– A dokąd pan jedzie, panie Zdzisiu? – spytała Sara. – Bo ja do Łodzi.

– A ja jadę do jakiegoś nowego domu. O, tu mam na kartce adres. To gdzieś na Zduńską Wolę... Matka mi zmarła. Do widzenia. Pewnie się już nie zobaczymy.

– Do widzenia – Sara uścisnęła Zdzisia.

Wsiadła z grupą innych pasażerów, upewniwszy się, czy na pewno jedzie do Łodzi. Usiadła spokojnie obok starszego pana tuż przy kierowcy, a kiedy spytał, czy jedzie sama, zrobiła wymijający ruch głową, który on zrozumiał, że siedzą z tyłu i poczęstował ją czekoladą. Była z siebie zadowolona. Nawet nie mrugnęła okiem, kiedy autobus ruszył i zakręcał po ostrym łuku w kierunku Łodzi. Patrzyła z fatalistycznym spokojem, kiedy Lena wybiegła na środek jezdni i podniosła oba ramiona, żeby je dramatycznie rozłożyć. Autobus sapnął zniecierpliwiony i zatrzymał się gwałtownie. Sara siedziała bez ruchu, kiedy babka wpadła do środka i lustrowała wnętrze, a potem nie chciała wcale wysiąść. Lena musiała ją złapać za rękę i po prostu wywlec na ulicę. Ludzie wstali z miejsc i patrzyli na to nieoczekiwane widowisko, zupełnie jak w teatrze, chociaż mała nic się nie odzywała, żeby chociaż pokrzyczała, albo popłakała, a ona nic, zupełnie nic, nawet się nie skrzywiła. A ta druga, pewnie jej babka, bo chyba nie matka, chociaż to różnie bywa, czasem można się nieźle zdziwić, ta kobieta w każdym razie powinna jej przylać. Żeby taka smarkata sama uciekała! Ciekawe dokąd? I dlaczego?

Będą snuć przypuszczenia przez całą drogę i opowiedzą to zdarzenie rodzinie i znajomym. Każdy dołoży trzy grosze. Jeszcze w autobusie odezwie się ktoś, kto Lenę zna i oświeci pozostałych.

POD ZEGAREM

Marzec trzy lata temu dał się staremu domowi Roguszów we znaki. Gruba pokrywa śniegu topniała i dach zaczął przeciekać.

– To co teraz zrobimy? – zmartwiła się nie na żarty Lilka o trzeciej nad ranem, kiedy wrócili z dachu, z którego usunęli właśnie grubą warstwę mokrego śniegu i podstawiali miski, garnki, gdzie się dało, a i tak czasem woda kapała z jakiegoś niespodziewanego miejsca na piękny, dębowy parkiet.

Babka Eleonora siedziała wściekła za kuchennym stołem i kręciła wymowne młynki kciukami.

– Jak się nie remontuje, to deszcz na głowę kapie – wysapała. – Biedne dzieci, w wilgoci będą musiały żyć!

Dzieci Lilki i Marka, Kasper i Ania, siedziały w piżamach nad kubkami parującego kakao, nie wyglądały na biedne, ale zrobiły miny stosownie do sytuacji, ponieważ od urodzenia wiedziały, kto tu rozdaje karty.

– Babciu, smarowaliśmy przecież jesienią – oponował słabo Marek.

– Smarowaliśmy, smarowaliśmy! – przedrzeźniała go Babka. – Tym paprokiem, co palcem do dupy nie umie trafić! – „d" w dupie wybuchło efektownie, a „u" zostało przeciągnięte i pogłębione jeszcze wymownym wytrzeszczem oczu. – Przychodzi moment, że żadne smarowanie już nie pomoże i trza remont robić! I prawdziwych fachowców nająć! – powiedziała z naciskiem.

– Ale za co? – pogrzebowym tonem spytał Marek.

– Właśnie – poparła go żona. – Nam kredytu nie dadzą.

– Tym bardziej mnie – zafrasowała się Babka. – Mam przecież prawie sto lat, więc nie jestem dla jakiegokolwiek banku żadnym klientem.

– Może namówimy Sarę i Alka na kredyt? – zaproponowała Lilka.

– A jaki oni mają w tym interes, żeby tu remonty robić? – zgasiła wnuczkę Babka.

– Lubi przecież ten dom i jest właścicielką kawałka po rodzicach... No tak, ale masz rację – dodała po zastanowieniu z rezygnacją. – I tak dobrze, że sobota i po tej koszmarnej nocy będzie można odespać i jakoś się do tego wszystkiego ustosunkować!

Lilka po swojej matce Ludce, jedynej córce Babki, zawsze umiała znaleźć jakieś jasne strony w najbardziej nawet beznadziejnej sytuacji. Następnego dnia przyszła Sara z rodziną.

– No to macie przechlapane – stwierdziła jak zwykle bez żadnej delikatności Sara.

– Tylko my? – zdziwiła się teatralnie Babka. – To przecież część twojego i twoich dzieci... – spojrzała wymownie na swoje prawnuki, Mateusza i Wojtka – ...dziedzictwa! – po czym, uświadomiwszy sobie, że pojechała ciut za wysoko i już widziała wredny uśmieszek na ustach swojej pierworodnej wnuczki Sary, sprostowała. – W każdym razie, w jakiejś części, wasza nieruchomość, która może być cenna.

– W jakiejś bliżej nieokreślonej przyszłości! – jakby nie było, zgodziła się z punktem widzenia Babki Sara.

– Może byście zainwestowali w dom? – zaproponowała siostrze Lilka. – Niedługo będzie wam ciasno w tym waszym mieszkanku! A tu byłoby całkiem własne! I na pewno taniej.

– Z własnym, przeciekającym dachem! – zauważyła, niestety celnie siostra. – A nasze mieszkanie jest może nietanie, ale za to cudne i z widokiem na park. A na dodatek mamy wspaniałe sąsiedztwo w postaci Klary Niwińskiej, którego chłopcy byliby tu pozbawieni.

– Mnie się tu podoba! – wyraził swoją opinię mąż Sary, Aleksander. – To rzeczywiście jest jakieś wyjście z sytuacji. Bardzo dobre miejsce. Ludzie zabijają się o nieruchomości tutaj.

– W takim razie sprzedajmy! – zapaliła się Sara.

– Co ty, rodzinne gniazdo obcym? – spytała ze zgrozą młodsza siostra.

– Właśnie! – poparła ją Babka.

– Jakie rodzinne? Zwariowałyście!? Od pokoleń przeprowadzamy się co parę lat albo z własnej woli, albo przymusowo. Za naszego życia Lilu będzie z dziesięć, a ty mi tu o jakimś gnieździe! Naprawdę! – pokręciła głową zniesmaczona. – Nawet jeżeli, co będziemy sobie na łbie, jak w jakiej komunie siedzieć?

– Nie opowiadaj! Zrobiłoby się niezależne mieszkania! – Lilka miała jeszcze nadzieję na przeforsowanie pomysłu.

– Trzy niezależne?

– No nie! Dwa! Babcia chyba dalej mieszkałaby z nami. Prawda babciu?

– Pewnie, trzy to rzeczywiście byłoby za dużo. Ale dwa są jak najbardziej wykonalne. Dom jest naprawdę duży.

– Ale w jednym domu? Sprzedajmy!

– Nie jesteś przywiązana? Przecież spędziłaś tu część dzieciństwa – dziwił się Alek.

– No i co z tego, ze względu na miłe wspomnienia mam do końca życia niewygodnie mieszkać?

– Ona zawsze taka – wyjaśniła mu Babka. – Kawał krwistej wołowiny zamiast serca! – chlipnęła. – I gdzie my się teraz podziejemy?

– Wspomnienia są również mocno niemiłe – kontynuowała z westchnieniem Sara. – Cały czas pamiętam o tym, że ta chałupa płonęła już dwa razy i czasem się zastanawiam, czy to nie jakieś przekleństwo. A! – przypomniała sobie. – A raz nawet ją zbombardowali! Lepiej sprzedać, bezwstydnie drogo i wybudować nowe w jakimś innym miłym miejscu.

– Inne miłe miejsca już zostały kupione – ponuro podsumował Marek. – Ale może masz rację, że nie powinniśmy się tu instalować na stałe.

– Może to jednak dobry pomysł? – zwrócił się do żony Aleksander. – Miejsca tu po kokardę, chyba ze dwa hektary.

– Kawał od miasta – grobowym tonem zastrzegła Sara.

– Nie taki znowu kawał – zaprotestowała tak ożywiona Babka, że wnuczka poczuła niepokój, czując niewyraźnie jakąś manipulację.

Markowi wcale się to nie podobało, zdecydowanie wolałby, podobnie jak szwagierka, zupełnie nowy dom, najchętniej w jakimś odległym od tego lasu miejscu. Mieszkał tu z Lilką kilka lat, od początku małżeństwa, ale przyzwyczajony do swojskiego blokowego osiedla nie czuł się na Rogach specjalnie dobrze. W dodatku cały czas niepokoiły go jednak te dwa pożary w przeszłości i związane z Babką, która jak twierdził była silnym medium, zjawiska nadprzyrodzone

– Dwa razy się paliło, to i trzeci może – mruknął złowróżbnie.

– E tam, trzeci na pewno nie. Ten drugi to już było strasznie naciągane – Babka energicznie poparła Alka, ponieważ już od dawna usiłowała spowodować, żeby wnuczki wzięły się za porządny remont domu.

– Tu nie można budować – przypomniało się Sarze.

– Dlaczego?

– Otulina Lasu Łagiewnickiego.

– Ale my nie będziemy budować, tylko modernizować. Rozejrzyj się po sąsiedztwie! Nawet stare budy zamieniono na rezydencje – powiedział Aleksander.

– No to my się jak raz w to wpisujemy – ucieszyła się Babka.

– Zaraz, zaraz, ja jeszcze nie wiem, czy się chcę wpisywać – ostudziła ich Sara.

– A ja wiem, że absolutnie nie chcę się wpisywać – całkiem energicznie zaprotestował Marek. – Stał w płomieniach dwa razy. W dodatku jeszcze zbombardowany… Nawet o tym nie wiedziałem. Pewnie jakieś fatum ciąży nad tym miejscem. No i to zaginione dziecko! – przypomniał sobie rodzinną legendę o Piotrze.

– Zaraz tam fatum! Zaraz tam zaginiony! Ot, pewnie zginął
w płomieniach i tyle – bagatelizowała Babka, która zazwyczaj takie historie wykorzystywała do swoich celów i tym razem akurat
fatum jej nie przeszkadzało. – Poprosicie tego waszego znajomego
czarodzieja, to wam odczyni.

– Nie wiadomo, czy się da – wątpił Marek.

– A co ma się nie dać? – powiedziała głośno Babka, a do Alka
szepnęła. – A jak się nie da, to chociaż się lepiej poczuje.

– Mnie się podoba – oświadczył Wojtuś. – I do szkoły miałbym
daleko – dorzucił z rozmarzeniem.

– Tylko tu nie ma dla nas miejsca – przypomniał mu Mateusz.

– Miejsca jest dość, tylko trzeba się rozbudować – zwróciła
mu uwagę cioteczka siostra, Ania.

Mimo namów Sary i Marka, Lilka z Babką nie chciały nawet słyszeć o sprzedaży nieruchomości na Rogach. Nieoczekiwanie poparł
je mąż Sary. Aleksandrowi zawsze podobało się to miejsce, którego
historia sięgała jeszcze pierwszej wojny światowej. W końcu jednak oponenci ustąpili. Pozostałe nieruchomości rodzinne zostały
sprzedane, kredyty wzięte i dom został rozbudowany.

Babka, tak jak się starsza wnuczka obawiała, zamieszkała z nią,
ponieważ Lilka z Markiem mieli spore opóźnienie w wykańczaniu
swojej części. I tak już zostało.

Zarośnięta działka przylegała krótszym bokiem do ulicy, a dłuższym ciągnęła się kawał w las, który zasadniczo był miejskim par-
kiem. Na końcu był nawet zaszlamiony staw, utworzony jeszcze
przed wojną na przecinającej lasek Roguszów rzeczce Łódce.

Teściowie Ludki, Mila i Maksymilian Roguszowie, kupili ten
kawałek ziemi z ruiną starej willi długo przed drugą wojną, jako
idealne miejsce na dom, kiedy interesy prowadzi się w Zgierzu i Łodzi. Wybudowali solidną, typową dla dwudziestolecia, oszczędną
w formie siedzibę, dookoła której było dużo miejsca na sad, pasiekę

i przeróżne pasje hodowlane Maksa. Poprzednim właścicielem był dużo straszy brat Mili – Edmund Stein, dlatego również cena nie była zbyt wygórowana.

Potem wybuchła druga wojna i Maks, zamiast zbierać niemałe plony swojej kupieckiej działalności, zaraz po dożynkach został zmobilizowany i poszedł bronić ojczyzny. Trwało to niezbyt długo i pewnego dnia pojawił się przed żoną na rowerze w obszarpanym cywilnym ubraniu, zdjętym z jakiegoś stracha na wróble. Niedługo po najeździe, Niemcy umieścili w Łagiewnikach swoją radiostację i wyrzucili z domu całą rodzinę Roguszów. Maksymilian srodze się na Niemcach zawiódł. Do tej pory podziwiał ich wyroby przemysłowe, maszyny rolnicze, szczególnie zaś Johannesa Mehringa. Ksiądz Dzierżoń też pisał po niemiecku. A ostatnio sam Stefan Blank-Weissberg jeździł do Niemiec, by poznawać tamtejsze pszczelarskie placówki naukowe, więc Maks poczuł się po prostu zdradzony, najpierw wojną, a potem grabieżą mienia i w przypływie zimnej furii, kiedy tyko za żoną i trójką dzieci: Gustawem, Witoldem i małą Tosię zamknęła się furtka i wyładowana furmanka ruszyła ciężko w stronę miasta, on zastygł bez ruchu przed swoim prawie nowym domem, popatrzył na kolorowe liście w sadzie, jakby nie dowierzając temu, co się dzieje. A kiedy się ocknął, zdecydowanym krokiem wrócił, otworzył gwałtownie drzwi i pędząc po schodach, wpadł na strych i z mieszaniną strachu i determinacji swoją benzynową zapalniczką podpalił pęki suszących się na strychu nowych gatunków fasoli, które wiosną sprowadził z Meksyku. Spalił się tylko dach, ale Niemcy zaraz położyli nowy i dlatego dom nie zamienił się w kompletną ruinę. Rodzina uciekła do Piotrkowa Trybunalskiego, gdzie przeżyła całą okupację, utrzymując się z niewielkiego sklepu nasiennego w halach. Po wojnie Roguszowie wrócili do domu, ale dokwaterowano im masę lokatorów, zostawiając na parterze mały pokoik z wielką kuchnią, więc wynieśli się do centrum miasta, blisko dworców kolejowego i autobusowego. Dalej jednak pozostali właścicielami ogrodu, więc wydzieliwszy swoim lokatorom grządki na warzywa, korzystali z działki bez ograniczeń.

Po śmierci Maksa i Mili, z trójki rodzeństwa tylko Gustaw był zainteresowany, popadającym w ruinę po kolejnym pożarze, domem z lokatorami. Chociaż pracował w Instytucie Włókiennictwa, jego pasją było po ojcu pszczelarstwo, hodowla i ogrodnictwo. Kiedy zatem jego teściowa w latach siedemdziesiątych sprzedała swój łaski dom, zaproponował, żeby zainwestowała w jego rodzinny, zdewastowany i zamieszkała z nimi. Babka zgodziła się z ochotą pod warunkiem, że połowa nieruchomości będzie należała do niej. Córka poczuła się dotknięta, że matka nie ma do niej zaufania, ale Eleonora pozostała nieugięta. Zięć spłacił rodzeństwo, wyremontował mieszkanie na dole i drugie sąsiednie, które się zwolniło, kiedy jego lokatorzy dostali spółdzielcze w blokach. Po jakimś czasie zostały odzyskane wszystkie pomieszczenia, a Gustaw z Ludką i dziewczynkami, Sarą i Lilką, zamieszkali na Rogach z Babką.

Córka i zięć zginęli w wypadku samochodowym. Gustaw zginął na miejscu, a Ludka umierała długo na skutek powikłań po trepanacji czaszki.

Po przedwczesnej śmierci Ludki i Gustawa Eleonora została z wnuczkami sama. Sara wyniosła się zaraz po maturze, a Lilka wyszła za mąż i dalej mieszkała z Babką, aż do feralnej marcowej nocy, po której zdecydowano się na kolejne, daleko idące zmiany.

W czasie przeprowadzki po wielkim remoncie Hanka, przyjaciółka Sary, zabrała chłopców i swoją córkę do cyrku, a potem przechowała przez resztę dnia u siebie w domu. Przywiozła ich dopiero późnym wieczorem i stanęła przy furtce na ciemnej uliczce, z tortem śmietanowym w objęciach, żeby było im słodko w nowym domu i szczęśliwie. Gdzieś w oddali zaszczekał pies.

– O, pies! – powiedział Wojtuś i dodał flegmatycznie. – Mój kolega Grześ też ma psa... – wsunął do buzi krakersa i dokończył niewyraźnie – ...zakopanego w ogrodzie.

Pudło z tortem zakołysało się niebezpiecznie.

– Zaraz się zsikam, jak nam nie otworzą – zwierzyła się Hanka dzieciom.

– Zaraz, nie tak nerwowo. Domofon jeszcze niepodłączony – poinformowała ją Sara, wyłaniając się z ciemności na ścieżce po drugiej stronie furtki.

– Cóż, psy tu dupami, moja droga, szczekają – skwitowała okoliczności Hanka, rzucając spojrzenie na wylot ulicy, który kończył się w lesie.

– Cóż, moja droga, nie mogę się nie zgodzić, rzeczywiście szczekają, ale powietrze czyste – powiedziała bez entuzjazmu przyjaciółka. – Chodź, Babka się uparła, żeby koniecznie dzisiaj jej rodowy zegar powiesić. Powiesimy i zjemy, co tam przyniosłaś. Chwała Bogu zresztą, bo nic nie mamy w lodówce, oprócz chały i chleba, oczywiście, a i masła.

Stary, skrzynkowy zegar został powieszony w centralnym punkcie kuchni połączonej z jadalnią i natychmiast zaczął wybijać godzinę dziesiątą.

– No proszę, dom już omieszkany – z satysfakcją stwierdziła Babka, ustawiając pod nim przy stole swoje pancerne krzesło i rozglądając się z ciekawością dokoła. – No! – powiedziała z jeszcze głębszym zadowoleniem. – Całkiem dobre miejsce! Wszystko widać! I dom i ulicę.

– Niestety! – mruknęła pod nosem wnuczka, rzucając ponure spojrzenie przyjaciółce. – Teraz już nic nie umknie przed jej wzrokiem.

– Dzwoniła pani Grażyna, opiekunka dzieci i obiecała, że przyjdzie któregoś dnia z rana, żeby zrobić w toalecie kupę. Wieczna szczęśliwość i powodzenie w nowym mieszkaniu podobno gwarantowane na mur, albo i jeszcze lepiej.

– Pierwsze słyszę – powiedziała Babka, zdumiona i lekko zniesmaczona. – Ale na pewno nie zaszkodzi. – Ten zegar, Haniu, jest bardzo stary, dostałam go jeszcze od mojej babki, kiedy wychodziłam za mąż, o ona miała go podobno od swojej babki, jak też za mąż szła.

– Od babki husytki? – upewniła się Sara.

– Tak. I od tego czasu bije mi szczęśliwie, więc żadnych pożarów nigdy u mnie nie było, więc i teraz żadnych innych nieszczęść nie przewiduję – powiedziała z niezachwianą pewnością siebie.

– To ten zegar miałby już blisko dwieście lat? – zdziwił się Aleksander.

– Będzie tyle, jak obszył – potwierdziła z dumą Babka.

– Dziwne, obejrzałem go i wydaje mi się dużo młodszy.

– Wydaje mu się! – Babce wyraźnie nie spodobały się jego słowa. – Chyba wiem, co mówię!

– Na pewno wiesz babciu lepiej! – pospiesznie wycofał się Aleksander. – To może zjemy po kawałku tortu?

– A wiesz!? Duchów w piwnicy już nie ma. Czysto – poinformował Hankę Mateusz.

– Jakich duchów? – zaniepokoiła się.

– Tych, co były w piwnicy – odparł spokojnie. – Kasper widział.

– O czym ty mówisz?

– Podobno w piwnicy były jakieś obce byty – wyjaśniła Sara, oblizując śmietanę z ust. – Ja tam nie widziałam, ale babcia widywała i Kasper. Marek do tej pory nie może się otrząsnąć od tego razu, kiedy zszedł po coś do piwnicy z synem i ten go nieoczekiwanie spytał, co to za chłopczyk tam siedzi i do niego kiwa? Szwagrowi stanęło serce, rozejrzał się po ciemnym pomieszczeniu, a tam nic, tylko mu mróz po plecach poszedł.

– I co? – przestała jeść Hanka.

– I nic, prawda babciu?

Babka nic się nie odezwała, skupiona na torcie, tylko kiwnęła głową. Przed modernizacją domu zaklinała się przed Markiem, że po każdym generalnym remoncie zazwyczaj wszelkie duchy wynoszą się bezpowrotnie. Znajomy specjalista od zjawisk paranormalnych, nie chcąc narazić się Babce, która przewiercała go wtedy na wylot swoim zielonym spojrzeniem, nie potwierdził, ale i nie zaprzeczył tej teorii. Przyprowadzony do domu po remoncie, jeszcze przed przeprowadzką Babki i rodziny Sary, stwierdził zaskoczony, że rzeczywiście wszędzie jest czysto, duchów nie ma. Babka na wieść o tym wzruszyła ramionami znajomym gestem i nawet nie musiała wymawiać sakramentalnego, a nie mówiłam. Poprzedni specjalista sprowadzony przez Marka zaraz po jego ślubie z Lilką, uciekł z piwnicy i powiedział, że za nic nie wróci do tego domu, więc teraz szwagier jest zadowolony, ale i lekko zdziwiony faktem, że duchów nie ma i dom wrócił do normalności.

Tylko skąd duchy w takim stosunkowo niestarym domu, zastanawiała się swego czasu Babka. Przecież tu nikt nawet nie zdążył umrzeć. Przynajmniej nic jej o tym nie było wiadomo. Niemcy też nikogo tu nie więzili, ani nie dogorywali z ran wojennych. Dopiero w rozmowie z Tosią Szeptanisową, siostrą Gustawa, czyli *de domo* Rogusz wyszło, że zbombardowana w czasie pierwszej wojny światowej willa wuja Steina posłużyła Maksowi jako fundament nowego domu, czyli tak naprawdę piwnice pochodzą z końca dziewiętnastego wieku. W bombardowaniu i pożarze zginął wnuk Steina – Piotr. Nigdy nie znaleziono jego ciała, ani nawet najmniejszych szczątków po nim, jak również po innych członkach rodziny i to pozwoliło żywić nadzieję, że jakimś cudem dziecko ocalało. Stary Stein, choć podobno niezbyt uczuciowy i wylewny, zawsze zajęty swoimi rozlicznymi interesami, odżałował stratę wielkiego domu ze zgromadzonymi w nim bogactwami, śmierć najmłodszego syna Henryka i innych, ale nigdy nie pogodził się ze stratą wnuka. Wydał cały majątek na poszukiwania do samego końca wierząc, że jakimś cudem ocalał i gdzieś żyje.

Babka siedziała na ławce pod drzewem i kręciła młynki palcami. Tak, piwnice! No tak, to by się wszystko zgadzało. Zawsze wszystko się zgadza. Nigdy nie ma dymu bez ognia, tylko ludziom tak się czasem wydaje. Oczywiście Tosia w duchy nie wierzy. Tak samo jak jej ojciec i matka, Maks i Mila Roguszowie. Co prawda chadzali nawet do kościoła, ale zawsze byli tacy materialistyczni. Wzruszyła ramionami. Ich córka Tosia biła się w piersi i mówiła, że nigdy nie słyszała żadnych opowieści o duchach. Nigdy! Żadnych! Powtarzała indagowana przez nią, kiedy chciała się dowiedzieć skąd te strachy, kiedy Marek chciał się wyprowadzać, nie czekając rana, zabierając rodzinę i zostałaby sama na gospodarstwie. Pewnie, że nie słyszała, bo Roguszowie nic nie widzieli, co wcale nie znaczyło, że duchów nie było. Dopiero ona je zobaczyła a i Marck też, cholera, kłopotliwie widzący się okazał, a i Lilka z tych bardziej wrażliwych zawsze była i na siły nadprzyrodzone otwarta. Zupełnie inaczej niż Sara, starsza, która wdała się w Maksa i Milę, a o duchach to nawet nigdy słyszeć nie chciała… Tylko o tego zaginionego chłopca Steinów ciągle dziadka Rogusza wypytywała i innych członków rodziny ojca. Nawet kiedyś napisała coś w dzieciństwie na temat dziecka, które przepadło w wielkim pożarze. Stary Stein, wypisz wymaluj, przypominał Maksa. Gdzieś to potem przepadło. Ale Sara Rogusz młodsza, czyli do jakiegoś piątego roku życia też, jak jej siostra i szwagier Marek… też była widząca…

Kiedy następnego dnia Sara zeszła na dół do kuchni na śniadanie, Babka o dziwo, siedziała już za stołem, skropiona obficie perfumami i czekała, malując się, na swoje dochodzące do stanu pół miękko, pół twardo jajka.

– Jak ci się spało na nowym? – spytała.

– Jakie tam nowe? – wymamrotała Babka, podnosząc brew, żeby dokładniej nanieść tusz na rzęsy.

– Jakby jednak nie było! – upierała się wnuczka.

– Nawet dobrze. I nic mi się nie śniło.

– To dobrze, bo już myślałam, że coś ci się okropnego przyśni, opowiesz nam, a potem znowu będzie straszyło.

– O! Zaraz straszyło. Jak czego nie rozumieta, albo mata strach przy dupie, to zaraz moja wina – zdenerwowała się Babka i umoczyła staroświecką szczoteczkę w herbacie.

– Nie mogę na to patrzeć! Mówiłam, że ci kupię normalny, współczesny tusz z okrągłą, wygodną szczoteczką, żebyś nie musiała moczyć, w czym popadnie.

– To właśnie mój tusz jest normalny i najlepszy. Ciesz się, że nie pluję jak niektóre.

– Które?

– Nie być taka ciekawa, bo kociej mordy dostaniesz?... *A propos*, a może byśmy tak zajęli się stawem?

– To znaczy?

– Można by jakieś ryby z powrotem zaprowadzić – niby spytała, ale tak naprawdę wydała dyspozycję Babka. – Taki karp na przykład, swój, na święta, dobra rzecz! – rozmarzyła się. – U nas na wsi też taki staw był, a i w Łasku przy młynie pstrągi hodowali.

– Wiem, chodziłam z dziadkiem Józefem na te srebrzyste pstrągi.

– No, przecież pamiętam, jakby to dziś było – westchnęła. – W domu żreć nie chciałaś, trzeba ci było za każdą łyżkę opowiadać jakieś niestworzone historie, żebyś raczyła gębę otworzyć, ale gdzieś po kominach, jakieś bele co, to i owszem... Chociaż nie powiem, akurat rybki u młynarza, pierwsza klasa – oddała sprawiedliwość rybom Babka. – Boże, co ja się musiałam nawymyślać! Cholera, moje jajka! Podaj masło!

– Jak to nawymyślać. Przecież zawsze podkreślałaś, że to szczera prawda.

– Na ogół to była prawda, chyba, że ci bajkę opowiadałam.

– Na ogół! – mruknęła prawie niedosłyszalnie Sara. – Niektóre pamiętam do dzisiaj. Za to wszystkie miały podtekst seksualny.

– Akurat! – zaprotestowała Babka. – Wcale nie miały!

– A o tej kobiecie, co miała piersi długie jak pończochy?

– Nie pamiętam – wykręciła się od odpowiedzialności za opowieść Babka.

– Aha! Nie pamiętasz! Mówiłaś o niej Nieszczęsna Pończoszanka i jak potem czytałam Fizię Astrid Lindgren to już mi się na zawsze kojarzyła z biustem tej drugiej... twojej. Twoja Pończoszanka miała tak chude i niesamowicie długie piersi, że musiała je rolować jak bandaż i dopiero takie uwinięte wkładała w biustonosz. Podobno w ubraniu wyglądały nawet nieźle, a że twoja Pończoszanka była ładną kobietą, zakochał się w niej przystojny mężczyzna. Poprosił ją o rękę, a ona go przyjęła. Potem następowały dywagacje, jak to się musiał zdziwić w noc poślubną, ale tego z kolei to ja już dokładnie nie pamiętam, czy mu się spodobały, czy wprost przeciwnie, ale chyba jakoś mu nie przeszkadzało, bo jakieś dramatyczne rozwiązanie to bym z kolei zapamiętała.

– I to wszystko odbywało się nad talerzem jakiejś zupy, albo drugiego, nad którym kiwałaś się w nieskończoność, aż cholera człowieka brała. Ja zapamiętałam jak ci szuflowałam łyżkę za łyżką. Jedzie jeden kozak, jedz! Jedzie drugi kozak, jedz! Jedzie trzeci kozak, jedz! Jedzie...

– Daj spokój.

– Sama widzisz, nuda, dobra na sen, a nie obiad.

– O samotnych dziewicach, wyuzdanych wampach, ich kochankach i narzeczonych była cała seria. Nie mówiąc o historii z wątkiem kazirodczym.

– No wiesz! – zatrzęsła się z perfekcyjnie udanej zgrozy Babka.

– Może nie? O tym, jak pewien młody mężczyzna wziął w podróż poślubną swoją matkę. Płynęli jakimś wielkim statkiem, bo to było lepsze towarzystwo i młoda żona szuka go po nocy, dodajmy dla jasności, że poślubnej, i znajduje go wreszcie u mamusi w kajucie w sytuacji mocno jednoznacznej.

– To nie zamknęli drzwi? – bezczelnie spytała Babka.

– Ty mi to powiedz, to twoja historia!

– Niemożliwe – zaparła się Babka.

– A o tej wdowie z Utraty! Przychodził do niej w konkury zalotnik. Szarmancki, elegancki, zakochany podobno po uszy. Kwiaty znosił, komplementy prawił, no i w ogóle podobno niebrzydki był z niego kawaler, takie dzisiejsze ciacho, grzechu warte, jak się wtedy mówiło.

– Akurat to jest szczera prawda! Ta kobieta mieszkała, prawie nad samą rzeką, w ostatnim domu, na odludziu – zapewniła Babka i dokończyła już sama. – Grzechu wart był jak najbardziej, wdowa już się z nim prawie zaręczyła i miała na niego ochotę jak nie wiem co, a i on się do niej palił. I wtedy, a siedzieli przy stole późnym wieczorem, bo on zawsze przychodził po zmroku, co wdowy specjalnie nie dziwiło, a nawet dobrze się składało, żeby ludzie nie gadali, więc wtedy też siedzieli późno w nocy i coś spadło ze stołu. Wdowa odruchowo się schyliła zanim on to zrobił i zobaczyła, że zdjął buty, a tam zamiast stóp kopyta!

– I co, chętka jej przeszła?

– Ja tam nie wiem czy przeszła, czy wprost przeciwnie, ale oficjalna wersja głosi, że wstała, jak gdyby nigdy nic, z tym widelcem, czy co tam ze stołu spadło i spokojnie podeszła do krucyfiksu, co wisiał w rogu, złapała i do niego, krzycząc wniebogłosy, *apage satane*!

– Jesteś pewna, że tak właśnie wrzasnęła? – z powątpiewaniem spytała wnuczka. – Wtedy jakoś inaczej mówiłaś.

– Pewna nie jestem, ale mogła tak wrzasnąć, czyż nie?

– Teoretycznie mogła.

– No właśnie, więc na niego z tym krzyżem *apage satane*, a on tak się przeraził, że uciekł i więcej do niej nie wrócił.

– A ona liczyła, że wróci?

– Może sobie pomyślała, że jakby kochał, to by wrócił.

– Diabeł? Teraz to już naprawdę przesadziłaś. Lepiej powiedz o tej wersji nieoficjalnej.

Babka tylko wyniośle wzruszyła ramionami, energicznie stukając w czubek drugiego jajka.

– Sama sobie powiedz.

Przez okno niewielkiego domku na uboczu, otulonego nocną mgłą, Sara zobaczyła siedzącą przy stole parę. On pochylał się do niej pełen pokory i oddania, w oczy zaglądał, sam w swoich czarnych, przepastnych i tajemniczych ogień mając, któremu kobieta ani mogła, ani chciała się opierać.

Zaczął przychodzić znikąd. Pewnego wieczoru po prostu jakiś obcy, przechodząc drogą koło jej obejścia, pomógł wody ze studni czerpać. Nigdy wcześniej go nie widziała. W ogóle takich mężczyzn nie spotykało się w okolicy. No, może czasem na dworcu kolejowym. Ubrany był z miejska, czysto i elegancko. Przedstawił się grzecznie. W mroku błysnęły jego białe zęby w ujmującym uśmiechu i serce samotnej kobiety zabiło mocniej, więc kiedy spytał, czy może przyjść dnia następnego, zgodziła się i czekała z nadzieją, nerwowo spoglądając przez okno. Przyszedł, tak jak za pierwszym razem późno, po zmroku. Zdjął elegancki surdut i pomógł wody nanosić. Dźwigał wiadra bez wysiłku. Pod cienką, białą koszulą rysowały się mocne mięśnie. Kobieta obserwowała go z przyjemnością. Potem posiedzieli trochę na ławce pod lipą i pogawędzili miło. Spoglądali na siebie ukradkiem. Ona czuła się, jakby z powrotem miała szesnaście lat i mężczyźni stanowili jeszcze tajemnicę, a przecież teraz była dojrzałą kobietą. Z czasem, kiedy dystans między nimi na ławce zmniejszył się do kilku milimetrów, a ich ramiona dziwnie do siebie ciągnęły, zaczęła go zapraszać do środka, tym bardziej, że złota jesień powoli przerodziła się w zimny i słotny listopad. Rąbał drewno na opał, znosił do sionki i od samej jego obecności robiło się ciepło. Potem siedzieli przy nakrytym białym obrusem stole i uroczyście milczeli, zanim podała przygotowaną wcześniej z wielkim staraniem kolację. Z pierwszym śniegiem, pierwszy raz w życiu, dostała od niego kwiaty, i to jakie, biały bez! Napełnił izbę intensywnym, przyprawiającym o zawrót głowy zapachem. Poczuła się dziwnie uroczyście, jak w kościele. I wreszcie, siedząc przy stole jedno obok drugiego, odważyli się dotknąć swoich dłoni i przestali na chwilę oddychać, a potem oboje westchnęli głęboko, jak pływak, co właśnie wypłynął na powierzchnię, ratując sobie życie. Zegar zaczął wybijać dwunastą i wyrwał ich ze stanu błogiego bezruchu. Zatrzepotali oboje płochliwie, po ptasiemu i wtedy ze stołu spadł widelec. Zakłopotana, z płonącymi policzkami, kobieta schyliła się gwałtownie. On chciał ją powstrzymać, ale zdążył tylko bezradnie wyciągnąć rękę i tak go zobaczyła, kiedy w końcu wstała z tym widelcem. Oparła się o stół i patrzyła na niego z niedowierzaniem. On odwzajemniał spojrzenie boleśnie i ze strachem. I nic się przez chwilę nie działo, a potem ona podeszła do wiszącego w rogu izby, tak trochę z niemiecka, krucyfiksu i prawie błagającym o przebaczenie gestem wyciągnęła w jego kierunku. Pokiwał głową i pożegnał ją nieskończenie smutnym uśmiechem. Wyszedł bez słowa i od razu zrobiło się w izbie przeraźliwie zimno. Stała bez ruchu, bez tchu prawie, nagle pozbawiona wszelkiej nadziei, zaskoczona swoją bezgraniczną samotnością. Delikatnie pocałowała krucyfiks, położyła go na stole i wybiegła z domu na zimową, pustą drogę. Stał pod lasem i ruszył na jej spotkanie. Przylgnęła do jego rozpalonego ciała, a mróz nie wydawał się już tak dotkliwy jak przed chwilą. Objęci i zapatrzeni w swoje oczy, odeszli razem gdzieś daleko.

— No i co? — spytała Babka. — Wymyśliłaś?

— Wymyśliłam, ale też ci nie powiem.

— Bez łaski. To co z zarybianiem naszego stawu? — spytała rzeczowo.

— Nie mam pojęcia. Trzeba by się kogo spytać… Dowiem się — obiecała Sara. — Słuchaj, te twoje historie, ale powiedz mi szczerze, wymyślałaś czy słyszałaś, a może jedno i drugie?

— Nie pamiętam.

Nagle Sara uderza się nadgarstkiem w czoło.

– Już wiem! Od ciotki Amelki! Ona musiała być źródłem!

– Przecież nigdy nie mówiłam, że nie. Miała bogate życie, dużo widziała to i dużo opowiadała.

– A tu się akurat z tobą nie zgodzę. Była oszczędna w słowach, bardzo. Nawet bajek nie opowiadała. Rzucała garść informacji i koniec. A ty sobie wokół szkieletu tych paru zdań stwarzałaś całą pełnowartościową opowieść.

– I co z tego? – wzruszyła ramionami Babka i zniknęła w łazience. – Nie wolno?

Był piękny, ciepły wrześniowy dzień. Koty wygrzewały się na słońcu. Co jakiś czas spadało dojrzałe jaśniepańskie jabłko obijając się boleśnie o trawnik i wtedy serce Leny krwawiło. Kurwa mać, zżymała się w myślach, stojąc przy parkanie i wypatrując wozu Family Frost, bo nabrała ogromnej chęci na roladę lodową, Gustaw już dawno zdjąłby każde jabłko i pieczołowicie ułożył w skrzynkach... No, wzruszyła ramionami, oczywiście pod warunkiem, że nie absorbowałyby go jakieś inne, dopiero co odkryte pasje, przyznała sprawiedliwie. Po drugiej stronie, na rowerku pedałowała pracowicie maleńka dziewuszka w zielonym kapelusiku. Zatrzymała się gwałtownie i popatrzyła na Babkę.

– Ale jesteś wielka! Jak wieloryb! – powiedziała.

Babka odwróciła się do niej jak kobra i wpiła w dziewczynkę świecące na zielono oczy, ale widząc w jej wzroku niekłamany podziw, roześmiała się i pochwaliła.

– I ciągle rosnę.

– Moja babcia wcale nie rośnie – zwierzyło się z żalem dziecko.

– Powiedz babci, żeby więcej jadła, to też urośnie – poradziła Babka.

Dziewczynka kiwnęła pożegnalnie głową i pojechała za oddalającą się starszą, szczupłą kobietą, a Babka zaczęła obrywać przekwitłe róże.

Trzasnęła z impetem furtka i pod oknem pojawiła się Sara na swoim nowym czerwonym rowerze.

– No jak tam? – spytała już z kuchni Babka.

– Fajnie.

– Ohydne słowo. Twój dziadek Maks go nie cierpiał.

– Fakt. Nie cierpiał. Mówił, że to ordynarna naleciałość z niemieckiego.

– Myślałam, że lubił niemiecki – zdziwiła się Babka.

– Lubił, ale uważał, że nie należy go mieszać z polskim.

– No tak. A pamiętasz, jak poprawiał Lilce ćwiczenia z rosyjskiego?

– Pewnie, że pamiętam. Ciotka Tośka twierdzi, że znał również jidysz, tylko nie wiem, w jakim stopniu… – Sara wyciąga z koszyka zakupy. – No pewnie na tyle, żeby się dogadać z klientami, tak twierdzi ciocia.

– No wchodź wreszcie i opowiadaj! Nigdy się nie dowiemy, na ile znał jidysz twój drugi dziadek – zniecierpliwiła się Babka. – Siedzę w domu jak więzień, z wiecznie tym samym kawałkiem ogrodu za domem i ulicą przed domem, na której prawie nic się nie dzieje.

– Prawie, czyni wielką różnicę… No już dobrze. Nie rzucaj błyskawicami. Ciepło jest jeszcze bardzo w słońcu, bo w cieniu to już nie, wręcz chłodno. Normalne późne lato.

– Nieprawda. Już jesień. Lato było jeszcze trzy dni temu. Jesień przyszła przedwczoraj, z tym zachodnim powiewem wiatru. Akurat siedziałam na słońcu z panią Janką, dzieci pilnowałyśmy. Już z daleka słyszałyśmy, jak szumią liście w sadzie sąsiadów, a u nas jeszcze nic, cisza. Zapach ten letni kwiatowo-woskowy, suchy. I nagle trach. Zakołysało najpierw akacjami u sąsiadów, a chwilę potem naszymi drzewami i powietrze zmieniło się na zimne jesienne, wilgotno jabłkowe.

– Tak. Tu masz rację. Powietrze pachnie jabłkami, ale nie tylko.

– Czym jeszcze?

– Różami. Między Pomorską a Henrykowską jest pole kwitnących róż. Będzie ze trzy hektary.

– Taki kawał pojechałaś? Pachną?

– Nie bardzo, bo po drugiej stronie dopiero co ścięto łąkę i pachnie świeżą trawą. Wszędzie pachnie, bo wszędzie koszą. A na przedmieściach, wyobraź sobie, snuje się rozgrzana smoła do smarowania dachów. Zupełny, można powiedzieć zapachowy relikt, bo coraz więcej blaszanych, nowych dachów, albo krytych dachówką ceramiczną.

– Teraz rzadko kto smołuje. A kiedyś jesienią prawie wszyscy pod czarnymi kotłami na podwórkach ogniska rozpalali i topili czarny, błyszczący lepik. Ja sama w Łasku po dachu ze szczotką i wiadrem tańcowałam, jak twój dziadek był chory. Nawet lubiłam te sezonowe zajęcia: zbieranie plonów z ogrodu, smołowanie dachów… Utykanie okien na zimę. Pamiętam, jak się kitem uszczelniało. I szczęście to jest wtedy, jak nic tego nie zakłóca… Żadna wojna ani inny jaki kataklizm. Wtedy jest dobrze, ale nie wszyscy ludzie to rozumieją. Nudno im i w głowie im się od tego przewraca, chorują – wzruszyła ramionami i zmieniła temat. – Więc słońce mówisz już nie takie?

– Nie. Niby gorąco jeszcze, ale jakieś takie ukośne, niższe, bardziej w oczy zagląda, jakby chciało ci zajrzeć do środka. Szkoda, że kapelusza nie wzięłam, albo czapki z daszkiem.

– Lepiej nosić, niż się na zmarszczki narażać.

– Pamiętam kitowanie okien. Pozwoliłaś mi ugniatać pomarańczową, pachnącą masę. Z czego to właściwie było?

– Wtedy to się już gotowy kupowało, ale od razu po wojnie to się z kredy i oleju lnianego, albo pokostowego robiło. To stąd ten zapach kościelny.

– No tak… kościelny… Ale właściwie, dlaczego kościelny?

– Od wosku i terpentyny. Od robactwa chroni. Musisz lecieć z Lilką do ogrodu jabłka i śliwki zebrać. Najwyższy czas powidła dusić. Zaraz pewnie przydyrda Krakowianowa i najlepsze wyzbiera, więc ty pierwsza idź. I zamrozić też trzeba. Zimą będzie, jak znalazł na knedle, rogaliki... Zresztą i kruche przecież można zagnieść.

– Albo do bułek drożdżowych – Sara przełknęła ślinę.

– To i zaraz można zrobić. Zobacz tylko, czy drożdże są. Akurat będzie do herbaty, jak Krakowianowa przyjdzie. Coś długo jej nie ma. A już w zeszłym tygodniu pytała, czy może na śliwki przyjść. Waldek dzwonił.

– I czego chciał?

– No jak to, czego? Sprawdza mnie na okoliczność smażenia powideł. Co roku sezonowo dzwoni i wypytuje o różne rzeczy.

– Dziwisz się? – drwiąco zapytała wnuczka.

– Pewnie, że nie. Stara jestem przecie i mogę coś zapomnieć.

– Akurat!

– Ja ci dam, akurat. Miażdżycę mam... zaawansowaną – łypnęła zielonym okiem Babka.

– Uhm.

– A żebyś wiedziała!

– Dam sobie rękę uciąć, że nawet pamiętasz, co, w którym roku zełgałaś.

– Daj sobie lepiej ten niewyparzony ozór odciąć.

– No dobra, nie kłóćmy się. To jakim szczegółem będą się różniły nasze powidła od Waldkowych? – spytała pojednawczo, szczerze zainteresowana Sara.

Babka długo milczała, urażona, ale w końcu, po uzyskaniu obietnicy, że tajemnica zostanie utrzymana, wyznała z bezwstydną uciechą.

– Pomidorami. Będą się, jak co roku, różniły mięsistymi, dojrzałymi, koniecznie polnymi pomidorami. Co tak oczy wyropalasz? Amelia zawsze dawała. Pod sam koniec, niewiele i bez skóry. Niby nic, hę? A jakaż różnica!

– Diabeł jednak tkwi w szczegółach – powiedziała w zadumie Sara, po czym wstała i wyszła do ogrodu wstawić rower do starej stajni i nazrywać owoców.

Potem, podczas poobiedniej drzemki za stołem śniła się Babce jazda na rowerze. Gnała na przełaj przez pola, zarośnięte łąki i piaszczyste drogi bez żadnego wysiłku. Z początku martwiła się o rower Sary, że go przez tą szaleńczą jazdę i swoją niebagatelną wagę uszkodzi, ale szybko zdała sobie sprawę, że to sen i dalej mknęła przez ciemniejący las i zarośnięte zielskiem błonia z ulgą, lekko i przyjemnie, chociaż robiło się coraz mroczniej i mroczniej, ale co tam, to przecież tylko sen, tylko sen... A kiedy się ocknęła pomyślała, że coraz więcej rzeczy może robić tylko w snach i to jest z jednej strony smutne, a z drugiej doskonałe, jak ta jazda na rowerze bez zmęczenia, niczym nieograniczona, wprost idealna...

Babka siedzi za stołem i próbuje drzemać. Koty przysiadły jej na stopach i grzeją. Jeden, ten starszy, chrapie okrutnie, prawie wniebogłosy. Czasem wręcz zagłusza telewizję i trzeba zrobić głośniej. Kto to słyszał, żeby kot chrapał tak po ludzku? Z tego miejsca pod zegarem ma doskonały widok na wszystko. Nikt się nie może prześlizgnąć bez jej wiedzy. A przez okno widzi nawet, co się dzieje w ogrodzie u Lilki i Marka. A jak wypełznie z domu, to nawet, chociaż z wysiłkiem może do nich pograślać na pogawędkę. Teraz, póki jeszcze ładna pogoda i ciepło, bo potem już nie będzie przyjemnie sunąć na opuchniętych nogach pół godziny pięćdziesiąt metrów... Byłoby krócej, ale wymyślili trejaże z pnączem, żeby jak to się wyrazili, zyskać więcej intymności. Co za bzdury! Wymyślą byle co i człowiek musi latać naokoło, chociaż mogli po ludzku przejście między dwiema połówkami domu zrobić. W głowie się teraz ludziom przewraca i tyle. Kto to słyszał, żeby kuchnia od ogrodu była i ona teraz, żeby zobaczyć, co w świecie słychać, do pokoju po drugiej stronie musi latać, odrywając się od różnych zajęć... No, w Łasku, co prawda też tak było, ale inne względy tam w grę wchodziły... W ogóle się z nią nie liczą i nie słuchają. Mówiła, żeby grządki w ogrodzie zrobić, jak to dawniej bywało. Własne warzywa świeże, niepędzone i za darmo. Ale gdzie tam! Wszędzie trawa. A ile to wody trzeba latem na nią wylać! Coraz bardziej denerwuje ją bezsilność, upokarzające pełzanie, bo przecież trudno to nazwać chodzeniem. Wstaje i idzie szurając, kapciami, do pokoju. Czuje się taka... nieporęczna. Uwięziona w wielkim ciele energia obija się z furią w środku, a tyle jest do roboty. Sama by się ogrodem zajęła, bez proszenia... I do miasta by poleciała, jak na skrzydłach by poleciała... A tak, musi miasto z okna podpatrywać, jak czasem przechodzi ulicą.

O! Tak jak teraz. Śmiać się chce, naprawdę. Ten stary to pewnie z parku do domu idzie. O, jaki spalony słońcem, koszulę niesie na ramieniu, żeby każdy widział, jaki jest szczupły i brązowy. Tę opaleniznę to pewnie od maja hodował, cierpliwie wysiadując na ławce przy stawie w Arturówku. Jak jeszcze wychodziła, to spotykała tam takich właśnie dziarskich amantów, stuletnich Apollonów, narcyzów... Kobiety czasem też, ale mężczyźni, zdaje się jakby dłużej czepiali się rozpaczliwie młodości. Dobrze, że ten staruch chociaż dobrze się trzyma. Optymistycznie tak popatrzeć na kogoś w wieku matuzalemowym w dobrej formie. Zaraz człowiekowi lżej, że może gdyby tak schudł, zadbał o siebie, to też by tak mógł rączo pomykać ulicą. Bo niestety, starzy ludzie nie idą, a skradają się postukując laskami. Suną bezgłośnie w kapciach i czasami tylko ten denerwujący dźwięk kostura znaczy ich drogę... Nic więcej, bo jakby zapadali się w sobie, bardziej do wewnątrz będąc niż do świata i tacy więcej drażliwi na swoim punkcie są, stąd więcej konfliktów, nawet w bardziej kochających rodzinach. Ciekawe, czy ona też taka egocentryczna na starość będzie, bo teraz to chyba jeszcze nie... No, ten przynajmniej zadowolony z siebie, idzie szparko, brzuch wciąga, wyprostowany, jakby kij połknął i co i rusz popatruje na drugą stronę ulicy. No nie dziwota, że za nią ślipi, bo idzie sama kwintesencja kobiecej piękności. Szczupła dziewuszka, odrzuca niedbale jasne, jedwabiste włosy na plecy. Wyciąga nonszalancko długaśne nogi w fikuśnych szortach, a on usiłuje jej dotrzymać kroku. Nawet się do siebie uśmiechają przez ulicę. Może się znają z ławki, albo mieszkają niedaleko w tej samej kamienicy, albo w bloku. Jak to musi być przyjemnie tak sobie po prostu iść ulicą. Dziewczyna pewnie nawet nie zwraca na to uwagi, na ten cud swojego młodego, doskonale funkcjonującego ciała. Ludzie teraz tak mało refleksyjnie żyją.

W sobotę Lilka poszła ze wszystkimi dziećmi do kina. Babka od rana zabrała się za wielkie gotowanie, żeby ugościć całą rodzinę. Sara jej pomagała krojąc warzywa na jesienną zupę jarzynową.

– A wiesz, że ten adwokat, co się miał z Aleksandrem we wczorajszy piątek spotkać, przełożył wizytę na przyszły czwartek.

– No i co z tego? – dziwi się Babka.

– Lepiej spytaj, dlaczego?

– Dobrze, dlaczego?

– Boi się, że nie skończą do zmroku i nie zdąży przed szabasem wrócić do Warszawy.

– Co ty powiesz? – wyraźnie ożywiła się, a nawet lekko wzruszyła Babka. – Boże miłosierny, tak jak kiedyś! A już myślałam, że w Polsce nikt szabasu nie odprawia, że odeszło na zawsze... A tu patrz... Przed wojną w Łasku taka się cisza robiła we wieczorowe piątki, a za oknami migotały szabasowe świece... W takim rynku, na przykład, to we wszystkich oknach. Na drugim rynku, tym przed kościołem, to już nie. A potem to wszystko przepadło. Pół miasta przepadło, jak kamień w wodę. I ty teraz mówisz..., więc może coś jednak zostało...

Eleonora zamyśliła się głęboko, odpłynęła w czasie i przestrzeni, zostawiając swoje ciało na solidnym krześle naprzeciwko wnuczki. Ciało dalej bezwiednie skrobało marchewkę, a ona szła sobie z wolna łaską uliczką, zaglądając w migotliwe okna sąsiadów, podglądając, jak godnie zasiadają do stołów i odmawiają modlitwy.

– A jaki interes ma ten żydowski adwokat do Aleksandra?

– Chce odzyskać kamienicę po dziadkach.

– A co, miasto przejęło po wojnie?

– Tak... A dom w Łasku?

– Co dom w Łasku?

– Jaki był jego status prawny? Też przejęło miasto, jak inne nieruchomości?

– Na ogół tak właśnie było. Pustostany po Niemcach, którzy w popłochu opuszczali domy, z których na początku wojny wypędzili Żydów, zajmowali Polacy z wojennej tułaczki. A potem dostawali na nie przydziały.

– Ale nie na własność? – upewniła się Sara.

– Nie.

– Ale ty swój dom miałaś na własność?

– Tak, ja miałam najprawdziwszy akt własności, ponieważ ja dom kupiłam.

– Od kogo?

– Od starego Jakuba Bluma, który jeden, jedyny z całej rodziny ocalał. I potem nie chciał już mieszkać ani w tym domu, ani w ogóle w Polsce. Był bardzo schorowany. Jakiś czas mieszkaliśmy razem... Trzeba go było odkarmić. Doktor Strauss przychodził prawie codziennie. Już myśleliśmy z twoim dziadkiem, że nam zemrze, bo on w ogóle nie miał woli do życia. Po nocach straszliwie krzyczał. Pewnie mu się śniły jakieś straszne rzeczy z obozu. Trzymali go w Auschwitz... Nigdy nie chciał o tym mówić... Ani słowa... Nieoczekiwanie zjawił się jego wnuk, cały i zdrowy, najmłodszy syn jego najstarszej córki Racheli, co to wyszła za tego Izaaka Kociołka, co drewnem handlował. Chłopak wyglądał bezpiecznie i przechował się całą wojnę na wsi u dobrych ludzi. I Blumowi wróciła chęć do życia, bo ktoś się przecież musiał dzieciakiem zaopiekować i wtedy właśnie stary Blum postanowił nie umierać.

– Tak po prostu postanowił nie umierać?

– Tak właśnie postanowił! A wolę Jakub miał żelazną, bo nawet doktor Strauss mówił, że i tak cud, że on w ogóle żyje jeszcze. Sprzedaliśmy wszystkie meble, jakieś złote pierścionki, co mi Józef jeszcze przed wojną kupował, zegarek i pieniądze pożyczyliśmy... A mnie udało się zarobić na handlu nie całkiem legalnym dużo pieniędzy. Z tym to potem była niezła historia... O mały włos, a byłaby lepsza katastrofa. W każdym razie jakoś zebraliśmy, ile Blum chciał.

– A dużo chciał?

– Dziecko, jak on mógł w tamtych czasach dużo chcieć? Był rok czterdziesty piąty... Czekaj, czekaj, niech pomyślę... No po prawdzie, to mógł być już nawet czterdziesty szósty. To można sprawdzić w akcie notarialnym. W każdym razie, skąd ja miałam wziąć więcej? I tak zebraliśmy kupę pieniędzy. Tym bardziej, że nikt nie bardzo wiedział, czy w Polsce w ogóle będzie jakaś własność. To była dosyć ryzykowna inwestycja, ale ja chciałam mieć ten dom. Podobał mi się jeszcze przed wojną, a stary Blum i jego wnuk Abraham Kociołek potrzebowali pieniędzy na drogę do Jerozolimy. No i pewnego dnia pojechali. Józef to nie był przekonany, czy oni dobrze robią, ale Jakub Blum się uparł i postanowił uwierzyć w mrzonkę, tak się twój dziadek wyrażał, państwo Izrael. I co ty tam będziesz robił Jakubie, frasował się. Jak tam wytrzymasz? A co tu będę robił?, pytał go stary Blum i patrzył na twojego dziadka poważnie. Wytwórnię wód gazowanych szlag trafił, miał na myśli bombę, która zamieniła budynki w znaną ci dobrze niebezpieczną ruinę w końcu ogrodu. Wtedy ja powiedziałam Jakubowi, że przecież tam jest tyle słońca, piaski i na pewno wszystkim pić się chce jeszcze bardziej niż u nas. I, że ja, na jego miejscu, otworzyłabym podobną wytwórnię wód gazowanych, o jakiejś wdzięcznej hebrajskiej nazwie. Jakub powiedział mi, że mam głowę do interesów.

– Na pewno – kąśliwie przyznała wnuczka. – Czyli usilnie namawiałaś go do wyjazdu?

– Wcale nie namawiałam – zirytowała się Babka. – Po prostu dobrze radziłam.

– I nie miałaś pretensji do dziadka, kiedy prosił, żeby Jakub Blum nie podejmował pochopnej decyzji?

Babka zamilkła na dobrą chwilę. W końcu jednak wzruszyła ramionami i przyznała.

– Pewnie, że pomysł starego Bluma z wyjazdem, był mi na rękę. Józef z kolei wyciągnął swoje mapy i pokazywał mu, jaka tam jest pustynia, jaki upał, jakie wszystko jest inne od tego, do czego się od urodzenia przyzwyczaił. Jakub miał jednak nadzieję, że może tam nie będą go po nocach męczyły koszmary. Ja na jego miejscu zrobiłabym to samo.

– Coś ci nie wierzę. W ogóle nie masz ciągot do podróży. Czyli nie namawiałaś?

– Żebym tak tu trupem padła, jeśli kłamię – uderzyła się w piersi, aż zadudniło. – I wyszło jednak na moje. Powstało państwo Izrael, jakieś półtora roku od przyjazdu Bluma i Abrahama.

– A gdzie w końcu wylądowali?

– W Hajfie. Początkowo nawet pisali ze sobą z Józefem, ale potem kontakt się urwał… Może Jakub umarł? Wolę jednak myśleć, że tak świetnie rozkręcił swój interes, że po prostu na nic innego nie miał już czasu. Wytwórnia Wód Gazowanych Jakuba Bluma podbiła cały Izrael i najbliższą okolicę. Pili ją wszyscy, i Arabowie i Izraelczycy… Przecież taki brylantowy interes musiał się udać w tych okropnych piaskach i spiekocie. Nie sądzisz?

– Pewnie tak, ale nie zawsze wszystko jest takie proste, jak nam się czasem wydaje, że powinno być… A pamiętasz – zagaiła po chwili Sara – u ciotki Amelki stały na toaletce posrebrzany kielich z hebrajskimi napisami, srebrne świeczniki i w szufladzie drewniane pudełeczko z brylantem, który okazał się cyrkonią. Ciotka zawsze powtarzała, że to nie jej. Dostała na przechowanie od koleżanki Żydówki.

– To prawda – przyznała Babka.

– I gdyby teraz, po tylu latach, jakimś cudem, przyszłaby do nas ta Żydówka, albo jej córka, czy wnuczka, to mogłaby sobie wziąć te pamiątki?

– Oczywiście! Są w piwnicy w pudełku. Amelia zawsze mówiła, żeby po jej śmierci, gdyby ktoś się zjawił…

– Przecież ciotka nie lubiła Żydów.

– A kto ci to powiedział? – żachnęła się Babka.

– Nikt mi nie musiał mówić. Ona też nigdy nic nie mówiła. Teraz dopiero zdałam sobie sprawę z pewnych rzeczy, które w dzieciństwie były dla mnie kompletnie nieprzejrzyste.

– O czym ty mówisz? Amelia bardzo lubiła tę swoją koleżankę.

– No, ją może lubiła…

– To co za historię tu snujesz? – Babka odłożyła nóż i koniecznie chce wiedzieć, o co chodzi Sarze.

– Na przykład przypomniałam sobie ostatnio, że sąsiadki w kamienicy, w której mieszkaliśmy od sześćdziesiątego siódmego, uwielbiały Lilkę a do mnie czuły awersję. Ciotka była z jedną z nich w bliskich relacjach. Ta właśnie, myśląc, że mnie to dotknie, przepowiadała mi niezbyt chwalebną przyszłość lub kwitowała zniechęconym machnięciem ręki – e, z tego dziecka to chyba nic nie będzie. Ale pewniejsze jest, że wcale mnie nie chciała dotknąć, tylko tak po prostu gadała sobie.

– To pewnie dlatego, że zawsze byłaś taka na szpic. Nie uśmiechałaś się do tych starych prukw i dlatego. Lilka za to zawsze była pogodnym i komunikatywnym dzieckiem.

– Wiesz, wcale nie czułam się mocno urażona, tylko powierzchownie, bo wiedziałam, że nie mają racji. Ciekawiło mnie tylko, skąd ta jedna czerpie wiedzę na temat mojej przyszłości.

– Sama widzisz – Babka rozłożyła dłonie. – Każde normalne dziecko czułoby się głęboko urażone.

– Nie zależało mi na przychylności tej sąsiadki.

– Ludziom na ogół zależy na przychylności.

– Tylko się zastanawiałam, dlaczego mnie właściwie nie lubią. Nawet ciotka, mimo swojej miłości do mnie, w to nie wątpiłam nigdy, nie przepadała za mną.

– Jak możesz coś takiego mówić? – oburzyła się Babka. – Amelia bardzo cię kochała. I ciebie i Lilkę. Dałaby się za was pokroić w plasterki. Pamiętasz, jak co roku zabierała was do tego salonu mody dziecięcej Lewandowskiej na Tuwima koło Św. Krzyża i kupowała wiosenne, najelegantsze w mieście płaszczyki, które same sobie wybierałyście?

– Oczywiście. Nigdy tego nie zapomnę. Ja wiedziałam, że ona mnie kocha. Ale niektóre niezrozumiałe sprawy z dzieciństwa, pojęłam dopiero teraz. Na przykład to, jak byłam krnąbrna, albo coś zrobiłam nie po jej myśli, powtarzała z pasją w głosie – ty Żydówko, ty! Wiedziałam z kontekstów, w których pojawiały się te słowa, że to nic, z czego można się cieszyć, ale nie wiedziałam, dlaczego bycie Żydówką jest złe. Stawałam przed lustrem w naszym ciemnym, wysokim korytarzu, włączałam lampę i przypatrywałam się sobie badawczo, starając się odnaleźć w sobie to coś... kogoś, kogo widziała we mnie ciotka. To coś, co niby miało mnie odróżnia od innych, którym określenie „Żydówka" nie przysługiwało. I dlaczego Lilka nigdy „tą Żydówką" nie była? – pytanie Sary nieoczekiwanie zawisło w ciszy, więc poczekała jeszcze chwilę i dalej wspominała.

– Może ciotce chodziło o to, że nie byłam ochrzczona...? – Sara ucieszyła się z odkrytego rozwiązania, ale na bardzo krótko, bo przypomniała sobie, że... – Ale przecież Lilka też nie była! Dopiero późną wiosną sześćdziesiątego ósmego zostałyśmy ochrzczone obie hurtowo u Św. Krzyża... Pamiętam jak dziś. Piękna pogoda była tego spokojnego niedzielnego poranka. Ciepło, ale nie za gorąco i powietrze też pachniało wiosną i czymś zielnym. To pewnie od Parku Sienkiewicza wiał lekki wietrzyk. Lilka miała białe rajstopki i szła częściowo sama, a trochę na rękach mamy, więc musiała już być całkiem spora. Zapomniałam, w co ja byłam ubrana, tylko te rajstopki Lilki, bo się w pewnym momencie przed kościołem przewróciła i mama się zmartwiła, że już nie są takie białe...

– Tak, Ludka potrafiła zamartwiać się takimi pierdołami – wtrąciła Babka.

– I stryj Witold się denerwował, żeby go ksiądz nie spytał czasem z jakiej modlitwy... W ogóle to był duży stres dla wszystkich... – zamyśliła się Sara. – Zatem, jeśli o to jej chodziło, to potem już nie powinna tak do mnie mówić, jak mówiła, a jednak dalej zdarzało mi się słyszeć „Ty Żydówko, ty! ". W ogóle nie było wtedy w mieście Żydów, ani Żydówek. W każdym razie ja ich nie spotykałam.

– Bo to właśnie już było po sześćdziesiątym ósmym – wtrąciła Babka swoje trzy grosze do monologu wnuczki. – Zresztą, wcześniej też przecież ich było niewiele. Olgierd mówił, że u nich w szkole muzycznej przy Jaracza miał tylko jedną koleżankę Żydówkę, a to było jakoś tak chyba na początku lat pięćdziesiątych.

– Czasem w Śródmieściu, na ulicy lub w tramwaju można ich było spotkać. Szczególnie róg Narutowicza i Kilińskiego. Mieli brody, długie czarne surduty, kapelusze i dwa loki przy uszach. Zazwyczaj szczupli. Natomiast nigdy nie widziałam Żydówki. Poza sobą w lustrze, oczywiście... Cokolwiek to miało znaczyć. I dlatego widzisz, myślę z perspektywy tych długich, minionych lat, że ciotka i te sąsiadki, nie lubiły Żydów, ani Żydówek, a ja im chyba je przypominałam i dlatego za mną nie przepadały. A dzieci śmiały się ze mnie, że mamy służącą.

– Niby Amelię?

– Nie wiem, o kogo im chodziło. Może o tę niańkę Lilki, Annę Marię, co cały czas nuciła piosenkę Czerwonych Gitar i twierdziła, że to o niej? Albo o tę starszą później?

– Tę z Łasku, co nosiła takie zamaszyste spódnice? Gaworkowa jej było... Genowefa zdaje się... Tak; Genowefa. Gieniusia na nią wołali.

– Nie lubiłam tej baby. Ciotka chyba też za nią nie przepadała, ale mama nie chciała, żeby się przepracowywała. W każdym razie, rzucałam się na te dzieci z podwórka z pięściami, wrzeszcząc, że wcale nie mamy służącej.

– Jeden gość cię lubił – pocieszająco przypomniała Babka.

– Owszem – przyznała wnuczka i dodała z lekkim przekąsem.

– Podwórkowy wróg publiczny numer jeden.

– Pamiętam go. Mieszkał w samym rogu waszego wielkiego podwórka... Zresztą, czego tam nie było. Dwa małe domki z ogródeczkami, przytulone do wielkich kamienic, jak dla jakichś krasnoludków i prywatna fabryczka opakowań papierowych. I jej dwóch właścicieli. Jeden miał ten szczególny, przedwojenny sznyt... Szpakowate włosy, szczupły. Ubierał się z angielska i jeździł beżowym volkswagenem garbusem. Chociaż ten drugi też niczego sobie, chociaż bardziej zwyczajny. Ten jeździł warszawą. To w ogóle była bardzo porządna kamienica, jakby jeszcze sprzed wojny. A ten interes, zupełnie na przekór wszystkiemu, zupełnie jak moje wytwórnie...

– Trawniki, krzewy śnieguliczek, trzepak i komórki. Cudnie było na naszym podwórku. W upał dozorca podlewał hydrantem trawę i nas, dzieci. A ten, co mnie lubił, mieszkał w jednym z tych domków, tym, przed którym był większy ogródek.

– Za niskim ogrodzeniem rosły bzy, tulipany i okazały, kwitnący przepysznie każdej wiosny, migdałowiec. Miałam taki sam w Łasku. Mój był nawet większy.

– Kwitł co roku jak szalony, rozświetlając na różowo kąt podwórka i wszyscy raz do roku nie mieli w pogardzie właściciela, młodego pijaka, tylko zazdrościli mu przepięknego krzewu. Dzieciaki i sąsiadki zaczynały się do niego przymilnie uśmiechać i prosić, żeby dał zerwać choć jedną gałązkę tego cudu, ale on nigdy nikomu nie pozwolił go tknąć.

– Tylko tobie zrywał bukiet. Ciągnie jednego dziwaka do

drugiego – wzruszyła ramionami, obcinając jednocześnie końce zielonej fasoli.

– Nigdy go o nic nie prosiłam.

– Ale i tak ci dawał.

– Tak i napawało mnie to wielkim, niezmierzonym, rzadkim szczęściem. Mogłam również bawić się na zielonej ławce pod bzami, najpierw sama, a jak Lilka podrosła, to z nią.

– Ten pijak miał piękną żonę – przypomniała sobie Babka. – No, sam też nie był brzydki. Wysoki, szczupły, ciemny blondyn, a ona taka jasna.

– Awanturowali się ze sobą, jak wypili. Niosło po całym podwórku.

– Wszyscy jej potem żałowali, że śliczna kobieta, a takie ciężkie życie ma z tym pijakiem.

– Zupełnie niesłusznie.

– Pewnie, bo ta blondyneczka o niewinnym wyglądzie puszczała się jak tania dziwka z jego kolegami, kiedy spał, albo szedł na zmianę do fabryki.

– Skąd wiedziałaś?

– Ja tam wszystko wiem, jak chcę.

– Wiem. A jak nie chcesz, to nic nie wiesz. Tak jak teraz, że ciotka nie przepadała za Żydami.

– Od razu może powiedz, że była antysemitką – wrzasnęła Babka i z rozmachem wrzuciła garść fasoli do metalowej miski, aż ta się zakolebała po stole jak bąk, dźwięcząc w duecie z wydzwaniającym pełną godzinę zegarem.

– Pewnie, nie było to aż takie głębokie.

– Tylko kurwa mać, jakie? Płytki antysemityzm, podobnie jak płytka uczuciowość. I skąd niby miałaby ten antysemityzm wziąć? Na pewno nie z domu!

– To akurat wiem, ale z domu wyfrunęła bardzo wcześnie i nie wiadomo, czego tam się nasłuchała, czym nasiąkła. Może po prostu przyjęła taki ogólny wtedy punkt widzenia.

– Nie przypominam sobie tego, a Amelia swoją koleżankę Chaję lubiła i przechowała wszystko, co ta jej powierzyła. I wszystko jest. Czeka! Niczego nie brakuje. Ty jesteś trzecim pokoleniem, które pilnuje tych pamiątek.

– Które te pamiątki ma.

– Pilnuje! – zdenerwowała się nie na żarty Babka.

– Skąd wiesz, że wszystko jest?

– Wydaje mi się, że wszystko jest. Pewnie, nie było mnie przy tym, ale zawsze powtarzała, jeszcze przed śmiercią, jak litanię, że jakby ktoś od Chai, albo sama ona się pojawiła, to żeby oddać. Ona nawet ich po wojnie szukała… Bez rezultatu.

– A może w tym drewnianym puzderku było więcej brylantów? – Sara zawiesiła głos i zapatrzyła się w przestrzeń za oknem. – A został jeden, ponieważ okazał się cyrkonią i miał niewielką wartość.

– Amelia była uczciwa! – wrzasnęła Babka.

– Łatwo przez pokolenia pilnować cyrkonii i szczycić się nieskazitelną uczciwością.

– Jesteś wstrętna! Żeś się akurat taka nam ulęgła. Głupoty wymyślasz. Nigdy bym nie przypuszczała, że taką żmiję na własnej piersi wychowam. Amelia też się pewnie w grobie przewraca. – Babka uderzyła w swój płaczliwy ton, który zawsze wychodził jej perfekcyjnie.

– Jak to też? – zdumiała się wnuczka. – To kto się jeszcze przewraca z tego powodu? Daj spokój – dodała zimno. – Zawsze jak coś nie jest po twojej myśli, albo nie masz argumentów, albo namącisz, zaczynasz łzawić.

– Amelia była uczciwa! I nie łzawię. Tylko uczuciowa jestem, w przeciwieństwie do ciebie – doprowadzona do ostateczności Babka zdecydowała się porzucić swoją teatralną pozę. – A nawet jeśli coś sprzedała, to co by to zmieniło? Nikt się przecież po wojnie nie zgłosił, a mieszkała cały czas w tej samej kamienicy. Wszyscy zginęli. Wszyscy z rodziny Cynamonów. Wszyscy! – oczy rzucały na wnuczkę zielone błyskawice. – A poza tym – do błyskawic dołączyły triumfalne gwiazdki – Amelia nie musiała sprzedawać żydowskich brylantów!

– Dlaczego? – zainteresowała się Sara.

Babka postanowiła ją trochę przetrzymać.

– Wstaw wodę na herbatę! Suszy mnie z tych nerwów. Jaka ty jednak kłótliwa jesteś! I taka... nieżyciowa. Otwórz no słoik z konfiturą... Nie tą... po lewej... truskawkową. Coś słodkiego bym zjadła. Stres tak na człowieka działa i cukrzyca daje o sobie znać.

– Przecież nie masz cukrzycy. Pielęgniarka ci wczoraj mierzyła. Widziałam wydruk. Miałaś być tylko na diecie. Jak zwykle.

– Wczoraj nie miałam, a dzisiaj mam, bo mnie zdenerwowałaś. No dawaj ten słoik!... I łyżkę!... Dobre! – przymknęła oczy w poczuciu doskonałego błogostanu. – Całe owoce... – wymruczała. – I wcale nie takie słodkie. Ja nigdy za dużo cukru do konfitury nie daję. Spróbuj – zachęciła wnuczkę.

– To jakim cudem się trzymają? – spytała sceptycznie Sara.

– A mam swoje sposoby – powiedziała tajemniczo.

– Ciotka cię nauczyła. Pamiętam jak je mieszała w Łasku.

– A mieszała. Może ci kiedyś powiem. Oczywiście, jak nie będziesz taka wredna i czepialska.

– Dobra, co z tą ciotką?

– Dzisiaj to mi się za bardzo nie chce wspominać.

– No wiesz!

– No dobra. Narzeczony Amelii miał niesamowitą smykałkę do handlu.

– Pamiętam historię z tym młodym Ukraińcem. To podobno wielka miłość była.

– No tak. Mimo, że był od niej – Babka zastanowiła się głęboko i szybko w pamięci obliczyła – no, wychodzi na to, że ze dwadzieścia lat młodszy. Przystojny jak grzech. Nie dziwota, mówię ci, że ciotka głowę dla niego straciła. Nooo! – pokiwała głową z uznaniem dla fizycznych cnót szwagra. – Wdową przecież już dobrych parę lat była, a tu zjawia się takie męskie bóstwo, trochę co prawda przaśne, ale piękne. W dodatku z dzieciakiem małym na ręku, a przecież wiesz, że własnych nie miała. A co ciotka ci opowiadała?

– Nigdy nic nie chciała o sobie opowiadać… w przeciwieństwie do ciebie. Nawet bajek nie opowiadała, tylko mruczała zawsze coś pod nosem do siebie, odprawiając te swoje czary mary nad garnkami. Mama mi coś w skrócie przekazała i ty. Jak to właściwie było? Nawet Miki nie jest dobrze zorientowany.

– Jak Miki może być zorientowany, skoro miał raptem półtora roku, jak się pojawił razem z Tarasem w życiu Amelii, no i naszym.

– Pojawił się tak ni z gruszki?

– Prawie. Kończyła się wojna i mnóstwo ludzi wędrowało z miejsca na miejsce, szukając rodziny albo swojego miejsca na ziemi po tym, jak wszystko stanęło na głowie i zaczynało się na nowo układać. Taras był dosyć tajemniczą postacią. Nie wiadomo, czy to żołnierz, czy wojenny włóczęga, cholera go wie. Nie, nie wiem, gdzie się spotkali. Może na ulicy zaczepił ją i spytał o coś. Może chciał jej coś sprzedać na rynku. Nie pytaj mnie. Nie mam zielonego pojęcia, bo siostra stawała się wtedy skryta do przesady. Z początku myślałam, że to z powodu różnicy wieku, ale potem okazało się, że nie. W każdym razie, zakochała się na amen. Przynieś no stolnicę. Ciasto na pierogi trzeba zrobić. Farsz jest w lodówce.

Sara migiem przyniosła z piwnicy stolnicę i z powrotem usadowiła się przy stole.

– A on w niej?

– A wiesz, że wyglądało na to, że też. Nie wiem, co go w niej pociągało. Chyba ta jej kruchość, blada, delikatna cera i wielkie niebiesko-szare oczy. Ten jej elegancki koczek, w jaki zwijała swoje długie, ciemne włosy nisko na karku. Być może początkowo niczym go nie urzekła, tylko jej potrzebował z tym maleńkim dzieckiem w wojennej zawierusze bez domu, bez niczego? W każdym razie potem na pewno ją już kochał. – Babka stanowczo podkreśliła ten fakt mocnym kiwnięciem głowy i zdecydowanym zakasaniem rękawów. – Mąkę mi podaj i jajka z lodówki. Ciasto wyrobimy cienkie jak pergamin, co ja mówię, jak muślin. I zawiniemy w nie mój pyszny farsz mięsny z borowikami. Zobaczysz, takich pierogów nawet w najlepszej restauracji nie zjesz. Jakbyś gdzieś jagnięciny dostała, to bym kołduny litewskie zrobiła.

– Dostanę. Kołduny dobra rzecz. Parę lat już nie robiłaś. A skąd wiesz, że ją kochał?

– Takie rzeczy się widzi i basta. Pewnie się dopasowali seksualnie. No i potrzebni sobie byli nawzajem.

– A Miki był jego synem?

– Nie. Znalazł go gdzieś po drodze i przygarnął. Zdaje się, że w Warszawie. Może i jego był nawet, tylko niepodobny zupełnie. Taras, chociaż chachment, dobre miał serce, opiekował się małym jak umiał, ale dopiero Amelia odkarmiła Mikołaja jak należy, bo zabiedzony był straszliwie. Patrzył wielkimi, ciemnymi oczami z wychudłej twarzyczki. Ludka się z niego strasznie cieszyła, bo przecież rodzeństwa nie miała. Taras twierdził, że mały nazywał się Mykoła Fuks, ale nie wiem, czy czasem nie żartował sobie. W każdym razie potem i tak nie można go było o to spytać.

– Dlaczego?

– Bo zginął.

– No tak, pamiętam.

– Zginął zasztyletowany. Nie jak cham ugodzony nożem, ale po pańsku, zasztyletowany.

– A skąd wiesz, że zasztyletowany?

– Od siostry, a ona z raportu od milicji. Interesujące, nie sądzisz? – wydyszała znad stolnicy, wałkując z pasją i patrząc znacząco na wnuczkę.

– Wyrafinowane. Daj, powałkuję.

– Nie potrafisz tak cienko jak ja... Wyrafinowane... A jakże! Właśnie takie. Tylko, że nikt nie wiedział, w co się wplątał młody Taras.

– Nawet ciotka?

– Ona, jeśli nawet coś wiedziała, nie pisnęła ani słowa i tajemnicę... – Babka mimowolnie ściszyła konspiracyjnie głos – zabrała do grobu.

– I Miki też nie...?

– Ani dudu. Podsyp trochę mąki, bo się lepi. I tak Amelia została sama z dzieckiem. Strasznie przeżyła nieoczekiwaną śmierć kochanka, bo przecież cały czas myślała, że to on ją pochowa, jak by co. A tu... Jak to nigdy nic nie wiadomo. I tak dobrze, że został jej na pamiątkę Miki. Nazwisko dała mu swoje, Stępień, po swoim zmarłym na płuca mężu, bo tak było łatwiej, a i tak nie wiadomo, jak się naprawdę nazywał.

– Zawsze się zastanawiam, czyj naprawdę jest nasz Miki?

– Narodowościowo?... Może Ukrainiec?

– Polak, Żyd, Rosjanin, nawet Niemiec. Wszystko jest możliwe.

– Na Nordyka to on raczej nie wygląda. Tylko kogo on teraz przypomina? Najbardziej tego gościa z filmu, co go chłopcy oglądają... Ajgora?

– Nie przesadzaj.

Zegar na ścianie zaczął wybijać kolejną godzinę i Babka zarządziła wstawianie wody i lepienie pierogów.

– No, ale najbardziej przylgnął do naszego ojca.

– Przylgnął, nie wiedzieć czemu – wzruszyła ramionami, jakby zdziwiona. – Zresztą Amelia też Gustawa bardzo lubiła, z wzajemnością.

– Pamiętam, jak gotowała wszystko to, co lubił.

– Dzwonek. Wraca Lilka z dziećmi ze spaceru. Podgrzej zupę, a ja doprawię, bo pewnie niesłona. Ino czekać Alka.

Babka była w swoim żywiole odprawiając obiad, tak jak ksiądz mszę świętą. Zupa jarzynowa, pachnąca i gęsta parowała z talerzy, nałożona jej hojną ręką. Rodzina jadła, zachwycając się jej smakiem, a Babka siedziała u szczytu stołu pod zegarem, wybijającym akurat donośnie godzinę czwartą po południu, i przyjmowała z godnością należne jej przecież hołdy.

– Podsyp dzieciom zielonego – rozkazała Lilce.

– Same sobie wezmą, jak będą chciały.

– Dzieci same z reguły nie chcą zielonego – stwierdziła stanowczo Babka. – I dlatego trzeba im podsypywać.

– Ja chcę – poprosiła Ania córka Lilki.

– I ja, skoro to takie zdrowe, jak mówi babcia – jej brat Kasper też chciał jeszcze koperku.

– A ja nie chcę, bo nie lubię – oświadczył stanowczo Wojtek.

– Ja też – zgodził się z nim wyjątkowo jednomyślnie Mateusz.

Przy pierogach, omaszczonych duszoną na złoto cebulką i surówkach, Sara i Babka wróciły do swojej wcześniejszej rozmowy.

– A od kiedy Mikołaja zaczął prześladować ten straszliwy pech? – spytał Aleksander.

– Od samego początku – rozpoczęła Babka i natychmiast zrobiła krótką przerwę na łyknięcie pieroga. – A to wypadł z wózka, a to wylał na siebie gorącą wodę, skąpał się w balii z praniem i o mało nie utopił… A zachłystywał się jedzeniem chyba ze cztery razy dziennie, tak, że aż siniał. Czasem myślę, że przez to Amelia miała takie słabe serce. Nawet jak szła z nim na rynek, wiesz, ten przy Placu Barlickiego, to tak się zawsze nachylił do beczki z kapustą, że do niej wpadał – powiedziała Babka, nieproszona dokładając mu kolejną porcję pierogów.

– Pamiętam – wtrąciła Sara. – Opowiadał mi kiedyś, jak wpadł do beczki z solonymi śledziami. Ciotka akurat płaciła za coś na straganie obok, a handlarz ryb był czymś zajęty i nikt przez dobrą chwilę niczego nie zauważył. Dopiero jak zaczął wierzgać, nie na żarty podtopiony, przepełniony wstrętem, bo nienawidził ryb i brzydził się nimi tak straszliwie, że aż wymiotował, rzucili się na jego chude nóżki, sterczące z wielkiej, drewnianej beki i wyciągnęli, ociekającego śmierdzącą solanką, wrzeszczącego z bólu i przerażenia, bo oczy go piekły niemiłosiernie, a z ust zwisał śledź.

– Błe! – otrząsnęły się dzieci.

– No – kiwała głową, w pełni podzielając ich odczucia. – Tłusty, lśniący srebrem i niesamowicie gładką skórą. Właśnie ta rybia gładkość i śliskość, mówił, była źródłem największego wstrętu, najbardziej nasyconych odrazą dreszczy. Rzygał chyba ze trzy dni i od tego czasu piekło zaczął utożsamiać z ciemną, pełną dotknięć, wijących się obłych, rybich kształtów, śmierdzącą szlamem ciasną przestrzenią.

Dzieci wykrzywiały się i zaczęły odsuwać od siebie talerze z pierogami.

– Przestań już! – huknęła na wnuczkę Babka.

– Zaraz, zaraz, przecież ja lubię śledzie – zreflektowała się Ania i przyciągnęła z powrotem do siebie talerz. – Ale ty ciociu tak opowiadasz, że mi się słabo zrobiło.

– I co dalej? – domagał się Kasper.

– I nic – powiedziała twardo Babka. – Jedz!

– Przecież znasz te historie.

– Niby znamy, ale za każdym razem jest trochę inaczej... No i każdemu jeszcze coś ciekawego się przypomina – poparła brata Ania.

– W każdym razie, Miki do dnia dzisiejszego nie znosi śledzi i jeszcze czasem prześladują go w sennych koszmarach – uzupełniła, chcąc zakończyć nieapetyczny temat Babka.

– Pojawiają się zazwyczaj, kiedy znowu ma mu się coś przykrego przytrafić – ciągnęła nieustępliwie Sara.

– Tylko, że te ostrzeżenia na nic mu się nie zdają – mruknął Aleksander.

– Nieprawda – zaprotestowała Lilka. – Od czasu, kiedy się zorientował, że to sygnał, częstotliwość uszkodzeń zmalała.

– To co? Z domu wtedy nie wychodzi? – spytał Wojtuś.

– Okazało się, że niby przezorne niewychodzenie nie pomaga, bo kiedyś właśnie tak postanowił przeczekać niebezpieczeństwo. Został w domu, czytał gazety, telefonował, pełen relaks. Wieczorem nawet chciał iść wcześniej spać. Wziął prysznic i wtedy właśnie, zupełnie niespodziewanie, wypadło okienko, to co jest nad wanną. Oczywiście na niego. Nie wiadomo jakim cudem, ale zmieściło się precyzyjnie na wysokości ramion, kalecząc mu boleśnie skórę. Jego ówczesna żona przybiegła szybko, zwabiona krzykiem i zastała go stojącego nago w wannie skrępowanego tym maleńkim okienkiem, krwawiącego obficie w kałuży wody i rozbitego szkła.

– O mało się wtedy na śmierć nie wykrwawił – przytaknęła Babka. – Ale na szczęście pogotowie prędko przyjechało i go uratowali. Stracił tylko kawałek ucha, bo jak szyba z okna przebijała się przez niego, to musiała się chyba natknąć na te jego odstające ponad miarę uszy. I tak dobrze, że tylko jedno ucierpiało.

– Brak kawałka ucha to chyba taka pamiątka od losu, żeby pamiętał, że nie da się go przechytrzyć – skomentowała Lilka.

– Oj, ty to zawsze dopatrujesz się jakichś czarów – prychnęła Babka.

– A co, może nieprawda?

– Pewnie, że nie. Jakby pamiętał, że okienko osadzone jest na zmurszałej ramie, to by nic się nie stało i miałby oba odstające uszy, a nie jedno, które idiotycznie sterczy i owszem przypomina, że o swój dom trzeba dbać i nie zaniedbywać swoich obowiązków, bo przez jakąś stosunkowo banalną sprawę, można stracić życie.

– No tak, ale od tego wypadku Miki jakoś jest mniej wypadkowy – upierała się Lilka.

– Bo uważa! Policzył swoje kończyny, co mu jeszcze zostały i inne organy i doszedł do wniosku, że musi uważać – zaśmiała się Sara.

– Uważa i nawet jeżeli coś się przytrafia, to dzięki snom, potrafi się w porę wywinąć. Dzięki temu od jakiegoś czasu odnosi tylko drobne obrażenia.

Panie Boże, zaczęła swój przedsenny, rytualny pacierz, bardzo ci dziękuję w imieniu całej rodziny za to, że dałeś nam Mikołaja Fuksa po Amelii Stępień i że chronisz nas od wszelkiego złego. Proszę cię również, żebyś był bardziej skuteczny w tych snach ochronnych, co na niego zsyłasz, żeby umiał się zachować w nieszczęściu. I bardzo cię proszę, żeby mnie ta niedoczynność wieńcowa tak nie męczyła i żeby Sara tak mi nie pyskowała. Ojcze nasz... I żeby mi dali podwyżkę emerytury, bo już ze dwa lata nie dostawałam... któryś jest w niebie, święć się imię...

Zawieszona między jawą a snem, Eleonora chodzi po swoim domu w Łasku, gdzie zna każdą deskę, każde skrzypnięcie drzwi, kapanie z kranów i wycie psującej się pompy w piwnicy. Zamyka oczy i już tam jest, zupełnie jak jej prawnuki, buszujące po wirtualnym świecie gier, tak ona codziennie od trzydziestu paru lat żegna się ze swoim, nieistniejącym już domem, obchodząc wszystkie jego kąty, pokoje i inne pomieszczenia, wymiatając po drodze wspomnienia skrupulatnie i do czysta. Sprawdza, czy się jeszcze gdzie jakie nie zawieruszyło, ale nie, bo pamięć ma dobrą, więc może co najwyżej przeglądać wszystko w te i nazad, za każdym razem kontemplując jakiś inny drobiazg, szczegół, do tej pory uważany za nieistotny. Na przykład taka piwnica, jej łaska piwnica... Ludka bała się sama schodzić do piwnicy. A i Sara robiła to niechętnie, chociaż lubiła szperać po zakamarkach. Dlaczego? Czy dlatego, że było tam ciemno? Nie. Piwnice były wielkie, o wysokich sklepieniach z dużymi, wpuszczonymi w betonowe studnie, zabezpieczonymi solidnymi kratami oknami. Ona sama nigdy niczego się nie bała. Może te historie wojenne tak na nie działały. Niepotrzebnie im opowiadała o tym niemieckim żołnierzu, co się w kopcu marchwi ukrył ze strachu przed sowietami. Tuż po wojnie zeszła na dół i nic specjalnego nie zauważyła. Kiedy zeszła tam drugi raz, zaświeciła lampką głębiej i zobaczyła sterczący z marchwi but. Wyciągnęła rękę i pociągnęła. Dlaczego to zrobiła? Do tej pory nie wie. Taki chyba odruch... Dźwięk, który usłyszała był lepki i mazisty... ślup, klap i prawie jednocześnie uderzył ją smród, który na moment zablokował wszystkie inne doznania, wyczyścił umysł z jakiejkolwiek, najgłupszej nawet myśli. Zanim dotarło do niej, co odkryła, odsunęła kilka marchwi i w nikłym świetle zobaczyła sukno munduru. Złapała się za usta, a przecież w przeciwieństwie do córki nie była przesadnie obrzydliwa. Mimo to, wymiociny spłynęły między palcami w zwolnionym tempie... Chyba niepotrzebnie im o tym mówiła. O tym żołnierzu, co go postrzelili i ukrył się w piwnicy, żeby sobie spokojnie w niej umrzeć. Zresztą, kto go tam wie, czy spokojnie umierał... Zależy, na jaką sobie śmierć zasłużył tą wojną. Może rzeczywiście spokojnie odchodził, mając przed oczami swoją żonę i dzieci, może postawiony w szeregu z innymi oprawcami, jakoś zachował w sobie to coś, co mu pozwoliło spokojnie odejść. A może nie? Lena skupiła wtedy myśl na człowieku, który skonał w jej i Jakuba Bluma piwnicy. Może to właśnie on pastwił się nad Żydami z jej miasteczka, jej dobrymi znajomymi? Zapamiętał się w barbarzyństwie i kiedy umierał samotnie w jej piwnicy, to oni wszyscy do niego przyszli, przypomnieć, żeby czasem nie myślał, że się tak łatwo wywinie zagrzebany ze strachu w tym kopcu pod schodami. I co on sobie właściwie wyobrażał? Że wydobrzeje? Co? Przeczeka w piasku, nawet się ukorzeni, rany się zabliźnią i za jakiś czas wyjdzie odmieniony na słońce i przemknie niezauważalnie gdzieś daleko? Może nic nie był w stanie myśleć, tylko w panice wpełzł między tę marchew i pietruszkę, zastygł w poczuciu krótkotrwałej ulgi, kiedy ucichły strzały a odgłosy gonitwy oddaliły się... I wtedy przyszli do niego oni..., żeby się przypomnieć... I zanim wyzionął ducha, zwariował z przerażenia... Tak było!

No tak, mogła im nie mówić... Ludka miała pretensję, że zmyśla, bo faktem było tylko znalezienie zwłok martwego, niemieckiego żołnierza, nawet nie oficera...

Tylko, że Lena wie, że to właśnie był oficer, wysoki rangą, ubrany w mundur prostego szeregowca... Taki to zawsze więcej może nagrzeszyć niż zwykły żołnierz, co to nie ma nawet możliwości, chociażby i chciał. To ciekawe, jak to się liczy, kiedy nie grzeszymy nie z dobroci serca, a z braku możliwości... Tylko, że ten akurat miał i dlatego tak zdychał w kopcu... Długo to trwało... strasznie... Ona to po prostu wie. Teraz już jest czysto. Nie ma się czego bać. Naprawdę.

Obrzydliwa nie była, ale marchew kazała przebrać i wynieść z piwnicy, mimo że nie bardzo mieli co jeść... Dlatego jej nie wyrzuciła tylko zużyła w gospodzie, co nią od niedawna kierowała i miała straszne problemy z zaopatrzeniem.

Babka z wściekłością łomoce garnkami.
– Aleksander! Ścisz to cholerne radio, albo chociaż telewizor! – krzyczy w końcu. – Przychodzita, kiedy chceta, a ja przez całe życie nic, tylko odgrzewam i odgrzewam bez końca. Kurwa mać! Już mam dosyć tego pierdolonego gotowania. A potem marudzą, że gruba jestem. Jak mam nie być, skoro ciągle przy kuchni stoję, muszę próbować i przez to taka chora jestem. Z tych nerwów jem. Wyłącz radio, powtarzam. Gdzie oni są?
– Zaraz, zaraz, ale to przecież takie ważne... takie przełomowe. Poszli do ortodonty. Babcia sobie wyobraża... Możemy teraz przez każdą granicę bez paszportu... Absolutna, niczym nieograniczona wolność.
– Pieniędzmi ograniczona, pieniędzmi.
– Oj, babcia tak zawsze...
– I dokąd to się wybierasz?
– No, nie żebym zaraz jechał, ale ta potencjalna możliwość, że mogę, że jestem wolnym człowiekiem – zapatrzył się przed siebie. – Po prostu mogę.
– Wcześniej też jeździliście!

– No tak, ale teraz możemy swobodniej, jeszcze swobodniej niż od osiemdziesiątego dziewiątego, zupełnie jak do Łasku. Czy babcia to czuje?

– Pewnie, że czuję, demencji starczej jeszcze nie mam, ale już odporna jestem na te ciągłe zmiany i nie przeżywam jak wy. Moje prawie sto lat chroni przed ekscytacją Schengen i innymi… Dla mnie i dla dzieci to normalne.

– Tak, to ciekawe! – zamyślił się Aleksander, ściskając w objęciach trzy dzienniki.

Babka wzruszyła ramionami. Znowu to samo. Gustaw był identyczny, jeśli chodzi o politykę, ale już przez Ludkę, jej córkę, sprawy wielkiego świata jakoś tak przelatywały bez specjalnych refleksji. Jakby co innego było dla niej ważniejsze. A zięć, a jakże, jeszcze przed śniadaniem pędził do kiosku i kupował wszystkie dostępne gazety. A szczególnie, jak się „Wyborcza" pojawiła. To dopiero była radość z wolnej gazety. No, inne też kupował i porównywał… Właściwie to wszystkie kupował. Dzisiaj to by pewnie zbankrutował, gdyby chciał każdą mieć. Zresztą, po co? Mało to wiadomości dają w radiu i telewizji? Gustawa już nie ma, jej córki Ludki też, odeszli za szybko, ale przyzwyczajenia zostały, nic pod pewnymi względami nie zmienia się, jakby to gdzieś krążyło. I tak Aleksander, jej młodszy zięć z następnego pokolenia, ojciec jej prawnuków, codziennie przegląda pliki gazet i na okrągło ogląda kanały informacyjne. Gustaw też by oglądał. A ile by miał czytania! Tyle szczęścia go ominęło, tyle szczęścia. No, nie można powiedzieć, wolnej Polski się doczekał i Ludka też, ale wejścia do NATO już nie i do Unii też nie… No cóż, tak to już jest. Tylko trochę żal…

Jakie to ma zresztą dla niej osobiście znaczenie, że może tylko ze swoim nowym dowodem, tym plastikowym gówienkiem, udać się w podróż po całej Europie, skoro od lat nie rusza się właściwie zza tego stołu. Parę kroków po kuchni, do pokoju, do salonu, do furtki, a i to tylko wtedy, kiedy się dobrze czuje. Czasem do ogrodu, ale i tak najczęściej ogląda go z okien. Jego zmienność w niezmiennej regularności pór roku. Nie jest taki, jak powinien. Tak, mój ogród nie jest taki, jak powinien – podkreśliła w myślach „mój", bo to, że jest jej, nikt nie ma żadnych wątpliwości. Jest mimo wszystko spokojną przystanią i jednocześnie ciężkim więzieniem... A poszłoby się przed siebie daleko, daleko, aż za Warszawską, a może nawet za sklep... A jeszcze dalej... to tylko w snach.

Ale jak się tak siedzi z rana przy stole po śniadaniu ze świeżym jajkiem na miękko, albo lepiej dwoma, bez majonezu, z samym świeżym masełkiem, żeby nie zabić smaku i odrobiną dopiero co zmielonego pieprzu, po dobrej kawie, to taką moc w sobie czuje, taką moc, energię, że mogłaby góry przenosić, ogród pod grządki warzywne skopać, Łask odwiedzić, a nawet tę całą Europę... Zapiera się o stół, zbiera w sobie, wstaje i wtedy jej moc ucieka i chowa się ze wstydu za gruszę za oknem, a czasem aż za kompost, a ona ledwo stoi oparta o ten stół, co jest i stołem i laską. A moc nie jest żadną mocą tylko jej wyobrażeniem, co przechowało się w głowie i nigdy nie umiera... Interesujące, można powiedzieć, że człowiek w duchu swoim ma zawsze najwyżej... no tak ze dwadzieścia lat, niezmiennie, a ciało, niestety, ulega czasowi w sposób okrutny i ten młody umysł patrzy z przerażeniem na swoją sponiewieraną przez lata powłokę, na nieodwracalne zmiany. Dom duszy ulega przemianom, a ona nie może na to nic poradzić, chociaż podobno jest nieśmiertelna. Tak, to bardzo wyrafinowane, wręcz brutalne dręczenie ludzi przez Boga. Nie mogła mu tego wybaczyć, choć starała się zrozumieć. Może chodzi o to, żeby się powoli odzwyczajać od życia, żeby się do niego zniechęcić, ale to przecież niemożliwe. W każdym razie, nie udała się ta starość Panu Bogu, nie udała...

Sara gdzieś czytała, że ludzki mózg wykorzystuje jedynie część potencjału. Więc pewnie, gdyby pracował pełną mocą, poradziłby sobie z chorobami i wiekiem. Na pewno! Uzdrowiłaby swoje wielkie ciało i poleciała do jakiegoś wielkiego sklepu, gdzie robią zakupy, ale jeszcze nigdy nie kupili wszystkiego, tak jakby sobie tego życzyła, a potem obejrzałaby sobie ten nowy świat dokładnie i założyła nową Wytwórnię Wód Gazowanych albo czegoś innego.

A zresztą, co jej po tym świecie? Przecież nie ma potrzeby, żeby tam lecieć. Co innego Sara i Alek. Ich zawsze gdzieś gna, szczególnie ją. Od dziecka taka była... trudna. Do niej, do Leny, świat sam przychodzi. I nawet nie ludzie, co tu się przed jej nosem po kuchni przewijają. Wystarczy telewizor włączyć. Nie dalej jak wczoraj oglądała film dokumentalny o dwóch starych kobietach z Tajlandii. Codziennie rano wyruszają w pola szukać pracy. Jedna, odrobinę młodsza niesie ze sobą wielki, chyba aluminiowy czajnik z przegotowaną wodą ze szklanką na wydatnym dziobie. Takie to swojskie, jakby tutejsze, tylko starowinki, zupełnie do naszych niepodobne, ani z twarzy, ani z ubrania, chociaż ubiory ładne mają, kolorowe, bardzo kolorowe, ona też lubi takie żywe barwy. Nasze staruszki noszą brązy, albo czernie. Okropność! Nawet przyjaciel jej wnuczek, co ubrania projektuje, zgodził się z nią w tej kwestii, że brązowy to nie kolor. A przecież kto jak kto, ale on się zna, bo szkoły artystyczne kończył. Ona nienawidzi ponurych ubrań i tych beretów. Kto to widział, żeby takie rzeczy na głowy wciskać i jeszcze narzędzie walki politycznej robić, żeby z tym szaleńcem w sutannie się solidaryzować... Wędrują tajskie kobieciny przez wioski i pola, pytają, czy kto pracownika nie potrzebuje, bo na chleb muszą zarobić. Ciężka dola. Oj, ciężka. Ale koguty pieją zupełnie jak w Łasku, swojsko, ptaki odzywają się tak samo i wielki czajnik jak w jej kuchni z widokiem na tamten ogród, co był taki jak trzeba.

Opowiadała Olga, co do sąsiadów przychodzi, że u nich na Ukrainie też strasznie ciężko starym ludziom. Na chleb muszą pracować, żeby żyć, a nie żeby sobie polepszyć, bo po całym życiu ciężkiej pracy dostają grosze, które na nic nie wystarczają. Teraz będą mieli jeszcze gorzej... po Schengen, kłopoty z wizami, nie dorobią. Dla jednych radość, dla drugich zgryzota.

A przecież, zamyśliła się głęboko, o mały włos, o mały, mogłaby teraz biedować z ukraińskim paszportem, gdyby jej mąż Józef został na ziemi, co mu ją marszałek Piłsudski podarował za lata wojowania w legionach. A kto wie, czy by w ogóle miała jakiś paszport? No, ale Józkowi nie spodobało się uprawianie roli na żyznej Ukrainie i wrócił... Wracał parę lat przez Rumunię. Nie spieszyło mu się wcale. Też go ten cały świat ciągnął. A może coś go tknęło? Jakiś moment jasnowidzenia, co otwiera czasem oczy, a czasem zamyka, to też trzeba otwarcie przyznać i pozwala uniknąć zagrożenia, albo wprost przeciwnie, wyciągnąć parszywy los. Inaczej, kto wie, jak potoczyłyby się ich losy?

– Babciu, jadę po nich. Będziemy za jakąś godzinę – zawiadomił ją Aleksander.

– Ano jedź, ino wróćta szybko, bo już bym pozmywała i ogarnęła – Babce wróciła złość na rodzinę.

– Masz gościa, twoja przyjaciółka przyszła, nie będziesz się nudziła – anonsuje panią Stenię Aleksander.

Jaka tam z niej moja przyjaciółka, myśli Babka i wzrusza ramionami. Ciągle się wykłóca i wszystko chciałaby wiedzieć. O każdym członku rodziny. Co, jak i kiedy, dokładnie i po kolei. Ona to rozumie, no bo co w końcu można robić na emeryturze? Ględzić w te i nazad, opowiadać, wspominać... No, ale przecież obowiązuje jakaś zasada podstawowa, żeby nie powiedzieć, święta zasada wzajemności. A Stenia owszem, wyciągnie ze szczegółami, co i jak, ale sama to tylko jakimiś, nic nie wnoszącymi ogólnikami rzuca, bez żadnej intrygującej treści i bez większego znaczenia. A ona zawsze opowie, co w trawie piszczy. Mało tego, powie jeszcze więcej, żeby się pani Stenia cieszyła, żeby zapełnić czas między obiadem a kolacją. Zawsze miała lekką rękę do mówienia więcej... Ludkę to denerwowało, a nawet bezczelna, potrafiła zarzucić kłamstwo... Jej, matce... kłamstwo!... I intrygi... Co to było, kiedyś po tej awanturze... aaa, że mąci... E tam, jakie tam mącenie... Tak

się czasem coś nieopatrznie wymykało… wymyka. A ludzie teraz
to się tak drażliwi zrobili, że już nic nie można powiedzieć, roz-
rzewniła się nad sobą. Wtedy też, jak Ludka, albo Sara… albo Lilka
miały pretensje, też się użalała nad sobą i obrażała. Żeby czuły się
winne… Z reguły pomagało…

– To co tam pani Steniu słychać? – zagaiła uprzejmie.

– Coś mnie dzisiaj głowa boli – zwierzyła się pani Stenia.

– A jak mnie dzisiaj głowa boli! – jak zwykle próbowała ją
przebić Babka. – Aż mi przed oczami latają takie białe kłaczki…To
pewnie z bólu… A pani patrzy, jakie dziś mam oczy – całkowicie
przejmuje inicjatywę.

Żywe i wyraziste, zielone oczy zamierają, pokrywają się mgłą,
powieki opadają ciężko, mięśnie twarzy wiotczeją, a z piersi wydobywa się głuche westchnienie umierającego. Pani Stenia czuje
mróz wzdłuż kręgosłupa.

– Pani Leno, to może lekarza wezwać? – pyta wystraszona.

– E tam! – macha ręką, a wzrok błyskawicznie wraca do stanu
poprzedniego. – Akurat mi lekarz pomoże. Na starość kochana pani
Steniu nie ma rady – kończy raźno. – To co tam u pani słychać?
Poza tym, że panią głowa boli?

– Moi po Wigilii wybierają się w góry na narty, na Słowację,
to trochę spokoju będzie… Przynajmniej w domu… Bo sama pani
widzi, co się dzieje…

– Co się dzieje? – Babka jest czujna.

– Jak to co? Tusk złodziei wypuszcza. Znowu będzie jak dawniej.

– To znaczy przed Kaczyńskimi? – pyta słodko Eleonora.

– E, nie ma co z panią gadać. Przecież wiem, co myślicie. Zawsze na komunistów głosujecie!

– My na komunistów!? – ryczy rozwścieczona Babka.

– A co. Unia Wolności, Partia Demokratyczna jak się zwało,
tak się zwało, ale to przecież komuniści.

– Czy pani jest mądra?

– Pewnie, że jestem mądra. Przecież rozwiązuję krzyżówki!

– A to ci dopiero dowód mądrości! Co mi pani będzie od komunistek wymyślała? Wszyscyśmy w tym po uszy tkwili. I pani i nasze obecnie sąsiady i ja i mój świętej pamięci zięć, co się ze mną całe życie o politykę spierał, wszyscyśmy wkręceni byli. Nawet te dziwolągi, co ich pani tak uważa!

– My nie!

– Jak to nie? A kto kariery w PRL-u robił? Teraz jak można na wszystkich psioczyć to wszyscyśta tacy w gębie mocni. Ale wtedy to każdy cicho siedział, na wybory grzeczniutko chodził.

– Ja nie chodziłam! – gwałtownie zaprzeczyła sąsiadka.

– Jak to pani nie chodziła? To kogo ja spotykałam w szkole przy urnie? Pani praworządnego ducha? A teraz i Michnik i Kuroń i Wałęsa to są zdrajcy i Żydy, chociaż to oni po więzieniach siedzieli i walczyli. A pani jak z komuną walczyła?

– Gdyby nie papież, nic by nie zrobili, bo się z nimi dogadali! I nie będę z panią więcej rozmawiała, bo zawsze takie mam nerwy na panią. Do widzenia! – pani Stenia prawie wrzasnęła i wyszła trzasnąwszy drzwiami.

– A idź. Krzyżyk na drogę – westchnęła Babka, poprawiając się na krześle. – I tak przylecisz po przepis na drożdżowe… Jak co roku przed świętami. I tym razem dobrze się zastanowię, czy ci dać, obłudnico. Telewizor sobie włączę i będzie mi bez ciebie przyjemniej – wzrusza ramionami.

Babka słucha uważnie programu na jakimś podróżniczym kanale i powtarza z niedowierzaniem, Grupa Wsparcia dla Żyraf i Antylop, nie do wiary… przy Amerykańskim Towarzystwie Ogrodów Zoologicznych… Grupa Wsparcia… dla Żyraf i Antylop, delektuje się powtarzając z rosnącą uciechą. Pewnie żrą lepiej niż niektórzy ludzie i żyją bardziej higienicznie, dzięki tej grupie wsparcia. Świat zwariował... albo powoli wariuje. A może to jednak jakiś kabaret, ale nie, naprawdę widać, jak wymiatają gówna spod żyraf, z pełnym, trzeba przyznać zaangażowaniem, spod żyraf, antylopy muszą chyba poczekać. Zadziwiające, jak ludzie nie wiedzą, co począć ze swoim wolnym czasem. Ona rozumie sadzić kwiatki, albo lepiej coś jadalnego, ale żeby gówna i to spod żyrafy, bo żeby jeszcze spod jakiegoś pożytecznego bydła to jeszcze... No, ale trzeba im, tym żyrafom przyznać, że walory dekoracyjne mają bezdyskusyjne, chociaż ona woli na przykład takiego kota, który jeszcze na dodatek mysz złapie, albo nogi wygrzeje. A mówią niektórzy, że na zdrowotność pomaga, bo jakieś złe promieniowanie pochłania... czy coś.

O, wreszcie wrócili, nawet Sara, chociaż ostatnio po nocach nawet pracuje i lepi te swoje potworki. No, ale nominację do Oskara dostała ostatnio ta ich fabryka Se-Ma-For za „Piotrusia i wilka", to może i się opłaca. Teraz coś robi z plasteliny. Powiedziała, że się zdziwi, jak zobaczy. Co się ma dziwić, za stara jest na wieczne dziwienie się.

– Kto to słyszał, żeby obiad jeść w porze kolacji? – Babka jak zwykle nie mogła darować Sarze nieregularnego trybu życia.

– Czasem inaczej się nie da – mruknęła wnuczka, zasiadając za stołem do podgrzanej po raz kolejny zupy fasolowej z drobnymi kluseczkami i marchewką.

– Pietruszką zieloną posyp – nie wiadomo czy doradziła, czy rozkazała Babka. – Na desce jest! Dzieci, Aleksander, kolacja! Cholera by was wzięła. Wszystko do góry nogami wywrócone. Ja nie wiem, jak wy byście sobie beze mnie radę dali. Jaką pomoc musielibyście zatrudnić, żeby to wszystko ogarnęła. Chłopcy, nie kłócić się!

– A co słychać?

– Ze Stenią się pokłóciłam.

– Znowu?!

– Znowu o politykę poszło. Jak zwykle zresztą. O to, kto za komunistami był, a kto w opozycji walczył.

– Stenia walczyła? – zdziwili się prawie chórem Aleksander i Sara. – Nic o tym nie słyszałam.

– Ja też nie – powiedział Mateusz z niebotycznym, teatralnym zdumieniem.

– Ani ja – rozłożył rączki Wojtuś.

– Nie wtrącać się – Babka nie lubiła, jak psuto efekt jej osobistych wystąpień. – Jeść, myć się i spać, bo jutro spóźnicie się do szkoły.

– Nie będziesz nami rządziła – sprzeciwił się Wojtek.

– Właśnie – poparł go Mateusz. – Mama nami rządzi i tata.

– Chłopaki grzeczniej, jeśli łaska – Aleksander pogroził im palcem.

– Poczekajcie, jak ojciec z matką wyjdą gdzieś wieczorem z domu. Ciekawe, kto wam będzie opowiadał i siedział z wami, aż zaśniecie?

– Ciekawe, kto? – udali, że nic ich to nie obchodzi.

– Pewnie, że nie walczyła, ale teraz wszyscy robią z siebie kombatantów. A może by tak w piątek zrobić drożdżowe? – zmieniła temat. – Przyjedzie Miki? – spytała Aleksandra.

– Jeszcze nie wie czy zdąży, ale będzie się starał.

– A jak nie zdąży, to nie przyjedzie – doprecyzował Wojtek.

– Lepiej, żeby się nie starał – przestraszyła się Sara. – Zawsze jak się stara to ma kłopoty.

– Ale możesz spokojnie zrobić więcej – doradził Misio. – Tylko koniecznie z kruszonką. Dużo kruszonki, znacznie więcej niż drożdżowego.

Rozległ się dzwonek i dzieci pobiegły otworzyć.

– Ciotka Hanka przyszła – zaanonsował Wojtek.

– Z Delicjami. Dla nas! – powiedział Mateusz, patrząc Babce twardo w oczy i kładąc wyraźny nacisk na dla nas.

Wzruszyła ramionami wyraźnie dotknięta.

– No, ale chyba nas poczęstujecie – zaproponowała Sara. – Macie tego dwie podwójne paki.

– Poczęstujemy. Proszę bardzo – dzieci otworzyły ciastka i usadowiły z wyraźną przyjemnością szczupłe dupki na krzesłach, ale dosyć szybko się znudziły towarzystwem dorosłych i pobiegły się bawić.

Wojtuś jednak szybko wrócił, wdrapał się na krzesło, przyciągnął do siebie pudełko z Delicjami i patrząc na Babkę, policzył sumiennie ciastka, dotykając każdego umorusanym czekoladą paluszkiem.

– Było dziesięć. Zostało pięć i są nasze.

– Ale ja dopiero zjadłam dwa – poskarżyła się.

– Wystarczy ci.

– A właśnie, że nie – sprzeciwiła się gwałtownie. – Mam cukrzycę i potrzebuję jeszcze jednego ciasteczka – oświadczyła, gwałtownie wyciągnęła rękę, chociaż bardziej właściwe byłoby powiedzieć, że Babka prawie dała susa przez stół i błyskawicznie przysunęła do siebie z powrotem pudełko, tuż sprzed nosa zaskoczonego Wojtusia.

– Mama! – wrzasnął do zajętej rozmową Sary. – Babcia wyżera ciastka!

– Nie bądź taki, poczęstuj jeszcze babcię.

– Przecież już poczęstowałem.

– Nie szkodzi. Poczęstuj jeszcze.

– Właśnie. Poczęstuj jeszcze. Cukrzyca to bardzo niebezpieczna choroba – powiedziała ze smakiem odgryzając kawał ciastka.

– Nie masz cukrzycy.

– A właśnie, że mam!

– Nie masz! Słyszałem, co mówiła pielęgniarka. Zabrała ci krew i powiedziała, że nie masz.

– Akurat wtedy nie miałam. Poziom cukru we krwi może się wahać.

– Ja też się waham.

– Czemu?

– Czy ci wierzyć.

– Jakie te dzieci teraz są… pyskate i po prostu… – wzruszyła ramionami z rezygnacją i umilkła, bo zabrakło jej słów. – Pogadajcie sobie same, a ja sobie film z Chuckiem Norrisem obejrzę.

Cholera, to wstawanie jest najgorsze. Trzeba się zaprzeć o stół i dźwignąć całe, obfite ciało w górę. Postać trochę, żeby się przyzwyczaić do zmienionej pozycji i nawet trochę podyszeć dla lepszego efektu. A co, niech mają świadomość, że jest schorowaną staruszką i tylko niezłomny duch i poświęcenie trzymają ją przy życiu. Usiądzie sobie spokojnie przed telewizorem i zaplanuje, co mają na święta kupić.

Może by oprócz makowców, ciastek maślanych wykręcić przez maszynkę? Gdzieś tu w szufladzie miała przepis od Krakowianowej… Coś dawno jej nie było. Ona tak lubi zniknąć co jakiś czas, ale żeby tak długo? Dziwne. Ona w ogóle jest dziwna, ale uczynna i sympatyczna sąsiadka. Dobrze się z nią rozmawia, tak serdecznie i naturalnie. Nie trzeba się pilnować ani sadzić, jak przy Steni. Też z niej dobry człowiek, ale i z Krakowianowej uczciwa kobieta… Stenia kiedyś powiedziała, że to dziwne znikanie może świadczyć o skłonnościach do depresji. Wcale jej nie wierzy, bo Stenia tylko patrzy, żeby co niedobrego u kogo wyśledzić. A jak wszystko dobrze, to jej od razu gorzej. Nie można powiedzieć, zawsze strasznie pomocna we wszystkich nieszczęściach jest Stenia, ale i tak najszczersza była wobec Ludki. Babka, można powiedzieć, dostała najbliższą przyjaciółkę córki w spadku. To jej zwierzała się do samego, można rzec dna. Niczego przed Ludką nie udawała, bo przed Ludką niczego nie dało się udawać, bo była szczera do bólu i w ogóle, ale to w ogóle się nie sadziła, nie wywyższała ponad innych i tajemnice cudze zawsze uchowała. Nawet jej, rodzonej matce, nie chciała opowiadać, co bywało denerwujące i czasami dostawała szału, że nie chce jej czegoś zdradzić. A ona lubiła wiedzieć. Nie, żeby jak Stenia aż swędzenia z ciekawości dostawać, ale zawsze…

Depresja... Dawniej tego nie było. A może było, ale na pewno nazywało się zupełnie inaczej. Tylko jak? Może melancholia, spleen, jak mówił Kazimierz Zawidzki... No i oczywiście, nikt od tego nie umierał. Ludzie zabijali się z innych, bardziej prozaicznych powodów. Kiedy pieniądze wszystkie tracili, bankruci dajmy na to, też się czasem zabijali. No i porzucone dziewczyny w ciąży, albo nieszczęśliwie zakochani. Bardzo nieszczęśliwie musieli się zakochać i być trochę słabi na umyśle, żeby się na siebie targnąć. Przed wojną na przykład, popełniano samobójstwa honorowe. Teraz to się w ogóle nie zdarza. A nawet wprost przeciwnie. Jak ktoś znany, powszechnie szanowany zrobi coś niezgodnego z prawem, czy choćby tylko nawet nieetycznego, to nawet nie ma wyrzutów sumienia. Nawet nie znika z życia publicznego. Nie traci twarzy, a nawet zyskuje na popularności.

Dzisiaj ludzie również zabijają się z miłości, szczególnie młodzi i ci nieszczęśnicy z depresją. Ona, oczywiście, jest w stanie zrozumieć taki smutek, że żyć się nie chce, że nic się nie chce, że nic nie jest ważne, nawet dzieci, czy kto inny bliski. Wszystko to jest w stanie sobie wyobrazić. Przecież też czasem taki jakiś żal człowieka, czyli ją, nachodzi, że też się nie chce żyć, ale żeby jeść się nie chciało, to już musi być bardzo, bardzo poważna choroba. Babka ze swoimi smutkami radzi sobie dosyć prosto. Popłacze sobie trochę człowiek nad sobą, herbaty dobrej, najlepiej z cytryną się napije albo nawet kawy, jak ciśnienie spadnie, zje się co dobrego i już wraca ochota do życia. Taki alkohol, dajmy na to śliwowiczka, od ręki pomaga, sama, czy nawet z herbatą na rozgrzewkę. Nie mówiąc już o dobrym piwie, wzmocnionym kieliszkiem mocnej nalewki wiśniowej. Stawia na nogi natychmiast. A jaki się ma potem zdrowy sen... No, ale jak ktoś trunków do pyska nie bierze, no to nie dziwota, że potem ani tabletki, ani terapia razem wzięte nie pomagają...Ten ich łyskacz, choć to zwykły bimber, niezły jest i też daje dobry humor. Tylko czysty, bez tego paprania z wodą czy colą, jak to robią Sara i Alek. Za to samo piwo, to nie bardzo, jakieś nudne takie...

Amelia... Jakie ona robiła z pedantyczną dokładnością nalewki, wedle starych przepisów, co je jeszcze z młodości znała... Jak to było?... Trzy warunki uzyskania szlachetnych, lepszych i tańszych od zagranicznych, trunków. Pierwszym jest używanie spirytusu najczystszego, i najwyższej próby jaki można dostać, cukru rafinowanego, biorąc do rozpuszczenia go pół kwarty wody na funt cukru – za gęsty syrop sprowadza scukrzenie się wódki i odbiera jej klarowność. Recytowała zawsze pod nosem wyuczone na pamięć receptury sprzed, ile to już?, prawie stu lat. Nie dziwota, że cukier ma być rafinowany. Teraz pewnie z dostaniem innego byłby większy problem... I te miary staroświeckie. Ile ten funt ma po naszemu... będzie ze dwie ćwiartki... Amelia miała taką genialną pamięć, a do końca życia nie nauczyła się czytać i pisać... Ale szkoły jakimś cudem, nie wiadomo dokładnie jakim, skończyła. I to jeszcze z jakim świetnym wynikiem. Nikt się nie zorientował. To pewnie przez tę jej świetną pamięć i taką jakąś bystrość i lekkość pomyślunku...

Jak to dalej było względem tych nalewek? Drugim warunkiem jest, aby owoce, czy też skórki owocowe, lub korzenie nie za długo leżały w spirytusie, gdyż przez długie moczenie wydziela się z owocu kwasu za wiele. Ale najlepszy, jej ulubiony, jest trzeci warunek, słusznie nazywany najtrudniejszym do wykonania – zrobioną wódkę, nalewkę lub likier po przefiltrowaniu zapieczętować w butelkach i zostawić w spokojności sześć miesięcy najmniej. Tak pod nosem mamrotała do siebie Amelia, gotując i prowadząc dom Ludce i Gustawowi. Dopiero, mówiła głośniej, podnosząc głowę znad deski, na której szatkowała kapustę wprawnym ruchem mistrzowsko zaostrzonego noża, dopiero będzie rzeczywiście doskonałym. Taką najczęściej pamiętała Amelię w tej wielkiej kuchni, gdzie z Gustawem kręcili kogel mogel na ajerkoniak, albo z kolei mieli melodię na nalewki i wszędzie porozstawiane były słoje z owocami i butelki we wszystkich kolorach tęczy. Ludka musiała przeżyć fazę destylatów wszelkich rodzajów, piwa naturalnego bez konserwantów i wędlin przednich na, jak twierdził Gustaw, staropolskich przepisach bez chemii i polepszaczy. Do wszystkiego zięć Babki podchodził z wielkim entuzjazmem, zaś do swojej pracy włókiennika ze zdecydowanie mniejszym. Największym i niespełnionym jego marzeniem była uprawa roli, do której absolutnie nie miał zdolności, ale zapał wielki. Pomysły hodowli pieczarek, boczniaków, aronii, porzeczek, truskawek, lilii, królików, norek i innych zwierząt futerkowych, poprzedzały zakupy wszelkich dostępnych książek, nabożne ich studiowanie i robienie szczegółowych notatek. Potem było wdrażanie projektu w życie, a po jakimś czasie znudzenie. Jedynie pszczoły były stałą pasją i w tym Gustaw od pokoleń nie wyróżniał się od swoich przodków, nie wyłączając swojego ojca Maksa, dziadka Władysława Rogusza i Steinów ze strony matki. Takie obciążenie, można powiedzieć genetyczne. W tych swoich szaleństwach, musiała to przyznać, był podobny do niej samej z czasów Wytwórni Wód Gazowanych, jakby w nieprzychylnych czasach człowiek dążył usilnie do stworzenia czegoś wyłącznie własnego, nad czym mógł panować bez reszty, bez względu na okoliczności, łącznie z tym, że mógł to również unicestwić i zająć się czymś nowym. Uważała, że każdy powinien mieć jakąś swoją Wytwórnię Wód Gazowanych, chociaż przez jakiś czas, żeby się przekonać jak to jest.

Chyba się czegoś napiję, myśli Babka… Co oni tu mają w tym kredensie? Metaxa, no może i być, chociaż smakuje jak samogon. No i od razu lepiej, o, i przepis na ciastka się znalazł. Gorzej, że maszynkę ciotka Tośka pożyczyła i nie oddała. Trzeba będzie zadzwonić, żeby przyniosła… Nogi jej dzisiaj spuchły, a tu trzeba się tak nachodzić po całym domu, od jednego kredensu do drugiego, od zlewu do kuchni i to wstawanie od stołu, to tyle człowieka sił kosztuje... Lilka ciągle marudzi, żeby jeść mniej, ale przecież ona taka żarta to znowu nie jest... One z Sarą by chciały, żeby nic nie jadła... A co jej z tego życia w końcu zostało?, chlipnęła sobie pod nosem. Ot, przyjemność z jedzenia, bo o innych, cielesnych potrzebach trzeba wręcz zapomnieć, jak się ma prawie sto lat i jest się kobietą... Bo jak się jest mężczyzną to jednak jest łatwiej... Tak, dużo łatwiej. I to jest niesprawiedliwe, chociaż sama natura niby nam ułatwia, ale czy któraś staruszka prosiła się, żeby ułatwiała? No, może i prosiła... Każdy człowiek jest przecież inny, ale czas płynie każdemu tak samo szybko, zbyt szybko, a tu tyle jeszcze do zrobienia. Życie umyka, a ona jeszcze tylu dobrych potraw nie spróbowała, które zawsze chciała przygotować, a nie było czasu, albo chwilowej ochoty, zdarzało się też przecież, że i nie było z czego zrobić tych frykasów z ameliowej książki, co ją siostra całą w głowie miała. I zabrałaby to wszystko do grobu, gdyby nie Sara, która gdzieś kiedyś, na jakimś pchlim targu kupiła starą książkę kucharską. I okazało się, w czasie jej przeglądania i czytania, że to, co jej Amelia jak inni litanie do świętych przez całe życie recytowała, to wiele z tego jest właśnie w tej książce. Może nie co do joty, ale zawsze... Kto by to zresztą spamiętał? Ona przecież aż takiej pamięci jak Amelia nigdy nie miała, chociaż wiele z mamrotania siostry zostało w pamięci na zawsze... Więc chciałaby jeszcze przed śmiercią zrobić takie na przykład ciasto listkowe z serem roqfourt... albo krem z wina i koniaku, toż to musi być rarytas... Przed wojną, a nawet jeszcze po wojnie gotowało się zupy rakowe, żaden to był luksus zresztą. Na kilka sposobów się robiło, ze śmietaną, bez śmietany na rosole, przecieraną... Delicje. No, teraz to może co najwyżej dobrej pomidorowej zrobić. Choć Sara mówi, że można już dostać i krewetki, kraby, a nawet homary. I nawet czasem kupuje, ale to wszystko mrożonki, to nie to samo, co świeże... Chyba nawet w tych najlepszych restauracjach ze świeżego nie gotują.

Waldemarowi też gotowanie ameline w duszę wlazło, chociaż młodszy był od nich i niewiele mógł pamiętać z tych wspólnych lat w Woli Wężykowej, bo siostra już w domu nie mieszkała i tylko z rzadka ich odwiedzała na święta, albo w żniwa. Jakoś to musiało się bratu młodszemu utrwalić, że teraz na starość przy garach stoi i dzwoni po rodzinie rozrzuconej po świecie, żeby uzgodnić jakiś szczegół przepisu i wścieka się, jeśli każdy co innego zapamiętał. Kucharz się z niego zrobił, można rzec, bezkompromisowy, Babka wzrusza ramionami. Udaje mistrza w kwestiach kuchni. Rosół, mó-wiły dziewczyny, jej siostrzenice z Pabianic po młodszej siostrze, z czterech albo i nawet pięciu mięs gotuje, a potem wszystko wyrzuca, tylko sam wywar, samą najprzedniejszą esencję rosołową zostawia. Słyszał to kto, o takiej rozpuście?... No, dobra, słyszał... Zirytowała się na niego po raz kolejny i ze złością gwałtownie wzruszyła ramionami. Powiedziała mu przecież już dawno, że mają te wszystkie przepisy, chociaż nie wiadomo czyjego autorstwa, bo strona tytułowa jest wydarta. Alek twierdził, że to się da ustalić, jeśli tak im na tym zależy. Jak chce, to mu skserują i wyślą. Ale Waldek powiedział, że ma głęboko w życi te przepisy, których się Amelia w Szkole Gospodarstwa Domowego w Warszawie uczyła. Jemu chodzi tylko o te jej własne, oryginalne, co je sama wymyśliła, albo nauczyła się od kogoś i nie spisała. I że na pewno w tych jej litaniach były pomieszane te, jego zdaniem, gówniane, bo znane i te perły, które on, jak ten Chrystus od patelni, może tylko uratować przed ostateczną zagładą. Gówniarz i tyle! Ile to się przez niego obie z Amelią wycierpiały, odwalając za niego całą robotę, którą matka je obarczała, żeby jej pupilek, jej synuś ukochany, nie zgrzał się czasem... I on teraz pasję sobie znalazł i rości sobie pretensje do kucharskiej spuścizny po jej siostrze, nygus jeden.

Aż ją poniosło i swoje krzesło całkiem do okna odwróciła, gdzie zza firanki popatrzyła na karetkę pogotowia przed domem Krakowianów. To ci dopiero! Zachorował ktoś u nich! Może mąż?

Niby taki szczupły, żwawy, ale mężczyźni tak mają, że choroby się ich niespodziewanie imają. Pewnie serce... Chyba, że to ona... Tak długo nie było jej widać. Pewnie na grypę zaniemogła, powikłania, czy coś i teraz może nawet do szpitala ją zawiozą. Ludzie tu dziwni są... Trzymają się oddzielnie, chociaż nie można powiedzieć, uczynni są, ale swoich tajemnic pilnują. Zdrowy dystans zachowują, twierdzi Sara, ale Babka się z tym nie zgadza. Uważa, że te sekrety nic nie są warte, żeby je ukrywać, a wprost przeciwnie, trzeba mieć trochę nierówno... Do chorób rzadko się przyznają, jakby niektóre, nie wiedzieć czemu, były przeznaczone do ukrycia. Stoi ta karetka i stoi... Niedobrze. I jeszcze nikogo w domu nie ma. Posłałaby, żeby się dowiedzieli... O! Jakie to dziwadło idzie. Zatrzymało się i coś grzebie w reklamówce. Jeszcze go tu nie widziała. Korzuch, czapka pilotka z opuszczonym na uszy wywinięciem, dziadek starej daty, za to dół całkiem młodzieżowy, dżinsy niebieskie, podwinięte i bielusieńkie adidasy nówki. A w gębie ściska, aż mu się całe usta schowały do środka, małą brujerkę. Ściska, jakby od tego zależało jego życie, a przecież fajeczka wygaszona. Dymu nie widać. Może do Krakowianów idzie. Nie. Przeszedł mimo. Szkoda. Może by coś się zaczęło dziać. Co oni tam robią? Dzwonić w takiej chwili nie wypada... Uch, jak nogi bolą, westchnęła. Herbaty sobie zrobi i usiądzie przy oknie.

Zaparzyła mocny napar w kubku, wielkim jak urynał, ale wygodnym, bo nie musi robić sobie trzech herbat raz za razem w tych, może i uroczych, ale małych jak naparstki filiżankach. Zajęła strategiczne miejsce przy odsuniętej firance.

Karetka dalej stoi, ale już inna, erka. Widocznie się wymieniły, jak nie patrzyła. Niedobrze. Pewnie kogoś reanimują. Tylko kogo? Jego, czy ją? I co się stało? Tacy na oko zdrowi się wydawali oboje. Dzieciom dorosłym pomagali w wychowywaniu wnuków. Na wczasy jeździli. Krakowianowa pomagała jej przy myciu, jak Sara i Aleksander wyjechali z dziećmi na wakacje. A ile spraw załatwiała! I to nieproszona. Sama się ofiarowała, że do apteki poleci. Pielęgniarkę wołała z tym nowoczesnym ciśnieniomierzem, bo stary nie obejmował jej ramienia, jak znowu… urosła. Młodzi są jeszcze przecież ci sąsiedzi, gdzieś tak chyba koło siedemdziesiątki… No, w tym wieku też przecież ludzie umierają, ale u nich w dzielnicy jakby rzadziej. To pewnie serce. Tak, bo cóż by innego tak człowieka mogło powalić. Robiła Krakowianowa jakieś świąteczne smakołyki i trach. Leży w kuchni na podłodze wśród malowniczo rozsypanych, świeżo utłuczonych orzechów włoskich, rodzynków, drobno pokrojonych fig do tego swojego doskonałego piernika, przekazywanego z pokolenia na pokolenie. Mąż wzywa pogotowie. Wpadają ratownicy, rozdeptują butami bakalie i rzucają się na Krakowianową, reanimować…

No chyba, że to jego trafiło, przy dajmy na to… Nie wiadomo. Mężczyznę trudno sobie wyobrazić w takich sytuacjach, jeśli nic się o nim nie wie. Może szedł z herbatą i gazetą do stolika. Zachwiał się gwałtownie. Filiżanka wypadła z drżących rąk. Hałas wywabił z kuchni żonę. Już biegnie z podwiniętymi rękawami, żując jeszcze odrobinę tych orzechów, przegryźniętych figą. Dzwoni po pogotowie. Może nawet sama podejmuje reanimację, metodą usta w usta, żeby nie stracić ani sekundy. W końcu zna się na tym. Jest przecież emerytowanym lekarzem, tylko musi przełknąć te cholerne orzechy i figi, ale w zdenerwowaniu urosły w ustach do zadziwiających rozmiarów i trzeba je wypluć na podłogę.

Babka patrzy z napięciem na dom po drugiej stronie ulicy, pod który podjeżdża policja. Trzaska furtka i przez okno widać zmierzającą do drzwi Sarę z dziećmi.

– Cześć! – krzyczy. – Umyjcie ręce chłopcy – wysyła synów do łazienki. – Co się dzieje?

– Nie wiadomo, ale u Krakowianów coś złego się wydarzyło. Najpierw podjechała zwykła karetka, potem erka, a teraz erka odjechała, a zjawiła się policja. Może jakieś włamanie było u nich i Krakowian, albo ona, złodzieja uszkodzili.

– Albo odwrotnie. Złodziej uszkodził Krakowianów.

– To kto wezwał pogotowie? – dziwi się Babka.

– Sumienie złoczyńców ruszyło.

– Niemożliwe – powątpiewa Babka. – Ich tak łatwo nie rusza. Prędzej by uciekli przerażeni.

– Nie spodziewali się, że starsi gospodarze będą tacy waleczni i wyszło tak przypadkowo. Jak zobaczyli kałużę ciemnej krwi...

– Rozpoczęli reanimację metodą usta w usta, napotykając u Krakowianowej resztki orzechów i figi... – Babka wyraźnie się ożywia.

– Błe. Co ty babciu mówisz? – Sara patrzy na nią podejrzliwie.

– Jeśli piekła swój doskonały piernik, to z pewnością go próbowała.

– Skąd wiesz?

– Nie wiem, tak sobie tylko myślę.

– To dobrze, że domniemywasz, bo już myślałam...

– To nie myśl! Przeleć się lepiej i spytaj.

– Co ty, w takiej chwili? O, sąsiedzi też się czają, zaniepokojeni sytuacją – Sara ogarnia wzrokiem całą ulicę. – Ale, co w końcu z tym piernikiem?

– Nic. Zawsze go piecze przed świętami. Dała mi przepis. Brzmiał na tyle archaicznie, że natychmiast dałam go Waldkowi.

– Powiedziałaś pewnie, że to ciotki Amelii?

– Oczywiście – Babka uśmiecha się z satysfakcją. – Trochę był podejrzliwy. Pytał, czy to na pewno Amelii i dlaczego wcześniej mu nie dałam.

– A ty?

– Ja, że zapomniałam i dopiero teraz znalazłam kartkę w starym kalendarzu z dokładnym przepisem, co mi go siostra zaraz po wojnie podyktowała.

– Po której wojnie? – zaciekawiła się wnuczka.

– A co za różnica, po której... Ale chyba po drugiej, po pierwszej za młoda byłam, żeby takie rzeczy spisywać. Cieszył się jak dziecko. Jeszcze ze dwa razy dzwonił, żeby o jakieś szczegóły pytać. Zapraszał mnie do Warszawy po świętach. Dziewczyny z Pabianic będą i chce nas ugościć.

– I co?

– I nic. Przecież nie pojadę. Nie dam rady. Dziewczyny wpadną do mnie potem, to opowiedzą.

– Jak smakowało – złośliwie dodała Sara, a Babka łypnęła na nią wrogo.

– Jakie dziewczyny wpadną? – do kuchni wbiegł Wojtek.

– Ciotki z Pabianic – wyjaśnia im matka.

– No to ciotki, nie dziewczyny.

– Dla babci dziewczyny, bo to są córki jej siostry.

– Ciotki to ciotki – skwitował Wojtek. – Dasz obiadek, babciu?

– Cóż, trudno, dam – Babce ciężko oderwać się od okna. – Ciągle człowiek przy garach stoi, to jak ma być szczupły? – mruczy pod nosem. – Cielęcina w sosie, sałata i kluski, te ciemne, co lubicie, jak kopytka, tylko smażone w głębokim tłuszczu i pomidorowa. Delicje, mówię wam. Prawie jak rakowa.

– Prawie – krzywi się. – Ugotuj kiedyś rakową, żebyśmy choć raz spróbowali przed śmiercią.

– Wojtuś! – wzrok Sary rzuca gromy w syna.

– Przed naszą. Babcia mówiła przecież, że nie zamierza umierać.

– To prawda, ale widzisz wnusiu, jak to mówią: człowiek strzela, Pan Bóg kule nosi.

– Nie rozumiem – uczciwie przyznał chłopiec.

– Że możesz se chcieć, a i tak będzie, jak ma być.

– Zaraz, czyli nie mam wpływu? – zaniepokoiło się nie na żarty dziecko.

– Masz, masz – uspokoiły go chórem matka i prababka. – Tylko niestety, mimo wszystko, nie wszystko całkowicie od nas zależy.

– Ale większość zależy od nas. Na przykład, jedząc dużo dobrych rzeczy, urośniesz duży, zdrowy i będziesz długo żył.

– Jak ty?

– Tak.

– Ale ty nie zawsze jesz zdrowo.

– Jak to nie? – oburzyła się.

– Ma rację – poparła syna matka. – Ostatnio fasolowa i śliw...

– Długo będziecie mi to wypominać? To już trzy miesiące nazad było! – wrzasnęła Babka waląc ze złością garnkiem o kuchenkę, aż się wzdrygnęli.

– Dobrze, już dobrze – powiedział pojednawczo Wojtek.
– W końcu przecież żyjesz!

– Tak, ale o mały włos – wypomniała jej Sara. – Szukaliśmy cię po całym mieście, bo miałaś być na Milionowej, a przewieźli cię aż do Tuszyna i chcieli operować. Powiedzieli, że nie dożyjesz rana, bo podniedrożność jelit to nie przelewki. Dobrze, że się nie zgodziłaś.

– Pewnie, że dobrze. Przecież by nie dali rady. Rano przyszli zobaczyć, czy jeszcze żyję. Trochę się zdziwili.

– Dałaś radę śliwkom i fasolowej.

Wrócili z talerzami do pokoju, gdzie mogli obserwować wypadki po drugiej stronie ulicy.

– Dalej ta policja stoi, a nawet podjechało drugie auto, też jakieś takie podobne, ale jednak inne, ciekawe, co się stało? – Babka nie może usiedzieć na miejscu. – Od kogo by tu się dowiedzieć? Może do Steni zadzwonić? Ona zawsze wszystko wie.

– Przecież pokłóciłaś się z nią – przypomina Sara.

– Co prawda, to prawda – przypomina sobie Babka. – Zresztą, co ona tam może wiedzieć. Dalej przecież mieszka i poleciała chyba na zakupy. Patrzeć tylko, jak sama się tu u nas zjawi, na przeszpiegi.

– Pewnie masz rację.

– O Matko Boska! Patrz, Klepsydra przyjechała. To już na pewno trup leży u Krakowianów.

– Może to jednak żadne z nich – pociesza wnuczka.

– A kto?

– Może uszkodzili tego złoczyńcę.

– Tego, co go sumienie ruszyło?

– Tego samego. Udławił się kawałkiem orzecha przy reanimacji Krakowianowej.

– Ona ożyła, a on... niestety...

– Dedł – podpowiedział Mateusz.

– Jak te dzieci teraz mówią – skrzywiła się Babka z niesmakiem.

Zadzwonił dzwonek i przez okno zobaczyli pędzącą jak strzała Stenię.

– A co, nie mówiłam? – mruknęła Babka.

– Wiecie, co się stało? – krzyczała już od progu, z triumfem osoby, która pierwsza przynosi złe wieści.

– Wiemy – Babka postanowiła wziąć na wstrzymanie i nie dać jej satysfakcji.

– Skąd wiecie? – zdumiała się wyraźnie zawiedziona Stenia, a Babka zmrużyła oczy z triumfem.

– Widzimy, nieszczęście u Krakowianów.

– Ale nie znamy szczegółów – wtrąciła Sara.

– To wam opowiem – sąsiadka odetchnęła z ulgą i wzięła głęboki oddech. – Kolega syna miał dyżur w pogotowiu i powiedział, że Krakowianowa – zrobiła dramatyczną pauzę i patrzyła na nich długą chwilę z zadowoleniem stwierdzając, nawet u Eleonory, wyraźne napięcie – ...się powiesiła.

Zapadła cisza.

– Co też pani mówi, pani Steniu, niemożliwe! – szepnęła wstrząśnięta Babka.

– Możliwe. Wiem na pewno. Nie ma żadnej wątpliwości... Też nie mogłam uwierzyć – przyznała się im uczciwie.

– Może to jednak jakiś wypadek? – zasugerowała Sara.

– Jaki tam wypadek?! – żachnęła się Stenia. – Jak kto jakieś proszki połknie, to jeszcze można mówić, że ze sklerozy za dużo łyknął i serce stanęło, ale nie jak się wiesza!

– To Krakowianowa naprawdę się powiesiła? – spytały chórem Babka z Sarą, przejęte jeszcze większą grozą niż dotychczas.

– Tak, powiesiła się na schodach.

– Ale dlaczego?

– Podobno depresja. Mówiłam pani, pani Eleonoro, jak ona tak nagle znikała nam z oczu, cośmy się tak dziwiły, że umawiała się po śliwki na przetwory i nie przychodziła, albo, że na podwieczorek wpadnie i jakby przepadła na kilka tygodni, a bywało, że kilka miesięcy. Dodzwonić się też nie można było, a jak już męża na ulicy spotkałam, to zbywał krótko. Pani mi, oczywiście, nie wierzyła – w głosie Steni zabrzmiała delikatna nutka pretensji. – Ale w końcu wyszło na moje!

– No wie pani! – oburzyła się Babka, aż stropiona Stenia wymamrotała, że przecież nie w tym sensie...

– Ale przecież teraz są leki, terapia – kręciła głową Sara.

– Nie dało rady, podobno wyjątkowo trudny przypadek.

– Ona taka pogodna była, energiczna...

– Taka była – zgodziła się Stenia.

– Taka była – potaknęła Sara.

– To jak to możliwe, że stało się to, co się stało? – Babka dalej nie mogła wyjść z szoku. – I życie Krakowianowa miała przecież dobre. No oko żadnych kłopotów i trosk, bo i zamożni byli i zdrowi. A ona taka jeszcze aktywna. Aktywność jest ważna, bo przecież niektórzy na starość, jak nie mają co do roboty, to z tych nudów mogą sobie życie odebrać. Z nudów to po prostu samemu można umrzeć, bez zadawania sobie gwałtu.

Siedziały długo, nie mogąc jeszcze ogarnąć rozumem wydarzenia po drugiej stronie ulicy.

Babka jeszcze przez kilka dni nie mogła uwolnić się od obrazu Krakowianowej, przeraźliwie smutnej we wnętrzu bezpiecznego, dobrego domu, który nie pomógł ani trochę jej zbolałej duszy. Chodził za nią krok w krok, nawet do łazienki, i jak włosy upinała.

Przypomniała sobie, jak pewnego lata sąsiadka poprosiła ją, żeby pozwoliła się uczesać. Początkowo się obruszyła, bo co prawda niełatwo jej było ręce do góry zadzierać, ale przecież niedołężna nie była i przyzwyczajona do walki ze swoim wielkim, ociężałym ciałem. A jak miała ochotę na coś ekstra na głowie, to dzwoniła po fryzjerkę, ale wtedy popatrzyła na Krakowianową, jak ona w końcu miała na imię?, przecież musiała jakoś mieć, a jednak cała okolica mówiła na nią po nazwisku. Popatrzyła, a taka jakoś dziwna była wtedy i tak ją prosiła, żeby te włosy uczesać, więc się zgodziła. A tamta, jakoś wyjątkowo wyciszona, czesała jej siwe, długie włosy delikatnie i porządnie, a potem upięła je pięknie spinaczami z takim nieobecnym uśmiechem na twarzy. Widziała, chociaż ją za plecami miała, bo w lustrze kredensu się odbijała. I pomyślała, że pewnie jakieś wspomnienie wyjątkowe i dobre musiało przyjść do Krakowianowej. Teraz to tyle obrazów do człowieka wraca, po tym, co się stało, zupełnie inaczej się patrzy, inaczej się widzi to, czego wcześniej się nie dostrzegało… Obiad trzeba zrobić, otrząsnęła się i wyciągnęła z plecionego koszyka warzywa, ale sąsiadka furt nie dawała jej spokoju, więc odmówiła wieczne odpoczywanie. Nie pomogło.

Mało tego, zobaczyła Krakowianową przez okno, jak zbiera pod drzewem węgierki. Prawie co roku po nie przychodziła… Oprócz tego ostatniego, co się tak dziwiła, dlaczego jej nie ma, przecież je tak lubiła na powidła brać i do pojedzenia, a urodzaj się trafił, że nie było co z nimi robić. Wtedy nie przyszła, ale za to teraz myszkuje pod uśpionym drzewem. Pewnie jej żal tych dojrzałych owoców z niebieskim nalotem na skórce, bez jednego robaka, wprost doskonałych, słodkich i pachnących. No, ale w grudniu to se może szukać. Najwyżej stare pestki w ziemi znajdzie… chyba, żeby jej mrożonych podrzucić z lodówki. Może wtedy pójdzie? Zmówi jej cały pacierz i jeszcze raz wieczne odpoczywanie. Babka z namaszczeniem wolno odmawia na głos modlitwy, obierając włoszczyznę na zupę. Postanowiła nawet nie zerkać w stronę ogrodu dopóki nie skończy z pacierzami i oczywiście z obieraniem, bo zmory, zmorami, a obiad musi być na czas. Dopiero, kiedy ostatnia marchewka wylądowała w misce, podniosła głowę i spojrzała do ogrodu. Krakowianowa dalej tkwiła pod jej śliwą. Cóż, westchnęła ciężko, trzeba się tam będzie przejść, a to taki kawał. Z trudem wstała od stołu i podreptała do lodówki. Wyjęła z zamrażarki wielką torbę mrożonych węgierek. Pomedytowała nad nią i zamieniła na mniejszą. Bez przesady, taka powinna wystarczyć. Gdyby Krakowianowa żyła, dostałaby tę większą. Zarzuciła szal i wyszła z domu po dwóch stopniach, opierając się ostrożnie na swojej solidnej lasce i przyciskając pod pachą zimną torebkę ze śliwkami. Przez moment zastygła w bezruchu, bo coś ją tknęło nieoczekiwanie. A jak Krakowianowa przyszła po nią? I teraz wywabia z domu, żeby ją zabrać spod śliwy? Dzieci przyjdą z pracy, ze szkoły, a ona będzie leżała pod drzewem jak ta góra na mrozie, zupełnie bez sensu. Z drugiej strony, podjęła swoją mozolną wędrówkę przez smutny ogród, dlaczego to akurat Krakowianowa ma po nią przychodzić, a nie ktoś bliższy z rodziny, Józef na przykład, albo Ludka, ojciec, czy nawet Amelia, no, w ostateczności... Gustaw. Zresztą, w tym wieku to ma się naprawdę kupę ludzi po tamtej stronie, więc niekoniecznie to musi być jej sąsiadka samobójczyni. Nie, nie, to pewnie o śliwki chodzi... A może to nieszczęście przez fakt, że nikt nie pamiętał jej imienia, zaniepokoiła się Babka. Taką panią Małgosię Mierzejewską, co to mieszka obok Krakowianów i wszędzie ją słychać, wszyscy znają z imienia i nazwiska. Czasem nawet mówią ciepło tylko Małgosia, jakby dalej była młodą dziewczyną a nie babką wnuków... Stanęła w połowie drogi między bzem a śliwą, pod którą migotała w ostatnich, wątłych promykach grudniowego słońca Krakowianowa. No proszę, ma nawet na głowie swój ulubiony kapelusik. Beżowy, z plecioną taśmą dookoła. Ruszyła dalej, powłócząc nogami i brodząc w szeleszczących liściach. Ile jeszcze tego po ostatnim grabieniu zostało. Prawie po kostki, prawie bez koloru, jakieś takie... ostentacyjnie martwe. Bardziej nawet od Krakowianowej, co nawet całkiem żwawo się porusza.

Jak mrożonka nie pomoże, zadzwonię po Krakowiana, niech zabiera żonę spod mojej śliwki do domu, albo gdzie nie bądź... I co ja jej powiem?, zastanawia się ruszając w dalszą wędrówkę. Dzień dobry pani, co słychać... głupio jakoś. A z kolei nic się nie odezwać, tylko tymi śliwkami pierdolnąć o ziemię jak psu, też niegrzecznie... Najlepiej będzie jak tylko skinie głową, zresztą i tak, już jest coraz mniej wyraźna. Pewnie zniknie razem ze słońcem. Ot, pewnie obchodzi na pożegnanie wszystkie kąty i tyle, uspokoiła się zupełnie.

Brr, trzeba sobie herbaty zaparzyć gorącej, bo jeszcze się przeziębi, po tym lataniu pod śliwkę. Postawiła czajnik na gazie i popatrzyła w gęstniejący mrok za oknem i mgłę, co spadła zupełnie znienacka. Jeszcze się ta Krakowianowa gdzieś zagubi. Zresztą, wzruszyła ramionami, nawet jeśli tam jeszcze jest, to i tak nic z tego dla niej, Leny, nie wynika, bo w tej ciemnicy i tak nic nie widać.

Depresja, mówiła Stenia, co wyczytała w jakiejś książce, gorsza jest niż jakaś inna bolesna dla ciała choroba, wysysa wszystkie siły, odbiera nadzieję. Wszystko jest za trudne i przerażające. Jedna kobieta kupiła sobie nową biblioteczkę. Książki stały w wysokich stosach wzdłuż ścian i porozstawiane po całym mieszkaniu... Trzy lata tak stały zakurzone, a nowy mebel pusty, przylepiony do ściany, jak wyrzut sumienia, pewnie jeszcze bardziej wpędzał właścicielkę w depresję. Nawet jej się rano zwlec z łóżka nie chciało... Po prawdzie, jej też się czasem nie chce wstać rano, ale przecież nie musi. Jak się wyśpi, to wstanie. Chwała Bogu, że ze spaniem nie ma kłopotów, jak na przykład ta pani Maryla, co dzieci czasami przychodzi pilnować. To przecież krzyż pański, żeby tak po nocy nie spać. Ona nawet i w dzień musi się zdrzemnąć. I babka postanowiła się zdrzemnąć przed duszeniem cielęciny z grzybami.

– Cześć! Pogrzeb Krakowianowej będzie w czwartek – oznajmiła Sara, wchodząc z Hanką do kuchni i wnosząc ostry zapach chłodnego powietrza.

– Strasznie długo – zdumiała się Babka.

– Ponieważ to niezwyczajna śmierć. Miała na imię Daria.

– Daria? Nigdy bym nie pomyślała. Nawet rano cały kalendarz przejrzałam i próbowałam dopasować imię. Już się zdecydowałam na Jadwigę. A jej Daria było! No tak. A taka, wydawać się mogło... otwarta – zdumiała się po raz kolejny Babka na tę otwartość właśnie, zakładając, że skoro ktoś jest otwarty, to się coś niecoś wie o jego problemach z duszą. – A tu nic, ani jednego sygnału, nawet najmniejszego.

– Okazało się zatem, że była otwarta tylko pozornie – powiedziała Sara.

– Na to wychodzi. Ciekawe, czy ona zrobiła w końcu ten swój staroświecki piernik, jak mi się wydawało – zastanowiła się Babka.

– Jak miała depresję, to nie zrobiła – stanowczo stwierdziła Hanka.

– Bo jakby z kolei zrobiła, to by żyła – Babka zasadniczo zgodziła się z przyjaciółką Sary.

– Skąd ta pewność? – spytała Sara.

– Bo to jest dojrzewający piernik! Mówię ci Haniu, absolutna rewelacja.

– Babciu, czyli twoim zdaniem, nie sposób się zabić nie doczekawszy degustacji świątecznego piernika?

– No... – Babka kręciła młynki kciukami. – Oczywiście! Ktoś, kto się już za niego zabierze, zainwestuje w miody, wysmaży skórki pomarańczowe, przysposobi migdały słodkie i gorzkie, a także inne bakalie, figi. Figi, dziewczęta, dobrze robią na zaparcia... Rodzynki sułtańskie, orzechy włoskie zwykłe i te z syropu, i jeśli ktoś tego wszystkiego popróbuje, wymiesza pachnące ciasto, schowa w suche, chłodne miejsce, żeby dojrzewało i ma w perspektywie zapach tego specjału w całym domu tuż przed świętami, to się moje drogie nie rzuca na sznur ze schodów. Nigdy! – oświadczyła z mocą Babka.

– Wiesz babciu, coś w tym jest, co mówisz – przyznała Sara.

Hanka pokiwała głową i poprosiła o przepis.

– A proszę cię bardzo, Haneczko – Babka z głębokim stęknięciem dźwignęła się od stołu i z szuflady kredensu wyjęła zeszyt, wypchany przeróżnymi karteluszkami i kwitami. – Przepisz sobie z tej kartki piernikową instrukcję, ręką samej Krakowianowej spisaną.

– Pomacaj tę kartkę – doradziła Sara. – Może przyniesie szczęście z braku sznura wisielca.

– Nie ma co się śmiać! – obruszyła się Babka. – Całkiem to może być prawdopodobne. Macaj i pisz Haniu. Kartka od Krakowianowej porządna jest i rzetelna jak ona sama. Jak jednego dnia przepis obiecała, tak drugiego czytelnie wykaligrafowany przyniosła. I z ciastkami maślanymi było tak samo. Tak więc, część naszej dobrej sąsiadki też tu w tym kwitku przetrwała i w tych ciastach, co się z nami podzieliła tajemnicą rodzinną, też. I za każdym razem jak będę piekła, to jakbym się za nią modliła i każdy inny też, nawet niewiedzący, że to od Krakowianowej przepis.

– Amen – zakończyła przemowę Babki Sara. – A ten niewiedzący?

– Taki na przykład mój brat Waldek, albo ktoś, komu Hania przekaże przepis.

– Babcia dała swojemu bratu przepis sąsiadki, wmawiając mu, że jest naszej ciotki – wyjaśniła przyjaciółce Sara.

– A dałam. Nieużyta nie jestem. W końcu to nasze dobro narodowe. Nawet wódkę w Polsce zakąszano piernikiem przed wiekami. Oczywiście, wytrawnym piernikiem.

– Jemu to chyba wszystko jedno, tylko się pewnie ucieszył – wyraziła przypuszczenie Hanka.

– Nie jest mu wszystko jedno. Zapewniam cię – powiedziała Sara.

– Tylko mu nie mów. Cieszył się jak dziecko – łypnęła zielono Babka.

– Podrzucasz mu zgniłe jaja.

– Przepis na starożytny, dojrzewający piernik nie jest zgniłym jajem – Babką udawane, święte oburzenie aż zatrzęsło. – A wprost przeciwnie...

– Pod warunkiem, że jest kompletny – przerwała jej z naciskiem Sara.

– Ja tam o niczym nie wiem – Babka strąciła niewidzialny pył z kołnierzyka bluzki.

Nagle straciła zainteresowanie rozmową, wzruszyła ramionami i sięgnęła po leżącą na stole gazetę, dając im do zrozumienia, że audiencję uważa za zakończoną.

Dwa dni przed świętami Miki przywiózł im karpie i liny.

– Robokop! – wrzasnęły radośnie dzieci, rzucając się na wujka. – Cały jesteś? Masz coś nowego? – koniecznie chciały wiedzieć.

– Mam nową nogę. Zupełny odlot, kosmiczna technologia – entuzjazmował się jak dziecko. – Patrzcie! – podciągnął nogawkę spodni ukazując metalową protezę od kolana w dół. – Działa bez zarzutu!

– Pokaż no – zainteresowała się Babka. – No, ale dlaczego taka... – szukała odpowiedniego słowa – ...surowa?

– Chodzi ci oto, że nie przypomina prawdziwej?

– Tak, o to mi dokładnie chodzi.

– Tak jest lepiej. Niczego nie udaje. Czy naturalistyczna, czy surowa z tytanowych stopów, ze wspaniale działającymi stawami stopy i tak nie będzie prawdziwa.

– Babciu, jest czaderska! – zachwycał się Wojtek.

– Nikt w klasie nie ma takiego wujka – entuzjazmował się Mateusz.

– Po prawdzie – kiwnęła głową. – Dzieci mówią prawdę, że jesteś jak ten Robokop.

– No cóż, jak mówi Lilka, taka widać już moja karma.

– Widocznie. Najważniejsze, że żyjesz.

– Właśnie. Żyję i nie jestem kaleką.

Babka spojrzała na niego spod oka i brew uniosła się lekko do góry. Spytała go szybko – Zjesz coś, Miki?

– U ciebie ciociu zawsze – zgodził się ochoczo.

Dzień zaczął się porannym koszmarem. Babka spała swoim najlepszym snem, kiedy przez, jak zwykle, niedomknięte drzwi zaczęły budzić ją głosy awantur. Akurat wtedy, kiedy można się ocknąć w celu odwrócenia na drugi bok i zapaść w jeszcze smakowitszą drzemkę, rejestrując odgłosy porannej krzątaniny, co czyniło jej sen jeszcze słodszym, ponieważ ona mogła jeszcze śnić, nieprzesadnie współczując reszcie domowników. Dzisiaj jednak stanowczo przesadzali.

– Wojtek! Daj mi papieeeeeer! – drze się z łazienki na parterze Mateusz.

Babka ponuro wypływa na powierzchnię snu. Możesz się pruć, myśli, i tak cię nie słyszy, zakładając, że siedzi w górnej łazience.

– Wojtek! Daj ten papier głuuuuupku! – krzyczy dalej Mateusz, a ciotka Lilka w łazience po drugiej stronie dzielącego dom ogniomuru podskakuje nerwowo na swoim sedesie.

– Też jestem w kibelku! – usłyszał jednak Wojtek.

– Wojtek, ty kretynie! Przynieś papier! – nie usłyszał brata Mateusz.

– Zamknij się, Mateusz! – we wrzaski włącza się ze swojej osobistej łazienki golący się Aleksander. – On siedzi na sedesie!

– Zamknijcie się wreszcie – woła z sypialni, usiłująca dospać Sara.

Niespodziewanie o tak wczesnej porze dzwoni telefon. Odbiera Aleksander, uderzając po drodze stopą o kant łóżka.

– Dajcie wreszcie temu dziecku papier toaletowy – prosi Lilka.

Babka myśli, że może jednak w DPS-ie byłoby spokojniej.

Wstała z bólem całego ciała i nieznośnym ciężarem w piersiach. Ledwo doszła do łazienki. A potem poranne czesanie i malowanie trwało dwa razy dłużej niż zwykle. W dodatku dzisiaj będzie cały dzień sama. Wszyscy popędzili do swoich zajęć. Nawet Stenia chodzi we wtorki na rynek po zakupy. Ta to ma jednak jeszcze zdrowie. Taki kawał na piechotę. A jak pędzi! Jak tak sobie czasem siedzi przy oknie, to widzi Stenię, mknącą z wiklinowym koszykiem, jak meteoryt… Nie, raczej jak kometa, sunąca tuż nad ziemią, precyzyjnie omijająca stare lipy. Niezmordowana Stenia-kometa leci na zakupy, albo z zakupów, albo z psem na spacer, bo ona ma wielkie serce do zwierząt. Większe niż do ludzi. Może się kiedyś na nich zawiodła i przez to taka jest teraz… lekko kolczasta ta Stenia. Kto to może wiedzieć, co się tam w jej życiu kiedyś wydarzyło? Może zresztą nic. Może się po prostu taka urodziła? Jeśli ktoś wiedział, to na pewno Ludka, ale ona nigdy, przenigdy powierzonej tajemnicy nie wyjawiała. Nawet jej – matce, Lena rozczuliła się nad sobą. Żeby nawet rodzonej matce nie powiedzieć, a potem umrzeć i zostawić ją samą i przyjaciółkę też. Straszne. Nawet to osierocenie Steni wydało się jej pierwszy raz bardziej dotkliwe niż jej własne i zachciało jej się płakać nie tylko nad sobą, ale i nad przemykającą w plamach rzucanego przez drzewa cienia, starszą kobietą. Myślała, że z wiekiem ekscentryzm Steni zblaknie, ale nie, wprost przeciwnie. A wydawało się, że była w odwiedzinach u córki zaledwie kilka dni temu, przybiegła do nich zdyszana ulicą w trampkach i diademie na głowie, pokazać się Ludce i spytać, czy może zabrać tę niecodzienną ozdobę na jakiś wielki bal, na który wybierała się z mężem... Była wtedy taka jeszcze młodzieńcza, chociaż miała już dorosłe dzieci. Teraz też jest taka, ale jednak już inna, bardziej gorzka. A Krakowianowa, mimo swojej choroby, nie miała w sobie zgorzknienia, ani Małgosia... Od tego diademu i trampek minęło już chyba ćwierć wieku, zadumała się Eleonora. I tyle się zmieniło, tyle bliskich osób poumierało i dalej umiera. Coraz bliżej jej samej, jakby śmierć ją podchodziła, osaczała, chciała przestraszyć, przypomnieć, że nie jest wieczna. I jeszcze ta teatralizacja. No proszę, ucieszyła się między jednym spazmem kaszlu a drugim, cały czas się uczę. Teatralizację kupiła od wnuczki, dawniej nie przyszłoby jej coś takiego do głowy.

Tak! Śmierć podchodzi już bardzo blisko, zagląda przez parkan do okien, przechadza się nawet pod jej śliwą, liże jej spuchnięte stopy. Urządza inscenizacje z intrygującą, działającą na wyobraźnię dramaturgią... Na przykład latem w upalny lipiec, rozwyły się wszystkie psy w okolicy. Wyły, co nie było przecież zwyczajne, całe trzy dni, a koty nie chciały spać, jak pan Bóg przykazał w nogach i grzać je, tylko pchały się na poduszki, żeby być bliżej człowieka, jakby się bały. A oni tak się dziwili, co te koty? Powariowały? No, wzruszyła ramionami, Alek i Sara, Lilka i Marek młodzi, to ich nie tknęło, ale ona powinna przecież coś przeczuć, a tu nic, tylko spędzała koty z poduszki w nogi, a one skubane, furt wracały. No, a po tych trzech dniach wrócił sąsiad z wakacji, w nocy wrócił, a rano znalazł martwego ojca w pustym basenie. Okazało się, że trzy dni w nim leżał. Oj, działo się też wtedy na ulicy, działo. Policja śledcza przyjechała zbadać, czy mu kto nie pomógł w takim ekspresowym przejściu na tamten świat. Okazało się, że trafił sam, bez niczyjej pomocy. Zawał załatwił go na miejscu, w krótkich szortach, bez koszuli. Pewnie wyszedł do ogrodu powygrzewać się na słońcu i utrwalić opaleniznę, bo mimo że w jej wieku, to jeszcze się na randki umawiał, żwawy taki. A lipiec tego lata był upalny. Wyszedł z domu starszy pan Klepacz, pewnie przez taras, popatrzył sobie dookoła i udał się na sam brzeg starego basenu, co to chyba z pół wieku wody nie widział. Stanął sobie i myślał, jakby to przyjemnie było zanurzyć się w chłodnej, niebieskawej wodzie, tak jak kiedyś, przed laty, kiedy z żoną byli wielkimi amatorami pływania i co roku w czasie urlopu wpław przepływali z Gdyni na Hel całą Zatokę Gdańską. Łódka, co prawda, płynęła ich śladem na wszelki wypadek, bo przecież aż takimi ryzykantami to nie byli. I tak pięknie cięło się wodę, tak pięknie się człowiek męczył i czemu musiało się to skończyć? I jak to właściwie było, że przestali tę zatokę przepływać, że pewnego roku nie pojechali, następnego też i wszystko skończyło się bezpowrotnie. Może nawet widział tę migoczącą w słońcu, ledwie tylko zmarszczoną powierzchnię u stóp powykręcanych artretyzmem? Chociaż nie, artretyzmu nie miał, od razu byłoby widać, jak idzie, a on gnał, jak Stenia… Może mu się nawet wydawało, że skacze, kiedy serce padło, a zaraz potem naprawdę złożył swoje ciało na rudawym kobiercu starych, butwiejących od lat liści na dnie starego basenu, co do niego młody Klepacz nigdy serca nie miał i pozwolił, żeby tak smutno podupadł. I pewnie sama śmierć stworzyła tę kuszącą iluzję wody, żeby mu się przyjemniej umierało. I żeby przypomnieć innym, że może się przytrafić nagle i nieoczekiwanie, że nikomu nie przepuści, nawet tym, o których się myśli, że właśnie ich, niezrozumiałym trafem, ominęła.

Tylko, po co ta gra? Przecież wie, bez przypominania. Zwłaszcza w taki dzień, jak dzisiaj, kiedy świszczy jej w płucach i ma krótki oddech… Czasami przychodzi cierpienie, prawdziwe, niefizyczne, nie zwykły ból, ale właśnie cierpienie…

Cierpienie, dlaczego przychodzi? Tak nieoczekiwanie i ten niepokój, wewnętrzny dygot. Nic nie jest na miejscu, a tak dobrze było poukładane. Czy to lęk przed odchodzeniem, czy wahnięcie hormonów szczęścia i nieszczęścia? Tylko, czy w tym wieku ma się jeszcze takie hormony? Trzeba wypytać Stenię. Ale chyba tak, bo myśli się czasem o seksie... teoretycznym oczywiście, albo ożywianym w pamięci. No i jak w telewizji, przerzucając kanały trafi się na jakiś film erotyczny, to coś tam czasem jeszcze drgnie, ciało zakwili z żałości, że to już koniec, a tak pięknie bywało... I co ciekawe, ruszają ją nie jakieś tam ckliwe obmacywanki, nie romantyczne motyle pocałunki, tylko żywe, jędrne pierdolenie, czysta, można by powiedzieć, pornografia... Matko Boska, co też człowiekowi do głowy przychodzi? Przeżegnała się rzetelnie, wznosząc oczy do sufitu, w udawanym przed sobą samą zgorszeniu. A taka była romantyczna w młodości i sentymentalna. A obecnie? Szkoda gadać. Zostały jej najwyżej dreszcze, no może nie rozkoszy, ale zawsze jednak dreszcze, jak sobie spinaczem dłubie w uchu. Właśnie spinaczem, bo jak pałeczką, co jej Sara kupuje, jak dla niemowlęcia, to już nie tak bardzo. W każdym razie, przechodzi człowieka taki prąd elektryzujący w te i we wte i jeszcze raz z powrotem, że aż się jak pies wychodzący z wody, otrząśnie, bo potem, to już nie jest takie świeże. No chyba, że sobie podłubie w drugim uchu, albo podrapie się po plecach widelcem do mięsa... Tylko sięgnąć trudno. Niekiedy Sara się ulituje, dzieci podrapią, albo Lilka z masażem przyjdzie. Wtedy też jest miło. W ogóle dobrze czasem posiedzieć i cieszyć się drobnymi przyjemnościami, krągłością pomidora w dłoni, letniego oczywiście, nie zimowego, który ma taką suchotniczą czerwień. To zresztą nawet nie jest czerwień, tylko jakiś chory pomarańczowy. Albo całoroczna sprężystość ogórka wężowego, zadziwiająca gładkość niezwykle foremnego słoika na masło klarowane. Takie rzeczy cieszą. I wspomnienia zapachów, na przykład czekolady, muszkatu, świeżej farby...

Ona i tak ma szczęście, że ją ktoś w ogóle dotyka i przytula, bo niestety, większość ludzi na starość robi się niedotykalna. Co najwyżej suchy cmok w powietrze koło policzka, kulturalny, ale zimny i pozbawiony cielesności... No, inna rzecz, że na ogół ludzie przestają o siebie dbać. Rzadziej się myją, jakby już nie mieli takiej potrzeby, albo uznali, że już nie muszą. Stenia, która jest aż przesadna w staraniach o swoje ciało mówi, że jak jedzie autobusem przez dzielnice, które się zestarzały, to śmierdzi, a w środku same starsze panie na oko czyste i nawet zadbane. Ale śmierdzi. No, nie tak jak bezdomni, mówi, ale jednak capi niemytymi, zapomnianymi ciałami. Stenia jest jednak kulturalna i nie używa słów, co się aż proszą o użycie i mówi ogólnie ciała, ale przecież wiadomo, o co chodzi...

Czy Stenia w końcu ustroiła się w ten diadem na bal? Ludka, patrząc na znoszone trampki przyjaciółki, upewniła się wtedy, czy aby na pewno ma eleganckie pantofle i sukienkę. No, co ty, oburzyła się wtedy, za głupią mnie masz? Nie, nie, skądże Steniu, tak tylko pytam, skoro przyszłaś po radę. Tak więc Stenia zawsze miała w sobie tę młodzieńczą niefrasobliwość, która jej do dzisiaj została. Co prawda, niektórzy twierdzą, że to dziwactwo, ale nie mają racji, nazywając dziwactwem zachowania nieprzystające do wieku metrykalnego. A to jest właśnie w tym najlepsze, że coś w nas zostaje bez zmian.

Najgorszy jest ten cienisty smutek, co nas otula jak szalem i odgradza od czasu teraźniejszego, który jaki by nie był, jest najwłaściwszy. Tylko, że czasem jest ciężko, naprawdę ciężko... Z ciężkim westchnieniem Babka stwierdza, że już dzisiaj do niczego się nie nadaje, oprócz listy zakupów na święta dla Sary i Aleksandra.

– Po co ci tyle mąki? Trzeba będzie chyba ciężarówkę nająć – wieczorem wnuczka przegląda długachną listę sprawunków.

– Nie przesadzajta, tylko lećta kupić – poleca Babka głosem nieznoszącym sprzeciwu.

– Znowu się zacheśtasz przy produkcji ciast dla całego pułku.

– To się zacheśtam! Moja sprawa. Ty to, aby tylko, odtąd – dotąd, żeby się czasem nie namęczyć!

– Nie jesteśmy w stanie tego potem zjeść!

– Niech cię o to głowa nie boli! Na pół kilo, jak ty robisz, to nawet nie warto rękawów zakasać!

– Według twoich standardów to na pewno!

– A właśnie, że według moich. I jeszcze prawdziwego maku kup.

– Z puszki?

– Nie chcę tego gówna z puszki, nie wiadomo z czego ulinionego i do blachy wciśniętego. Prawdziwego powiedziałam. I żeby zatęchły czasem nie był jak ostatnio.

– Jak to ostatnio?

– No, jak ostatnio kupiłaś, to musiałam Stenię prosić, żeby mi nowy kupiła, bo się ten twój do niczego nie nadawał.

– Pierwsze słyszę! Nic nie mówiłaś!

– A co ci miałam mówić – wzruszyła ramionami Babka. – Ty to zawsze tak bez serca kupujesz.

– A jak mam kupować z sercem?!

– No, zwracać uwagę, co bierzesz, a nie tak bez zastanowienia, byle prędzej mieć z głowy. Powąchać, czy świeże, zmiarkować, czy kolor dobry, czy fasola aby na pewno latosia, kapustę spróbować, czy dobra, dobrze ukwaszona, ogórki nie kapciowate… Wypytać sprzedawcę, z której beczki najlepsze. Co tak oczy wyropalasz? To wszystko są ważne sprawy. Gdybym trochę lepiej chodziła – rozczuliła się nad sobą, otarła oko chusteczką, ale tak, żeby go czasem nie rozmazać – sama bym sobie wszystko załatwiła. A tak, za każdym razem muszę was błagać, żebyśta mi kupili, co sami przecież wpierdolicie, aż miło, bo ja jestem na diecie i nic nie jem, tylko chleb ze szczyrnom solą – skończyła raźno i energicznie trąbiąc w chusteczkę, bo już ją powoli zaczęła cholera brać na te powtarzające się cyklicznie utarczki.

– Przecież możemy cię zawieźć do sklepu. Największego. Zobaczysz, zwariujesz ze szczęścia.

– A ja mam siłę po takim obszarze chodzić!? Widziałam w telewizji, jak to się trzeba nalatać. Nie dam rady. A oszalałaby ze szczęścia raczej twoja matka, nie ja. Ona uwielbiała chodzić na zakupy. Jaka szkoda, że nie doczekała tej handlowej rozpusty.

– Pożyczymy wózek inwalidzki. Marek pożyczy od kolegów.

– Ja na wózku? – wrzasnęła poirytowana Babka, ale potem pokręciła młynka kciukami i dodała. – Dobrze, zastanowię się.

W końcu przed domem zatrzymała się karetka i Marek wyciągnął z niej solidny wózek. Babka wyszła z domu wystrojona jak na święto, wyjątkowo starannie umalowania i uczesana, ze srebrną broszą z granatami wpiętą w bluzkę i szalu nonszalancko zarzuconym na ramiona. W otoczeniu rodziny doczłapała do karetki i podtrzymywana za ramiona przez mocno zapartych Marka i Aleksandra klapnęła na fotel, aż ugiął się niebezpiecznie. Podnośnik jęknął z wysiłku i przy wstrzymanych oddechach, ruszył. Babka w ogóle nie zwracała na to uwagi. Wyciągnęła z torebki puderniczkę i uważnie lustrowała swój makijaż w dziennym świetle.

– Teraz widzę, że ten puder to chyba niezbyt jest dopasowany do mojej cery. Jakbym żółta była. Może mam żółtaczkę? – zaniepokoiła się i wywaliła swój wielki różowy język do oględzin. – Nie, chyba nie. A może? No, mniejsza… na razie jedziemy. Tylko mi laskę przynieście.

– Po co ci laska? – zdziwiła się Lilka, ale wróciła do domu.

Karetką z Babką zapakowali się Marek i Lilka. Sara z Aleksandrem i dziećmi pojechali samochodem.

– Niezły cyrk – mruknęła Sara. – Kto wpadł na pomysł, żeby wieźć Babkę na shopping karetką?

– Ty! – odpowiedział jej mąż i dzieci.

– Niemożliwe? Musiało mi na rozum paść. Jeszcze jej to w nawyk wejdzie.

– Zmęczy się, to i zaniecha.

– Babka się zmęczy? Zakupami? Żartujesz chyba.

Pchana przez czwórkę podekscytowanych prawnuków, Babka każe się wozić po alejkach i wskazuje lachą, co mają jej przynieść i pokazać. Marek i Aleksander podążają za nimi z dwoma wielkimi wózkami, wypełniającymi się wszelkim dobrem, jakby ktoś sypał do nich z rogu obfitości.

– Przesadzasz babciu – próbuje oponować Lilka.

– Nie marudź. Chociaż raz kupię to, co jest mi potrzebne bez wykłócania się z nią – łypnęła na wlokącą się obok Sarę. – Nie bójta się, ja płacę.

– Nie ma takiej potrzeby żebyś płaciła, ale skąd znowu masz tyle kasy? – zaciekawiła się.

– Wyrównanie dostałam.

– Jak to jest, że ty ciągle dostajesz jakieś wyrównania, a wszystkie emerytki narzekają.

Babka wzruszyła ramionami i wyciągniętą laską zaatakowała lodową górę z rybami. Następnie, nie wiadomo zresztą jak to się stało, Babka zniknęła. Dzieci oglądały jakieś zabawki, oni spotkali znajomych, wymienili kilka zdań, rozglądają się, a wózka z Babką nie ma. Rozbiegli się szukać, a ona jakby przepadła. Sarze przypomniało się coś głęboko niepokojącego, coś z dalekiej przeszłości z Łasku. Wysilała się przez kilka chwil i wreszcie wspomnienie pojawiło się jak żywe, kiedy dziadek Józef niezauważalnie zniknął w jednym momencie w pokoju z biblioteką, aż się zaniepokoiła, bo wyglądało jakby po prostu wyparował. Zniknięcie Babki było tak samo gwałtowne.

– Niedobrze, niedobrze – szepcze pod nosem Sara.

– Zaraz się znajdzie – pociesza ją siostra.

– Wiem, że tak, ale dziadek Józef tak samo kiedyś zniknął mi z oczu, jak się okazało, po prostu wślizgnął się za bibliotekę, gdzie w kolumnach z drugiej strony znajdowały się sekretne półki i tam trzymał butelki z wódką w tajemnicy przed Babką.

– No i co to ma do rzeczy? – dziwi się Lilka.

– To, że niedługo potem zmarł. Musisz ją zabrać na przegląd.

– Dobrze – zgodziła się siostra.

Babka rzeczywiście znalazła się przy hostessach z łososiem i serami, gdzie załatwiła sobie jakimś cudem mega degustację.

– Wojtek, Mateusz! – woła gromkim głosem na cały dom.

– Sparzę migdały, a wy obierzecie ze skórki. Tylko mi za bardzo nie podjadać, bo nie wystarczy do ryby i ciasta.

– Dobrze – zgodzili się prawie chórem. – Ale opowiesz nam coś?

– Opowiem.

– To co mamie?

– To, a może jeszcze coś innego. Zobaczę, jak mi się będzie snuło. A co byście chcieli, żebym wam opowiedziała? – Babka wzięła się z werwą za oprawianie karpi.

– Opowiedz, jak to dawniej bywało, żebyśmy wiedzieli od ciebie, a nie tylko z filmu, albo książki.

– Opowiem wam o tym, jak mój ojciec, a wasz prapradziadek, uratował się od wywiezienia na Sybir. To ważne, bo jakby mu się nie udało, to by nas tu nie było.

– Ciebie by nie było? – upewnił się Wojtek, pakując sobie obrany migdał do buzi.

– I ciebie też by nie było ani Mateusza, a także waszej matki Sary, ani waszej ciotki Lilki ani jej Kaspra i Ani, ani mojej córki Ludki, świeć Panie nad jej duszą.

– Świeć Panie nad jej duszą – powtórzyli za nią chłopcy.

– To dobrze, że mu się udało – pokiwał głową zadowolony Mateusz. – Świeć Panie nad jego duszą... Ładne to świecenie nad duszą.

– No, to jak to było?

– Ojciec waszego prapradziadka, wraz z bratem i starszymi synami, brał udział w powstaniu styczniowym. Polska była pod rozbiorami. My mieszkaliśmy w zaborze rosyjskim i wybuchło kolejne powstanie o wolność. Niestety, nie udało się. Powstańcy przegrali.

Tych, którym udało się przeżyć, łapano i wywożono na Syberię za karę. To było jak więzienie. Nie byli, co prawda, zamknięci, ale stamtąd się nie uciekało.

– Ja bym uciekł! – powiedział z przekonaniem Wojtek.

– Mało komu się udawało. Tam są srogie zimy i trzeba było bardzo ciężko pracować, żeby przeżyć. Zesłańców dręczyły choroby. W każdym razie, zabrali całą rodzinę Pstrońskich, bo starsi bracia też z ojcem walczyli w powstaniu. Twoją prapraprababkę Eleonorę, co mam po niej imię, też... Zresztą, oprócz wywózki zabierano powstańcom majątki. I naszej rodzinie też zabrano całe Pstre Konie i Paprotnię: dwór, folwarki i całą ziemię. Wszystko!

– Straszne świnie! – zacisnął piąstkę Macio.

– No! – przyznała mu rację Babka. – Chcecie pęcherze do zabawy?

– Co? – nie zrozumiały dzieci.

Pokazała im opłukane w wodzie z krwi rybie pęcherze. Otrząsnęli się ze wstrętem i odmówili.

– Jak chcecie. Dawniej dzieci tak się bawiły. Jeszcze wasza mama i ciocia Lilka nie miały nic przeciwko.

– Nie szkodzi. To jest obrzydliwe.

– To się podobno odbyło błyskawicznie – Babka wyrzuciła wszystkie odpadki z karpi do kosza. – Dali im chwilę na spakowanie się. Mój ojciec, Konstanty, najmłodszy syn Eleonory i Stanisława, był małym dzieckiem, chyba w waszym wieku i bawił się w tym czasie u ogrodnika. Jak ogrodnik, stary Głowacki, zobaczył co się święci, to nie pozwolił dziecku lecieć do rodziny. Przytrzymał go, wyrywającego się, siłą. Eleonorze udało się jeszcze wyrwać i pożegnać z nim. Powierzyła go opiece Głowackich, co sami bezdzietni byli i uwielbiali małego panicza. Udało jej się nawet wcisnąć im niepostrzeżenie jakąś biżuterię, żeby choć trochę ocalić i zabezpieczyć syna. I zabrali wszystkich. W mig przepadli w głębi ogromnej, carskiej Rosji.

Chłopcy z wrażenia wstrzymali oddech.

– I co?

– Głowaccy zaopiekowali się waszym praszczurem – prawnuki mimo przejęcia zachichotały – Konstantym Pstrońskim, jak umieli. Został świetnym kowalem. Za matczyne pierścionki i łańcuszki kupił kawałek ziemi i kuźnię. Oprócz zwykłych kowalskich prac potrafił robić prawdziwie piękne rzeczy. Nie był zwykłym rzemieślnikiem. Mówię wam, mój ojciec dzisiaj pewnie byłby artystą – Babka była dumna ze swojego ojca.

– Ale kowal, to nie pan we dworze – zauważył sprytnie Wojtek.

– To prawda. Można rzec, że schłopiał. Jego matka wiedziała, że jako małe dziecko mógłby nie przetrwać zimowej drogi na Syberię. Dlatego zostawiła go samego, bo tu miał większą szansę na przeżycie. I tak się stało. Dał radę. Zresztą, wtedy kowal we wsi to był nie byle kto. Podobnie jak młynarz, czy ksiądz…

– I ta nasza prapraprababka wróciła? – spytał Mateusz.

– Wróciła sama, po wielu, wielu latach. Mąż zmarł ze zgryzoty, a dwaj synowie ciągle wpadali w jakieś kłopoty. Nieustannie myśleli o ucieczce, ale stamtąd nie było ucieczki. Zimy srogie a lata okropnie gorące, z plagami takich małych, upierdliwych meszek, które potrafią wcisnąć się wszędzie i uprzykrzają życie tak, że ma się ochotę zwariować. Matka, znaczy wasza prapraprababka prosiła, błagała, żeby siedzieli spokojnie i czekali cierpliwie na legalną możliwość powrotu, co się przecież czasami zdarzało, ale oni wychowani przez ojca na powstańców i patriotów ani myśleli słuchać matki. No i te meszki… Wymyślili, że upozorują swoją śmierć w tajdze, żeby ona mogła wrócić do kraju, a sami przedrą się przez Cieśninę Beringa do Ameryki… Przynieście no z piwnicy jeszcze włoszczyzny, bo coś chyba mało mam do tych ryb.

– No wiesz! – Mateusz nie krył oburzenia. – W takim momencie!

– Leć! Nie dyskutuj. Potem to się prosić muszę ze trzy razy zanim raczycie posłuchać!

– Dobrze, już dobrze. Nie musisz tak ciągle dukwić! – Wojtkowi wydawało się, że łagodzi sytuację, używając słowa z babcinego słownika.

– Ja dukwię? – wrzasnęła.

– Nie! Już lecimy!

Zadudniły gorliwe stopy na schodach, a po chwili byli już z powrotem.

– Masz! Teraz opowiadaj!

– Przygotowali się rzetelnie do tej niebezpiecznej i ryzykownej wyprawy. Sfingowali bardzo sprytnie swoją tragiczną śmierć w pożarze, ale niestety, tak się przejęli, żeby było autentycznie, że zamiast na niby, zginęli całkiem na serio.

– Niemożliwe! – Wojtuś nie chciał uwierzyć w takie smutne zakończenie. – To się nie mogło tak skończyć! – protestował.

– Tak się właśnie skończyło. Tragicznie. Eleonora została na Syberii sama, prawie oszalała z rozpaczy po stracie ukochanych synów.

– Ale może jednak udało się i przedarli się do Ameryki?

– Nie. Wszystko tak zorganizowali, żeby ludzie widzieli, że giną w pożarze. A oni tymczasem mieli z tyłu, za osłoną ciemnego, kopcącego dymu wymknąć się i uciec, ale zanim uciekli zawalił się dach tej szopy, którą wybrali jako miejsce spektakularnego widowiska teatralnego i zginęli na miejscu... Nie zdążyli uciec. Wszystko zaczęło płonąć szybciej i gwałtowniej niż sobie to zakładali. A nie mogli przecież zrobić wcześniej próby... Wiecie co? – zamyśliła się Babka na chwilę – czasami to sobie myślę, czy nasz Miki to nie jest aby jakiś ich daleki potomek z nieprawego łoża. I odziedziczył po nich pecha i wiedziony jakimś instynktem, czy może ślepym trafem, wrócił po trzech pokoleniach rozłąki na łono rodziny.

– Ale może jednak uciekli? – Mateusz nie mógł się pogodzić z pechem dalekich przodków.

– Nie uciekli.

– Przecież nie zostawiliby matki samej w rozpaczy, że nie żyją – Wojtuś jak zawsze zwracał uwagę na kwestie uczuć.

– Właśnie.

– Ale skąd ty to wszystko wiesz? – chciał znać źródło babcinej wiedzy Mateusz.

– Od mojej matki, która, chociaż może i była trochę wre… niesympatyczna, to historie rodzinne szanowała, wszystko dokładnie spamiętała i dzieciom swoim opowiadała, a potem wnukom. I ja tak samo wam opowiadam, żebyście wiedzieli, jak to dawniej było. A Eleonora, mimo że innej chciałaby dla syna synowej, jej właśnie wszystko z detalami przekazała, wdzięczna za to, że dzięki Brygidzie ród Pstrońskich nie całkiem sczezł… no, nie wymarł. Kiedy wróciła, nie poznała swojego najmłodszego syna.

– Jak to?

– Zostawiła przecież malca, a teraz zobaczyła wielkiego chłopa, bo wasz prapradziadek był bardzo wysoki, prawie dwa metry wzrostu, to się w tamtych czasach rzadko zdarzało. Nie dość – Babka podniosła obieraną właśnie marchew do góry – że stanęła twarzą w twarz z dojrzałym mężczyzną, to jeszcze musiała się zmierzyć z faktem, że wyrósł na zupełnie kogoś innego niż powinien.

– To na kogo powinien wyrosnąć? Daj marchewkę.

– Na dziedzica Pstrych Koni i Paprotni. A miała przed sobą ciężko pracującego kowala, a nie kawalera na koniu, objeżdżającego swoje włości. No i synowa bynajmniej hrabianką nie była!

– No to co? – zdziwił się Wojtek.

– Jak to co? W tamtych czasach dziedzic żenił się z dziedziczką. A jak nie, to był skandal i takie nierówne małżeństwo nazywano mezaliansem.

– Czyli straszny obciach i obora? – domyślił się Wojtek.

– Straszna obora! – potwierdziła Babka. – No, ale na szczęście Eleonora umiała się cieszyć z tego, co było i jakoś tam w miarę poprawnie ułożyły się jej stosunki z Brygidką, moją matką. Chociaż na pewno nie było jej lekko w chłopskiej, chociaż niebiednej chacie. Na szczęście synowa, znaczy moja matka, miała aspiracje do bycia kimś lepszym niż reszta bab ze wsi i dom z mężem dostosowali w miarę możliwości do potrzeb teściowej. Od strony ogrodu powstał okazały ganek, a na wysokim strychu facjatka z balkonem. Pożyła jeszcze moja babka ze dwa lata po powrocie i zmarła. A przed śmiercią dała mi tę broszkę – wskazuje na broszkę z granatami pod szyją. – To nasza jedyna rodowa pamiątka.

– Jak to rodowa? – dziwi się Sara, która właśnie weszła do domu. – Przecież mówiłaś…

– No co? – pyta agresywnie Babka i rzuca jej tak piorunujące spojrzenie, że wnuczka milknie, wzruszając ramionami.

– Smutne – skwitował Mateusz.

– Smutne, ale nie tak bardzo, bo rodzina przetrwała, jak chciała nasza prapraprababka Eleonora. Dlatego nie zabrała ze sobą najmłodszego syna, żeby mieć pewność, że jakby co, przeżyje – pocieszył się Wojtek.

Panie Boże, bardzo Cię proszę, żeby mi ta galareta stanęła jak należy, bo zagadałam się dzisiaj z dziećmi i nie jestem pewna, czy o czym nie zapomniałam. I żeby mi ta świąteczna rozpusta jak zwykle bokiem nie wyszła, bo coś coraz słabsza jestem ostatnio… Ojcze nasz, któryś jest w niebie, święć się imię Twoje… Acha, i mógłbyś Boże zaopiekować się Krakowianową, bo przecież ona od tak, sobie życia nie odebrała, tylko musiała mieć jakieś ważkie powody. Sąsiad z rogu mówił mi, jak przy furtce po pocztę do skrzynki poszłam, że ona jakąś kamienicę odziedziczyła, więc jeśli to byli ci przodkowie, co są tymi naszymi starszymi braćmi w wierze, to ona nie bez powodu musiała mieć te swoje depresje, więc odpuść jej Boże, bardzo proszę… Na czym to ja stanęłam? Przyjdź królestwo Twoje, bądź wola Twoja…

Tuż przed świętami przyjechał Miki. Wcześniej niż zwykle. O dziwo, bez aktualnej narzeczonej, z którą podobno skłócił się okropnie. Ona, jak zwykle dużo od niego młodsza i jak zwykle niezwykle urodziwa, chciała mieć z nim dzieci. A Miki, jak to Miki, z nieustannie depczącą mu po piętach śmiercią, za nic nie chciał, więc Konstancja, urażona jego stanowiskiem do głębi, zdecydowała opuścić go na zawsze i wróciła do rodziców, do Warszawy.

– Jak ja mogę podjąć taką ważną decyzję o rozmnażaniu? – perorował do Babki i Sary, chodząc nerwowo po kuchni w tę i z powrotem, i zawsze w okolicy kuchennego stołu zwalniał i podjadał z rozstawionych gęsto talerzyków i miseczek. – Przecież osobliwie wypadkowy jestem i nie mogę narażać moich hipotetycznych potomków na wczesne sieroctwo, bo pewnego pięknego wypadku mogę po prostu nie przeżyć. I nie rozumiem zupełnie tych waszych samobójców, którzy sami narażają swoje doskonałe, bo kompletne ciała na szwank.

– Dlaczego naszych? – zdziwiła się Babka.

– Właśnie! Dlaczego? – poparła ją Sara.

– Zawsze, jak przyjadę, opowiadacie, że ktoś a to się powiesił, bo mu życie zbrzydło, a to połknął jakieś proszki, bo ktoś ich zdradził. Co to w ogóle są za powody!? Mnie by coś takiego nigdy nie przyszłoby do głowy, a można powiedzieć, żyję w nieustannym zagrożeniu.

– Widocznie ważne. A poza tym to są śmierci w wyniku ciężkiej psychicznej choroby, więc nie są traktowane tak, jak kiedyś. – Sara wyciągała z torby zakupy.

– A ty, odmawiając dzieci ukochanej kobiecie, sam skazujesz swoje geny na samobójstwo – Babka rozczyniła drożdże z ciepłym mlekiem.

– Ciocia to naprawdę – zatkało go z oburzenia. – Co to za dziwaczne i pokrętne rozumowanie? Ciocia wie, że ja mógłbym teraz wnuki mieć, a nie dzieci! Konstancja mogłaby być moją córką!

– To po coś jej głowę zawracał? Co? Miki, zlituj się nad nią i nad sobą! W lata ją wpędziłeś, a teraz wycofujesz się tak skwapliwie?

– W przedszkolu braliby mnie za dziadka!

– Nie ciebie pierwszego i nie ostatniego! – wzruszyła obojętnie ramionami Babka.

– Mogłabyś chociaż zaprzeczyć – jęknął, desperacko pakując sobie do ust garść rodzynek.

– Nie ma tu nic do zaprzeczania – powiedziała bezlitośnie. – Oprócz ubytków na ciele, nie powiem znacznych, zdrowy jesteś teraz jak przysłowiowy koń. Najważniejsze to zdrowa głowa.

– A oko? A brak nogi, ucha?

– Oko! – prychnęła lekceważąco. – Nawet nie widać, że to atrapa. Poza tym masz jeszcze drugie. I głowę na karku do interesów. To po Tarasie, Panie świeć nad jego duszą. On też był wyjątkowy do różnych biznesów. I ty tak samo. Nawet w głębokiej komunie umiałeś zarobić. Nigdy nie zapomnę, jak te koty bezdomne łapałeś.

– Jak to? – zainteresowała się Sara. – Byłeś hyclem? Nie słyszałam o tym epizodzie twojego egzotycznego życia Miki.

– Polfa z Kutna w sześćdziesiątym piątym skupowała koty – samce do celów laboratoryjnych, po sześćdziesiąt złotych sztuka. Czysty zysk!

– Czysta okropność! – wzdrygnęła się Sara.

– Brali jak leci, oprócz rudych. Nie wiem, dlaczego – jeszcze teraz zachodził w głowę. – Wtedy ludzie nie byli jeszcze tacy przewrażliwieni jak teraz.

– Tylko dzieciom nie opowiadaj czasem o tych handlowych wyczynach, bo ich do siebie zrazisz, a wiesz, że cię uwielbiają i jesteś wielkim autorytetem, więc ani się waż choć słowem pisnąć o tym.

– Chyba, że z morałem – powiedziała Babka.

– Jak to? To może w tym być jakiś morał? – zdumiała się Sara.

– Może – Babka ucierała z wprawą żółtka z cukrem. – Jak kot ci oko wydrapie!

– Nie!

– Niestety! – Miki potwierdził smętnie rewelacje Babki.

– Dlaczego ja o tym nic nie wiedziałam?! I to przez tyle lat! Myślałam, że to na skutek jakiegoś kolejnego, banalnego wypadku – Sara była bardzo rozżalona.

– Ludka zabroniła wam mówić, tobie i Lilce. Z tych samych powodów, dla których ty właśnie zdecydowałaś to trzymać w tajemnicy przed dziećmi. Lilka tak kochała różne zwierzątka i zamierzała zostać weterynarzem, albo hodować konie. To jak wam mieliśmy powiedzieć, że kochany wujek stracił oko w walce z kotem, którego zamierzał oddać za pieniądze na doświadczenia?

– Zgroza! – skwitowała Sara. – Macie coś takiego jeszcze w zanadrzu?

– Nie! Od tej pory zapisałem się do Greenpeace i szczerze tego żałuję – powiedział Miki.

Sara nie była pewna, czy powiedziane to było serio, czy ironicznie. I czego właściwie żałuje Miki, swojego utraconego oka czy kotów.

– A wy co? – popatrzył na obie kobiety poważnie. – W wolnej Polsce cenzurujecie przeszłość rodzinną?

– Fakt! – przyznała Sara. – Cenzurujemy! Dobrze. Możesz im opowiedzieć z morałem.

– Dzieciom mogę jeszcze opowiedzieć mój epizod z hodowlą jedwabników – zaofiarował się Miki. – Bardzo pouczająca i ekologiczna historia.

– Dziękuję, znam. Słyszałam parę razy.

– Ty słyszałaś, ale dzieci jeszcze nie.

– To im opowiedz, jak wrócą od Lilki.

– Co ich tak długo nie ma? – zainteresował się.

– Proces produkcji pierniczków na choinkę jest bardziej ekscytujący od ciasta drożdżowego.

– Moje drożdżowe mniej ciekawe? – upewniła się Babka.

– Dla nich na razie tak, ale ja tak nie uważam.

– Ja też. Uwielbiam te cuda z rośnięciem – zapewnił ją Miki.

– Ja też – poparła go gorliwie Sara.

– Pierniczki przydadzą się do śledzi. Trzeba im powiedzieć, żeby nie zżarli wszystkiego od razu. Niech odłożą parę. Lilka zupełnie tak samo jak ty, z pół kilograma najwyżej robi. Mnie to by się dla tego nawet nie chciało podnieść z krzesła. Miki, zjesz śledzia piernikowego?

– Wiesz, że mam uraz.

– Te są inne. Zobaczysz! Niebo w gębie.

– Faktycznie. Ze śledziem, po tej piernikowej obróbce, niewiele ma wspólnego – poparła Babkę Sara.

Patrzyła, jak Babka zawija rękawy i próbuje umieścić potężną miskę między nogami. Niestety, tak sobie mogła robić w młodości, kiedy brzuch nie przeszkadzał, więc teraz musi ją wesprzeć na krześle.

Ale dawniej, kiedy Babka była szczupła, myśli sobie Sara, wyrabianie żywego ciasta drożdżowego było czystą seksualnością. Podwijała rękawy, pewnie tak samo jak teraz, tylko ręce były jędrne i pełne, a dekolt głęboki. Zdecydowanie głęboki i lekko spocony rowek między piersiami wielkimi jak nadmuchane grusze, bo zawsze miała duże piersi. Piec nagrzany do czerwoności i okna pozamykane… Chociaż niekoniecznie. Ona nie jest ortodoksyjna, nawet w kwestiach tak fundamentalnych jak pieczenie, czy gotowanie, więc lufcik, mógł być jednak lekko uchylony, a nawet całkiem rozwarty i do kuchni wdziera się mroźne powietrze razem z drobinami suchego od mrozu śniegu.

Sara jest przekonana, że akurat Babce drożdżowe wyrosłoby nawet w przeciągu. Podobnie jak rośliny, co je sadzi, same, bez żadnego starania rosną, nawet pestki z cytryny, co ją sobie do herbaty wciska, wsadzone byle jak w starą doniczkę, wyrastają bujnym drzewkiem. Ułamana gałązka w cudowny sposób ukorzenia się i samodzielnie krzewi w ogrodzie. I Lilka tak ma po niej, za co się weźmie w ogrodzie, zieleni się, kwitnie i owocuje. Od maleńkości tak miała. Wyrywała w łaskim ogrodzie Babki warzywa, oglądała korzenie, wsadzała z powrotem, a one rosły nawet lepiej niż inne. Ciekawość! Dlaczego tak?, zastanawia się Sara. Włosy obcięte ręką Babki i Lilki w mig odrastają. A jak czasem się do jakiejś fryzjerki trefnej pójdzie to koniec, jak zaczarowane stoją w miejscu. Szczęście, jeśli dobrze ostrzyże!

Ciasto w trzymanej mocno udami misie rozsiewa zapach świeżego masła, który wystarcza za wszystkie olejki zapachowe i wanilię. Lśni od mleka, rozpustnej ilości żółtek i rośnie od drożdży, szturchane niecierpliwie drewnianą kopyścią. Ale cierpliwość nigdy nie była jej mocną stroną, więc zdecydowanym gestem odrzuca kopyść na stół i dalej wyrabia już tylko dłońmi. Ciasto oblepia skwapliwie palce, aż po nadgarstki. Jest chłodne, przyjemne i żywe. Babka znęca się nad wielką kulą ciasta, rozciągając ją na wszystkie strony, rwie na kawałki, by następnie połączyć wszystko ponownie w całość. Działa energicznie i nawet się nie zasapie, Lena, babka Sary sprzed laty.

Za to ta współczesna dyszy, świszczy i postękuje, zmagając się z ciastem, ale nie pozwala się wyręczyć ani wnuczce, ani Mikiemu.

– Muszę sama. Drożdżowe nie lubi zmian. Ta sama ręka musi je dopieszczać – stwierdza za każdym razem, kiedy ktoś ofiarowuje pomoc.

Mogą najwyżej miskę potrzymać. Sara wie, że wcale nie chodzi o te zapasy z ciastem, tylko o splendor, jaki spada na nią, kiedy wszyscy delektują się mistyczną niemal puszystością, niebywałym smakiem i kolorem ciasta. No i ten gest! Ta brytfanna dla ciotki Tośki, ta dla Emilii, dla Lilki, ta dla nas. I w zależności od aktualnego stanu zmiennej zażyłości, coś dla koleżanek z okolicy.

Miki rozejrzał się niespokojnie po kuchni.

– Jak to! Nie będzie w te święta makowców?

– Będą Miki, będą. Nic się nie martw – uspokaja go Sara.
– Będziemy dziś tu tkwić do rana. Zaparz nam lepiej mocnej kawy.

– Makowce potrzebują innego ciasta – wyjawia Babka tajemniczym głosem.

– A Waldek o tym wie? – zakpiła wnuczka i doczekała się morderczego łypnięcia.

– Pewnie, że wie. On się akurat napatrzył, jak do Łasku przyjeżdżał. Bo drożdżowe to moja specjalność, nie Amelii.

– Jakiego ciasta potrzebują makowce? – domagał się wyjaśnień Miki.

– Wolnego, Miki, wolnego, prawie jak gęsta śmietana. Przeciekającego nieledwie przez palce. Nietęgiego po prostu. Rozumiesz?

– Powiedzmy.

– Zaraz zobaczysz, a tymczasem napijemy się kawy i tego likierku, coś ze sobą przywiózł, dietetycznego, a ty posiekasz orzechy i migdały, co je dzieci już ze skóry obdarły. A ciasto tymczasem spokojnie sobie wyrośnie.

– To jaki dietetyczny likierek ciociu wybierzemy?

– A jest w ogóle coś takiego jak dietetyczny likierek? – wyraziła wątpliwość Sara.

– Pewnie – zapewnił ją Miki – jedyny spadkobierca Gustawa i Amelii. – Wszystkie moje nalewki i likiery takie są. Na naturalnych ziołach i owocach, więc wszystkie są dietetyczne.

W drzwiach stanął Aleksander.

– Ale jestem złachany! Dajcie coś zjeść!

– Sara! Daj chłopu żryć! – zarządziła Babka.

Sara przewróciła wymownie oczami.

– Przecież widzę i słyszę. Nie musisz mnie tak poganiać.

– Muszę. Ruszasz się jak mucha w smole. Miki! Teraz to przesadzasz, co ja dam do makowców? – obruszyła się, widząc jak wpycha sobie do ust wielką garść bakalii.

Babka tej nocy padła jak kłoda na łóżko bez pacierza, wdychając z zadowoleniem unoszący się wokół zapach drożdżowego ciasta i usnęła błyskawicznie, tylko coś jej się śniło fantastycznego. Rano usiłowała sobie nawet przypomnieć, co to było i powtórzyć Sarze, ale ni cholery, przepadło jak kamień w odmętach ciężkiego, utopionego w maśle i wanilii snu.

Babka siedzi za długachnym stołem i prawie przysypia po wigilijnym obżarstwie. Nawet nie chce jej się wstać do corocznego zdjęcia na schodach.

– Odczepcie się ode mnie – mruczy. – Zróbcie mi tu, na tym krześle pod choinką – mruczy.

– Chodź, babciu! – prosi Lilka. – Przecież nie może cię zabraknąć!

Dobre sobie, myśli sennie, przecież kiedyś musi... Wielkie mi co. I tak już ciasno na tych schodach, ona sama zajmuje co najmniej dwa miejsca.

– Pani Leno! Bardzo prosimy do nas! – mówią prawie chórem Tośka i Olgierd Szeptanisowie.

Wszyscy przyzwyczajają się do zwyczajów, które sami tworzą, jak te zbiorowe zdjęcia wigilijne na schodach. Wymyślili, będzie już z dziewięć lat temu i teraz bez nich ani rusz. A jaki to był lament rok temu, jak się okazało, że coś się z aparatem stało i nie mogli się obfotografować ze wszystkich stron. Istna komedia. Naprawdę. Idę, już idę, kurwa mać, a tak mnie w krzyżu łupie i naładowany brzuch ciągnie do dołu jak kamień. Co za życie.

– Krzesło mi dajcie. Nie będę stała przecież godzinę, zanim wy się ustawicie!

Opada na krzesło, wspierając się ciężko o laskę. Nie ma siły, żeby odwrócić się i obserwować kłębiącą się na schodach rodzinę z przyległościami. Nawet jak Natasza wsadziła Mikiemu palec do oka, wskutek czego wypadło i ześlizgnęło się jak deska do snowbordu, aż pod jej stopy. Ciekawa rzecz, taka atrapa, myśli sennie, gdyby było całkiem okrągłe, zeskakiwałoby jeszcze bardziej spekta-kularnie, wręcz filmowo, ale ono jest wypukłe tylko z jednej strony. Widziała kiedyś, wszedł na kawę, zatarł je sobie w zapomnieniu, bo na dodatek ma alergię i wpadło mu do filiżanki i nawet nie utonęło, tylko kołysało się wesolutko na powierzchni. Dzieci to nawet już nie reagują, przyzwyczajone do niezwyczajności wuja, ale nowa teściowa Ali, co pierwszy raz zjechała do nich na Wigilię z Paryża, zastygła z otwartą szeroko gębą i o mało nie wypuściła wnuczki z rąk, aż jej sam Miki musiał naprędce opowiedzieć którąś z wersji historii o utraconym oku.

No i już do końca życia będzie miała na tym zdjęciu wyraz niebotycznego zdumienia na twarzy. I bardzo dobrze, bo człowiek, który się dziwuje to jeszcze młody człowiek, dywaguje Babka pół śpiąc, pośrodku świątecznego zgiełku, w szeleszczącym morzu kolorowych opakowań po prezentach, w obłoku mocnych perfum, których dostała trzy flakony i wszystkimi trzema pieczołowicie się spryskała, aż koty kichały. No i kiedy można się zachwycać... A kiedy już się nie chce, to znaczy, że pora umierać. Ale jej na przykład, jeszcze się wiele rzeczy podoba i tak samo jeszcze się dziwi, pocieszyła się. No, może nie zawsze tak jak teściowa Ali, ale zawsze, pomyślała i odpłynęła na dobre w głębszy sen.

Świąteczny dzień zawsze jest przyjemny. Napięcie opada, do-mownicy wynoszą się do rodziny na proszone obiady i kolacje, a Babka może sobie spokojnie powspominać nad kawą i pulchnym, wilgotnym makowcem. Przez ten dom zawsze przewijało się wiele osób.

Taka Janina, już nigdy nie spróbuje jej drożdżowego, nie za-chwyci się tak od serca, jak tylko ona umiała. Pojawiła się kiedyś..., zaraz, zaraz... tak jakoś w połowie lat siedemdziesiątych pojawiła się na ulicy, zresztą jaka tam wtedy ulica była, ot, droga kocimi łbami kryta i zapiaszczona okropnie. Domów po drugiej stronie w gęstwinie dzikich ogrodów prawie nie było widać. Tylko po ich stronie parę, jeszcze przedwojennych budynków, trochę nowych willi i na tym koniec Pojawiła się kobiecina niewielka, ciemna, z szydełkową torbą, trochę krzywo zrobioną. Ona sama jeszcze wtedy śmigała po okolicy, do miasta na zakupy chodziła, a nawet do koleżanek na kawę i plotki. Przystanęła ta obca, akurat jak furtkę otwierała, przywitała się głosem nieprzystającym do skromniutkiego wyglądu i ubioru, głosem można powiedzieć z wyższej półki. Pani tu zapewne mieszka?, spytała, a kiedy Lena potaknęła dodała, jakież ma pani szczęście mieszkać w takim pięknym, zielonym miejscu. Jej marzeniem od zawsze była taka właśnie prawie leśna uliczka, z zachowanym gdzieniegdzie jeszcze przedwojennym sznytem. Niestety, ona mieszka w kamiennej pustyni, w samym środku miasta, więc codziennie wsiada w autobus, przyjeżdża tu i całe dnie spaceruje bez względu na pogodę. Zdziwiła się wtedy, że kobiecina ma tyle czasu, żeby całymi godzinami tak się wałęsać bez celu. Ale w ciągu następnych tygodni rzeczywiście często ją spotykała. Pewnego dnia, pod wieczór, zatrzymała się przy parkanie z koszem śliwek, przyniesionym z głębi ogrodu, żeby tylko zerknąć na ulicę, a kobiecina akurat szła do przystanku, jakaś taka zmęczona, pewnie tym bezproduktywnym lataniem po okolicy i spojrzała na pokryte niebieskim nalotem owoce tak łakomie, że Lena wyciągnęła koszyk i ją poczęstowała, a widząc autentyczny głód, po prostu wsypała jej śliwki do szydełkowej torby. Kobiecina odeszła ucieszona, raźniej stawiając kroki po piachu, bezwiednie omijając kamienne pokrycie drogi.

Następnym razem, kiedy się spotkały, padał jesienny deszcz i od wczesnego popołudnia zrobiło się ciemno od chmur. Lena zaprosiła ją na herbatę, a dowiedziawszy się, że jest w okolicy od rana, zaproponowała zupę, co jak zwykle została z obiadu. Pani Janka zjadła z wielkim smakiem barszcz czerwony z uszkami, chwaląc ją pod niebiosa.

Ogrzana i syta, oparła się o krzesło, położyła dłonie na kolanach, westchnęła z zadowoleniem i jakimś ledwo ukrytym smutkiem.

– Siostra, co z nią całe życie mieszkałam, aktorka, też czasami lepiła uszka, jak była w dobrym humorze… Ale najczęściej to jednak chodziłyśmy do „Dietetycznej" przy Zielonej. Miałyśmy karnet. Na karnet wychodziło taniej – zapatrzyła się w ciemniejące niebo za oknem. – Zawsze można było wziąć z karty coś zdrowego. Na przykład z diety wątrobowej, albo na woreczek żółciowy, choroby żołądka i inne dolegliwości… Już nie pamiętam… Tak, dania były na wszystkie dolegliwości, ale na moją nie było w karcie nic. Teraz rzadko tam zaglądam. Za drogo. Jak się taki dietetyczny obiad zjadło, od razu człowiek czuł się odrobinę zdrowszy, bardziej żwawy. Wychodziłyśmy zadowolone, że o siebie zadbałyśmy i czasem nawet siostra zabierała mnie do kawiarni na ciastka i kawę…

– Pewnie do teatru siostra panią też zabierała? – spytała Babka.

– Zabierała, zabierała. Najpierw na próby, potem na spektakle.

– To musiało być ciekawe życie w takim teatrze.

– Pani Eleonoro… – zamyśliła się Janka. – Teraz to ja nie wiem, czy to było takie ciekawe to życie wtedy…

– Jak to?

– Bo to przecież, pani Eleonoro, nie było moje życie. Ja tylko się przyglądałam, w czasie tych niekończących się prób, przerw między aktami, jak inni pracują, kłócą się, zakochują w sobie, a potem zdradzają, zazdroszczą, nienawidzą, podkładają świnie, przysięgają, że już nigdy więcej, a potem, jak gdyby nigdy nic, znowu się zakochują i wszystko zaczyna się od początku… A mnie nigdy, ale to nigdy nic z tego prawdziwego życia nie dotyczyło, ale moją siostrę to i owszem.

– Musiało pani być ciężko w jej cieniu? – spytała, pełna współczucia, Lena.

– Nawet teraz jest mi ciężko, jak sobie pomyślę, że tak jej nie lubiłam, tej mojej Stasi!

– Przecież tyle lat opiekowała się panią – niby to zdumiała się Babka, żeby trochę pogonić narrację, chociaż wcale zdziwiona nie była, a nawet wprost przeciwnie.

– Może właśnie dlatego. Może nie powinna się mną tak opiekować, może wtedy wszystko potoczyłoby się inaczej, to życie moje i jej.

– Jak to?

– A tak… – pani Janka nie zwróciła uwagi na pytanie. – A tak, wszystko poszło na marne. I moje i jej. Oba po równo.

Czasami Janka znikała bez zapowiedzenia na długie miesiące i Babka nie miała swojego adiutanta do zadań specjalnych w mieście, popołudniowych pogawędek w kuchni i wykarmiania.

Maks Rogusz nie przepadał specjalnie za Janką. Pojawiał się u nich dopiero w sezonie letnim, kiedy można już było w ziemi grzebać i ukochanych tulipanów doglądać. Mila już nie żyła, a on miał ponad osiemdziesiąt lat. Czyli był od niej obecnej dużo młodszy, choć wtedy współczuła mu, że taki stary jest. Każdego dnia z samego rana pojawiał się w kuchni. Wypijali wtedy kawę i jedli śniadanie, pogadując sobie niespiesznie. Opowiadał o swoich sukcesach, jak cudownie rozmnożył pięć tysięcy sprowadzonych z Holandii tulipanowych cebul. Dwieście tysięcy, dwieście tysięcy udało mi się wyhodować, przeżywał, jakby to wczoraj zaledwie było. Potem przepadał w ogrodzie aż do obiadu, kiedy przychodzili z pracy Gustaw, Ludka i dziewczynki. Następnie drzemał chwilę w fotelu, żeby z większą energią w swojej jasnej panamie na głowie oddawać się swoim ogrodniczym pasjom. Przed wieczorem, w zależności od tego, kiedy się ściemniało, wracał do swojego domu w Śródmieściu.

Te tulipany Maksa to nawet jeszcze teraz kwitną, choć już nie tak obficie jak wtedy, kiedy ich doglądał. Nie całkiem umrę, chciałoby się wtedy powiedzieć, ścinając je do wazonu.

Stenia zniknęła z jej życia nieoczekiwanie.

Nic się nie stało, a jednak przestała ją odwiedzać. A przecież ostatnio nawet się specjalnie nie kłóciły, nie przygadywały, a wręcz przeciwnie, jakoś tak cieplej się między nimi zrobiło. Przestała się dopytywać, co robi z włosami, że jeszcze nie są całkiem siwe… I nie wszczynała awantur o agenturalną przeszłość Wałęsy, i że prasa kłamie, oprócz oczywiście toruńskiej rozgłośni ojca dyrektora… Zupełnie nie wiedziała, co o tym myśleć. A przecież widziała ją, jak przemyka ulicą, w jedną stronę, albo w drugą, z koszykiem na zakupy, albo bez. Zrobiła się jeszcze bardziej aktywna, ale ją, Lenę, omijała łukiem. Czasem tylko zamachała zza siatki, szybko, nerwowo, a nawet spazmatycznie. Ki diabeł?, zastanawia się Babka. Co ona, ta Stenia, taka zajęta? Może wnuczka za mąż wychodzi? Niemożliwe. Wtedy na pewno by przyszła i opowiedziała, co i jak, za kogo, z jakiej rodziny i czy narzeczony zdobył jej, Steni, akceptację, więc nie to. Gdyby nie ten ziąb i wilgoć, to by ją przypilnowała, zaczaiła się przy furtce i zagadnęła. Nie prześlizgnęłaby się Stenia, o nie! Ale takie zasadzki, to można latem urządzać. Teraz, zanim dojrzy Stenię, zanim dograśla do furtki, to ona akurat znika za rogiem ulicy. A przez telefon też tylko zeznaje, że wszystko w porządku u nich, tylko jakoś tak w ogóle nie ma czasu na nic, to chyba wiek sprawia, że człowiek wszystko jakby wolniej robił. Nie zauważyła pani, Eleonoro? Nie zauważyłam, zirytowała się Babka. Kto tu niby spowolniał, może Stenia? Akurat! Widzi przecież, jak ulicą zapierdala… Coś jednakowoż, jak mawiał nasz trafikarz Czesio z miasteczka, jest na rzeczy. Ani chybi. Tylko co?

– Mam, wygrali w Lotto!

– I co? To jest powód? – powątpiewa Sara.

– Może być. Niektórzy wyprawiają przyjęcia dla całej okolicy, spraszają przyjaciół, rodzinę, znajomych, piją, bawią się, korzystają z życia. A inni, wprost przeciwnie. Udają, że wcale się nie wzbogacili. Robią się niesłychanie podejrzliwi, skryci, podkreślają swój niski próg finansowy i panicznie boją się, że coś im się mimo wszystko wymknie i nieopatrznie, głupio wyda się ich wielka tajemnica.

– A wtedy będą narażeni na nagabywania o pożyczki, których nikt nie zamierza oddawać. Złodzieje i szantażyści też mogą zagrozić zdobytej w cudowny sposób fortunie.

– Sama widzisz – Babka uważała chyba sprawę za zamkniętą.

Zdrętwiała od długiego siedzenia na swoim solidnym, stabilnym krześle, podeszła do kredensu. Zanim otworzyła drzwi, żeby wyciągnąć butelkę z wiśniówką, zerknęła w lustro pod witryną i poprawiła sobie włosy. Starannie wybrała kieliszki i wróciła do stołu pod zegarem.

– Powąchaj – postawiła przed wnuczką alkohol o pięknym, ciemnoczerwonym kolorze. – Przegryzło się już. Spróbuj.

– No, niezłe – delektuje się Sara. – Na pewno nie za wcześnie?

– Co będzie w zamknięciu wiekowało? Tylko się może pogorszyć.

– Pogorszyć?

– A pewnie. Jeszcze nam zwietrzeje.

– Nie możemy do tego dopuścić.

– Tak. Teraz ty nalej.

Sara nalała, Babka siorbnęła i aż westchnęła ze szczęścia.

– Pamiętasz Czesława?

– Pewnie, że pamiętam. Jak mogłabym zapomnieć o nim i o jego Rękawie?

– Szkoda Czesia i całej tej paczki twojego dziadka.

– Nikt już nie żyje. Nie ma młyna nad Grabią, ani trafiki, a z gospody zrobiła się zwykła mordownia, zupełnie bez klimatu.

– Po mnie to już była mordownia.

– Ale przynajmniej jakaś! Ludzie w niej przesiadywali, coś się działo. Pokażę ci zresztą. Zrobiliśmy zdjęcia z Alkiem – Sara przyniosła komputer. – Patrz.

– Rzeczywiście. Prawie nic się nie zmieniło, nawet barierka ta sama, żeby pijacy od razu na jezdnię nie wypadali. Dawniej łatwiej było o takie zabezpieczenie w knajpie niż o podjazd dla wózków.

– Znamię czasów.

– Moja knajpa – Babka zapatrzyła się na zdjęcia. – Lubiłam tę pracę. Młoda byłam i lubiłam wyzwania. Podgrzej zupę. Zaraz chłopcy z Aleksandrem przyjdą, to im się od razu da, a ziemniaki akurat dojdą.

– Się robi.

– Ty wiesz, teraz ta wiśniówka mi tak rozjaśniła w głowie i tak sobie uświadomiłam, że Zdziśka, znaczy syna Steni też dawno nie widziałam. – Babka zakręciła młynka kciukami. – Chodził zawsze parę razy na dzień z tym swoim spanielem, co to z kolei nie rozstawał się z niebieskim, pluszowym misiem. Naprawdę komedia.

– A kiedyś ten pluszak mu zaginął. Chyba w ogrodzie. Stenia mówiła, że cyrk był przez dwa dni, bo nieutulony w żalu pies wył po nocach i za nic nie chciał wyjść na spacer. Na szczęście wypatrzyła gdzieś w grzebaku takiego samego misia i pies Zdziśka ze szczęścia się zesikał.

– I z powrotem chodził z niebieskim futrzakiem w pysku... Ty? A może znowu zgubił?

– Może – Sara wzruszyła ramionami. – A tu Oaza i studnia.

– Oaza też niewiele się zmieniła, ale te rogi naszej ulicy, to już zupełnie inne.

– Nie ma kiosku, gdzie chodziliśmy po gazety. Teraz jest tam restauracja. Wiesz, obiady domowe, wesela, komunie, chrzciny i konsolacje.

– Skąd się ta konsolacja wzięła? Dawniej była stypa – Babka ogląda uważnie zdjęcia. – Ta nowa dzielnica wokół szpitala. Zupełnie coś nowego. I pomyśleć, kiedyś tu szczere pole było. Chabry rosły i maki.

– Pamiętam. Chodziłam z ciotką na spacery.

– Z tego rogu naszej ulicy zniknął dom. Całkiem zniknął, a przecież zupełnie niezniszczony i mocny wydawał się za moich czasów... i nic na jego miejscu nowego nie postawili.

– Pamiętam ten dom. Podobał mi się. Może jakiś pożar go zniszczył?

– Może. Trzy rogi mojej ulicy zmieniły się nie do poznania, ale reszta bez zmian.

– Reszta, czyli zaledwie jeden róg... W rynku zamiast Remika jest salon gry. Cukiernia, bardzo miła zresztą, jest trochę dalej, prawie na środku tego wschodniego kawałka.

– Dobre ciasto w tej cukierni?

– Wyglądało, że dobre.

– Trzeba było kupić.

– Miałaś się odchudzać.

– Miałam.

– I co?

– I gówno! – warknęła Babka.

Sara prychnęła i poszła otworzyć drzwi, bo właśnie wróciła reszta rodziny. Babka pokazała prawnukom zdjęcie gospody, w której pracowała zaraz po wojnie.

– Jedzcie dzieci. Teraz jest zupełnie inaczej. Tuż po wojnie zostałam kierowniczką tej gospody i miałam straszne kłopoty z zaopatrzeniem, a świeża władza chciała, żeby karmić ten przewalający się przez miasteczko wygłodniały tłum wracających z wojny żołnierzy, wypędzonych z domów, no i tych wywiezionych siłą... Ale jak karmić, kiedy nie ma czym? – Babka rozłożyła ręce bezradnie, ale tylko dla zmyłki, dzieci i tak wiedziały, że ona na pewno sobie poradziła i tylko Wojtek spytał retorycznie, żeby wszystko odbyło się tak jak zwykle.

– I co zrobiłaś?

– Poszłam zmartwiona ku wsiom i płakać mi się chce z niemocy. Aż tu patrzę, rosyjscy żołnierze oprawiają zabitą krowę.

– Kto ją zabił?

– No przecież bitwa dopiero co była i na polach leżały pozabijane krowy i konie. Ludzie też, ale zabrali ich już do szpitali albo na cmentarz... Wszystko świeże, bo przecież styczeń był. Porozmawiałam z tymi Ruskimi i zgodzili się oddać wykrajany właśnie kawał mięsa za bańkę wódki.

– Skąd miałaś wódkę? – spytał Mateusz dociekliwie.

– No przecież nie miałam przy sobie. Co sobie wyobrażacie, że chodziłam z bańką gorzały i machałam jak torebką? – popatrzyła na chłopców, którzy mieli właśnie na twarzy wypisane, że tak właśnie wyobrażają sobie swoją prababkę i wzruszyła ramionami. – Popędziłam do dworu i załatwiłam wódkę. A potem zamieniłam na mięso.

– Jak w „Czterech pancernych" – zauważył Wojtek. – Machniom?

– Machniom! – zgodził się Wojtek.

– Właśnie. Machniom! Machniom! Tak było. Tylko następnego dnia już bez pośredników zajęłam się aprowizacją. I z takim jednym, co mi pomagał, chodziliśmy po polach i furmanką zwieźliśmy tego mięsa kupę. Głównie końskiego. A że zimno było, to nie mieliśmy problemu z przechowaniem. I tak dałam sobie radę z zaopatrzeniem. A warzywa znalazłam w piwnicy po Niemcach.

– Nikomu nie przeszkadzało takie mięso?

– A co myślisz, że może się zwierzałam tym zamorzonym głodem ludziom, skąd biorę mięso? Żeby mi potem wybrzydzali? A wy wiecie, jakie są rewelacyjne befsztyki, albo bitki z koniny?

– Ja wiem – mruknęła Sara.

– Wasza matka to z dziadkiem często chodziła do gospody, jak ja pracowałam, a jej nie miał kto pilnować. Ile mnie nerwów kosztowało to ich łażenie po miasteczku.

– Dlaczego? – chciał wiedzieć Wojtek.

– Dziadek stary już był i... – mocowała się ze sobą przez chwilę Babka, a wnuczka nic się nie odzywała, tylko patrzyła na nią z ciekawością i lekkim rozbawieniem. – No i wasz pradziadek, co tu dużo mówić, za kołnierz nie wylewał.

– Chlał? – sprecyzował Mateusz.

– Czasami – bąknęła Babka.

– Na okrągło – sprostowała Sara.

– Właściwie tak. Mówię wam, co ja z nimi przeżyłam – przewróciła wymownie oczami Babka.

– Co?

– Straszne rzeczy. Ciągle ich musiałam pilnować.

– Nie przesadzaj – zaprotestowała Sara.

– Jak to, nie? – oburzyła się. – Ze wszystkim był problem. O, patrzcie! – podwinęła rękaw bluzki, pokazując dwa znamiona po szczepionce na ospę. – Widzicie? Wasza matka strasznie się bała szczepienia. Byliśmy kilka razy w przychodni i za każdym razem robiła taki raban, że ludzie z ulicy zaglądali, co się dzieje.

– Oczywiście, jak zwykle przesadzasz! – warknęła wnuczka.

– Przesadzam? – spytała, wskazując wymownie na podwójne szczepienie. – W końcu zaprosiłam pielęgniarkę do domu, żeby cię w specjalnych, niestresujących warunkach zaszczepiła. I co? – zwróciła się do prawnuków.

– I nic?

– Właśnie! A jej kochany dziadek, jeszcze podjudzał nie mogąc słuchać jej zawodzenia...

– Nie zawodziłam!

– Niech ci będzie! Po prostu zaparłaś się jak osioł, a Józef, wasz pradziadek, mój mąż, twierdził, że czarnej ospy nie ma w Europie od dawna, bo to wymarła choroba, więc po co ta szczepionka.

– Po co?

– Tak wtedy szczepili i już. Była obowiązkowa. Pielęgniarka przyrzekła jej... – wskazała Sarę ruchem głowy – ...że ukłucia igłą nie bolą i na pewno przeżyje to szczepienie. Nie wierzyła. Zresztą, powiem wam szczerze, nie wierzę, żeby się bała, miała po prostu ciężki charakter i lubiła tworzyć wokół siebie zamieszanie – zwierzyła się dzieciom z satysfakcję.

– Nieprawda! – zaprotestowała wnuczka.

– Prawda! Lubiłaś robić cyrk. I wtedy też zrobiłaś! Że też ja! – walnęła się dłonią w czoło – dałam się tak omotać, że to najpierw mnie zaszczepiła ta pielęgniarka. O tu! Zobaczcie! Pokazowe szczepienie, wielkie jak w powiększeniu. I wszystko po to, żeby ta smarkata dała się też zaszczepić!

– I co, dała się zaszczepić?

– Dała. Nawet jej powieka nie drgnęła, oszukanicy jednej!

– Nieładnie, mamusiu! Nieładnie! – skomentował Wojtek, kręcąc niedowierzająco głową.

Wieczorem zadzwoniły ciotki z Pabianic i spytały, czy coś wiedzą o Zdzisiu, bo one czytały w gazecie nekrolog. I kiedy pogrzeb? One go dobrze znały z czasów, kiedy w aptece pracował i żonę skoligaconą z koleżanką jednej ciotki miał. I co Babka miała im powiedzieć, że nic nie wie? Pewnie to o innego Zdzisia chodzi, skoro Stenia nic nie mówi… Na pewno nie o naszego. Na pewno… I o co tu spytać? Pani Steniu, czy syn pani, Zdzisiu, to jeszcze żyje, a jak nie żyje, to kiedy pogrzeb? Idiotycznie. Nawet Marek spotkał ją na ulicy i pyta, co słychać u was? Wszystko w porządku, a u was? Też wszystko dobrze, dziękować, dziękować…

Ale jak dobrze, skoro niedobrze? To chyba naprawdę o kogo innego chodziło, bo jeśli jednak o naszego…

W imię ojca i syna i ducha świętego… Ojcze nasz, któryś jest w niebie, święć się imię twoje… Panie Boże, bardzo cię proszę, żeby mi się ta Stenia odnalazła, bo ja już sama nie wiem, co się stało, czy ja jej czego nie powiedziałam złego i się obraziła? No wiesz przecież, że niespecjalnie, ani ze złej woli, ale zdarza się, że mi się co wypsnie… Jej zresztą też, sam wiesz, co ci będę mówiła,

Stenia to cholera, chociaż, to pewnie też wiesz, dobra kobieta jest, więc bardzo cię proszę, żeby jej ta obraza na mnie przeszła. A jeżeli to nie obraza i Stenia zwariowała, to proszę cię, żebyś przywrócił jej zdrowe zmysły i żeby znowu do mnie przychodziła. Czytałam w gazecie, to się nazywa wyparcie... I żeby czasem nie powtórzyło się to samo, co z przyjaciółką Sary i jej matką... Pamiętasz? W każdym razie powinieneś... I tak ci przypomnę. Ta dziewczyna miała depresję i..., aż mi przez gardło nie chce przejść, co się stało... A to taka wspaniała kobieta, ta dziewczyna była, słoneczna, energiczna. Z tych, co góry przenoszą, ciężko pracują i bawią się pełną piersią do samego dna i tak samo kochają... To się do niej chyba właśnie przez miłość przyplątało. I już wcale nie była radosna i na fleku babka, tylko jakby kto z kolorowego obrazu, brudną szmatą wszystkie kolory wytarł i nic się nie zdążyło naprawić... Ale dlaczego, dlaczego tak się musiało stać? Jej matka, nic nikomu nie powiedziała o śmierci swojej jedynaczki. Nic a nic, tylko sama cierpiała, a przecież wykształconą była kobietą i wiedziała, że dzisiaj, to nie to samo, co przed wojną, albo tuż po, żeby ksiądz nie chciał w poświęconej ziemi. Teraz to wszystko się zmieniło, to nie człowiek sam, to przez chorobę Panie Boże...

Nasz Miki i tak tego nie zrozumie, ale to przez te jego osobiste doświadczenia ze śmiercią, która się o niego prawie od urodzenia, a może nawet jeszcze wcześniej ociera, czasem i do krwi mocno.

Ale normalnie to już nie wstyd... W każdym razie ona, ta matka przyjaciółki, nie mogła się przemóc. Pewnie samotna była bardzo i nie miała komu zwierzyć się, a może śmiałości jej zabrakło... W każdym razie, Panie Boże, nawiązując do Steni, to jej syn, co to wiesz, że zawsze ze swoim rudym psem z niebieskim pluszakiem w pysku na spacery chodzi... już nie chodzi. Znaczy, wcale go nie widać... No, że ja przeoczę, to jest przecież możliwe, ale nawet sąsiad z rogu, co na wszystko zawsze ma baczenie, też nie widział, więc bardzo cię proszę, żebyś przypilnował, bo tej matce przyjaciółki Sary to w końcu serce z bólu i nieutulonego żalu pękło, więc ja bym bardzo nie chciała, żeby to czasem mojej Steni nie spotkało… Przyjdź królestwo Twoje, bądź wola Twoja, jako w niebie… Tylko co się stało z psem, tym zwariowanym rudym seterem, bo też zniknął? Może jednak wyjechali na wczasy odpocząć, a umarł kto inny. Co to, jednemu psu Burek?… tak i na ziemi. Chleba naszego powszedniego daj nam…

Babka przed zaśnięciem, jak zwykle, przywołuje widok swojej łaskiej kuchni i wyobraża sobie, jak siedzi przy ciepłym piecu, najlepiej zimą, żeby przez niezasłonięte okno widzieć ośnieżony ogród, najlepiej o zmierzchu. Wtedy świat się tak pięknie wycisza. Podeszłaby sobie do szafy i otworzyła wielkie drewniane drzwi. Szyba by zadźwięczała, tak jak zawsze, swojsko. Pokazałyby się ciemne półki i szuflady z tego samego drewna co młynek, ciemnego, lekko czerwonawego, trochę błyszczącego, jakby tłustego. To pewnie czymś pociągnięte było, jakimś olejem, teraz też tak robią. Lakierowanie już jest niemodne. Aleksander, jak te swoje czary mary odprawia nad jakim wiekowym meblem, to też tak samo smaruje prawdziwymi woskami, albo pachnącymi olejami.

A jaki to cyrk był z tym starym stołem kuchennym, co go od swojej babci dostała, matki Brygidy. Najpierw stał u babki w kuchni, zwyczajny stół sosnowy, nie jakieś dębowe Bóg wi co. Toczone miał bardzo foremnie nogi i długą podwójną szufladę. Ta druga część była bardziej sekretna, bo jeśli się wyciągnęło tylko trochę, to nikt nie wiedział, że jest jeszcze drugie tyle. Babcia trzymała tam różne papiery i pieniądze. Ona, Lenka, bardzo ją lubiła. Była zupełnym przeciwieństwem swojej córki. No, może fizycznie odrobinę, ze względu na szczupłą figurę i podobne włosy. U babci zawsze znalazła zrozumienie. Babka babci przybyła z rodziną ze Śląska i osiedlili się w Zelowie razem z innymi.

Może ten stół jest ze Śląska? Całkiem możliwe. Przecież już wtedy był stary, ale ponieważ tak strasznie się Lence podobał, babcia dała go swojej ulubionej wnuczce. Najpierw stał na werandzie, bo Pstrońscy mieli już przecież stół w chałupie. A matka już wtedy starego nie chciała i dlatego ulokowano go na werandzie. Całkiem dobrze się przy nim siedziało, szczególnie przy jakiś domowych pracach. Poszedł za nią jak wyszła za mąż, przywiązana do twierdzenia babci, że przy tym stole nigdy nikomu chleba nie braknie. Stary stół stał w jej kolejnych domach, a potem do zdania praprababki przywiązała się akurat Lilka, nie Sara. Może to jej częściej, jak była mała i wzorem kolejnych pokoleń dzieci, buszowała w podwójnej szufladzie, powtarzała zaklęcie babci Prekowej – „Przy tym stole nigdy nikomu chleba nie zabraknie". W każdym razie Lilka w to wierzyła i bardzo starego strucla szanowała i dlatego stoi w jej części a nie tu. Za to Sara nie jest sentymentalna. No i dobrze, chociaż czasem, to Babka się zżyma, że taka jest jak szkło ostra i wzruszyć się nie umie nad jej, Babki, dolą, czy tak w ogóle. I jeszcze się irytuje, że ona niby udaje.

Jak po remoncie trzeba było dom na nowo urządzić, pojawił się problem, bo Lilka za nic nie chciała przykrywać stołu obrusem, jak to dawniej bywało. I co? Blat całkiem zniszczony. Całe pokolenia kobiet z ich rodziny kroiły, rąbały, siekały, specjalnie się nie przejmując kolejnymi głębokimi rysami. W końcu to był zwyczajny stół kuchenny. Ona sama ryby zawsze na nim sprawiała. Marek radził, żeby wymienić blat na nowy, ale z kolei Lilka nawet słyszeć o tym nie chciała, bo jakże to tak, pół magicznego stołu wyrzucić? Zeszlifować wierzchnią warstwę też nie bardzo, bo uszkodzenia były głębokie i byłby cienki jak listek, a nie solidny stół. Ale w starym kształcie w nowym domu nie mógł stać i tu się wnuczce wcale nie dziwiła, bo faktycznie, zniszczony był straszliwie. I wtedy Alek powiedział, że zrobi im ten stół sam i na pewno będzie dobrze. Trochę nieufnie na niego popatrzyli, ale zgodzili się. Całe szczęście, bo ona już im radziła, żeby się tak bardzo słowami babci Prekowej nie przejmowali, ani też jej stołem i kupili nowy, ładny, jak się patrzy i że ona im da na ten stół. Ale Lilka nawet słyszeć nie chciała. Ten i już. Jak to jednak czasem dziwnie bywa? Powie człowiek coś nieopatrznie, a to nagle się od niego odkleja i już samo żyje, prawie jak legenda. No, niech tam, machnęła sobie w myślach ręką. Chwała Bogu, że się Aleksandrowi udało z tą renowacją nadzwyczajnie. Oczyścił wszystko z brudu, wypalił ługiem resztki wszystkich kulinarnych historii przechowanych w drewnie od dziesiątków lat, a może i jeszcze więcej. Stał przed nimi czysty i dziewiczy, chociaż rysy na blacie były jeszcze głębsze, ale też przez to jakby szlachetniejsze. Tak sobie młodzi dośpiewali. Niech im będzie. Alek posmarował deski bejcą czereśniową a nogi białą, ale wszystkie słoje widać było wyraźnie i dopiero na to położył jakiś specyfik, który ponoć utrwalił drewno na wieki, tak, że jest teraz jak te owady w bursztynie i nawet gorące można na nim stawiać i nic. I na dodatek, co podkreślali Lilka i Marek, zachwycając się nową urodą stołu, nie świeci się. Dla niej mógłby się tam nawet trochę poświecić, ale oni teraz zupełnie inaczej patrzą, więc niech im będzie. Oj, napracował się Alek, ale na stół po prapraprababce husytce, złego słowa nie można powiedzieć…

Zdzisio jednak nie żyje. Pogrzeb odbył się zaraz po Nowym Roku. Nikt z sąsiadów nie przyszedł. Nie wiedzieli. Dopiero teraz się rozeszło i to całkiem przez przypadek. Steni nie widać, a telefonu nikt nie odbiera. Niedobrze, niedobrze. Co się tam musiało stać, że taką blokadę mają i nic nie mówią? To się może źle skończyć. To się zawsze źle kończy, jak się nie mówi o nieszczęściach i nie opłakuje po sąsiadach. Babka siedzi przy stole, kręci młynki kciukami i martwi się nie na żarty. Za długo też niedobrze, ale krótko i mocno, to jest akurat w sam raz. Żeby tylko następnego nieszczęścia z tego nie było. Oj, niedobrze! Wieczny odpoczynek racz mu dać Panie, a światłość wiekuista niechaj mu świeci…

Co też się dzieje w ludziach, jak tak chodzą sobie po zakupy i z psem, albo do pracy? Niby spokojni, uśmiechnięci, a tam w środku... Strach sobie wyobrazić. Czego się boją i co im doskwiera? Czego ja się boję? Czy ja się czegoś boję? Co mnie boli? Oprócz ciała, oczywiście. Może lepiej się nad tym nie zastanawiać? Ale kto to wie? Może właśnie wprost przeciwnie? Może jakiś terapeuta pomógłby uzyskać odpowiedzi, czy warto odpowiadać sobie na te pytania... E tam, nie będzie się mordowała takimi ciężkimi myślami. Pomyśli se o czymś innym. Pogmera w pamięci. Tam się zawsze coś ciekawego znajdzie. Za każdym razem. Można sobie puszczać jak filmy na wideo, albo w komputerze Sary, na okrągło, albo wybierać fragmenty, a nawet lepiej, bo tam cały czas ten sam punkt widzenia, a Lena w swojej głowie może jeszcze wszystko zmienić, na przykład kąt widzenia, albo nawet zobaczyć zupełnie coś innego niż się wtedy wydawało. Przyjrzeć się czemuś dokładniej, nawet upiększyć, żeby oko pocieszyć. Kontemplować jakiś błysk w oknie, co się go nie miało czasu ani głowy zauważyć, jakiś detal, jak na przykład czerwony lakier na paznokciach młodej komunistki, które nigdy w rzeczywistości nie były pomalowane. A może nawet były, tylko ona, Lena, taka wtedy zaaferowana odgrywaniem swojej roli, swoim kostiumem, nie zauważyła tego i dlatego wydawały się jej tylko błyszczące, nie czerwone.

Pamiętała jak dziś tę zimę czterdziestego piątego. Te końskie i krowie trupy, co wyglądały chyba jeszcze gorzej niż ludzkie. Bo w końcu to była wojna ludzi, a nie koni czy krów, więc sterczały jak wyrzut sumienia na pustynnych, zimowych polach i tylko kruki nad nimi krążyły zupełnie jak u Żeromskiego. A ona wtedy wcale nie myślała o literaturze, tylko o swoim kłopocie, jak zobaczyła tych biednych sowietów nad krowim ścierwem. Początkowo patrzyła ze współczującą obojętnością przechodnia. Dopiero po chwili zaświtało jej, że przecież może tak samo. Dobrze, że jeszcze nie zwinęli destylarni i miała dobry bimber. A dookoła było tak szaro i szaro, bo nawet śnieg wydawał się siny od smutnego, zachmurzonego nieba. I ten podwójny skrzyp furmanki i śniegu, taki dwugłos, a raczej wniebogłos na koleinach gruntowej drogi, kiedy przyjechała z Kazimierzem. Takie to wszystko było okropne, ale ona wtedy wcale nie chciała myśleć o tym, że to jest straszniejsze niż mróz i głód, że to jest nie do ogarnięcia, to co się stało i wcale, ale to wcale nie zamierzało się poukładać. I mimo wszystko trzeba było w tym chaosie żyć, a Józef wcale nie chciał tego zrozumieć. I miał jej za złe. Ciągle jej miał za złe. Do samego końca nie mógł jej wybaczyć. Najwięcej, że się do partii zapisała. No zapisała... Nawet Zawidzki zrozumiał, choć pewnie więcej od nich miał do stracenia.

I tak zrobili, a potem, kiedy ich cele zostały osiągnięte, zaniechali prowadzenia tego coraz bardziej ryzykownego interesu. Dziedzicowi udało się wywieźć zdobyte pieniądze, przez zieloną granicę oczywiście, bo ani myślał narażać się na ślepy traf. Zresztą, ile to było przy tym zachodu. Nawet Blum powierzył mu swoje pieniądze. Umówili się na spotkanie, zdaje się, że we Włoszech. Stary Jakub musiał mu zaufać. To z pewnością było dla niego ciężkie doświadczenie, zawierzyć prawie obcemu człowiekowi gwarancję lepszej przyszłości dla siebie i wnuka. A i dla samego dziedzica to nie było łatwe, wziąć od cudem ocalałego Żyda pieniądze i przyrzec mu, że je bezpiecznie przewiezie przez granice. Jakież to obciążenie chronić siebie nie tylko dla siebie, bo gdyby mu się nie udało, gdyby wpadł w łapy bandytów, albo bezpieki, co zresztą na jedno wychodzi, to co? Też straciłby twarz i co z tego, że nie przez zdradę, czy nieuczciwość tylko przez zwykły pech. Pechowo zawieść honor. To dopiero okropna rzecz. No, ale kto nie ryzykuje, ten nie ma. I znowu uwierzyli w swoją szczęśliwą gwiazdę. Udało się. Dostała ukrytą wiadomość od jednego i drugiego dopiero po długim, bardzo długim czasie. Wtedy po raz pierwszy od tygodni porządnie się wyspała.

Kazimierz prysnął w samą porę, jak się później okazało, bo bezpieka już się zaczęła nim interesować i na jaw wyszła jego działalność w AK. Tak samo jak jego ponurego kuzyna Ksawerego. Dobrze, że wcześniej nie odkryli, że to kuzyni i że ukrywał się u nich w domu prowadząc nielegalną działalność przy Wytwórni Wód Gazowanych i zamieszał się z nimi w szpiegowską aferę. Mieli wtedy dużo szczęścia, oprócz Ksawerego oczywiście, chociaż o mały włos pożyłby sobie z Tereską, ale cóż… Skąd miał wiedzieć, że notatnikiem Tarasa, niech jego dusza przeklęta będzie na wieki, interesuje się kilka osób różnych narodowości. To przez niego tak się wszystko skomplikowało… No dobrze, sama się do tego przyczyniła, przepisując pierwsze strony, ale to z nudów na tych schodach, nie żeby od razu jakieś plany snuła. A może te złe skłonności miała po tych dalszych kuzynach, co przed wojną fałszowali pieniądze? W każdym razie znowu nie mogła sobie odmówić. Do dzisiaj ma wyrzuty sumienia, że wcześniej nie kazała Ksaweremu i Amelii wiać, że się tak późno zorientowała, że nie dadzą rady… Nie, wcale nie chce na nowo przypominać sobie tego wszystkiego i basta!

Życie było wtedy takie ekscytujące, tak doskonale wypełnione różnymi niespodziewanymi zdarzeniami.

„Żeby oko pocieszyć", tak mówił ten trumniarz Sowiński z Łasku, co w wolnych chwilach tworzył szydełkowe poduchy w różnych, najczęściej bardzo żywych kolorach i haftował. Lubił ostry róż z zielenią, amarantowy z chabrem, wszystkie odcienie pomarańczowego. Szydełkował, a potem jeszcze haftował na tym kwiaty. Okropność, ale on był z siebie i swoich poduch bardzo zadowolony. Siadał czasem przed swoim zakładem na krzesełku i wyjmował z koszyczka te swoje dzieła sztuki naiwnej, jak mówiła o nich z dużą sympatią Ludka, i dziergał, dziergał. A czasem to taki był w tym zapamiętały, że jak przychodził klient, to musiał go za ramię szarpać, żeby wrócił do rzeczywistości. A nos to miał taki bardziej buraczkowy, wyróżniający się z bladej twarzy nie tylko kolorem, ale także jakby z innego tworzywa ulepiony był niż reszta Sowińskiego. I on właśnie mówił, że robi te swoje poduchy i inne makatki, żeby oko pocieszyć. A jak prowadziła kiedyś przez Plac Kościelny, obok stolarni, Afrykanki, co je po okolicznych wsiach w ramach socjalistycznej, internacjonalnej przyjaźni obwoziła i z kołami gospodyń zapoznawała, to one tak się tymi poduchami zachwycały, że nie można ich było od zakładu trumniarza Sowińskiego siłą odciągnąć. A on, ujęty ich szczerym zachwytem, obdarował każdą, czarną jak heban i wysoką jak topola gospodynię z Afryki, swoimi najpiękniejszymi makatkami i poduchami. I szły korowodem po łaskich chodnikach, ubrane w stroje o nasyconych, pięknych barwach, każda z bajeczną poduszką, jakby specjalnie dla nich stworzoną przez Sowińskiego, wysoko trzymając dumne głowy przystrojone fantazyjnymi zawojami, co z daleka przypominały jakieś uśpione, egzotyczne ptaki. A on patrzył za nimi zadowolony, jak każdy doceniony artysta. A potem nawet opuścił swój zakład i ustawił się na końcu pochodu, nie mogąc wzroku oderwać od tego ruchomego, niecodziennego obrazu i szedł za nimi, patrząc w pełnym słońcu, bo lato było bezchmurne akurat, a następnie przenosił wzrok na cienie, jakie rzucały w tych zawojach i afrykańskich ubiorach na odrapane ściany łaskich kamieniczek wokół rynku. A cienie ich zawojów z kolei, to już sama widziała, zdawały się na nich ożywać i już wcale nie przypominały uśpionych ptaków, tylko całkiem żywe, ale nie ptaki, tylko coś innego, bardziej tajemniczego, nie wiadomo, co to właściwie było, ale w każdym razie trumniarz Sowiński z całą pewnością twierdził potem, że to coś nie wyjechało z Afrykankami, tylko zostało i on to czasami widzi, jak się przemyka w postaci szybujących po murach cieni z odrobiną połyskliwego amarantu i szafiru. I on już do końca życia usiłował to coś uchwycić igłą na poduszkach i makatkach, ale zawsze mówił, że to nie to, że nie o to mu chodziło. Między kwiatami zaczęły pojawiać się bajeczne ptaki, rozmywające się w kolorowym hafcie, jakby rozpadały się w nim, rozpływały, kiedy dochodził do wniosku, że nie przyszpilił tego do tkaniny, nie złapał... Teraz, kiedy jest awaria cyfrowego obrazu w telewizji, to natychmiast wraca myślą do tych ptaków Sowińskiego.

Tylko, z jakiego państwa przyjechały te afrykańskie gospodynie? Babka już nie pamięta, ale dojdzie do tego, nie może być, że tak przepadło jak kamień w wodę. Popatrzy na mapę, poczyta, które państwa socjalistyczne wtedy były. A jakie to widowiska po wsiach były, jak je przywoziła. Baby niektóre to się żegnały na ich widok, a chłopom się podobały, bo to naprawdę piękne kobiety były.

Babka patrzy, jak prawnuki z wnuczką obrzucają się śniegiem. Ciekawa sprawa, myśli, jak to jest z tym czasem. W każdym człowieku zatrzymuje się w trochę innym miejscu i na zewnątrz człowieka też. No, ten czas z wierzchu jest bardziej obiektywny, trochę prawdziwszy, ale oczywiście nie zawsze. Na przykład czas w niej, Lenie, zatrzymał się, kiedy była młodą kobietą. I taka jest do dzisiaj, mimo, że jej ciało ma prawie sto lat. Czasami jednak zapomina się o wielu i wtedy jakby czasu nie było. A taka Sara dalej jest dzieckiem. Tym samym, które tak się zaprzyjaźniło ze swoim starym, schorowanym dziadkiem Józefem i nic się w środku Sary od tamtej pory nie zmieniło, chociaż sama ma dzieci. A wszystko bierze się z tego odległego czasu.

Te jej upiorne filmy też! Na przykład o tym, jak do miasteczka z rynkiem nad rysunkową rzeczką zbliżają się Niemcy z karabinami. Jakiś mężczyzna namawia ludzi, widać, że to Żydzi, do ucieczki, ale oni wcale nie chcą, mimo że słychać już strzały. Pokazują na swoje domy, małe sklepiki, walizki... A on wyciąga zza pazuchy słomkę, słoiczek i zaczyna robić bańki mydlane, a oni zauroczeni idą. I on, mężczyzna, wypisz wymaluj, podobny do Józefa, wyprowadza wszystkich ludzi podziemnym korytarzem aż za rzekę do lasu. I co jakaś postać wyjdzie z ciemności, ozłaca ją słońce i zamienia się w ważkę, motyla, ptaka, a niektórzy w anioły. Faszyści biegają po pustym miasteczku, ale znajdują tylko jedną małą dziewczynkę. Biegnie bez wytchnienia przez podwórka miasteczka. Gonią ją hitlerowcy z karabinami i strzelają. Dość długo udaje jej się uniknąć zranienia, ale w końcu zaczynają trafiać. Plastelinowa postać patrzy na swoją przestrzeloną rękę, chwieje się, dalej ucieka. Kolejne kule sieją spustoszenie w drobnej figurce. Zaczyna wyglądać jak cedzidło. W końcu ma więcej pustych miejsc niż plasteliny i pada na trawę na jakimś pustym podwórku, zwijając się w bezbronną kulkę. Faszysta już nie celuje, tylko bierze ogromny zamach nogą obutą w wielki podkuty żelazem bucior i kopie dziecko, które jak piłka w grochy leci wysoko nad uliczkami miasteczka. A mężczyzna stojący pod lasem podnosi rękę do oczu i patrzy w kierunku miasteczka, a potem wypuszcza wielką, tęczową bańkę, która leci po dziewczynkę, zamyka ją w swoim wnętrzu i lecą do niego z powrotem. Mężczyzna dotyka bańkę, ta mętnieje, pęka i wychodzi z niej cała i zdrowa dziewczynka z wielkimi kokardami. On bierze ją za rękę i odchodzą.

Dobrze się nawet ten film kończy, ale i tak jest jakiś straszny, a przecież rysunkowy. A jak rysunkowy, to się kojarzy, że dla dzieci, chociaż ten to ani trochę…

A taka Stenia, to nie wiadomo, kim jest w środku, bo czasem mówi jak dziecko, czasem jak staruszka, a czasem to nie wiadomo jak kto, jakaś kosmitka chyba, a w każdym razie ktoś nie z tej ziemi. Taka ta Stenia ekscentryczna jest!

Babka wstała i wstawiła wodę na herbatę. Jak wrócą z tego szaleństwa, będzie jak znalazł z odrobiną soku malinowego na rozgrzewkę do bułek drożdżowych, co je dzisiaj rano zagniotła.

Przedwiośnie nie było dla Babki łatwe.

W imię ojca i syna i ducha świętego… Panie Boże, pamiętam ten marzec przed samą wojną, a może wcześniej… Tak mi się koszmarnie oddycha. To pewnie z powodu tuszy. Wiem, wiem co powiesz, za dużo jem, ale co mi pozostało z przyjemności? Teraz Ty, że nie gwarantowałeś, że będzie miło. Ale ja chcę, żeby dalej było miło. Tak jak do tej pory. To znaczy, znacznie lepiej było w czasach tego mojego wspaniałego kostiumu, ze spodniami w stylu Marleny Dietrich, kapeluszem na bakier, lisem, butami na wysokich obcasach od Berkowicza z Łodzi. Ten marzec tak różny od tamtego… Przyszły farby z Wiednia i wszystko wydawało się takie proste. Józef tak się cieszył na robotę przy odnawianiu kolegiaty. Chodził podniecony, przeglądał jeszcze wzornik, co by tu jeszcze sprowadzić, uczył Ludkę mieszania kolorów i rysunku…

A może ja jej życie złamałam, tym, że ją na to prawo wysłałam? Taki ciężki zawód i wcale nie przyniósł jakiś oszałamiających profitów. Co innego teraz, kiedy sędziowie tyle zarabiają, ale wtedy… Może lepiej, żeby już tą artystką została? Po co ja się wtrącałam? Taka już jestem, Panie Boże. Niczego sobie nie mogę odmówić. Wtrącania też… Wieczny odpoczynek racz jej dać Panie, a światłość wiekuista niechaj jej świeci, na wieki wieków, amen. Wieczny… Chociaż mówiła Janka, całkiem niedawno po śmierci Ludki i już po śmierci Gustawa, że jej córka nie potrzebuje już żadnego wiecznego odpoczywania, żadnego, że już jest tam, gdzie trzeba. I jest dobrze. A Gustaw jeszcze potrzebuje… Janka akurat wracała z cmentarza na Ogrodowej i mówiła, że wie to na pewno, ale nie potrafiła powiedzieć skąd, ani gdzie dokładnie jest Ludka i dlaczego Gustaw potrzebuje wiecznego odpoczywania. Nie, że nie chciała powiedzieć, wyznała wszystko, ale nic nie wyjaśniła. Może Ludka posłużyła się Janką, żeby przekazać jej – osamotnionej matce, że u niej wszystko dobrze… Tylko dlaczego nie osobiście? To prawda,

Ludka zawsze bała się duchów, to i jej nie chciała wystraszyć... Skoro jednak informacja była, że nie ma jej tu, to rzeczywiście chyba musiała się tą Janką posłużyć. Jaka ta kobiecina jednak była przydatna – rozczuliła się. Za nią też odmówię, tylko może sam pacierz, bez odpoczywania, bo przecież nie wiem na pewno, czy nie żyje. Ojcze nasz...

Emilia, żona przedwcześnie zmarłego Witolda, brata Gustawa, zawsze lubiła zajść do Babki i porozmawiać, ale kiedy jej jedyna córka Julia wyjechała robić zdjęcia do Afryki, szczególnie często bywa na Rogach. Siedzą wtedy po obu stronach stołu i wspominają dawne czasy.

– Pani wie, Eleonoro, że oni obaj, Gustaw i Witold, nigdy nie mogli usiedzieć na miejscu. Mój małżonek, po pracy w gazecie wpadał do domu i musiał gdzieś gonić. A to do kina, a to do teatru, do znajomych...

– To samo nasz Gustaw, tylko inaczej. Miał chyba wszystko, co wychodziło o hodowli jedwabników, norek, rasowych gołębi... – zastanowiła się Babka.

– Truskawek, malin, szparagów... – podpowiedziała Emilia.

– Podkreślał ważne rzeczy kolorowymi ołówkami, studiował do nocy, planował... Żył tymi swoimi projekcjami... wirtualnymi, jak to mówi Sara. Część z nich próbował nawet wdrażać, jak te konopie, przez które co i rusz, milicję mieliśmy na karku.

– Lilie piękne hodował – przypomniała sobie szwagierka Ludki.

– Na spotkania Stowarzyszenia Liliowców biegał, cebule na aukcjach kupował, prowadził drobiazgową korespondencję z innymi szaleńcami. Kwiaty wyrastały wielkie i piękne. Trwało to, aż do momentu, kiedy kompletnie tracił zainteresowanie. Łącznie z tym, że pewnej jesieni po prostu zapomniał wykopać je z ziemi i zmarzły.

– Tak, tak, aż się Ludce płakać chciało. A on już dzierżawił pole w sąsiedztwie, żeby te niskoopiatowe konopie sadzić...

– Ideę miał, co by z nich u siebie produkować tkaninę nie do zdarcia.

Emilia wyszła do toalety, a Babce przed oczami pojawiła się scena z przeszłości, jak wyrzut sumienia.

Gustaw wpadł wtedy do kuchni jak burza.

– Gdzie Ludka? Miała mi pomóc przy konopiach.

– Nie ma. Poleciała gdzieś – Babka wali z mocą garnkiem o kuchenkę. – Pewnie ze Stenią plotkują.

– Jak to? – zięć staje zdziwiony na środku kuchni.

– Ano tak. Siadaj, obiad gotowy.

– Czasu nie mam. Jeszcze mi się zapyli nie to co trzeba – irytuje się Gustaw.

– Pewnie zapomniała. Z nią tak zawsze.

Gustaw łyka pospiesznie obiad i wybiega wściekły, trzaskając drzwiami. A za pięć minut wkracza Ludka.

– Co tak późno? – warczy na nią matka.

– Przecież dzisiaj sesja – tłumaczy córka. – A potem musiałam jeszcze zrobić zakupy. Wiesz, jakie są kolejki.

Babka niby wiedziała, ale tego dnia wszyscy się gdzieś porozłazili i było potwornie nudno.

– Co tu kupiłaś? – spytała, zaglądając do torby. – Matko Bosko, same ochłapy. Gdzieżeś ty oczy miała! – przewróciła oczami w udawanej zgrozie. – Stenia świetną wołowinę kupiła.

– Widocznie miała szczęście.

– Szczęście! – prychnęła Babka. – Wstała rano, to i miała szczęście. Ale ty się nie martw. Przyjdzie baba z mięsem to kupię. I tak, z tego co na kartkach nie wystarczy, żeby rodzinę wyżywić.

– A gdzie Gustaw?

– W polu przy konopiach.

– Przecież jutro mieliśmy wiązać.

– Mówiłam, że masz dzisiaj sesję.

Córka patrzy na nią podejrzliwie.

– Co?

– Nic, nic.

– Przecież widzę ten twój oskarżający wzrok.

Ludka chciałaby się wycofać z tej jałowej rozmowy, ale ponieważ zawsze, bez względu na to jak namieszała, jak była winna sporów między córką a jej mężem, zawsze tak odwróciła kota ogonem, że wychodziła na biedną, szykanowaną matkę.

Sara od dłuższego czasu przysłuchiwała się telefonicznej rozmowie Babki z bratem.

– No, normalnie robię. Płuczę, smażę w syropie, tylko bardzo krótko.

– ...

– Doprawdy nie wiem, dlaczego nie są takie jak Amelii – w jej głosie jest udawane zdumienie, zasługujące co najmniej na Oskara za pierwszoplanową rolę i ktoś, kto Babki nie zna jest z pewnością święcie przekonany, że zrobi wszystko, żeby pomóc. – To może wina truskawek? Dawniej były naturalnie nawożone, no, przynajmniej moje. Gatunki też lepsze, swojskie, staroświeckie. Teraz to podobno z Chin sprowadzają, duże takie, czerwone jak malowane, ale bez smaku. A – przypomina sobie – i lata były zdaje mi się bardziej mokre, choć słońca nie brakowało.

– ...

– Jagody właśnie tak, jak mówisz. Mnie z rynku przywożą Sara i Alek. Nie zawsze dobre.

– ...

– Co ty powiesz? Zresztą, co tu się dziwić, młodszy przecież jesteś ode mnie, to sobie możesz jeszcze po lesie latać.

Babka skończyła rozmowę i czując na sobie badawcze spojrzenie wnuczki, spytała.

– I co tak znowu oczy wyropalasz?

– Doprawdy nie wiem, dlaczego takie beznadziejne są te twoje truskawki – przedrzeźnia Babkę. – Znowu go oszukałaś – odparła z wyrzutem.

– Nie może być? – teatralnie zdumiała się Babka.

– I jak zwykle czerpiesz z tego jakąś perwersyjną przyjemność.

– A czerpię, żebyś wiedziała, że czerpię – nieoczekiwanie przyznała Babka. – I nawet niech będzie, że perwersyjną – dodała, wytrącając tym samym Sarze wszystkie argumenty z ręki.

– Przy okazji powiem mu w czym rzecz z tymi truskawkami! – zemściła się ostatecznie groźbą.

– A skąd ty możesz o tym wiedzieć?

– Pamiętam.

– Akurat, pamiętasz! Byłaś mała.

– Czasem mi się coś przypomina i powiem ci, że całkiem sporo.

– No to mu powiedz, w końcu przecież do niczego nie mogę cię zmusić! – prychnęła Babka i szybko zmieniła temat. – A pamiętasz tę babę, co każdego roku przynosiła mi najpierw jagody, potem borówki i żurawiny, a druga baba z kolei przynosiła mi grzyby, bo ja coś nie lubiłam łazić po lesie, zupełnie jak ty.

– Jak ja? – zdziwiła się wnuczka.

– No tak, jak byłaś mała mówiłaś, że las jest dziwny i nudny, chyba że przecina go droga, albo ścieżka, wtedy mówiłaś, że już nie jest dziwny, ale co miałaś na myśli, to naprawdę nie wiem do tej pory… – zamyśliła się Babka. – Pamiętasz te kobiety? – wróciła do rzeczywistości.

– Pewnie, że pamiętam – Sara, jak zwykle, gładko połknęła haczyk. – Ta pierwsza, wielkie łubianki, kwieciste chustki na głowie, a druga zdecydowanie starsza, nosiła się z ciemna, ale zawsze miała zapaskę. Kwiecista dawała mi gałązkę z jagodami. Przysiadała na krześle w kuchni zmordowana tym zbieraniem od świtu, a ty częstowałaś ją kawą i czym tam miałaś pod ręką. Jak ona się właściwie nazywała?

– Myślisz, że pamiętam?

– Na pewno pamiętasz.

– Ja na nią mówiłam po prostu jagodowa baba, ale naprawdę nazywała się – Babka zamyśliła się. – Poczekaj, poczekaj!... Lucyna Krawiec! Jagody to zawsze przynosiła caluśkie, nieuszkodzone, duże z niebieskim nalotem. Jak nie mają, to są do niczego. Te od Lucyny zawsze były takie, jakbym je sama w lesie zbierała.

– Nigdy nie zbierałaś?

– Nigdy. Jakoś nigdy nabożeństwa do wałęsania się po lesie nie miałam. Zawsze wolałam parę groszy zapłacić. I ja byłam zadowolona i baba, bo jej się ładny pieniądz zawsze przydał.

– Jakieś nieszczęście tam zdaje się wydarzyło?

– A tak! Ten jej mąż Krawiec to był bardzo dobry, zapobiegliwy gospodarz, dzieci mieli chyba z pięć, gospodarka się rozwijała, aż niespodziewanie zdarzyło się nieszczęście – Babka wzięła głęboki oddech i zrobiła długą przerwę dla większego efektu dramaturgicznego. – Hodowali takiego rozpłodowego byka, wielkiego i czarnego. Pewnego dnia ten diabeł rogami przebił męża na śmierć.

– Straszne! – westchnęła Sara.

– Mimo że ten Ali, bo tak nazywało się to bydlę, był podobno bardzo przywiązany do swojego pana, który chwalił się, jaki to jego byk z charakteru do psa podobny. Żona to samo mówiła, że niby łagodny jak baranek był ten ich byk, dopóki nie zwariował, chociaż ja uważam, że do chutliwego, niebezpiecznego z natury swojej zwierzęcia nie można mieć zaufania, a co dopiero przyjaźnić się z nim jak z psem. Do dzisiejszego dnia nikt nie wie, co się wtedy wydarzyło, że Ali przygwoździł swojego pana rogami do wrót stodoły, tak mocno, że nie mógł ich wtedy wyciągnąć i tak ich zastała żona, czyli moja jagodowa baba. Mąż miał na twarzy zastygłe zdziwienie, a buhaj stał spokojnie, nie szarpiąc się, jakby lekko skonfundowany...

– I ta baba od jagód powiedziała ci, że byk był skonfundowany aktem swojej agresji ze skutkiem śmiertelnym? – ironicznie spytała Sara.

– Tak dosłownie to chyba nie powiedziała, ale dała do zrozumienia.

– ...że bykowi zrobiło się głupio, ponieważ w akcie nieopanowanego ataku na lubianego gospodarza, zabił go, przybijając rogami do wrót stodoły. Uwielbiam te twoje konfabulacje!

– Niczego nie zmyślam – obruszyła się Babka. – Powtarzam, co mi mówiła jagodowa baba.

– To przypomnij sobie kreatywnie, co takiego mogło rozsierdzić łagodnego jak baranek byka?

– Sama nie wiem... Coś się tam musiało wydarzyć, coś, co się w głowie nie mieści, a jednak stało się i zwierzę zabiło człowieka, karmiciela.

– I co się z nim stało, z tym Alim, co zbikował tak nagle i tak ostro?

– No, to też było, wyobraź sobie, bardzo dziwne. Normalnie to się takie niebezpieczne zwierzę zabija, w najlepszym razie sprzedaje, ale w tym przypadku buchaj nie poniósł żadnych konsekwencji. Po prostu został w gospodarstwie, które trochę podupadło i dlatego wdowa dorabiała sobie z dziećmi, sprzedając jagody i borówki.

– Mówiła ci, dlaczego znosiła w obejściu byka, zabójcę męża?

– Twierdziła, że to teraz żywiciel rodziny, bo miał cenne nasienie, po które zjeżdżali inseminatorzy z całej okolicy.

– Mogła go zatem dobrze sprzedać.

– Mogła, ale nie sprzedała. Cóż się dziwić, ludzie na wsi pragmatyczni – Babka zamilkła na dobrą chwilę i zamyśliła się, po czym zarządziła parzenie herbaty, zakręciła kciukami młynka i dodała. – Inna baba, ta od grzybów, ale z sąsiedniej wsi, mówiła, że mąż tej Lucyny, to chodził do jednej młodej wdowy i że moja Lucyna od jagód strasznie zazdrosna o to była.

– Co sugerujesz? – Sara zastygła z dzbankiem w ręku.

– No, że coś w tym może być, a byk okazał się bardziej zaprzyjaźniony z gospodynią niż z gospodarzem.

– I co, po tej przyjaźni Lucyna, zdradzana żona, namówiła spokojnego podobno jak baranek byka do przebicia rogami swojego pana. Ciekawość, jakich to argumentów użyła? – kpiła z Babki wnuczka.

– Ty mi tu nie ironizuj, tylko pomyśl! – zapaliła się do pomysłu swojej kreatywnej pamięci Babka.

– Łagodny byk to pewnie jakaś miejscowa legenda. Ali po prostu nie był specjalnie agresywny i to był właściwy powód jego powodzenia jako świetnego dawcy nasienia, a nie wyjątkowy garnitur genetyczny. Inseminatorzy nie lubią się szarpać i narażać życia. Wiem, przecież też po wsiach jeździłam, ludzie spowiadali mi się ze wszystkiego, jak księdzu.

– I to wszystko wyjaśnia?

– Nie, to tylko wstęp, ale właściwie również dygresja.

Sara popatrzyła wyczekująco.

– Zazdrosna Lucyna, jeszcze nie jagodowa baba, zazdrosna jak wszyscy diabli o tę młodą wdowę, mogła temu niezbyt agresywnemu bykowi coś zadać, żeby się wściekł.

– Co takiego? – spytała wnuczka.

– Nie wiem. Nie było mnie przy tym, a Lucyna Krawiec nie zwierzała się ani mnie, ani nikomu innemu. Jeśli rzeczywiście maczała w tym palce, to byłaby głupia, żeby cokolwiek pisnąć, a głupia moja jagodowa baba nie była.

– Ale jak mogłaby pokierować niezbyt lotnym bydłem?

– Na przykład wytresować go!

– Rzeczywiście, genialne w swej prostocie! – zaśmiała się jadowicie Sara.

– Najgenialniejsze są właśnie proste rozwiązania – odpowiedziała spokojnie Babka. – A ludzie na wsi znają się na zwierzętach i wcale nie muszą mieć jakiegoś przeszkolenia cyrkowego.

– To, co sugerujesz, wymaga cyrkowego wyszkolenia.

– Załóżmy, że uwarunkowała Alego w jakiś sposób, przecież jak słusznie zauważyłaś, byk to nie intelektualista.

– Musiała być cierpliwa.

– Nienawiść bywa cierpliwa.

– Jakże musiała go straszliwie nienawidzić! – zadumała się Sara.

– To przez tę zazdrość.

– Czyli kochała go!

– Tak go kochała, aż go z tej miłości zabiła za pomocą ulubionego byka – kąśliwie zauważyła Babka.

– Fakt, jakby kochała ponad życie, to by wybaczyła.

– Chyba, że Krawiec postanowił całkiem ją dla tej młodej wdowy porzucić. Podobno ładna jak łania była i całkiem majętna.

– Na wsi takie rzeczy! W tamtych czasach? – zdumiała się Sara.

– Oj, jakaś ty naiwna! – westchnęła z wyższością Babka. – Tobie się wydaje, że tylko miastowym zdarzają się zdrady, wyrafinowane zemsty, tragedie iście szekspirowskie, a ludzie ze wsi, zaprogramowani są do ciężkiej roboty, prostego, nieskomplikowanego życia i przykazań boskich, ewentualnie alkoholizmu i zabijania w afekcie kołkiem z płotu, amen.

– Wcale tak nie uważam – zaprotestowała wnuczka.

– Akurat! – wyraziła swoją niewiarę Babka.

– Mniejsza z tym. Dlaczego Lucyna nie zabiła młodej wdowy?

– Fakt! Dlaczego? Krawiec zostałby wtedy w domu, cały, a po jakimś czasie, zapomniałby o swoim romansie.

– Chyba, że to wcale nie był romans, tylko bardzo poważna, miłosna sprawa i ona zdawała sobie z tego doskonale sprawę.

– Na pewno. W dodatku, łatwiej było rozprawić się z wiarołomnym mężem, który być może zacząłby coś podejrzewać… Ta nasza koncepcja z warunkowaniem, jest chyba do bani…

– Nasza?

– Moja, niech ci będzie. Pewnie dała mu jakiegoś ziela i on na chwilę oszalał. Potem stali tak naprzeciw siebie, zmuszeni do patrzenia sobie w oczy, a może nawet Krawiec kątem zachodzącego mgłą oka, widział Lucynę, opartą niedbale o stodołę, jak przygląda się jego konaniu z satysfakcją. Może nawet do niego przemówiła, jadowitym głosem, żeby wiedział, przez co ta śmierć przedwczesna i okrutna mu się zdarza.

– Aż tak? – Sarą wstrząsnęły dreszcze.

– A ty wiesz? Tak sobie przypominam, że ta młoda wdowa też wkrótce potem zmarła.

– Na co?

– Zatruła się grzybami.

– Myślisz, że Lucyna jakoś się do tego przyczyniła?

– Nie wiem, ale faktem jest, że wkrótce po wypadku z bykiem, nie żyła. Mogła mu obiecać jeszcze w ostatniej chwili, że jego nowa ukochana, podobnie jak on, długo nie pożyje.

– Mogła tak zrobić – szepnęła ze zgrozą Sara. – Ale historię wymyśliłaś! – powiedziała z najwyższym uznaniem.

– Wcale nie wymyśliłam, ja jak zwykle mówię prawdę – zaperzyła się Babka.

– Tak, tak, czystą prawdę!

– A żebyś wiedziała! – wrzasnęła na wnuczkę. – Ty to zawsze ze mnie kłamcę robisz!

– Skąd, tylko uważam, że sobie lubisz dośpiewać, kiedy ci pasuje.

– Czyli co twoim zdaniem dośpiewałam?

– Wszystko, co jest pomiędzy zabójstwem Krawca przez byka i Lucyny dorabianiem na życie zbieractwem runa leśnego.

– A może jest właśnie odwrotnie? – zapytała z przewrotnym uśmieszkiem Babka i wyszła z kuchni.

– Odwrotnie? – oniemiała Sara. – Jak może być odwrotnie? Czyli ona nie zbierała tych jagód, a jego nie zabił byk, tylko co? – rozważała, bezwiednie idąc za Babką. – Koń go stratował…, kozioł…, kogut zadziobał, bo ten Krawiec był bardzo, ale bardzo malutki, tylko nie raczyłaś o tym wspomnieć? Albo specjalnie podrzucony przez żonę wściekły pies pogryzł go i umierał długo w męczarniach… Ale reszta prawdziwa?

– Już nic ci nie powiem, bo zawsze z tego taki kabaret zrobisz, że po prostu zgroza. A to są przecież poważne, ludzkie dramaty – Babka złożyła wnuczce kategoryczne oświadczenie i zamknęła jej drzwi do swojego pokoju tuż przed samym nosem.

Ojcze nasz, któryś jest w niebie, święć się imię twoje…

Trzeba Sarze kazać tulipany wykopać, jak tylko liście do cna zżółkną. Coraz ich mniej, a tak się stary Rogusz, teść Ludki, z nimi cackał co roku. Pewnie dlatego, że coś ogród ostatnio zaniedbany, wydaje się jej, że widzi, pracującego w ogrodzie Maksa w tej jego połyskującej złotem, starej panamie, którą letnią porą przykrywał łysą jak kolano, starannie wygoloną głowę. To znak, żeby o te jego tulipany zadbać. Wczesną wiosną pierwsze w okolicy z jeszcze zmarzniętej ziemi wyłaziły, jak tylko słońce ją trochę ogrzało. Jakiś poeta pisał, że wiosna jest okrutna, coś w tym chyba jest, bo niby się do życia wszystko budzi, ale czasem to tak jakoś na siłę, jakby z musu i boleśnie przebija się przez stare liście, martwe liście i owady, co nie dotrwały.

Wtedy Maks całymi dniami tu przychodził, już po śmierci żony, do tego swojego domu, co już tak całkiem jego nie był, tylko syna i jej, ale ziemię traktował jako swoje własne, wyłączne terytorium i sadził. Pod koniec kwietnia, a czasem to nawet jeszcze wcześniej, cała działka robiła się czerwona od tulipanów. Zupełnie jak na zdjęciach z tych holenderskich katalogów, co je sobie kazał przysyłać, nie wiedzieć po co, zupełnie jakby to było przed wojną. A przecież to już nie te czasy, kiedy dzierżawił ziemię, najmował ludzi i wielkie połacie pól zakwitały czerwono, biało i żółto, a niekiedy nawet papuzio. Jej te pochorowane, wystrzępione tulipany nigdy się nie podobały, ale mówił, że to rzadkość, a w latach sześćdziesiątych to ludzie się za nimi zabijali. Ciekawe, jakim on cudem sprowadzał wtedy te cebule z zagranicy? I to na taką wielką skalę i jeszcze bez podatków. Trzeba przyznać, miał smykałkę do interesów. Najęte do pracy w polu baby też zwietrzyły interes i powszywały sobie w spódnice długie kieszenie i tak przemycały kradzione cebule, ale i tak mu się opłacało. Jakoś sobie musiał przecież radzić po wojnie, bez oficjalnej pracy.

Ludka i Gustaw pracowali, dziewczynki szły do szkoły, a oni wtedy, jakoś się tak do siebie zbliżyli. Stąd wie o rodzinie Gustawa chyba więcej niż sama Sara, a kto wie, czy nawet sam Gustaw wiedział, bo on taki raczej mniej zainteresowany starymi dziejami był. Jego ojciec też tak jakby mimochodem i bez sentymentu streszczał rodzinne historie, albo tylko rzucał parę suchych informacji. Słyszał to kto, żeby tak za nic mieć rodzinne tradycje?, jeszcze teraz dziwiła się Babka.

Najwięcej czasu jednak spędzał przy ulach w samym końcu ogrodu na górce. Gustaw lubił miody rzepakowe, gryczane, akacjowe i lipowe, dlatego jeździł aż w kutnowskie, gdzie trzymał wielką pasiekę w dzierżawionym sadzie przy gospodarstwie znajomych Maksa. Ten z kolei wolał leśne i kwiatowe. Chociaż lipowe z ich ogrodu też nie były złe. Dzięki temu w paradę sobie nie wchodzili, tylko czasami awantury wybuchały o narzędzia, co sobie nawzajem pożyczali i wtedy Gustaw ojca teściową straszył, czyli nią, łajdak jeden!

Ciekawe, co też się stało z tą Janką, bo też jej się śniła. Jak nic pewnie umarła, bo się nie pokazuje od lat. Towarzyszyła jej myślom jeszcze cały ranek, niemal natrętnie domagając się pamięci, aż Babka prawie ją zobaczyła za stołem, jak mówi o swoich pragnieniach.

– Zawsze zazdrościłam innym kobietom i dziewczynom jednej rzeczy… Zdziwi się pani, że nie urody, mądrości, wdzięku, zdrowia. Nie! Najbardziej ze wszystkiego pożądałam różowych pięt! Pani się nie śmieje, choć to przecież śmieszne i małe, takie marzenie, więc skoro pani, Eleonoro, nie śmieje się, to może wcale nie jest to takie głupie, jak całe życie sądziłam. Pani na pewno miała różowe pięty. Nie mogło być inaczej! Ja mam takie oko, że nawet jak kobiety są w zakrytym obuwiu, to i tak wiem, która je ma… te różowe pięty. Wydawało mi się, że gdybym miała takie pięty, mocno różowe i ciepłe, to wszystko byłoby inaczej. Co ja robiłam, żeby je mieć? Tarłam pumeksem, aż lała się krew i kulałam, ale to chyba los decyduje, która je dostanie, a która nie. Ja nie dostałam. Jak zresztą wielu innych rzeczy, ale tego braku żałuję najbardziej… Myśli pani, że niesłusznie, że to niewarte mojej żałości? – dopowiedziała sobie sama za Babkę, która niezupełnie się z nią zgadzała. – Tylko co można na to poradzić?

Tak właśnie powiedziała wtedy Janka. To jednak mądra kobieta była. Czasem wyjmowała ze swojej krzywej, szydełkowej torby książkę do angielskiego i powtarzała słówka, często pytając Sarę o wymowę. Niekiedy pojawiał się stary, chyba jeszcze przedwojenny podręcznik do niemieckiego i wtedy, bardzo nieśmiało, dreptała do ogrodu, odnajdywała starego Maksa Rogusza i domagała się, żeby jej coś przeczytał. Teraz, jak tak patrzy między drzewami, to jakby ich widziała. Jego, w podniszczonej panamie, opartego na grabiach, albo szpadlu, lekko poirytowanego tym niespodziewanym lektorskim zajęciem i ją, w zawsze nieforemnym okryciu, zasłuchaną z przymkniętymi oczami… Byli. Ten czas przeszły taki jest nieodwołalny, taki panoszący się, rozpychający, prawie najważniejszy. Dlatego lubi czytać scenariusze do tych filmików Sary, tam jest czas teraźniejszy, ten który lubi, mimo wszystko, najbardziej i jej wnuczka też, chociaż jeszcze nie dodaje mimo wszystko. Tylko cóż z tego, kiedy ostatnio przeszłość wdziera się do niej drzwiami i oknami, a nawet wtedy, kiedy śpi.

Ta Janka… kto wie, może ona jeszcze jest, zastanawiała się, pijąc poranną kawę. Tyle lat nie pojawiała się na ulicy. Przestała przychodzić, jak zwykle nieoczekiwanie, bez żadnego zapowiedzenia. I nikt się nie dziwił, wiedząc, że prędzej czy później znowu się zacznie pojawiać. Ale minął cały rok, a następnie drugi, a Janka się nie pojawiła. Nawet Stenia, która nie mogła jej darować, że nigdy w życiu nie pracowała, a dostaje rentę, pobiegła do miasta i wypytywała o nią w Domu Aktora przy Lipowej. Powiedzieli jej, że nie ma i nie wiedzą, gdzie jest. I dobrze, powiedziała mściwie starsza pani w cytrynowych papilotach zza doniczki z paprotką na parterze, bo tych jej kotów to już wszyscy mieli dosyć! Ale podobno żyje, łypnęła wrogo i prawie wypluła jej pod nogi informację, …z takim jednym. Stenia wtedy o mało nie podskoczyła z ciekawości, ale nic więcej od niej wydusić nie mogła, chociaż starała się bardzo. I w końcu doszła do wniosku, że baba z parteru naprawdę nic nie wie.

I to właśnie powinno je wtedy zastanowić, Babka walnęła z impetem jajko łyżeczką, bo Janka nigdy nabożeństwa do kotów nie miała. A tu taka zmiana radykalna w tym względzie. Może to przez jednego takiego? W końcu pewnie znalazła swojego ukochanego, chociaż nie miała różowych pięt i odmieniła swoje życie, ta samo jak wtedy, gdy po śmierci siostry, tej znanej aktorki, porzucała Śródmieście, żeby przyjeżdżać tu na Rogi i do Łagiewnik na całe dnie, oddychać świeżym powietrzem i patrzeć na zieleń i tylko w nocy oddychać ciężkim od spalin, śródmiejskim powietrzem. To zupełnie inaczej niż rodzice Gustawa, którzy po wojnie zamieszkali w wielkiej kamienicy blisko dworców i nie wyobrażali sobie potem innego miejsca do życia.

Lena wspomina coraz więcej. Śnią się jej dawno zmarli bliscy, widuje ich w ogrodzie, a nawet obok siebie przy stole. Lilka prosi ją, żeby przestała tak ciągle rozmyślać o przeszłości. Babka pyta, jak ja mogę przestać rozmyślać? Cała już jestem przeszłością, wszystko za mną i tylko kawałek, kawałeczek teraz. Ot, żeby tylko spuchnięte stopy postawić. A przede mną? Kto to wie? Może nawet nic. Dwie minuty. Wieczność?! Jaka ty jednak naiwna jesteś Lilu. W moim wieku nie myśli się o wieczności. Wieczność jest przyszłością, tak wielką i niewiadomą, że wcale się w nią nie wierzy, jak się ma prawie sto lat. Mało tego, przeraża. Teraz punktem odniesienia jest ciało, tylko ono. A ciało jest pełne cierpienia, więc kto chciałby wiecznie cierpieć? Lepiej jest wspominać przeszłość. Bo, jak mówi Miki, jest taka przewidywalna i bezpieczna. I ten skrawek teraz, bywa, że nawet cieszy, kiedy nie dyszysz łapiąc rozpaczliwie oddech, popijając dobrą kawę, albo stukając w dobrze ugotowane, świeże jajko łyżeczką.

Lilka martwi się jej złymi nastrojami i flirtem z duchami, ale Sara twierdzi, że nic nie widzi. Tylko ona martwi się jeszcze bardziej. A Sara po prostu nie chce widzieć. Jeszcze w dzieciństwie, mając kilka lat, postanowiła nie widzieć i trzyma się tego twardo do dzisiaj. Lilka nie wie, jak to jest możliwe, taka blokada. Siostra mówi, że Babka tylko chwilowo jest taka zwrócona do przeszłości, ponieważ się źle czuje, ale jak tylko jej trochę przejdzie zaraz robi dalekosiężne plany na przyszłość, jak na przykład odnowienie sadu. Liczy, kiedy posadzone w tym roku śliwy będą rodziły, żeby można było robić własną śliwowicę, więc niech się Lilka tak nie zamartwia.

Babka ogląda z prawnukami telewizję o angielskim hotelu Woody Bear dla pluszowych misiów, które są tam wysyłane za ciężkie pieniądze. Właściciele tego złotego interesu organizują zabawkom pikniki, wycieczki, popołudniowe herbatki, a nawet wesela.

— Czy to się wam chłopcy nie wydaje nienormalne? – spytała zdziwiona po raz kolejny doniesieniami z szerokiego świata.

— Nie.

— Nie?

— Właściciele hotelu są normalni – odpowiedział Wojtek. – Świetny interes.

— Tylko musisz znaleźć głupców, którzy chcą płacić za wczasy swojego miśka – dodał Mateusz.

– Nie będę tych głupot oglądała. Przejdę się po ogrodzie. Jak będzie Chuck Norris to mnie zawołajcie.

Opierając się o lasce zaszła aż na sam koniec ogrodu, w miejsce, gdzie las wchodził im prawie za siatkę. Na niewielkim wzniesieniu, w otoczeniu kwitnących krzewów, stała kiedyś pasieka Maksymiliana Rogusza, do której przyjeżdżał autobusem z Placu Dąbrowskiego, kiedy już nie musiał zarabiać na życie produkowaniem węzy. Teraz nie było po niej śladu. Po wojnie życie Roguszów skoncentrowało się w tym wielkim mieszkaniu koło dworców kolejowego i autobusowego. A przez okna widać było ich przedwojenne magazyny, do których nie miał już wstępu i ten fakt jątrzył go nieustannie.

– Czego szukasz? – spytała Sara, która pojawiła się nieoczekiwanie obok niej.

– Tak sobie przyszłam porozmyślać.

– O dziadku Maksie? – zdziwiła się wnuczka.

– Tak. Chodzi za mną Janka od kilku dni, a przy okazji przypomniał mi się stary Rogusz, a teraz nawet oboje, on i twoja druga babka Mila. Tak mnie jakoś naszło – wzruszyła ramionami. – Pamiętasz manufakturę w tej ich ogromnej kuchni?

– Linię produkcyjna do wyrobu węzy?

– Tak.

– Pewnie, że pamiętam. Przedtem wydawała mi się taka zwyczajna, ale teraz myślę, że to była naprawdę mocna rzecz.

– Mocna. Naprawdę mocna. Zaopatrywała pszczelarzy z okolicy i całkiem odległych miejsc. Zupełnie jak moja... – ucięła nagle Babka.

– Drzwi się nie zamykały. Paczki szły na dworzec wysyłane normalnym trybem, albo podawane kierowcom za napiwek.

Sara doskonale to pamięta z dzieciństwa. Wysoka kuchnia na środku zastawiona była stołami na potężnych nogach, obitymi blachą aluminiową, do których przymocowane zostały ciężkie prasy. Linia produkcyjna uruchamiana była raz na jakiś czas, kiedy zebrała się odpowiednia liczba zamówień.

W niewielkim pomieszczeniu przy kuchni stał miedziany kocioł z ciężkim przykryciem, podnoszonym łańcuchem przy pomocy bloczka umieszczonego pod dalekim sufitem. W papierowych worach zalegała brunatna od oprzędu, odchodów wychowanych w plastrze pszczelich larw, woszczyna. Zapach nie był przyjemny i niczym nie przypominał sterylnej, świętej woni czystego wosku. Wprost przeciwnie, przywodził na myśl słodkawy rozkład, wstydliwe odpady, brudne, chociaż nieodstręczające. Lubiła obserwować jak zaaferowany dziadek Maks wsypuje woszczynę do środka, dokręca śruby, sprawdza ciśnienie i temperaturę na licznych, umieszczonych na nim zegarach i wskaźnikach. A potem przez niewielki umieszczony na samym dole kotła kranik wyciekało bursztynowe, płynne złoto, starannie oddzielone od wszelkich zanieczyszczeń, czyste i doskonałe.

– To jest złoto? – dziwiła się Sara.

– Prawie złoto, ale lepsze – mawiał dziadek. – Bardziej praktyczne.

Bardziej praktyczne? Wnuczka zastanawiała się, co to znaczy i doszła do wniosku, że chyba to, że można je sobie samemu zrobić, zamienić na pieniądze, a pieniądze na złoto. A jak się miało pasiekę, źródło nie wysychało nigdy. Pieniędzy musiało być dużo, ponieważ ani Maks, ani Mila nie mieli żadnych uposażeń. Każda wizyta u lekarza, a nie daj Boże w szpitalu, jak się ostatnio przydarzyło Roguszowej, kiedy wycinano jej wyrostek robaczkowy, może nie rujnowały finansów rodziny, ale jednak były poważnym wydatkiem.

Maks wlewał płynny wosk do płaskich metalowych form, a kiedy stanął, utrzymywał je w cieple na kuchennym, kaflowym piecu w ogromnych stalowych naczyniach. Szykował odpowiednią prasę o gładkich walcach, przez którą przepuszczał ciepłe kawałki swojego złota i hartował w zimnej wodzie w staroświeckiej wannie pod oknem. Wtedy z Milą zwoływali do pomocy swoje dzieci z całego miasta, które przyjeżdżały z wnukami, żonami i w kuchni robiło się tłoczno.

Zwinięta w grube rulony gładka i nudna węza trafiała do gara na piec. A gładka prasa zastępowana była tą wyciskającą wzór. Właśnie te maszyny najbardziej fascynowały. Połyskiwały tajemniczo srebrem. Pachniały żółtym woskiem. Nakręcane korbą walce wypluwały z siebie ciepłe wstęgi rozpoczętego kodu, podbierane delikatnie deseczkami, żeby się broń Boże nie zerwały, stygły na długim stole, zanim zostały nawinięte w luźny rulon. Maksymilian Rogusz stał przy wielkim garze i co chwila sprawdzał temperaturę, żeby czasem kąpiel wodna nie była za gorąca, ani za zimna. Musiała być w sam raz, bo inaczej wszystko na nic, walce mogły zniszczyć gładkie, dziewicze, ciepłe, jakby dopiero narodzone rolki. Krótkie walce były od Ryczego, długie od inżyniera Lankoffa. Jeździło się po nie do Kielc.

Misterium zapisywania czystych rolek było czymś niezwykłym, dzieci stały i patrzyły na sześciokątne zaczątki komórek pszczelich, wysuwające się dostojnie spod wałków, których powolnych, zrównoważonych obrotów strzegła babcia Mila, poruszając lekko dobrze naoliwioną korbą. Z sufitów zwieszały się przemysłowe lampy rozświetlając stoły jaskrawym blaskiem, a pogrążając w mroku całą przestrzeń ponad rozłożystymi kloszami. Łysa, gładko wygolona czaszka Maksa jaśniała w kuchni jak kolejna żarówka. Przy ścianie, równolegle z linią produkcyjną, stał biały kredens z szybkami. W wysokim słoju, pogrążony w półprzezroczystej cieczy tkwił egzotyczny grzyb herbaciany Kombucha. Babcia Mila niewielką chochelką ze zgrabnym dziubkiem czerpała płyn ze słoja, wlewała do szklaneczki i co jakiś czas próbowała częstować nim rodzinę, ale wszyscy jak jeden mąż odmawiali, odporni na obiecywane przez nią zdrowotne cuda, oczyszczoną krew i korzystny wpływ na przemianę materii. Mila wzruszała ramionami, dopijała swój napój, marszcząc cienki, delikatny nosek, zakładała opadające na czoło liliowe loczki za ucho i wracała do pracy przy korbie.

Potem ojciec Sary, Gustaw, przycinał węzę w arkusze. Układał równo na deseczkach i przekładał bibułą.

Po pracy część maszyn chowano pod stoły, które teraz były jednym zwyczajnym kuchennym stołem, tyle, że trochę dłuższym niż zazwyczaj, część przykrywano płótnem. Wypuszczano wodę z wanny i nakrywano ją klapą, tak, że wyglądała jak masywna skrzynia na żeliwnych, lwich nóżkach. Z wielkiego kaflowego pieca znikał olbrzymi gar i wszystko wracało do normy, oprócz chwil, kiedy kuchnia zamieniała się w pokój kąpielowy. Sara zawsze marzyła o kąpieli w tej dużej wannie pod oknem z widokiem na podwórko z zieloną pompą, zieloną ławką i krzewami bzu, ale jakoś nigdy nie było okazji.

Po pracy opuszczano kuchnię i długim, ciemnym, zastawionym szafami z lustrami korytarzem udawano się na pokoje, gdzie Mila niezmiennie podawała keks z Grandu i herbatę w kremowych ćmielowskich filiżankach w drobniutki wzorek. A pod blatem stolika kawowego stała puszka z landrynami i Sara zawsze wybierała białe o smaku migdałowym.

– A jak udało się dziadkom dobrze sprzedać nadwyżki wosku farmaceutom, czy Pollenie, rzucali wszystko i jechali do Ciechocinka – przypomniała sobie Sara.

– Do Ciechocinka Mila podobno lubiła jeździć od dziecka. Ciotka Tośka mówiła, że dwóch starszych braci babki Mili zmarło w Łodzi i lekarz poradził rodzicom, żeby młodsze co jakiś czas wywozić do Ciechocinka. Leczenie klimatyczne już wtedy było modne, ponieważ nad Łodzią zalegał smog – Babka lubiła się czasem pochwalić swoją wiedzą na temat miasta.

– Pamiętasz, ojciec zawsze miał w klapie marynarki znaczek na szpilce, zawsze, wielce intrygujący dla wielu, PZP – Polski Związek Pszczelarski. Nigdy się z nim nie rozstawał.

– Maks też zawsze nosił. Pamiętam, jak mu kiedyś wypadł i cośmy się tego drobiazgu w trawie naszukali, to szkoda mówić – machnęła ręką na bolesne wspomnienie. – Do tej pory, jak sobie przypomnę, to mnie w krzyżu łupie. – To ci Steinowie, rodzice Mili, byli z Łodzi?

– Z Łodzi. Fabryczkę mieli, tkali len. Nawet nieźle im się wiodło. Rodzice ze strony ojca babci Mili…

– Steinowie?

– Steinowie. Osadnicy przybyli z zagranicy do Łodzi, dostali od rządu nieoprocentowaną pożyczkę na cztery lata na budowę domu. Ich syn, ojciec Mili, dziadek ojca miał już własną tkalnię. Jego najstarszy syn, zwany przez rodzinę starym Steinem, brat Mili, miał największą żyłkę do handlu i zdobył naprawdę wielki majątek.

– A skąd oni właściwie przybyli?

– Tego dokładnie nie wie nikt z obecnie żyjących, ale chyba gdzieś z Niemiec, ponieważ akurat niemiecki był w rodzinie preferowany.

– Pamiętam, Gustaw wspominał swoje dzieciństwo, jak z dziadkiem musiał rozmawiać po niemiecku.

– I swoją ulubioną kolędę też śpiewał po niemiecku „Stille Nacht, heilige Nacht! Aleś schla, enzym wacht Nur das trute…" – nuci Sara.

– Ta rodzina Mili… – zastanowiła się Babka. – Coś mi jednak Maks przy tulipanach wspominał, tylko co to było?… – wzruszyła ramionami, opierając się ciężko na lasce. – Nie wiem.

– Pradziadek zbankrutował. Ktoś go podpalił.

– Znowu pożar – zastanowiła się Babka. – Coś jednak przedziwnego jest w tym, że wszystkie odłamy twojej rodziny jakieś pożary nawiedzają.

– Mojej? A twojej nie? – zdziwiła się Sara.

– Jak to mojej?

– A co, nie było żadnego pożaru nigdy? A bracia pradziadka na Syberii?!

– Nie wiem, o czym mówisz – Babka podniosła na nią niewinne oczy i zaczęła strzepywać okruszki z biustu.

– Mniejsza – westchnęła zrezygnowana Sara. – W tamtych czasach pożar fabryki, czy fabryczki, to normalka. Widziałaś przecież „Ziemię obiecaną" to wiesz. Nie słyszałam, czy był ubezpieczony. Czasem przedsiębiorcy się podpalali dla wysokiego ubezpieczenia i zaczynali od nowa. Ale pradziadek, chyba nie był ubezpieczony, bo nie zaczął od nowa, tylko wyniósł się z miasta, by zarządzać rękodzielniczą manufakturą w majątku ziemiańskim pod Puławami. Mój ojciec i stryj Witold jeździli tam na wakacje.

– Te maki od nich?

– Nie. Te są z Ładu od rodziny Olgierda. Talent do rękodzieła odziedziczyła Tosia chyba po tym dziadku – zamyśliła się znowu Sara. – Albo po Steinach, bo Mila była z domu Stein.

Kiedy zaś na jakiś czas zamierał woskowy interes Maksa i Mili, zaczynała się również dla Sary magiczna, jej zdaniem, produkcja kwiatów cioci Tosi, siostry ojca, i jej męża Olgierda. Olgierd na co dzień grał na skrzypcach, ale nauczył się również rzemiosła żony. Na wielkie drewniane ramy naciągał zdobywany jakoś w tych trudnych czasach atłas, farbowany wcześniej na blade, pastelowe kolory i krochmalony. Suszyło się to znowu pod sufitem w kuchni. Wydawały się wstępem do motyli, uwięzionych, czy raczej rozpiętych na gwoździach i czekających cierpliwie na uwolnienie. Kiedy tkanina wyschła na pieprz, Olgierd zdejmował ją z ram i układał w niewielkie stosiki, równał a następnie wkładał pod prasę z wzorem kwiatowych płatków. Ostra matryca wycinała je, zostawiając czarodziejskie ścinki, z których można było zrobić suknie dla lalek, obrusy i mnóstwo innych rzeczy. Posklejane płatki ciotka Tośka segregowała do pudełek. Pozwalała dzieciom, jeśli tylko dobrze umyły ręce, rozdzielać je. Siadała w wygodnym fotelu pod lampą i brała każdy taki maleńki kawałeczek połyskliwej, płaskiej tkaniny w szczupłe palce, ozdobione długimi, malowanymi paznokciami, chwytała specjalną, zakończoną metalową kulką grzałkę i kilkoma ruchami nadawała im przestrzenny kształt, łudząco przypominający kwiat jabłoni, wiśni czy róży. Jeszcze ciepłe wrzucała do pudełka.

Przez ogromne powojenne mieszkanie Maksa i Mili Roguszów, które zajmowali z córką Tosią i jej mężem Olgierdem, nieustannie przewijały się tłumy znajomych i klientów. Tylnym wejściem z worami i paczkami do Maksa, a paradnym od ulicy z pudełeczkami i okrągłymi pudłami na kapelusze do ciotki Tośki. Przy kawowym stoliku Mili pojawiały się przedwojenne damy z towarzystwa, dorabiające przy kawie i keksie, nawlekając kwiaty na okręcone białą bibułką druciki, bądź nawijające ją na nie. Najważniejszą pracą klejenia i nadawania kwiatom ostatecznego kształtu zajmowała się wyłącznie Tosia. Każdy jej wyrób był oddzielnym dziełem sztuki i cierpliwości. I chociaż wszystkie ich elementy wyszły spod matrycy, każdy był inny, przygwożdżony ręcznie do twardej, obciągniętej irchą gąbki i klejony z innymi również tak samo ręcznie wypieszczonymi. Jej wyrafinowane kwiaty zdobiły paryskie wieczorowe suknie, komunijne sukienki i wianki, włoskie pantofle i kapelusze w Ascot.

— Interesik cioci Tosi okazał się na nowe czasy zbyt ekskluzywny, a tak cenione swego czasu *hand made*, przegrało z zalewem azjatyckiej tandety — otrząsnęła się z zamyślenia Sara.

— W tamtych czasach działało jednak bez zarzutu! — powiedziała Babka.

— No i ta niezależność!

— Właśnie! Ja też lubiłam mieć własne interesy – przypomniała sobie z rozmarzeniem Babka.

— Lewe spółdzielnie z lat pięćdziesiątych?

— Zaraz lewe!

— A co? Może legalne?

– Legalne też nie bardzo, ale lewe, kojarzy mi się z czymś przestępczym, a ja przecież tylko pomagałam tym pozwalnianym z pracy robotnicom.

– I sobie!

– A pewnie, że sobie. Wtedy wolontariat nie był w modzie. Mało tego. Źle się ludziom kojarzył – odcięła się Babka. – I nie tylko z lat pięćdziesiątych. Zaraz po wojnie, za krótkiego pobytu Bluma, odtworzyliśmy w piwnicach Wytwórnię Wód Gazowanych.

– Nigdy się nim specjalnie nie chwaliłaś, raczej tak, powiedziałabym półgębkiem.

– Bo to był najbardziej nielegalny ze wszystkich interes. Twój ojciec wypominałby mi go nieustannie.

– Przecież wytwórnia została zbombardowana?

– Owszem, ale w czasie jednej z naszych podróży natknęliśmy się z Kazikiem Zawidzkim we Wrocławiu na butle z dwutlenkiem węgla. Od razu pomyślałam, że skoro Jakub jeszcze jest, to można by wykorzystać jego wiedzę w zakresie produkcji wody gazowanej. Ten handlarz to strasznie dużo za nie chciał, ale pomyślałam, że taka okazja może się nie powtórzyć.

– I...?

– I kupiliśmy. A potem w piwnicy, jeszcze wtedy lokatorów nie miałam więc mieliśmy swobodę, produkowaliśmy wodę gazowaną. Nawet nalepki mieliśmy firmowe z jakimś nieistniejącym adresem – Wytwórnia Wód Gazowanych „Jutrzenka".

– A co z dystrybucją?

– Sprzedawało się w gospodzie i w innych tego typu interesach. Furmanki zajeżdżały na podwórko. Zamykało się bramę, płot był wysoki od ulicy i szczelny, sąsiedzi z tej strony dyskretni, tak samo z przeciwka. Przynajmniej piłam spokojnie, bo wiedziałam, co wlałam do tych flaszek na ceramiczne kapsle. Pamiętasz je?

– Pewnie. Uwielbiałam malinową oranżadę.

    – Malinową też mieliśmy. Już mam dosyć tego łażenia i wspominania – westchnęła ciężko Babka, opierając się na lasce. – Ledwo zipię.

    – Dobrze, dobrze, chodź, napijemy się herbaty i coś ci pokażę.

ANIMOWANY FILM SARY

Zwalista, przypominająca pierwotną rzeźbę kobieta z plasteliny siedzi za stołem pod przytłaczającym, wielkim, okrągłym zegarem. Sięga plastelinową dłonią po łyżeczkę, słodzi, głośno miesza i siorbie ze smakiem. Co chwila zerka na zegar. Przy stole zjawia się szczupła kobieta w czarnej sukni i gładko zaczesanymi włosami. Zwalista częstuje ją herbatą. Gość wsypuje cztery łyżeczki cukru, ale nie miesza, kiwa z aprobatą głową. Patrzą na siebie uważnie przez stół. Milczą, popijając herbatę. Potem kobieta wstaje i wychodzi. Zwalista kobieta spogląda na zegar.

Przez uchylone ogrodowe drzwi wchodzi mężczyzna. Siada na tym samym krześle, na którym siedziała szczupła kobieta. Z kieszeni marynarki wyjmuje piersiówkę i wyciąga ją najpierw w kierunku dużej kobiety, a potem pije jej zdrowie. Zwalista coraz bardziej nerwowo patrzy na zegar i na coś poza kadrem, czego nie widać. Mężczyzna z piersiówką odchodzi, a na jego miejsce wsuwa się inny w panamie. Podnosi kapelusz w pozdrawiającym geście i kładzie na stole bukiet czerwonych tulipanów. Plastelinowa gospodyni kiwa z aprobatom głową i uśmiecha się lekko. Od niechcenia zerka na zegar. Mężczyzna macha jej dłonią na pożegnanie i wychodzi, mijając się w drzwiach z nieforemną kobieciną z przewieszoną na ukos szydełkową torbą. Wchodzi nieśmiało, kłaniając się prawie do pasa najpierw mężczyźnie w panamie a potem gospodyni, która patrzy na zegar. Nieforemna siada, zwalista podsuwa jej wazę i zachęcająco rusza ręką, żeby się poczęstowała. Kobieta je solennie i z apetytem. Wyciera usta chusteczką, kiwa głową. Potem żegna się i odchodzi.

Gospodyni, opierając się rękami o stół, dźwiga ciężkie ciało w górę i staje. Odwraca się i podchodzi do niewidocznej do tej pory kuchenki. Zdejmuje z niej bulgocący garnek z wodą. Wyjmuje dwa jaja i chłodzi w zimnej wodzie. Wstawia do kieliszków. Wraca do stołu. Siada z ulgą i spokojnie zabiera się do jedzenia. Puka łyżeczką w czubek, obiera, pieczołowicie umieszcza na czubku kawałeczek masła, odrobinę soli i kilka drobin pieprzu ukręconego z ręcznego młynka. Słychać wyolbrzymione, wyraziste dźwięki. Plastelinowa, pomarszczona twarz wygładza się ze szczęścia, kiedy przeżuwa pierwszy kęs.

Babkę film zirytował.
– Ten glut to mam być ja?! – wrzasnęła rozwścieczona.
Sara na takie postawienie sprawy nie odezwała się w ogóle. Nie bardzo mogła potwierdzić wobec takiej reakcji Babki, chociaż podobieństwo plastelinowej bohaterki filmu do niej było oczywiste.
– I jeszcze ta wymowa! Że co, ja tylko o żarciu myślę?!
– Nie, skąd! Nie można tak upraszczać.
– Ale skąd wiedziałaś, że moja matka sypała do herbaty cztery łyżeczki cukru i nigdy nie mieszając, wypijała tylko do połowy? – zdumienie i ciekawość zwyciężyły jednak obrazę.
– Nie wiedziałam. Ale skoro tak twierdzisz, to musiałaś mi to kiedyś powiedzieć.
– Nie pamiętam, żebym ci o tym mówiła, sama przypomniałam sobie o tym dopiero oglądając ten film.
– Nie mówiłaś o wielu sprawach, o które cię pytałam. Na przykład o tej Wytwórni Wód Gazowanych w piwnicy, ani o interesach z dziedzicem, tylko jakieś ogólniki.
Babka wzruszyła obojętnie ramionami.
– Ciekawą mi historię opowiedziała Emilia o mieszkaniu Roguszów w pobliżu dworca – zmieniła sprytnie temat Babka, wiedząc, że wnuczka znów złapie temat jak ryba przynętę.
– Jak zwykle chytrze – przejrzała ją Sara. – Ale opowiadaj.
Babka usadowiła się wygodnie na krześle.

– To ich mieszkanie nie od razu było całe Mili i Maksa. Początkowo mieszkali tam tylko Witek z Emilią, jeszcze jako młode małżeństwo, twój ojciec Gustaw, jeszcze kawaler, a w tym pokoju od ulicy zameldowany był jeden taki Berliński. Jak to po wojnie, w jednym mieszkaniu kupa ludzi. I ten Berliński miał dwie kochanki – jedną blondynkę, mężatkę Grażynkę i pannę Czesię. Obie strasznie w nim zakochane. Wszystko było dobrze, dopóki o sobie nie wiedziały, ale któregoś dnia, jak to się mówi, bomba pękła. Jak? Jak? Ty to zaraz człowiekowi zrobiłabyś dziurę w brzuchu! A skąd ja mogę wiedzieć? Przecież to opowieść z dawnych lat, a nie sprawozdanie ze śledztwa. Nie wiem. Może która coś w pokoju zostawiła? Dajmy na to spinacze w pościeli, albo jasne włosy przyczepiały mu się notorycznie do ciemnej marynarki? A tej Czesi, co powiedzmy miała ciemne ubarwienie, zginęła pomadka i ta druga ją znalazła? Mogło być wszystko na raz, bo jak się człowiek nie spodziewa zdrady, to potrzebuje kilku podejrzanych okoliczności, żeby zacząć łączyć wątki i kombinować. W każdym razie stało się. Jak się przypadkiem spotkały w tym paradnym wejściu z marmurowymi schodami, pewnie jedna wychodziła od Berlińskiego a druga przyszła wcześniej, to tak się wzięły za łby, że pióra leciały! Ale słuchaj dalej! – Babka uprzedziła wszelkie dodatkowe pytania wnuczki. – Grażynka, ta mężatka, mieszkała przy Targowej w starej kamienicy bez toalet i ta Czesia jakimś cudem wyśledziła, że konkurentka urządza imieniny, na które, jakżeby inaczej, zaprasza również Berlińskiego, jej prawie narzeczonego! Aha, już sobie przypomniałam, jak to było dokładnie z tym śledzeniem. To nie Czesia szpiegowała tylko jej kuzynka, bo zauważyła go na Targowej. Gdyby nie jego bardzo charakterystyczny chód z powodu protezy, w ogóle nie zwróciłaby na niego uwagi, ale tak, rzucał się w oczy z daleka. Berliński stracił stopę na wojnie. Nie pytaj, w jakich okolicznościach. Nie wiem, ale zrób jeszcze herbaty i dolej no śliwowicy, bo coś mnie w kościach od tego spacerowania po lesie łamie. Jak tylko Czesia dowiedziała się o tym, pobiegła, co sił w nogach pod wskazany przez kuzynkę adres i już na samym parterze słyszy odgłosy hucznej biesiady. Wchodzi na drugie piętro, ale po drodze zabiera z balkonu półpiętra wiadro z nieczystościami. Jak to, jak to? No, sławojka była na podwórzu, więc ludzie, żeby nie latać po nocy, trzymali wiadro na balkonie półpiętra i wylewali dopiero rano. Co się dziwisz? Takie warunki higieniczne wtedy były. A myślisz, że teraz to w każdej kamienicy w mieście swoją toaletę mają? Zdziwiłabyś się. Zresztą, co ci będę mówiła, swojego męża spytaj. W niektórych miejscach w Łodzi to nic się nie zmieniło, chociaż sześćdziesiąt lat od tamtej pory minęło. W każdym razie, Grażynka miała wyraźnego pecha, że tych nieczystości, zapewne z powodu przygotowań do imienin, nie usunęła. I jak Czesia zobaczyła to pełne wiadro, to od razu wpadła na pomysł, co z tym zrobić. Czy od razu miała taki zamiar? Nie sądzę. Pewnie chciała tylko wtargnąć, zepsuć uroczystość ujawnieniem kochanka przed mężem Grażynki i jej gośćmi. Ale jak zobaczyła wiadro, to uznała, że to lepszy sposób. I słusznie, bardziej mściwy, teatralny taki i oczyszczający mimo tego gówna, a jaki wymowny, bo przecież bez powodu takich świństw się nie robi. Idzie z tym ciężkim wiadrem po schodach, uważnie, żeby się czasem nie oblać i staje pod drzwiami. Puka. Otwiera jakiś gość, myśląc, że kolejny, spóźniony imieninowicz przybywa. Czesia wchodzi do pokoju i lokalizuje rywalkę w towarzystwie męża po prawicy i Berlińskiego po lewicy. Jak nie chwyci za wiadro nadludzką siłą, jak nie chluśnie na roześmianą Grażynkę i prawie narzeczonego fekaliami, jak nie poprawi tym, co jeszcze pozostało, po stole suto zastawionym jadłem wszelakim. Wszystkich zgromadzonych zamurowało. Taka, jak ty to mówisz, stop klatka. Siedzieli z pootwieranymi gębami i wytrzeszczonymi oczami dobrą sekundę, albo i dwie, bo z powodu gówiennego szoku analizę mieli wolniejszą, więc Czesia, korzystając z tego ich stanu chwilowego zawieszenia, wymknęła się, niezatrzymywana przez nikogo, zauważywszy wcześniej z satysfakcją jak tleniona trwała ondulacja Grażynki oklapła jej na twarz.

– To jest mocne – udało się wtrącić Sarze. – Jak to się stało, że tego nie słyszałam? – spytała inkwizytorskim tonem.

– Słyszałaś, tylko nie pamiętasz.

– Takiej historii się nie zapomina.

– Dobrze, może rzeczywiście nie słyszałaś – łatwo zgodziła się Babka. – W każdym razie, jeszcze tego samego dnia Emilia i Witold w nocy słyszą, jak ktoś się przekrada przez ich przechodni pokój do Berlińskiego. Wiedzieli, że tym kimś jest Czesia, bo miała swój klucz. Jak tylko weszła do środka, rozpoczęło się tam istne pandemonium. Awantura na całego, łącznie z praniem po pysku. Czesia się wyszumiała, rzuciła kluczem w niewiernego kochanka i wypadła w noc jak burza. Emilia i Witek usłyszeli wołanie o pomoc. Wchodzą do pokoju sąsiada, a ten gramoli się spod stołu i nie może wstać, ponieważ spał lekko wcięty bez protezy, kiedy wpadła wściekła jak afrykańska pszczoła Czesia i w czasie szamotaniny wypadł z łóżka i znalazł się pod stołem. Pomogli mu się wydostać, wysłuchali żali, odnaleźli sztuczną nogę, pomogli założyć i poszli spać.

– Co było dalej?

– Dalej zaszła w ciążę i ożenił się z nią.

– Z którą?

– Z Czesią.

– Byli dobrym małżeństwem?

– Podobno.

– A ta druga?

– Długo się nie mogła pozbierać po tych koszmarnych imieninach.

– Bała się, że przylgnie do niej ksywka fekalna Grażynka?

– To nie było aż tak wyrafinowane towarzystwo – powiedziała Babka, patrząc znacząco na wnuczkę. – Ale mąż okazał się delikatniejszy niż wszyscy myśleli, niż myślała sama Grażynka. A co ciekawe, utrwalił mu się ten sam obraz, co Czesi, ten z trwałą ondulacją, przylepioną do twarzy, ozdobioną... no cóż... po prostu gównem i tyle. I nie mógł się przemóc, żeby ją pocałować. Za nic. W dodatku nie mógł również nic jeść z tego, co było wtedy na stole, a było prawie wszystko, więc sytuacja naprawdę była trudna.

– A skąd ty to właściwie wiesz?

– Wszystko od Emilki. Jak wy latacie po świecie i swoich sprawach, my tu sobie siedzimy i wspominamy dawne czasy.

– To może sobie wreszcie przypomnisz, dlaczego mnie i Lilkę ochrzczono właśnie późną wiosną sześćdziesiątego ósmego?

– Nie właśnie, tylko przypadkowo. Zaplanowane było znacznie wcześniej, ale każdy miał jakieś pilne zajęcia, ktoś z chrzestnych się pochorował, ty miałaś chyba anginę, to i tak zeszło.

– Aha. Parę lat zeszło przez tę anginę – mruknęła Sara.

– Co ma znaczyć to aha, do cholery, to ja niby kłamię? Jaka ty jesteś upierdliwa. Ja nie wiem, jak ten biedny Aleksander z tobą wytrzymuje?

– Już ty się o to nie martw.

– Martwię się – obłudnie westchnęła Babka.

– Pewnie, jak by się udało zamącić, tak jak między matką i ojcem, od razu byłoby weselej! A tak, nic się nie dzieje. Nuda. Po prostu nuda.

– Nic się, cholera, od dzieciństwa nie zmieniłaś. Zawsze byłaś takim trudnym bachorem. Ile to się Ludka z tobą namęczyła. A te twoje romanse, jak tylko podrosłaś!? – przewróciła oczami.

– A ty, to niby żadnych romansów nie miałaś?

– Pewnie, że nie – obruszyła się.

– Akurat wierzę!

– To se nie wierz! Będę się przejmowała! – sapnęła Babka i opuściła kuchnię.

Zasiadła z wściekłością w swoim pokoju przed telewizorem i myślała o denerwującej wnuczce.

Chyba się starzeję, jak słusznie podejrzewa Lilka, zastanowiła się Lena. Za dużo tej przeszłości. Położyła się spać.

W imię ojca i syna i ducha świętego, amen. Ojcze nasz, któryś jest w niebie, święć się imię twoje… Panie Boże, coś mnie znowu w piersiach kłuje i oddech mam taki urywany. Ciśnienie chyba też wysokie, ale ta baba, pielęgniarka, co przychodzi we czwartki mówi, że nie mam i cukier też w normie. Tylko, jak ja mam wszystko w normie, to co mi jest, Panie Boże? I sny, sny mam takie…, a wcale ich nie chcę mieć, same przyłażą. Ja wiem, że czasem sama je ściągam, ale tylko czasem. I Sara jest po prostu niemożliwa, ciągle mi dziurę w brzuchu o coś wierci, więc bardzo cię proszę, żeby dała mi spokój. Ja wiem, że dawniej, jak byłam młodsza, zdarzało, że mi się coś wymknęło i niezła potem kołomyja się z tego rozwijała, ale to przecież tak niechcący, przez przypadek. Człowiek czasem popędliwy bywał niepotrzebnie…

Wszystko niby idzie sobie swoim trybem, aż tu takie nieszczęście. Zachorował Olgierd Szeptanis, mąż Tosi. Śmiertelnie zachorował na płuca, jak ona przed laty, tylko nie na gruźlicę… jeszcze gorzej! Już mu ani tran, ani inne specyfiki nie pomogą, tylko jakieś różowe plasterki z morfiną na ból. I on, taki zawsze nadaktywny, co usiedzieć na miejscu w spokoju nie mógł, ciągle ręce miał czymś zajęte, albo oczy, nieustannie na zajęciach w szkole muzycznej, albo przy samochodzie, albo przy produkcjach teścia i żony zatrudniony.

I on teraz leży, nagle uspokojony, nienaturalnie wyciszony i nic mu się nie chce. Nie ma ochoty na rozmowy, nie ogląda telewizji z tysiącem kanałów, nie słucha muzyki, nie bierze skrzypiec do rąk, tylko sobie leży i w okno patrzy, a czasem to nawet to patrzenie go nuży, więc wstaje, zasłania, ale jest jeszcze ciepło, okna szeroko otwarte i zasłona porusza się, niepokojona przez jesienny wietrzyk.

I ta jej aktywność też go męczy, więc znowu wstaje i odsłania okno, albo je zamyka, ale wtedy pokój jest odcięty od miejskich dźwięków, a to go z kolei trwoży, nie wiedzieć czemu, ta cisza, którą zdaje się słyszy pierwszy raz w swoim siedemdziesięcioczteroletnim życiu. I to już cała jego aktywność, mówi Tośka, siedząc przy stole i jedząc drożdżowe, które jej Babka skwapliwie podsuwa.

— I mówi pani, Tosiu, że jeść nie chce? — Babka ze zgrozy otwiera szeroko oczy.

— Ledwo mu krupniku pani Leno wcisnęłam. Pół filiżanki, tej kremowej w drobne kwiatki. A ona nie za duża przecież — Tosia wpatruje się w Babkę z napięciem.

— Straszne!

— I zaczął wspominać, ale też dziwnie, ponieważ czasem mnie o coś pyta, o coś ze swojego życia, jeszcze przed naszym spotkaniem, co sam powinien najlepiej wiedzieć. Ja też wiem, bo mi moi teściowie opowiadali, ciotki Olgierda, jego kuzyni i przyrodnie siostry, albo on sam, ale jakby zapomniał i ja mu muszę nieustannie przypominać.

— Co takiego?

— Wszystko, pani Leno, wszystko! Jak był małym chłopcem w Krynicy; jak nosił wodę Nikiforowi, który zawsze siedział przy Bulwarze Pułaskiego i malował, jak do ciotki do Szczerbca latał, jak chodził patrzeć na pracę w stolarni swojego wuja, jak go ojciec uczył zdjęcia wywoływać, jak się uczył na fortepianie grać u takiej starej panny, co w Krynicy była najlepszą nauczycielką. Album sobie każe ze zdjęciami rodzinnymi pokazywać i o każdym opowiadać. Co pamiętam, opowiadam, ale przecież nie znam każdego z imienia i z nazwiska. To przecież takie grube te rodzinne albumy Szeptanisów, jeszcze z ubiegłego wieku, i tego jeszcze wcześniejszego też, to skąd ja mogę pamiętać, kto jest kto? — bezradnie pyta ciotka Tośka Babkę.

— Proszę coś wymyślić — radzi.

– Kiedy ja nie jestem najlepsza w wymyślaniu.

– Jaka szkoda, że taka teraz nieporęczna jestem – Babce robi się smutno. – Zaraz bym tam do was poszła i poopowiadała.

– Olgierd chce, żebym to ja mu opowiadała.

– W przerwie ja bym mu coś wymyśliła, przyzwyczaiłby się, jak nic.

– Tak, to wielka szkoda, że ta nasza stara winda od lat nie działa – zasmuciła się Tosia, obejmując wzrokiem obfitą postać teściowej brata. – Na przykład ta jego pierwsza nauczycielka. Tyle wiem, że była chuda i wymagająca.

Do stołu dołączyła reszta domowników i Lilka z rodziną.

– Kto był chudy i wymagający? – chciał wiedzieć Wojtek.

– Pierwsza nauczycielka muzyki wujka Olgierda – wyjaśnia ciotka.

– Stara panna – dodaje Babcia. – Przed wojną przy Struga, tam, gdzie kiedyś była cukiernia w zielonym drewniaku, parę domów obok Tuwimów, też mieszkała jedna stara panna. Nawet niebrzydka, ale coś szczęścia do chłopów nie miała. Ktoś jej poradził, żeby się oddała pod opiekę świętego Antoniego, tego od zgub. Trochę to było dziwne, że od zgub, bo ona przecież nie zgubiła, tylko znaleźć chciała, ale zdesperowani ludzie różnych metod się chwytają, chociażby nawet niezbyt adekwatnych. Ale mniejsza z tym! Poprosiła świętego, żeby jej męża znalazł, ale czas mijał, a ona dalej pozostawała starą panną. Któregoś dnia wstała jakaś taka rozżalona, pewnie to niedziela musiała być, człowiek wtedy mniej zajęty to i na myślenie mu się zbiera. Pogoda ładna, a tu nie ma z kim pod mankiet do kina, czy do parku na zdrowie iść. Jak nie złapie figurki świętego Antoniego, co na toalecie stała, jak mu nie naurąga, jaki z ciebie święty, tak cię prosiłam, żebyś mi męża znalazł, a ty... I w tej złości świętego Antoniego przez otwarte okno, energicznie wyrzuciła. Figurka łukiem poleciała na ulicę i tam złapał ją pewien przechodzień z refleksem. Ja też miałam taki refleks, jak młodsza byłam. Złapał i jeszcze zauważył, z którego okna wyleciała, więc pomyślał trochę i zapukał do drzwi. Otworzyła mu zapłakana kobieta. Stał przed nią, czując się trochę głupio, ściskając w spoconych nagle dłoniach figurkę świętego – Babka zrobiła przerwę na kęs drożdżowego ciasta z kruszonką i upomniała prawnuka. – Mateusz! Nie wydłubuj rodzynek.

– I co było dalej? – chciała wiedzieć Ania.

– On nie wie, co powiedzieć, więc wyciąga do niej figurkę bez słowa.

– A ona? – spytały chórem dzieci.

– A ona mu chlipie zza chusteczki, że nie chce tego nieudacznego świętego. Dlaczego, pyta on, trochę zdziwiony i speszony. Miał mi znaleźć męża, odpowiada ona i całkiem się rozkleja. On, nie wie co robić, więc przestępuje próg, ona zanosi się szlochem jeszcze bardziej i opuszcza głowę, a ponieważ on stoi tak blisko i jest od niej wyższy, dotyka czołem do jego ramienia, więc on odruchowo, trochę nieporadnie, podnosi dłoń, tę bez świętego i głaszcze ją pocieszająco po ramieniu. Na to ona również odruchowo, przybliża się jeszcze bardziej i...

– Dobrze babciu, nie rozpędzaj się może, tylko przejdź do pointy – poprosiła Lilka.

– I tak właśnie święty Antoni znalazł starej pannie, która wcale taka stara nie była, tylko tak się wtedy na niezamężne kobiety, znaczy singielki mówiło, dobrego męża.

– Może ona miała figurę innego świętego Antoniego, nie Padewskiego od zgub, tylko świętego Antoniego – pustelnika z Egiptu i stąd ta zwłoka – zastanowiła się głośno Sara.

– Jakiego pustelnika? – zdziwiła się Babka.

– No tego drugiego, co się do niego pomyłkowo modlą.

– Mniejsza, przecież zadziałało – zirytowała się na wnuczkę.

– Zadziałało, bo się zirytował, kiedy nawymyślała mu od nieudaczników.

– A skąd u ciebie taka wiedza na temat świętych? – spytała podejrzliwie Babka.

– Z ulubionej książki z dzieciństwa – „Marcina spod Dzikiej Jabłoni".

– Dobre, pozwoli pani Leno, opowiem to Olgierdowi, jeśli znowu spyta o tę swoją nauczycielkę. Tylko, że w takim razie nie była już starą panną? – zafrasowała się ciotka Tośka.

– Proszę się nie martwić. Uśmierci go pani na którejś z wojen, rewolucji lub w jakimś pogromie. Na szczęście mamy duży wybór. Nie zdążyli wziąć ślubu, a ona już nigdy nikogo nie pokochała.

– Wzruszające – posumowała zgryźliwie Sara.

– Muszę pamiętać, że nie doszło do ślubu.

– No i pointę diabli wzięli – Babka wyraziła swoje niezadowolenie. – Miało być przecież, o tym jak Święty Antoni, ten od zgub, męża starej pannie znalazł. W takim razie trzeba trochę pozmieniać. No, w najgorszym razie pani powie, że to o jakąś inną pannę chodziło, naszą z Łodzi.

– Z miasta Łodzi – dodała Sara.

– Niech będzie.

– A ostatnio przypomniało się Olgierdowi, jak jego mama koronki klockowe robiła i żeby koniecznie mu przynieść te wzory z wałkiem i klockami, ale ja nawet nie wiem, gdzie to jest, bo on tak bardzo chciałby spróbować. I taki miał żal w głosie, że do tej pory tego nie zrobił.

– Koronki!? – zainteresował się Alek. – Moja rodzina w Kaliszu również zajmowała się koronkami. Ale to było bardzo, bardzo dawno temu – machnął ręką i nałożył sobie kolejny kawałek ciasta na talerzyk.

– Jak dawno?

– Tak dawno, że nikt z rodziny tego dokładnie nie pamięta.

– Ale fabryka nadal istnieje – dorzuciła Sara.

– To dlaczego nie jest nasza? – oburzył się Wojtek.

– Rodzina ją straciła. Nie męczcie mnie, opowiem wam innym razem.

– A ostatnio Olgierd się niepokoi, że skoro nie pamięta, kto jest na zdjęciach, to może wcale nie jego albumy. Zaskakujące, prawda? – spytała Tosia zdumiona.

– Wcale nie takie zaskakujące – mruknęła Babka. – Sama znałam takiego rzemieślnika spod Kolumny, co znalazł gdzieś album ze zdjęciami jakiejś niemieckiej, sądząc z fotografii, rodziny i pokazywał jak swoją.

– To może jednak była jego rodzina?

– Jak Niemcy uciekali pod koniec wojny, to gubili po drodze dobytek i razu pewnego wypadł z wozu ten album w skórzanej oprawie. I on mi go pokazał, akurat coś u niego kupowałam, tylko, co to było? – zastanowiła się. – Mniejsza z tym. Pokazał mi, jak to Niemcy dostatnio żyli i co ich podkusiło, żeby to wszystko zniszczyć. No, a potem coś mu się musiało przekręcić w głowie, powsadzał trochę swoich fotografii, resztę zostawił i chwalił się przeszłą świetnością rodu. Każdy wierzył, bo się przeniósł do Pabianic i nikt nie pamiętał, jaki to był gołodupiec. Tylko, czym on się zajmował, bo nie pamiętam, tylko mi zostało, że gołodupiec – zastanowiła się.

– Każdy wierzył, oprócz ciebie, oczywiście – powiedziała Sara.

– Oprócz mnie – odpowiedziała jej spokojnie Babka. – Zapomniał, że mi go pokazał. Jakby nie pokazał, też bym wierzyła, że to jego. Ten album to może zresztą wcale nie Niemców, tylko może Żydom zrabowany. Żydowskie zdjęcia wyrzucone a ichnie, niemieckie wsadzone.

– Może nawet przez nieuwagę zostawili jakieś fotografie żydowskie – Sara zapaliła się do koncepcji Babki.

– I tak powstała nowa, fikcyjna rodzina.

– Albumy rodziny Szeptanisów wcale nie są fikcyjne – Tosia poczuła się urażona. – Ja sama o każdym coś pamiętam, co mi teściowie opowiadali. Zresztą, podobieństwo rodzinne jest uderzające.

– Oczywiście! Nikt nie ma wątpliwości! – przytaknął Alek.
– Ciocia się nimi nie przejmuje. One... – pochylił się do niej, wskazując delikatnie głową żonę i jej Babkę – ...zaraz wymyślają coś niestworzonego, jak mają okazję, a okazja zawsze się znajdzie.
A potem się wykłócają.

– Przypomniałam sobie! – oświadczyła triumfująco Lena.
– To był stolarz, po skrzynki zaraz po wojnie do niego jeździliśmy.
On też tak mówił. Stukał brudnym paznokciem w kartę albumu i pokazywał, jaki to podobny do swojego świętej pamięci dziadka, który taki majątek, o tu za plecami widać pałac i fabrykę, przez tę wojnę stracił, pani patrzy, jakie podobieństwo i co rusz postukuje pazurem, pani spojrzy na mnie i wpatrywał się we mnie z takim napięciem, że aż mi się go żal zrobiło i przyznałam mu rację, choć wiedziałam, że łże, jak pies.

– Nie wierzę – parsknęła wnuczka. – Na pewno, patrząc mu prosto w oczy, kiwałaś potakująco głową, żeby się na końcu uśmiechnąć szeroko i powiedzieć, panie stolarz, czy jak mu tam było...

– Kwiecień – odruchowo wtrąciła Babka.

– Panie Kwiecień, co mi pan tu ciemnotę wciska. Przecież pokazywał mi pan ten album i te fotografie, zaraz po wojnie, jak skrzynki u pana kupowałam do mojej Wytwórni Wód Gazowanych i wtedy co innego pan mówił, więc proszę z łaski swojej wciskać ten kit komu innemu.

– Pani Tosiu, pani słyszy, żadnego szacunku. Wiem lepiej, co powiedziałam Kwietniowi.

– Z pewnością, tylko taka znowu współczująca, to ty nigdy nie byłaś.

– Może Olgierd, będąc dzieckiem, słyszał podobne historie i stąd ten jego niepokój. Ale z drugiej strony twierdzi, że o pewnych rzeczach wie, jakby więcej niż wcześniej. Oczywiście, to tylko przeczucie, nic pewnego, ale on mówi, że nagle coś wyłania się z mroku niepamięci i świeci jasno, wydobywając pewne ciekawe detale, które wcześniej wydawały się nieistotne – Tosia bezwiednie obrysowuje palcem wzór na obrusie.

– To zapewne te białe plamy w pamięci wywołują niepokój – uspokoił Tosię Aleksander.

Babka wsadziła blachę z bułkami drożdżowymi do piekarnika, bierze telefon do ręki i wystukuje numer Szeptanisów, wzdychając przy tym ciężko i współczująco.

– Mówi pani, nie je? – pyta ze zgrozą. – Może jaki rosołek?

– Zrobiłam. Myślałam, że zje gotowanego mięsa, ale tylko trochę wypił.

– Rosół na wszystko bardzo dobry. Szczególnie na grypę i niedożywienie. Nasz doktor Strauss zawsze zalecał na wszelkie infekcje i przeziębienia.

Rozmawiały ze sobą czas jakiś, aż zeszli się domownicy, a Tosię zawołał Olgierd.

– I co? – pyta Sara.

– Źle. Apetytu nie ma. Nawet rosołu nie chce jeść, a przecież świetny jest na choroby.

– Przecież nie na każdą.

– No, może nie na każdą, ale po prostu dobry jest.

– Ja bardzo lubię rosołek – zwierzył się Wojtuś.

– Ja też – powiedziała nachylając się do niego Babka. – Ale najlepszy rosół, to jadłam we wojnę.

– Może nie był taki świetny, tylko smakował, bo był? – zasugerowała Sara.

– Być może, ale to nie zmienia faktu, że spływał niebiańsko do gardła, a mięso rozpływało się w ustach.

– Pewnie z tej kradzionej kury? – domyśliła się wnuczka.

– Jakiej kury? – zaciekawiły się dzieci.

– Zaraz wam opowiem, tylko herbatę zaparzcie i wyjmijcie bułki z piekarnika.

– Rzeczywiście, w wojnę nie bardzo było co do garnka włożyć – zaczęła, moszcząc się wygodnie na swoim rozłożystym krześle. – Mieszkaliśmy wtedy w niewielkiej kamieniczce, kilka polskich rodzin i Wołos – Ukrainiec, własowiec. Własowcy – wyjaśniła chłopcom. – współpracowali z Niemcami.

– Świnie – skomentowali chórem.

– Myśleli, że może Niemcy pomogą im odzyskać niepodległość.

– Wcale im nie pomogli – wtrącili się, aż się zirytowała.

– Słuchacie, czy politykujecie?

– Słuchamy, słuchamy.

– No! A obok mieszkała w domu z ogrodem Niemka, co hodowała kury, jakieś takie specjalne, na mięso. Chodziły sobie wolno, nawet zimą i przełaziły między rzadkimi sztachetami płotu na nasze podwórko. Któregoś dnia zimą, dzieci bawiły się śnieżkami. Kulki lepiły twarde, żeby przyłożyć, a śnieg mokry to i wychodziły jak kamienie. Wrzask, tumult aż wylatywał na ulicę z podwórka, tak się zapamiętały w szaleństwie – pokiwała głową i wkroiła kawał cytryny do herbaty, osłodziła, aż chlupnęło. – Tak to jest, wojna, wojną, a dzieci muszą się bawić i taką samą przyjemność miały z tego zapamiętałego rzucania, jakby jej wcale nie było.

– Tej wojny? – spytał Mateusz.

– Tak, tej wojny. A może nawet jeszcze większą, taką – zamilkła i szukała słowa – euforyczną. I nagle pac! – wytrzeszczyła oczy i zwiesiła głos. – Jedna, szczególnie duża kula trafiła niemiecką kurę w łeb. Kura padła na śnieg bez jednego gdaknięcia. Krzyki i śmiechy ucichły, jak nożem uciął. Dzieciaki zastygły w bezruchu na dobre parę chwil, zupełnie jak na fotografii, a potem nagle rozpierzchły się wróblom podobne. Frr! – zaświstała, aż się chłopcy wzdrygnęli. – I już na podwórku nikogo nie było, tylko ta ruda kura leżała na stratowanym śniegu. Co wiatr powiał to błyszczące pióra wydymał, i to był cały ruch w obejściu.

– Ojej, i co?

– No, dalej, to każdy mieszkaniec, zza firanek, przy wygaszonych światłach tę kurę łakomym okiem obserwował, ale i każdy się bał niemiecką kurę brać, bo ta Niemka to straszna cholera była i swojej krzywdy za nic by nie darowała, a o swoje ptactwo bardzo dbała, to sobie teraz wyobraźcie, co by się działo, gdyby ta kura zniknęła. Zbliżał się zmierzch, a awantury dalej nie było. Widać, jeszcze Niemra swojego drobiu tego dnia nie liczyła. Zaczął padać śnieg i kurę całkiem przysypał. Napięcie rosło, aż każdy miał dosyć tego czekania, nie wiadomo na co, albo też każdy jeden sobie przekalkulował, czy warto się narażać dla jednego głupiego rosołu czy potrawki i poszli spać. Ja wtedy miałam okrutną ochotę na rosół.

– Ty wzięłaś kurę! – triumfująco wrzasnął Wojtuś. – Wiedziałem, wiedziałem, że nie wytrzymasz! Znam cię jak zły szeląg!

– Miarkuj się! – ostrzegła go Babka srogim tonem i łypnęła zielono.

– Przepraszam, ja tylko chciałem powiedzieć, że domyśliłem się, bo ty jesteś odważna, jak nie wiem co.

– Chyba, że tak – wybaczyła mu łatwo.

– Opowiadaj! – ponaglił ją Mateusz.

– Wstałam cichutko tuż przed świtaniem – z lubością poprawiła się na krześle, sadowiąc się najwygodniej, jak tylko się dało.

Wnuczka patrzyła, jak się mości, ruszając ramionami, a przecież wielkie krzesło, choć wygodne, nie było szczytem komfortu. Mimo to, zawsze udawało się jej jakoś... zamyśliła się Sara, szukając odpowiedniego określenia, zresetować, żeby móc na nowo odczuć przyjemność z odnalezienia wygodnej pozycji przy snuciu opowieści, albo przy czytaniu gazety, czy zabierając się do jajek, albo innych smakołyków.

– Zarzuciłam na ramiona kożuch i na samych palcach, boso wyszłam z naszego mieszkania na taką galeryjkę, co biegła wokół domu. Podeszłam do drzwi Wołosa, co były zaraz przy schodach i założyłam jego wielkie walonki, co je trzymał na zewnątrz. Wsunęłam je na nogi i rozglądając się na boki zeszłam na dół. Trochę się obawiałam, bo przestało padać i widać mnie było jak na dłoni, ale nic – wzruszyła ramionami – idę – otworzyła szeroko i dramatycznie oczy. – Idę, stawiając taaaakie wielgaśne krokasy, bo z tego Woło-sa to było strasznie wielkie, brzuchate chłopisko. Ślady zostawiam na świeżutkim śniegu, jak podpis. Wygrzebałam kurę spod śniegu, otrzepałam i szybko za pazuchę. Wracałam takimi samymi wielkimi krokami. Zostawiłam walonki tam, skąd je wzięłam, pod drzwiami Wołosa. Zanim wasz pradziadek się obudził, kurę raz, dwa sprawiłam.

– Ktoś się domyślił?

– Jasne. Niemka z samego rana zrobiła awanturę. Ktoś jej do-niósł, że kura padła i na naszym podwórku leżała, a potem w nie-wyjaśnionych okolicznościach nagle zniknęła. Policja niemiecka obejrzała miejsce przestępstwa i okazało się, że kurę ukradł Wołos, ślady wiodły do niego jak w mordę. Wielki jak niedźwiedź chłop ze łzami w oczach zarzekał się, że nie zabrał kury, ale to nic nie pomogło, zabrali go do aresztu.

– Nie powiedziałaś, że to ty? – spytał Wojtek, który miał wro-dzone poczucie sprawiedliwości po babci Ludce.

– Nie. Jemu nic nie zrobili, a Polaka pewnie wysłaliby do obozu. Posiedział w kozie i już.

– I co? Dobry był rosół?

– Pyszny. Zaprosiłam sąsiadów. Nawet Wołosa, jak wrócił z aresztu. Jadł ze smakiem i wypłakiwał mi się w mankiet, jak to go ktoś paskudnie wrobił w kradzież drobiu i jak się srodze na ludziach zawiódł.

– A ty, oczywiście, kiwałaś głową ze zrozumieniem i współ-czuciem? – wtrąciła się po raz pierwszy Sara.

– Tak, jeszcze go pocieszałam, żeby tak nie tracił wiary w bliź-niego, bo to może jakiś pies porwał kurę.

– Pies? A potem wlazł w jego buty i chytrze zrobił ślady do jego drzwi? – zaśmiała się.

– On tego w ogóle nie skojarzył, nawet w komplecie z tym rosołem. Nic a nic. Nie był specjalnie lotny – uśmiechnęła się, zadowolona z siebie Babka.

– Ale jednak go wrobiłaś – nie mógł sobie poradzić ze skomplikowanym problemem etycznym Wojtuś.

– Wroga wrobiłam – beztrosko przyznała się, nagryzając kolejną bułeczkę. – Delicje. Sojusznika Niemców.

– A potem go poczęstowałaś.

– A poczęstowałam. W końcu sąsiad z niego nie taki najgorszy był.

Wojtek zasępił się.

– Jakoś tak… nieporęcznie zrobiłaś – oświadczył w końcu, używając przysłówka z jej słownika.

– Mądrala – mruknęła lekko urażona.

Wieczorem nie mogła przestać myśleć o Olgierdzie.

…Ojcze nasz, któryś jest w niebie, święć się imię Twoje, przyjdź królestwo Twoje, Bądź wola Twoja… Panie Boże, ale co ten chłopina jest winien, że na taką chorobę umiera? Bardzo Cię proszę, co byś mu lekką śmierć zesłał, żeby tak nie cierpiał, jak moja Ludka. No, nad nią też się w końcu ulitowałeś, ale nie tak od razu, czego Ci, powiem szczerze, trochę nie mogę darować, ale niech tam… Jako w niebie tak i na ziemi… Swoje jednak przeszła, ona, na ból nieodporna… I teraz niby podobne cierpienie, ale jakże inne. Ona, taka boleśnie trzeźwa do końca, a on taki wyciszony, spokojny i tylko prosi, żeby mu Tosia dała koniecznie obola… Chleba naszego powszedniego, daj nam dzisiaj, i nie wódź nas na pokuszenie… Obola, żeby miał na przepłynięcie rzeki. I tylko to go właściwie martwi, więc obiecała. No i lęka się białych plam w pamięci, ale niezbyt głęboko. Za to się dziwi, a nigdy się nie dziwił specjalnie. Czasu nie miał na zdziwienie, jak na przykład taka moja wnuczka, co się ciągle dziwi. W każdym razie, zrobił się taki bardziej poetyczny. Wiem, bo sobie czasem rozmawiamy przez telefon, kiedy Tosia musi wyjść do sklepu, albo do apteki, to my wtedy ze sobą rozmawiamy, a nigdy aż tak nie rozmawialiśmy. Można powiedzieć, że bliscy się sobie przez te rozmowy zrobiliśmy na koniec życia, jego i mojego. I ja Cię bardzo proszę Panie Boże, żebyś Ty mu tej poetyczności i spokoju nie odbierał w ostatniej chwili. Niech ma! Amen.

A Olgierd Szeptanis najczęściej leży na wznak i to go osobliwie cieszy, to leżenie i nicnierobienie. Nawet jeść mu się nie chce, a tak sobie przecież lubił podjeść, szczególnie, jak było ostre. Czuszkę mógł chrupać jak zwykłą rzodkiewkę i nic. A teraz leży i nic, ale to absolutnie nic go nie obchodzi. I to jest dobre... A niedobre jest to, że jego życie stało się nieoczekiwanie jedną, wielką niewiadomą, a takie przewidywalne się wydawało. I żeby tylko wnuczka tak nie hałasowała, nie rozpościerała się z zabawkami po całym mieszkaniu, jak szarańcza.

Taka ręka na przykład, leży niemrawo na pościeli i nawet nie ma zamiaru się ruszyć, dawniej to by już nerwowo gmerała palcami w poszukiwaniu jakiegoś zajęcia, żeby chociaż papierki oddarte z gazety zwijać w ciasne rulony, papierosy palić, bawić się zapałkami, nie mówiąc już o prawdziwej pracy... A teraz – nic... Ani drgnie. Leży sobie, jakby już była martwa, a przecież jeszcze żyje, akurat jej nic nie jest. Nogom też już się nigdzie nie chce biec, też leżą jak kłody, a jeszcze mogłyby gdzieś iść, im też jeszcze nic nie jest. Chi, chi – zachichotał pod nosem, jakie tam kłody, raczej dwa patyki, pani Eleonoro.

Może sobie teraz obserwować spokojnie sufit, stiukowe ozdoby, takie wyrafinowane i piękne, białe jak w niebie. Tylko farby jakby za dużo nawalone, przez co wzór jest mniej wyraźny, jakby rozmyty. Innym razem pewnie przyszłoby mu do głowy drabinę wciągać do pokoju i skalpelem, albo nawet zwykłym nożykiem przywrócić je do dawnej świetności, gdyby przyszło mu to w ogóle do głowy, bo przecież nawet jak przed chorobą leżał, to nie gapił się bezmyślnie i bezproduktywnie w sufit tylko w telewizor, albo krzyżówkę, albo w książkę, jakieś nuty. A on nic, leży. Ani mu powieka drgnie, żeby choć się mięśnie skurczyły do wstania. Nic, leży. Tak szczerze mówiąc, to dopiero teraz sobie ten sufit tak dokładniej obejrzał, tyle się na nim dzieje. Motyw roślinny niby jakiś taki bałaganiarski na pierwszy rzut oka, ale jak się lepiej wpatrzeć, to okazuje się, że wcale nie, a wręcz przeciwnie. Chaos jest uporządkowany i rytmiczny. Liściasty temat łączy się z geometryczną wstęgą w prawie muzyczne frazy, a w postaci kontrapunktów z matematyczną regularnością pojawiają się owale z amorkami… Może to zresztą wcale nie amorki, tylko aniołki? Palce przebiegają po kołdrze w głuchym pasażu. Wszystko to poraża oczy białością, a przydałoby się trochę barwy.

W tej kamienicy naprzeciwko jest remont i przez okno widział podobne stiuki, tylko kolorowe, bardzo intensywne błękity i dużo, dużo złota. Ktoś siedział na drabinie i jeszcze je poprawiał malutkim pędzeleczkiem. Następnie wziął się za drugi pokój. Podgląda go czasem, ponieważ ciekawi go ta praca. Gdyby jemu się nagle coś zachciało, to bez wątpienia byłoby to właśnie pomalowanie własnego sufitu w sypialni… Ale na razie to mu się nie chce. Dobrze jednak mieć coś do roboty w zapasie. Tak na wszelki wypadek, gdyby jednak nie umarł tak szybko, jak zapowiadają lekarze. Trzeba przyznać, żmudna to i koronkowa robota. Warstwy starej farby sypią się temu człowiekowi w oczy, kiedy je precyzyjnym ruchem jakiegoś ostrza, może skalpela, bo poręczny, skrobie. Złazi z drabiny co jakiś czas i prostuje kręgosłup, czasem łyknie z pękatego kieliszka trochę wina, więc pewnie właściciel, albo jakiś najęty artysta, nie zwykły robol. A zresztą może i robol, ale rzetelny i z fantazją. Taki w średnim wieku raczej. Koronkowa robota, koronkowa!

Jego matka klockowe koronki w wolnych chwilach robiła, jeszcze pod koniec życia dłubać jej się przy nich chciało. Jak się teraz nad tym zastanowić, to było bardzo skomplikowane. A ileż wymagało pieczołowitości, uwagi i cierpliwości… Dziwne, że nigdy o tym tak nie myślał. W ogóle o tym nie myślał, chociaż rejestrował, co ona przy tym stoliczku dłubie, ale jakoś tak płytko, bez zainteresowania i teraz szkoda. Wielka szkoda. Te jej szablony ze wzorami… Zamyślił się, próbując, marszcząc czoło z wysiłkiem, przypomnieć sobie, jak wyglądały te jej szablony. To nie były druki, z pewnością… A! Przypomniał sobie, zamknął oczy i zobaczył jak na dłoni, szkicowane cienką stalóweczką, maczaną w czarnym atramencie i jakieś tajemnicze znaki ołówkiem. Ale same wzory koronek, takie delikatne, pajęcze, zupełnie jak jego własne zapisy nutowe, niby obietnica zaistnienia… Ciekawe, czy matka same je komponowała. Zapyta Tosię, ona na pewno będzie wiedziała, czy dawniej kobiety jakoś się nimi wymieniały, kopiowały, to byłoby z pewnością łatwiejsze, ale przecież zawsze musiał być ktoś najpierwszy, kto to wszystko obmyślił, a potem opracował wzór, żeby to się mogło stać, czyli od idei do technologii. Jakie to było genialne, zachwycił się i prawie zapłakał, że nie zauważył tego wcześniej, dużo wcześniej, a przecież lubił wzory, ciągle się nimi zajmował w muzyce, w kwiatkach Tosi, w sześciokątnych, woskowych wstęgach teścia, czy metalowych płytach do swojego ulubionego polifonu. Ale to wszystko było przecież niczym, wobec kunsztu koronkowych wzorów matki.

O, ten z naprzeciwka już chyba ostatecznie zlazł spod sufitu. Pewnie mu się wino skończyło. Dobrze, że go widzi z łóżka, nie musi wystawać przy oknie, nawet sobie przygotował to stare lorgnon babci Peli i teraz obserwuje, jak tamten na drabinie pieści palcami świeżo oczyszczony liść, czy inny detal. Dobrze, że już skończył na dzisiaj. Coś za szybko mu idzie. Trochę go to niepokoi, ponieważ zauważył, że im mniej jest do zrobienia na tamtym suficie, tym on sam czuje się gorzej.

Dzięki temu poznał dobrze własny sufit. Dobrze jest również mieć nad sobą coś, o czym się wie wszystko, choć wcale nie musi o nim wiedzieć wszystkiego, bo pamięć o innych rzeczach jakby szwankowała. I to go też czasem niepokoi. Ale tylko trochę. Woła wtedy żoną i ona mu wszystko przypomina, kto jest kim w tym jego rodzinnym albumie.

Ten wysoki mężczyzna to ojciec, duży i okazały, a matka taka drobniutka i delikatna, włosy w fale ułożone. On w matkę się wrodził, to i myślał, że jej choroby odziedziczy, a tu, patrzcie państwo, taka niespodzianka.

A te sanki, co one takie dziwaczne? Ojciec, twój ojciec, nie mój, odpowiada mu Tosia, sam je wymyślił, jak jeszcze nie był ojcem i w stolarni wuja, co do punktu zrobili mu te sanie, żeby po lodowym krynickim torze jak rakieta śmigały. A potem brał udział w wyścigu bobslejów.

Jak ta Tosia wszystko pamięta! Ale które miejsce ojciec zajął, to już nie, ale dzięki temu może sobie wyobrazić, że pierwsze. Tłumy wiwatowały, był słoneczny, mroźny dzień, śnieg raził w oczy i ojciec musiał założyć okulary, a w czasie jazdy szalik łaskotał go w nos i o mało nie przegrał…

Ale skąd się u niego to wzięło, przecież nigdy sobie nic nie wyobrażał… W każdym razie nic, czego nie można było zrobić… dziwne…

A te damy w białych sukniach i gigantycznych kapeluszach, co się tak rozpościerają na zdjęciu?

Ciotki twojej babki, odpowiada mu żona.

Ciotki mojej babki, zdziwił się, co ty powiesz!? Dlaczego ja nie pamiętam, że to moja babka i ciotki, takie jakieś teatralne w tych nakryciach głowy? To pewnie przez to, co mi w głowie rośnie.

Pewnie tak, ale ty przecież wszystko inne, oprócz tych albumów rodzinnych, pamiętasz.

Te albumy też się przede mną czasem otwierają i wiem rzeczy, których nigdy nie wiedziałem, ale to są takie całkiem małe, całkiem chyba nieważne rzeczy… A może to nie są moje albumy?

Jak to nie twoje, skoro sam w nich jesteś i twoi rodzice?

A ta para?

Nie zgadniesz! Ta para to holenderska królowa Juliana z mężem, na nartach i na kawie w waszym rodzinnym schronisku! Twój ojciec zrobił te fotografie. On nie rozstawał się z aparatem fotograficznym. O, w tym właśnie albumie masz całą krynicką kronikę towarzyską, ułożoną chronologicznie, sam sobie przypomnisz, jak popatrzysz, namawia Tosia. No jasne, że przed wojną głównie, ale od tej strony zaczyna się okres powojenny. Nawet ciebie widać, jak rośniesz, jak się rozwijasz.

A ten stary dziad?

Nikifor. Sam Nikifor, ale zanim zrobił się sławny. O, tu niesiesz mu wodę.

Ten chudy chłopiec w okularkach to rzeczywiście ja, dziwi się Olgierd i zamyka oczy zmęczony, a żona wychodzi na palcach uciszyć wnuczkę.

Wspomnienie przybywa pod powieki jaskrawe, w systemie HD, zupełnie jak w jego nowym telewizorze od córki, którego już nie ma siły oglądać, ponieważ trzeba przejść do innego pokoju, przez wielki hol, a potem pokonać odległość od drzwi do fotela, a to prawie sześć metrów. Uliczny malarz mruczy coś pod nosem, zawzięcie maczając lichy pędzelek w poobijanej, niebieskiej miseczce, do którego on sam, nagle dziesięcioletni, uważnie dolał wody z wielkiej butelki po winie.

Zasypiając Babka nie może przeboleć darowanych Olgierdowi przez Nikifora obrazków, które gdzieś bezpowrotnie przepadły, a taki majątek można by za nie dostać. Irytuje się na jego matkę, że nie upilnowała, nie przeczuła, że ten głupawy Łemko takim jest wielkim artystą.

Sara jeszcze długo po remoncie porządkowała stare szpargały. Właśnie przyniosła ze stryszku starej stajni pudło okręcone szarą taśmą. Postawiła na stole i zabiera się do odpakowania.

– O! – ucieszyła się Babka, sunąc ze swojego pokoju. – Moje pudło!

– Twoje?

– A co? Może twoje? – spytała zaczepnie.

– Nie pamiętam, tyle tego tam jeszcze zalega.

– To ci mówię, że moje. O, tu jest mój podpis – pokazała jakiś niewielki znaczek z boku rozlatującego się pudła.

– Dobrze, dobrze. Masz! – przesunęła pudło w kierunku Babki, która sama skwapliwie przecięła taśmy.

– A co tam masz?

– Stare pamiątki – odpowiada tajemniczo, grzebiąc w papierach i wyjmuje równo poukładany stosik kartek pocztowych, opasany lekko już sparciałą gumką recepturką.

Sara patrzy na nią z napięciem i niedającą się ukryć ciekawością. Babka przegląda z wolna kartki z Sopotu, Gdańska, Gdyni, każda z przyklejonym adresem, całe pokryte drobnymi rysuneczkami.

– Coś takiego! – szepnęła niedowierzająco. – A jednak się zachowały! A już myślałam… Ciekawe, jakim cudem?!

Zaczęła je układać chronologicznie według stempli pocztowych. Wnuczka nie wytrzymała i usiadła obok niej.

– Rzeczywiście! Niesamowite! Nigdy ich nie widziałam. Dlaczego nie pokazałaś? – spytała z pretensją w głosie.

– Myślałam, że zginęły na zawsze.

– Jak mogłaś zapomnieć? – Sara zerknęła na nią podejrzliwie. – Wiesz, że lubię takie rzeczy. I do pracy mogą mi się przydać.

– A pewnie. I prawie gotowe! – zjadliwie warknęła Babka. – Sprzedać rodzinną historię, jakby to był jaki towar.

– To jest towar. Specjalny. I ma szansę, że się o nim nie zapomni – dodała z naciskiem wnuczka.

– Nie tyle zapomniałam, co byłam przekonana, że je gdzieś szlag trafił. Nie owijałam ich gumką, ani nie chowałam do tego pudła – wzruszyła ramionami.

– To kto?

– Pewnie twoja matka. Zawsze jej się podobały, tylko ona jak zwykle zapomniała i przeleżały w tym pudle coś… – zastanowiła się chwilę – …z pół wieku, tak lekką ręką licząc. O, spójrz na tę pierwszą! – przybliżyła do twarzy kartkę.

Drobna figurka z kokiem i wyrastającymi jej z ramion kilkoma chochlami, miesza w wielu garnkach naraz, zupełnie jak jakieś indyjskie bóstwo.

– Ta nie jest pierwsza. Spójrz na stempel. Ta była pierwsza… Chyba, że nie wszystkie się zachowały.

– Tak, masz rację – Babka uważnie przegląda stemple. – Przylepiła nawet nazwę z jakiegoś druku reklamowego „Carlton". A pod stołem siedzi mały Miki z obandażowaną ręką i obojczykiem. Na wcześniejszej narysowała całą historię, jak to… A zresztą sama zobacz. Gdzie moje okulary?

Na kartce wyrysowana została cała historia pechowego dziecka, jak za plecami figurki z kokiem wkrada się do kuchni, wspina się po chybotliwym stołku do pieca, wyciąga rękę do stojącej na nim blachy po jakieś parujące jeszcze bułki, chwieje się pod nim stołek, dłoń zaciska się na brzegu formy, a potem leży, przysypany bułkami, przykryty blachą, z otworzoną dramatycznie buzią, a figurka z kokiem załamuje nad nim ręce.

– Początkowo myślałam, że po prostu znalazła w tym „Carltonie" lepszą pracę, dopóki nie przyszła ta – Babka stuka palcem w kartkę, której centralnym punktem jest piramida różnych postaci, a figurka z kokiem stoi na samym szczycie.

Pokryły pocztówkami produkcji ciotki cały kuchenny stół i przyglądały się każdej z uwagą. Zauważyły, że od pewnej zimowej kartki, zaczęły pojawiać się grafitowe cienie i tajemnicze postacie, kryjące się za drzewami, domami, albo zaglądające do środka przez okno.

– Od tej z lutego zaczyna się zmiana. Pojawiają się ciemniejsze kolory, a znika delikatna aura dobrego nastroju, czegoś takiego… pozytywnego – podniosła kartkę Sara. – Ktoś ją śledził? – zdziwiła się.

Babka wzruszyła ramionami, tym swoim charakterystycznym ruchem, na który wnuczka już była wyczulona.

– Zaczęła cierpieć na jakąś manię prześladowczą? – spytała chytrze.

– Jaką manię? – oburzyła się. – U nas w rodzinie nigdy żadnych manii nie było! – Babka aż się zapowietrzyła i dodała dopiero po chwili dla porządku i gwoli prawdy rodzinnej. – Ani innych szaleństw.

– Jeśli to nie choroba, to ktoś naprawdę za nią chodził. Kto?

– A skąd ja ci mogę wiedzieć? – kluczyła Babka.

– Coś mącisz!

– Ja? – otworzyła szeroko swoje, pokazowo niewinne, zaskoczone oczy.

– Tylko zastanawiam się dlaczego, przecież minęło już tyle lat. To nie ma już żadnego znaczenia.

– No właśnie! – zgodziła się.

– No właśnie. A ty dalej mącisz, więc mnie to, nie ukrywam, intryguje.

Babka coś w sobie rozważała kręcąc młynki kciukami. Sara milczała cierpliwie, oglądając dokładnie pocztówki z obu stron.

– Coś rzeczywiście było na rzeczy… Coś niewyjaśnionego do dnia dzisiejszego, a wiązało się z tą tajemniczą śmiercią ciotki narzeczonego, co przecież już wiesz – zaczęła, studiując sopockie molo przez okulary. – Wplątał się ten Taras w jakąś grubszą aferę, związaną chyba, ale nie wiem na pewno – zastrzegła – … z jakimiś wojennymi informacjami i ktoś koniecznie chciał odzyskać notes, który jakimś cudem znalazł się w jego posiadaniu…

– I przez to go zasztyletowali?

– Zasztyletowali? – zdziwiła się.

– Zawsze mówiłaś, że zasztyletowany!

– Tak mówiłam? – zmarszczyła brwi i łypnęła znad szkieł.

– Tak, że on zginął zamordowany nie jak jakiś zwykły cham, tylko po pańsku, sztyletem.

– No tak, sztyletem – zgodziła się zbyt szybko. – Pewnie za ten notes, co go nie chciał oddać.

– Mógł oddać, żyłby sobie długo i szczęśliwie.

– Może tak, a może i nie. Zdaje się, że na to trzeba być spokojnym człowiekiem, a on nim nie był. Poza tym, chyba wiedział, że to oddanie nic nie pomoże, bo porwał się z motyką na...

– A! – olśniło Sarę. – Szantażysta!

– Ja tam o niczym nie wiem – zastrzegła po raz kolejny Babka. – Prawdopodobne, chodziło o kogoś wysoko postawionego w państwie, mającego duże możliwości, bo nawet po śmierci Tarasa, Amelia i Miki nie byli bezpieczni. Jakimś sprytnym sposobem udało się jej zmylić trop. W wielkiej tajemnicy wyjechała do Sopotu. No, co tak na mnie patrzysz? – Babka przewróciła oczami – tak wątpiąco, jakbyś własną ciotkę za nic miała! A to była bardzo bystra kobieta, choć niepiśmienna.

– Ale dlaczego akurat do Sopotu? To jakieś takie... nieprawdopodobne – zdziwiła się Sara.

– No, proszę! Znowu! – żachnęła się. – Miała tam jakiś znajomych, którzy jej pomogli. Zresztą, może nawet pojechała w ciemno. Nie była wtedy specjalnie rozmowna, wcale a wcale. A potem udało się z tym hotelem, który tak naprawdę wcale nie był hotelem.

– Hotelem Carlton?

– Tak go nazwała. Chciała, żeby chociaż nazwę miał z tego wielkiego, lepszego świata, choć to był tylko niewielki pensjonat z restauracyjką, ale naprawdę dobrą, od kiedy Amelia tam nastała.

– Był jej własnością?

– Współwłasnością.

– Skąd miała tyle pieniędzy?... No tak! Musiał ją jakoś zabezpieczyć.

– Pewnie tak. Nigdy nie mówiła na ten temat. Twierdziła, że to dla nas zbyt niebezpieczne. A po latach nie chciała do tego wracać.

– Ale z tych rysunków wynika, że w końcu ją wyśledzili.

– Tak. Mnie to wtedy też bardzo zdenerwowało, te niepokojące postacie.

– Dlaczego nie umiała pisać?

– Nie wiem, mimo bystrości umysłu, nie mogła się nauczyć i koniec. A jednak skończyła tę szkołę w Warszawie z wyróżnieniem. Wszystkie przepisy miała w głowie. Raz usłyszany tekst zostawał tu… – puknęła się palcem w czoło. – Na zawsze.

– I nikt się nie zorientował?

– Nie.

– Nie było pisemnych prac?

– Jakieś musiały być. Skarżyła się, że ma z tym kłopot, ale jakoś kombinowała. A to rękę skaleczyła, a to nadgarstek nadwyrężyła, dawała sobie radę. Wspominała jakąś przyjaciółkę, z którą się uczyła. Ona chyba za nią pisała i czytała, a Amelia w mig zapamiętywała. Miała genialną pamięć. Czasami, aż strach brał, zupełnie jak maszyna. Dlatego musiała mieć tę wspólniczkę do prowadzenia Hotelu Carlton.

– To zapewne dysleksja, jak u naszej Lilki.

– Wtedy nikt o tym nie mówił.

– I co dalej?

– Co dalej, co dalej! – przedrzeźniała lekko zirytowana Babka. – Przecież widzisz. Wszystko jest na tych kartkach! Dokładnie wyrysowane!

– To nie to samo, co pismo. Z pewnością wiesz więcej.

– Dla ciebie powinno być to samo, albo nawet lepiej. Tak się przecież ekscytujesz swoimi rysowanymi filmami – powiedziała, uśmiechając się złośliwie i wyszła do łazienki.

Potem zadzwonił telefon i została w pokoju rozmawiając z Olgierdem, a Sara pogrążyła się w sam na sam z kolekcją pocztówek od ciotki Amelki.

Babka usiadła, patrząc na ulicę, Olgierd Szeptanis szeptał do słuchawki swoim zachodzącym głosem, a ona przejęta zgrozą, przypomina sobie nagle o własnej śmiertelności, o której zupełnie ostatnio jakoś zapomniała, czując się nie tak całkiem najgorzej, a przecież on mógłby być jej synem.

– Poszły coś załatwić, ale Tosia znalazła mi jeszcze jeden stary album, taki z szarotkami, w drewnianej oprawie. I znalazłem zdjęcie ojca z zawodów saneczkowych w Krynicy, jeszcze przed wojną, które wygrał. Na tym zdjęciu jest w kapeluszu z rondem, pani wie, takim eleganckim, a na odwrocie pisze do swojego stryja, donosząc, że właśnie wygrał te zawody na najdłuższym torze bobslejowym w Europie liczącym 1600 m na własnych sankach fabrykacji wuja Michała, bo ten wuj był świetnym, najlepszym w okolicy stolarzem.

– A co robił…? – chciała spytać o trumny, bo natychmiast przypomniał jej się Sowiński, ale na szczęście ugryzła się w język.

– Meble. Piękne meble. Mam tu gdzieś jeszcze jego katalogi. Bardzo eleganckie, bardzo… Ale sanki na mistrzostwa Europy też zrobił swojemu siostrzeńcowi.

– Jakie te sanki?

– Duże z szerokimi płozami i kierownicą. O! – ucieszył się, szeleszcząc papierami. – Następne zdjęcie! Z samych zawodów. Ojciec jest w czapce. To znaczy wtedy jeszcze nie był ojcem. I ja teraz wiem, choć fotografia jest czarno-biała, że ta czapka jest czerwona. I on ją zaraz po zawodach zgubił, ale jakiś widz przyniósł ją potem do kawiarni i oddał.

– Pewnie ci opowiadał.

– O czapce? Nie pamiętam, ale wiem, że była czerwona, a kawiarnia mieściła się przy Bulwarze Pułaskiego. A ten człowiek miał nad okiem bliznę, bo był zapalonym narciarzem i kiedyś nadział się na gałąź, która mu paskudnie rozharatała twarz. Tego nie wiedziałem, a teraz wiem. Dziwne, nie sądzi pani?

– Dziwne – zgodziła się. – Może to wyobraźnia tak pracuje, kiedy się leży w chorobie i różne rzeczy przychodzą człowiekowi do głowy.

– Mnie to trochę niepokoi, skąd u mnie taka wiedza i taka refleksyjność, ja przecież nigdy taki nie byłem, a wprost przeciwnie, żyłem tak szybko, trochę przyznam nerwowo, że nie miałem czasu na zadumę… – zwierzył się, zdziwiony świeżym odkryciem.

To zupełnie tak jak ja, pomyślała Babka. Za to teraz taka się zrobiłam refleksyjna od tego gapienia się w tył, za siebie, a przeszłość włazi do mnie bez pytania i domaga się uwagi, bezczelna.

– Leżę sobie – podjął szeptanie Olgierd. – Patrzę w sufit i wyobrażam sobie, jakie to musiało być zachwycające uczucie zwycięstwa. Sam nigdy nie brałem udziału w żadnych wyścigach i obecnie żałuję. Nigdy też się nad tym nie zastanawiałem, jak to może być, ale z łatwością, prawie na zawołanie generuję uczucie euforii, szczęścia, przyprawiające o zawrót głowy i niesamowitą radość. Wybucha w głowie tęczowymi fajerwerkami, wprawiając ciało w przyjemny dygot, aż się Tosia martwi, czy czasem nie mam większych boleści… Tak się zmęczyłem… Pani Eleonoro!… Proszę przypomnieć Tosi, o obolu dla mnie – wyszemrał na koniec rozmowy.

– Dobrze. Przypomnę! – obiecała bez zwyczajowego zapewniania, że z pewnością nie będzie mu potrzebny.

Taki jest teraz bohaterski w swoim cierpieniu, a zanim jeszcze okazało się, co z nim jest, mówił żonie, tak się boję, boję się…

Ja też się boję, myśli Babka, wcale nie chcę umierać, za nic, nawet jak mam ten oddech krótki, coraz częściej, taki jakiś rwany, to też nie. Mimo wszystko, im człowiek starszy, tym mniej drobiazgowo traktuje czas… Nie da się jednak ukryć, że nie można go zignorować…

Amelia była taka tajemnicza, a mogłaby tyle opowiedzieć, tyle historii przepadło. Ciekawe, jak to jest pamiętać wszystko? Rzeczy, które jej, Lenie, przypominają się warstwami, albo wręcz ukrywają przywalone kożuchem lat. Siostra, wystarczyło, że przywołała myślą, a już pojawiało się w całej okazałości, ze wszystkimi światłocieniami i zakładkami, w całej swej jaskrawości. Amelia pamiętała, w którym miejscu miał przetarcie obrus, który leżał na stole, kiedy wróciła wtedy z Łodzi, jakie buty miał na nogach Józef i ile splotów miał pasek tego cholernego szlafroka Bluma, podczas kiedy ona, nie jest nawet pewna jakiego był koloru. Z drugiej strony, niepamięć jest czasami taka kojąca. Można nad nią popracować i usunąć wszystkie niewygodne zdarzenia, niekoniecznie nawet nieprzyjemne, ale właśnie niewygodne. Taka Amelka nie mogła ich schować pod dywan, kopnąć w jakiś ciemny róg. Może dlatego tak się w ciągu swojego życia zmieniła z gadatliwej, snującej opowieści dziewczynki w milczącą starszą kobietę, nieustannie recytującą staroświeckie przepisy.

A może to była jej osobista metoda na wypchnięcie z głowy pamięci absolutnej.

Wróciła z ciężkim sercem do kuchni, gdzie wnuczka dalej ślęczała nad stołem z kartkami.

– Co ciocia mówiła o Sopocie?

– Mówiła? Ona właśnie wtedy powoli przestawała mówić. Odzwyczaiła się, a potem już jej tak do śmierci zostało.

– Nie była taka?

– Pewnie, że nie. Wprost przeciwnie. Wszystko, co wiem o rodzinie, wiem od Amelii.

– A co wiesz?

– Mówiłam. O! Dzieci wracają z Alkiem. Chowaj to wszystko. Miejsce na obiad trzeba zrobić.

– Ależ babciu, coś się musiało stać w tym Sopocie traumatycznego, ludzie tak bez przyczyny nie milkną.

– Dawaj talerze! – ryknęła Babka.

– Ojcze nasz któryś jest w niebie... Panie Boże, jaka ta Sara upierdliwa jest. Co i rusz wierci mi dziurę w brzuchu, żebym się spowiadała ze wszystkiego, taka wścibska! ... Święć się imię Twoje, przyjdź królestwo Twoje, bądź wola Twoja... Ja zupełnie nie wiem, po kim ona taka jest, bo przecież na pewno nie po mnie, a już po Ludce i po Józefie to absolutnie. I jeszcze mi zarzuca, że niby konfabuluję, co i tak jest z jej strony niby przejawem wielkiej delikatności, ale ja i tak wiem, że ona zarzuca mi zwyczajne kłamstwa... Jako w niebie tak i na ziemi, chleba naszego powszedniego, daj nam dzisiaj ... Tylko, co ja mam powiedzieć? Całą prawdę, tak jak było? Panie Boże! Wcale nie mam na to ochoty!!! Lepiej spraw, żeby się odczepiła, albo podsuń mi jakiś inny pomysł na zakończenie tej historii, jak się to mówi, alternatywne, żeby i wilk syty i owca cała, bo mnie jakoś nic do głowy nie przychodzi, choć nie powiem, dałeś mi lekką ręką talent do snucia opowieści, co ona zapewne, opatrznie, bo opatrznie, ale jednak odziedziczyła... I odpuść nam nasze winy, jako i my odpuszczamy naszym winowajcom...

I jeszcze cię proszę, żeby się czasem jakie inne papiery nie znalazły, już z tymi pocztówkami amelinymi z Sopotu nieźle namieszałeś, Panie Boże. Zupełnie nie wiem, na co mi to było? Bo przecież to tylko czubek góry lodowej, o której nie mam zamiaru nawet wspominać, ale wiesz, że stara się robię i chociażby z nudów coś się czasem niepotrzebnie wymknie i potem tylko kłopoty z tą moją trudną wnuczką. Starzy ludzie umierają głównie z nudów, a ja jeszcze nie chcę... Święta Matko... I żeby temu bidnemu Szeptanisowi łatwiej się umierało, o to bardzo Cię proszę, żeby przypominały mu się tylko miłe chwile w tym HD, czy jak tam to się nazywa. Takie jak ostatnio, kiedy Tosia do apteki wyszła, przez telefon wspominał, trzymając w dłoni fotografię, na której są oboje w Krynicy Górskiej przed pensjonatem jego ciotki, na motorze, co nim całą Polskę zjeździli i to było właśnie takie dobre. I chociaż zdjęcie czarno-białe, to on pamiętał kolor jej apaszki wystającej z czarnego, skórzanego kombinezonu. Pani Eleonoro, mówił mi słabym głosem, apaszka była jedwabna, niebieska w zielone mazaje. Dostała ją od mojego ojca, z którym zawsze w wielkiej przyjaźni pozostawała. Wiem, nie konfabuluje, Tosia zawsze ciepło o swoim teściu mówiła. Opowiedział, jak to przyjechali zmęczeni, ale natychmiast się odświeżyli, przebrali i pobiegli na krynickie fajfy. To Panie Boże, strasznie dawno musiało być w takim razie, a oni strasznie młodzi. Ona miała kremową sukienkę, dodał jeszcze Olgierd i pantofle włoskie na szpilce. Tosia do dzisiaj lubi écru. Jeszcze wspominał fryzurę, ale przez chwilę się wyłączyłam, bo mi akurat jajko doszło. Przyszła Tosia, przestał się bać i skończyliśmy rozmowę... Matko Boża zmiłuj się nad Olgierdem Szeptaniem!...

Babka wzdycha ciężko i nie kończąc pacierza zapada w pełen marzeń sen.

Sara i Alek poszli na jakieś spotkanie towarzyskie, a Babka ze wszystkimi swoimi prawnukami klarowała masło, obiecując im ciastka ze zbieranej cierpliwie piany.

– To kiedy będą te ciastka? – niecierpliwił się Kasper.

– Zaraz, zaraz, musi być całkiem przejrzyste i pachnieć orzechowo – wyjaśniała Babka żeglując wprawnie łyżką na długim trzonku.

– Opowiedz o tych starych kartkach, co mama znalazła w stajni i tak się nimi cieszy – poprosił Wojtek.

– Jak się cieszy, to pewnie już wam wszystko opowiedziała. Mogę wam przypomnieć przygody waszej babci Ludki.

– Tej, co jej nigdy nie widzieliśmy? – spytała Ania.

– Tej samej.

Dzieci rozsiadły się przy stole, pojadając niespiesznie jogurt.

– Ludka, moja córka, a wasza babcia, kiedy skończyła studia i zrobiła aplikację, dostała pierwszą pracę w małym miasteczku blisko Łodzi. Przyjeżdżała do tamtejszego sądu raz w tygodniu...

– zastanowiła się. – Chyba raz w tygodniu. Nie pamiętam, w Łodzi sądziła dwa razy w tygodniu, ale tam… Nieważne. W każdym razie młoda była wtedy i zupełnie niepoważna… No, po prawdzie to później też nie spoważniała tak do końca. Zupełnie, jak nie przymierzając, wasza matka – spojrzała na Wojtka i Mateusza. – Niby takie zupełnie inne, ale mają w sobie takie coś… – łyżka zastygła nad wzburzoną powierzchnią płynnego masła, a w tym samym czasie druga ręka podniosła kubek z jogurtem do ust.

– Takie coś, co cię złości? – podpowiedział usłużnie Wojtuś.

Babka już się miała teatralnie żachnąć, ale zrezygnowała, żeby się zadumać nad tym zupełnie świeżym punktem widzenia.

– A wiesz?! Coś w tym jest, co powiedziałeś. Rzeczywiście coś mnie w nich irytuje. Irytowało mnie u córki i tak samo złości u wnuczki. Ale jak się tak głębiej zastanowić, to nie umiem tego dokładniej określić.

– I co dalej z tą naszą babcią Ludką w mieścinie? – pogoniła opowieść Ania.

– Sąd w tym miasteczku mieścił się w starej kamieniczce, w której nie było nawet toalety, tylko drewniany domek z serduszkiem, taki jak na działkach, dawniej mówiło się na to sławojka.

– Dlaczego sławojka?

– Przed wojną w ramach cywilizowania Polski, kazał je powszechnie stawiać, w miejscach, gdzie nie było kanalizacji, taki ważny minister Sławoj-Składkowski.

– Dlatego sławojka, od tego Sławoja?

– Właśnie, ale po wojnie ta sławojka to już się prawie rozsypywała. W każdym razie, tam, na tym sądowym podwórku, było zupełnie jak na wsi. Co prawda, od frontu sąd jak się patrzy, z czerwoną tabliczką, orłem, no bez korony, ale zawsze, a od tyłu zdziczały ogród z dziurą w płocie, przez którą przełaziły kury sąsiada, a czasem to i jego agresywny baran. No i wasza babcia…

– Ludka?

– Babcia Ludka wyszła na przerwie na to podwórko, żeby skorzystać z toalety. Togę zostawiła na kołku, ponieważ było strasznie gorąco i idzie, paradując w czerwonej sukience, a jak wiecie, nie wszystkie zwierzęta lubią ten kolor. Baran jak raz pasł się na sądowym podwórku. Wasza babka idzie sobie w kierunku sławojki, a tu nagle słyszy za sobą jakiś niepokojący dźwięk. Odwraca się i widzi wielkiego barana z zakręcanymi, potężnymi rogami, jak zwiesiwszy łeb szarżuje na nią, mierząc dokładnie w jej zadek, opięty czerwoną materią sukienki. A mówiłam jej, że czerwony zupełnie nie jest dla niej twarzowy, ale kto by tam matki słuchał, jak się dyplom zrobiło i wszystkie rozumy pozjadało – wzruszyła gwałtownie ramionami na wspomnienie i energicznie wylała zawartość łyżki do miski. – Niewiele myśląc, zaczęła uciekać, jak znam gwałtowność jej reakcji, zapewne z krzykiem na całe to miasteczko. Wpadła do sławojki, do której i tak się przecież wybierała i energicznie zatrzasnęła za sobą drzwi, aż zawiasy jęknęły. Zrobiła to dosłownie w ostatniej chwili, przed samym baranim nosem, który i tak rymnął rogami w deski. Ludka trochę odetchnęła, ale dalej wrzeszczy, żeby ją ratować. Okazało się, że słusznie, bo bydlę tak się zdenerwowało, że go w pole wyprowadziła i głupka z niego zrobiła, że cofnął się dla lepszego rozpędu i tak walnął, że spróchniała podstawa sławojki przełamała się i przewróciła razem z waszą babką w środku.

– I co? – spytały prawie chórem dzieci.

– Akurat na podwórko wpadli zaalarmowani wrzaskami i hałasem pracownicy sądu, adwokaci, prokurator, woźny, świadkowie, a nawet oskarżeni doprowadzeni przez pilnujących ich policjantów, którzy byli tak ciekawi, co się dzieje, że przyciągnęli ze sobą aresztantów. I co widzą ci wszyscy ludzie? – zadała retoryczne pytanie Babka, wytrzeszczając na nich oczy dla większego efektu swojej opowieści. – Wysoki Sąd, w sukience, podwiniętej aż do samego tyłka, z nogami na wierzchu machającymi na wszystkie strony, wystaje z rozwalonej budki głową w dół i wrzeszczy, a baran szykuje się do kolejnej szarży na ten kawałek czerwieni. Na szczęście Ludka miała bardzo zgrabne nogi i dobrze, że tego nie widziała, bo dopiero by się wystraszyła.

– Dlaczego Ludka tego nie widziała? – spytał Mateusz.

– Na jak to, dlaczego? Reszta Ludki schowana w sławojce wisiała głową tak nie całkiem w dół a trochę pod kątem. Towarzystwo nie wiedziało, co ma robić, czy łapać tego barana, czy wyciągać sędziego, żeby się czasem w kloacznym dole nie utopił. Oczywiście, bydlę nie czekało aż wpadną na jakiś dobry pomysł i atakowało bez zwłoki. Na szczęście, na skutek katastrofy, można powiedzieć budowlanej, bo sławojka, to jakby nie było budowla, odkryty został właśnie dół z fekaliami, ponieważ impet uderzenia przesunął ją nieco.

– A co to fekalia? – Kasper zasadniczo wiedział, ale wolał mieć pewność.

– Gówno, prawda babciu? – wyjaśniła mu siostra.

– Gówno! Bardzo śmierdzące. Wy to chyba jeszcze w swoim życiu czegoś takiego nie wąchaliście – wyjaśniała niezmordowanie zbierając pianę. – Baranowi smród nie przeszkadzał. Nie wiadomo, czy tak w ogóle, czy też z powodu zaślepienia wściekłością i znowu ruszył ze zwieszonym łbem. Ludzie zamarli, nawet Ludka, jakby czując, że coś się dzieje, zamilkła na moment. I wyobraźcie sobie, co się dzieje dalej? – odwróciła się od rondla z masłem i spojrzała na wnuki wyczekująco.

– Nie mam pojęcia – przyznał obłudnie Mateusz, bo wiedział, że Babka nie lubi wtrącania się w jej opowieści, chociaż coś rzeczywiście chodziło mu po głowie.

– Baran wpadł do dołu!

– I się utopił? – nie wytrzymał Kasper.

– Prawie. Natychmiast, jak się znalazł w dole, spuścił z tonu i beczał żałośnie. Woźny uwolnił waszą babkę z wygódki, tak też mówiono na te toalety. Nadbiegł właściciel barana z jakimś powrozem, który założył mu na rogi i wspólnie ze zgromadzeniem wyciągnęli zwierzę i uratowali od niechybnej, okrutnej śmierci. A wasza babcia Ludka, jak tylko obciągnęła sukienkę, zamiast jak każdy normalny człowiek na stanowisku, zapaść się pod ziemię ze wstydu, dostała napadu straszliwego śmiechu, tak, że nawet nie mogła doprowadzić spraw do końca, ponieważ, co chwilę przypominała sobie siebie z nogami wierzgającymi w górze ze sławojki i chichotała, płacząc z rozbawienia.

– Coś takiego! – westchnęła Ania.

– No, będzie tego klarowania – orzekła Babka pociągnąwszy po raz ostatni nosem nad rondlem, wyłączyła gaz. – Niech sobie trochę odpocznie, a wy przynieście mi stolnicę spod schodów i mąkę, bo mi się skończyła. Zawińcie rękawy.

Z piany, cukru i mąki zagnietli ciasto, formowali niewielkie kulki i rozpłaszczali na blasze wyłożonej pergaminem.

– A mówiłaś ostatnio... – przypomniał sobie Kasper – ...że następnym razem dodamy czekolady.

– No tak – stropiła się nieco Babka. – Rzeczywiście, ale czekolady nie ma...

– Jak to nie ma? – zdziwił się Mateusz. – Mama mówiła, że kupiła razem z masłem.

– Zjadłam, jak mi się cukier obniżył.

– Szkoda.

– Opowiem wam jeszcze jedną przygodę Ludki w tym miasteczku – pospiesznie wróciła do przeszłości. – To nawet było chyba tego samego lata, co heca z baranem. Jak wam wspomniałam, upał nie dawał żyć, a toga jest z wełny, ciężka, obszerna. Można zwariować. W każdym razie, wasza babcia chciała zwariować z gorąca, a że nie dojechali na czas świadkowie przerwa się wydłużała i Ludka postanowiła się poopalać w zacisznym miejscu na tym podwórku. Specjalnie w tym celu zabrała ze sobą kostium kąpielowy. Pamiętam do dzisiaj, włoski, dwuczęściowy, kupiony na ciuchach, to znaczy za ciężkie pieniądze. Jak się skończyła ta długa przerwa woźny ją poprosił i Ludka niewiele myśląc, zamiast się ubrać, narzuciła togę bezpośrednio na ten kostium i zadowolona ze swojego świetnego pomysłu, zasiadła za stołem sędziowskim. Prowadzi sprawę, przesłuchuje, aż tu widzi, że wszystkich ogarnęła jakaś dziwna wesołość i rozbawienie. Rozejrzała się dookoła, ale nie zauważyła niczego śmiesznego, więc kontynuuje pracę.

Babka, siedząc i opowiadając, odgrywa każde zdanie, a dzieci wodzą za nią wzrokiem bez słowa. Rozglądają się za nią po kuchni, zupełnie tak samo, jakby to był ten powojenny, prowincjonalny sąd w przygotowanej naprędce salce, z niewielkim podwyższeniem dla sędziego i ławników, odgrodzony symboliczną barierką od publiczności. Młoda kobieta w todze, z oczami skłonnymi do prędkiego, homeryckiego śmiechu, sprawnie przesłuchuje i kiedy trzeba, panuje nad rozemocjonowanym zgromadzeniem, ale tym razem wyjątkowo, tłum nie bardzo daje się uspokoić i co chwila ktoś podejrzanie dziwnie wybucha śmiechem, nawet adwokat i prokurator rozbawieni są zupełnie niedopuszczalnie.

– W końcu Ludka już na poważnie zirytowana, prześledziła wzrok rozbawionego oskarżonego – Babka patrzy po swoim stole kuchennym, potem po sobie i w dół, aż do swoich, obutych w wielkie kapcie, spuchniętych stóp. – Patrzy po sobie, spuszcza wzrok na krzyż, togę. I co widzi?!

– Co?

– Toga zapięta jest tylko pod szyją! A dalej rozchodzi się na boki, odsłaniając całkowicie kostium, nogi, wszystko. W dodatku ława sędziowska wcale niczego nie zasłaniała, ponieważ był to zwyczajny blat, nogi, bez zwyczajowego maskowania z przodu. W dodatku na podwyższeniu, więc każdy widział waszą babcię Ludkę naprawdę dokładnie, jak prawie nago, z łańcuchem na szyi, z orłem, który usadowił się trochę skrzywiony między niemałymi piersiami wystającymi z kolorowego stanika typu bardotka. Jaki on miał właściwie kolor? Poczekajcie, niech pomyślę!

Babka sięgnęła bezwiednie po cukiernicę, otworzyła ją i zaczęła wyjadać cukier, głęboko zamyślona. Kasper chciał ją ponaglić, ale Ania, która była najstarsza z wnuków, zatrzymała go.

– Daj spokój, babcia Lena ma retrospekcję!

Ten kostium Ludki to chyba miał taki turkusowy kolor z białym brzegiem, a może jednak bardziej morski. Co ja z tymi kolorami?, zastanawia się nad sobą. To pewnie przez tego Szeptanisa, który nawet na czarno-białej fotografii kolory nagle zaczął przed śmiercią widzieć. To może i ja jestem na końcówce?, niepokoi się. Razem się z Olgierdem na tamten świat wybierzemy... E tam! Może on! Ja tam nie zamierzam jeszcze umierać, postanawia sobie z mocą.

A orzeł z łańcucha przekrzywił się na wzgórku ludczynej piersi nie tylko z powodu nierówności, ale jeszcze przylepił się spoconej skóry i łypał na nią trochę groteskowo, jak później opowiadała... Tylko czy Ludka rzeczywiście to opowiadała, czy ona sama widzi tę przywoływaną przeszłość jak żywą, nie tylko jaka była ta chwila naprawdę, lecz jeszcze więcej.

– Ludkę zatkało, kiedy spojrzała na siebie oczami całego zgromadzenia, prawie gołą w odcinającym się od czarnej togi i opalonego ciała skąpym białym kostiumie z turkusowym wykończeniem – myśląc przy tym lekko, a co tam, biały mi lepiej pasuje.

– I co zrobiła? – spytał Wojtek.

– Spokojnym głosem, pilnując się bardzo, żeby nie wybuchnąć śmiechem, zarządziwszy przerwę, wasza babcia powoli, a nawet godnie, wstała od niechcenia zbierając togę w okolicy pępka, wyszła z sali rozpraw. Następnie popędziła do leżaka pod drzewem, gdzie zostawiła swoje ubranie, umierając po drodze ze śmiechu chyba ze dwa, trzy razy. Wróciła i dokończyła, co miała do zrobienia. Chyba się upiekły. Aniu, wstaw wodę na herbatę. Grzech się dobrej herbaty do takich ciastek nie napić.

W imię ojca i syna i ducha świętego… Panie Boże, coś mi się robi tak samo jak Olgierdowi Szeptanisowi. Przypominam sobie więcej niż było, chyba, że to prawda, a ja zapominam, czyli mówiąc krótko ześwirowałam. Jeśli tak, to bardzo cię proszę, żebyś mi to z łaski swojej wielkiej cofnął, ponieważ już wolę mieć tę… pamięć kreatywną, którą mi wypomina Sara, niż ma mi się mieszać na stare lata w głowie. A ja nawet w trakcie mojej opowieści o Ludce, czułam zapach rozpalonego słońcem drewna tej sławojki, które mieszało się ze smrodem dołu kloacznego, normalnie jak to w wygódce. Ludka na pewno mi tego nie mówiła. Przecież pamiętasz, że ona taka bardziej brzydliwa była. Jak zobaczyła włos w zupie, to chociaż odrobinę łakoma, nie ruszyła więcej, co czasem poczytywano sobie za afront, takie jej zachowanie, więc na pewno nie przechowała w pamięci tego smrodu, a ponieważ mieszał się z tym pierwszym zapachem drewna, jakże przecież miłym, jak w cieście marmurkowym lub francuskim od Remika, warstwami jeden nad drugim, jeden nad drugim, z tym, że czasem jednego było więcej, a czasami mniej… Ojcze nasz…

Od tych prowincjonalnych przygód Ludki szmat czasu upłynął. Zdążyła za mąż wyjść, córki wychować i zamiast zestarzeć się jak ona sama, przytrafił im się ten fatalny wypadek i sczezła w mękach, ani się człowiek obejrzał. Owszem, narzekała wcześniej, a to że ją głowa boli, a to że słabo, a ona nieodmiennie się z nią licytowała, która z nich bardziej cierpi. I po co jej to było? Czasem to aż się nawet głupio robiło, kiedy Ludka tak jakby więdła po tych nie-opatrznych słowach jej, matki przecież, ale i tak nigdy się w czas nie zdołała opamiętać, słowa wylatywały ptakiem śmigłym, oczy półprzytomnie patrzyły, a dalej to już samo szło… I dlaczego akurat jej córce musiała się trafić taka śmierć, takiej na ból wrażliwej? Gdyby nie ten wypadek samochodowy, to pewnie umierałyby jeszcze dłużej i ciężej. A przecież nikomu świadomie, czy nieświadomie przykrości, ani niczego złego nie zrobiła… A wprost przeciwnie…

Przed oczami Babki przepływają jak w bańkach mydlanych obrazy z przeszłości.

Ludka siedzi w kuchni przy kaloryferze. Kolorowy szalik przechodzący przez jej czoło, przywiązany jest końcami do żeberek tak, że głowa wisi odciążona, a ona właśnie informuje listonosza, a potem Stenię, co przyszła z wizytą, że tak mniej boli. Stenia patrzy zatroskana, ponieważ już wie, nie ma żadnej nadziei, ale Ludka ma, więc milczy. Córka, bez względu na okoliczności, jeśli akurat nie panikuje, jest dobrej myśli. Zawsze można coś zrobić, nigdy nie jest tak źle, żeby w końcu nie miało się na lepsze. Może i miała rację, ale w sprawach ostatecznych nie jest to aż tak oczywiste.

A potem druga bliska sąsiadka, ludczyna przyjaciółka, przynosi mrożone mięso wołowe, co ma ból z głowy wyciągnąć. W ciężkich chwilach nawet tacy kształceni po uczelniach ludzie chwytają się wiejskich praktyk, zupełnie tak samo jak jej prosta matka Brygida, co do znachorki chodziła. Przyjechało pogotowie, lekarz patrzy zdziwiony na ten kawał mięsa na czole Ludki, a ona mu wyjaśnia, że to pani doktor przyniosła. A ci na nią jeszcze większe oczy wyropalają, bo z tego przejęcia nie wyjaśniła, że doktor jest od budownictwa, a nie medycyny. A potem już w szpitalu, Ludka nic nie mówiła, tylko, patrząc na nich wymownie i spokojnie, narysowała duże kółko palcem na kołdrze i zaraz potem zmarła.

Ciekawe, kiedy jej samej, co córkę o ponad ćwierć wieku przeżyła, takie kółko przyjdzie kreślić, czy w biegu umierać... Wolałaby w biegu, przynamniej by się nie zastanawiała, jak obecnie, czy Sarze rodzinne historie do końca opowiedzieć, czy do grobu zabrać? Zabrałaby i koniec, a tak z myślami się bije od kiedy wnuczka to przeklęte pudło znalazła, albo i jeszcze wcześniej, choć w ciemny kąt zapomnienia szczęśliwie udało jej się tamte wydarzenia zagnać. I masz ci los! Wylazły!

– Dzieciaku, co ta Lena ci naopowiadała – mówi podniesionym głosem do słuchawki Waldemar. – Nie mogła mieć żadnej broszki z granatów. Nic nie zostało, na długo przed powstaniem styczniowym. Owszem, rodzina Pstrońskich herbu Jastrzębiec, była swego czasu majętna, ale straciła na znaczeniu strasznie dawno temu. Już pradziadek naszego ojca, jak wrócił spod Somosierry, gdzie walczył pod Napoleonem, to miał mundur podziurawiony jak rzeszoto, a biedny był jak mysz kościelna. Przez lata wyzbywali się resztek majątku, aż do cna schłopieli i zapijali się prawie na śmierć. Tego majątku Pstre Konie ani Lena, ani żadne z nas na oczy nie widziało. Że co?! Że miała wpisane miejsce urodzenia Pstre Konie? Niemożliwe! To nieprawda! Lena urodziła się w Woli Wężykowej. Kim była Eleonora? To nasza babka ze strony ojca, ale nie jestem pewien, chociaż o niej słyszałem, bo umarła długo przed moimi narodzinami. A może to była żona stryja, tego najmłodszego. Jego podobno też wywieźli na Syberię.

– Jak to też, wujku? – Sara zrobiła się czujna, ale wuj już mówił o czymś zupełnie innym, a potem natychmiast kazał szukać Lenę, ponieważ miał do niej bardzo pilne pytanie kulinarne.

Potem Sara wypytała Babkę na okoliczność Somosierry, ale ta z kolei nic nie wiedziała, trzymając się swojej wersji końca świetności rodu po powstaniu styczniowym. Wnuczka sprawdziła, kto brał udział w bitwie, ale żadnego Pstrońskiego na niej nie było i już całkiem nie wiedziała, czyja historia jest bliższa prawdy i czemu obie tak się rozmijają. I gdzie w końcu urodziła się jej Babka?

Pewnego dnia wuj Waldemar zapowiedział swoją wizytę u siostry.

– Wiesz – mówił Sarze. – Lata lecą, a my tylko przez telefon rozmawiamy. Kolejne moje urodziny przeszły, wyobraź sobie dziewięćdziesiąte.

– Jesteś przecież dużo młodszy od babci…

– Młodszy o dziewięć lat, ale kto to może wiedzieć, czy następnych doczekam. Przyjadę, powspominamy. Taki się czuję samotny ostatnio.

– Masz przecież czworo dzieci wujku i wnuki.

– No, niby mam, ale ciągle zajęte swoimi sprawami.

– Ty to zawsze taka niedelikatna jesteś – wyrzucała jej potem Babka. – Jak mogłaś mu wypomnieć te dzieci?

– To ja mu je wypomniałam? – zdziwiła się Sara.

– Jasne i prawie mu powiedziałaś wielkimi literami, że go w dupie mają i się ojcem i dziadkiem nie zajmują.

– To już jest twoja nadinterpretacja i od kiedy ty się taka delikatna zrobiłaś? Co?

– Zawsze byłam. Co ty tam możesz o mnie wiedzieć? – obruszyła się. – Stosunkowo krótko mnie znasz.

– No nie mogę. Krótko cię znam?

– A pewnie.

– No tak i wiem tyle, co mi sama zechcesz powiedzieć, odpowiednio skomponowane i głęboko przemyślane.

– A o czym ty mówisz, moja droga? – wytrzeszczyła niewinnie oczy Babka.

W dzień jego przyjazdu, Babka kazała wezwać fryzjera i ubrała się jeszcze staranniej niż zwykle. Waldemar przybył punktualnie, podobnie jak ona pachnący i doskonale ostrzyżony. Oboje mieli jeszcze gęste, srebrne włosy. Siedzieli w pokoju po obu stronach stołu i początkowo nawet prowadzili ze sobą sensowne, pełne wzajemnego zrozumienia i braterstwa w starości rozmowy, ale kiedy dołączyła do nich Sara, która akurat tego dnia miała wolne, rozpętała się awantura o zupełnie odrębne widzenie rodziców, jakby niespodziewany widz uaktywnił jakiś ukryty przycisk z negatywnymi emocjami. Patrzyła to na jedno to na drugie, jak z coraz większym zacietrzewieniem wywlekają jakieś stare historie, o których do tej pory nie miała najmniejszego pojęcia.

Jak możesz mówić takie rzeczy na matkę, patrzył na siostrę dotknięty do żywego, przecież to ona wszystko trzymała w swoim ręku, a ojciec był awanturnikiem i leniem. Nie mówię, że pijakiem, z tym skończył, przecież jej obiecał na ślubie, to nie pił. Sam widzisz, obiecał i wódki nie wziął do pyska nigdy, a ona nie miała serca do nas – córek. Możesz sobie mówić, jaka to była cudowna, bo byłeś ukochanym najmłodszym synem, to co możesz w ogóle wiedzieć, co się w domu działo długo przed twoim urodzeniem. A co ty możesz wiedzieć, co się działo w domu, kiedy z niego uciekłaś i tyle cię widzieliśmy. Wszystko zostało na głowie mamy, ojciec jesienią kładł się do łóżka i do wiosny chorował. Nawet do kuźni nie zajrzał. Że też ci język kołkiem w tej zakłamanej gębie nie stanie, takie rzeczy wygadywać, zatrzęsła się Babka na swoim mocnym krześle z oburzenia. A jak ty, ty… wujowi nagle jakby zabrakło śliny w gardle, tak to wyglądało i Sara popędziła po wodę do kuchni. Tak na nią psioczysz, wyszeptał, kiedy już odzyskał mowę, a podobna jesteś do niej jak dwie krople wody. No, przecież nie mówię, że z wyglądu, ona drobna była a ty, jak nie przymierzając… armata, powiedział i natychmiast złapał za szklankę. Daj no tej nalewki od Mikiego, z pigwy, zażądała Babka. Lekko cierpka, w sam raz pasuje do naszej rozmowy, że też ci się zebrało na wyciąganie starych historii. Widzisz Lena, jak to jest, że każde z nas inny przechowuje obraz, a przecież z jednej my rodziny, z jednej matki i z jednego ojca. Pamiętasz, jak po śmierci Martynowej nasza mama do porodów chodziła? I na dzieciach się znała małych, jak dzisiaj twoja Lilka, co też je naprawia. Tak samo, jak jej prababka. W naszej wsi, zwrócił się do Sary, żadne dziecko nie było garbate, ani nawet krzywe. A dalej to już się spotykało, bo twoja prababka te, poczekaj, poczekaj, to się wtedy usunięcie nazywało. Lilce powtórzysz, może jej się w pracy przyda, teraz ludzie ku starodawnym sposobom z powrotem się zwracają. Mama najpierw kolano do łokcia zbliżała na krzyż, a potem odwrotnie.

Pieluchą głowę mierzyła, a potem w piersiach. Musiało być tak samo, a jak nie było, to naciągała, aż wskoczyło. I już nie było krzywe ni garbate, tylko prościutkie jak ta sosna masztówka.

Babka niecierpliwie kręciła młynki palcami i coś w sobie ważyła, aż nie wytrzymała i palnęła, tak jej zawsze Waldziu bronisz, ale tobie w życiu nieźle namieszała. Wuj aż skamieniał i zamilkł na dobrą chwilę, a potem poszedł do okna i popatrzył na ogród jakoś tak melancholijnie i smutno. Sara myślała, że zaraz się do kupy zbierze i stanie do walki z Babką, ale nie wrócił, usiadł, pokiwał głową i westchnął, ano namieszała, ale dobrze chciała, skąd to można wiedzieć co będzie, nikt nie jest jasnowidzem.

Babka już miała coś triumfująco strzelić, że kto jak kto, ale matka powinna coś przeczuć, tylko swój czubek nosa miała na względzie, ale odpuściła sobie i spojrzawszy na brata litościwie, zmilczała, a wnuczka odetchnęła z ulgą. Napijmy się jeszcze, zarządziła, co się będziemy tak na sucho smucić. Było, minęło. Minęło, jak cholera, minęło, nie wiadomo kiedy, przytaknął. No cóż, trzeba przyznać, że ja sam pokpiłem sprawę. A dlaczego? Bo to było tak.

Ja się z tą Kryśką spotykałem prawie dwa lata, w czterdziestym piątym i szóstym. To było w Prusach, gdzie mnie, pamiętasz Lena, na roboty wywieźli. Teraz ty, dzieciaku, już nie powiesz Prusy, tylko Pomorze, zwrócił się do Sary. Sprowadziłem mamę. Dlaczego ja ją sprowadziłem, zastanowił się na pytanie siostry, teraz to nie pamiętam tak dokładnie co mną powodowało, może chciałem, żeby lepiej miała, bo pamiętałem, jak się męczyła w życiu z ojcem. Daj spokój, tobie oczywiście się wydaje, że to on się męczył, nie przekonasz mnie jednak, ani ja ciebie, ja wiem, że ty Lena zawsze musisz ostatnie mieć słowo we wszystkim, ale Sara ma rację, dajmy temu pokój i napijmy się jeszcze nalewki. Zresztą, ojciec już wtedy nie żył. Pamiętasz przecież, w czterdziestym trzecim zmarł. Zasadniczo nie piję już, niestety, tyle przyjemności od człowieka odeszło, ale przecież nie wiadomo, jak długo widzieć się nie będziemy, więc niechaj tam będzie. A ty widzę siostro, dalej sobie folgujesz, i co, nie szkodzi ci, popatrzył na nią z zazdrością.

I powiem wam, że matka tej dziewczyny mojej coś nie lubiła. Ty od razu, że zazdrosna, Lena... po prostu nie podeszła jej i tyle. Kryśka dumna była... I nie lizała przyszłej teściowej po dupie, wtrąciła się Babka, wywalając swój wielki, różowy i mięsisty język i markując znany ruch. No wiesz, Lena, to nie uchodzi, to jest, szukał przez chwilę odpowiedniego słowa, obsceniczne i wstrętne. Zresztą, zawsze miałaś od małego do tego znaczne inklinacje. No, co tak dzieciaku oczy wyropalasz, myślałaś, że twoja babcia taką świętoszką, za jaką chce teraz uchodzić, zawsze była? Spytał, ale wcale nie oczekiwał odpowiedzi, tylko jechał dalej, zapatrzony w siebie z pewnym napięcia zaskoczeniem w pełnych życia oczach. Można przyjąć, skoro się upierasz, że nie lubiła mojej Kryśki z powodu jej hardości. Nie nadskakiwała matce, jak ta druga Jadwiga, co podlizywała się zręcznie i tą lubiła, choć panną z dzieckiem była. Jak przechodziła obok ławki, na której siedziała z tymi swoimi nowo poznanymi przyjaciółkami, tymi babuszkami ze wschodu, to grzecznie, ale ledwo głową skinęła i szła dalej.

Miałem się jesienią żenić z Kryśką, strasznie zakochany w niej byłem. Ona mówi, że do szkoły więcej nie wróci, tylko mam do jej rodziców iść i o rękę prosić. Ale jak to się robi właściwie, spytałem. No; normalnie, mówi ona, przyjdziesz, na kolana padniesz, ojca, matkę za nogi obłapisz i poprosisz. To się zdziwiłem niepomiernie tymi kolanami. Na to ona się zdziwiła jeszcze bardziej, no a jak sobie wyobrażasz wizytę u moich rodziców, spytała mnie. No, normalnie odpowiadam. Przyjdę. Usiądziemy. Powiem, że tak i tak, kochamy się i chcemy się pobrać. Spojrzała na mnie jakoś tak twardo i ciągnie dalej: I już?, pyta z takim wielkim znakiem zapytania na końcu. Już. I na kolana nie padniesz? Nie. Za nogi nie podejmiesz? Nie. To nie będzie żadnego wesela, krzyknęła wściekła jak osa, odwróciła się na pięcie i aż się za nią dymiło tak poszła.

Waldemar zamilkł na długo, tylko sączył smutno pigwówkę i czasem kiwał głową, brwi podnosił, wzruszał ramionami, jakby z kimś niewidocznym toczył dialog. W końcu powtórzył bezradnie, poszła, jak się okazało na zawsze. A pięć tygodni później wziąłem ślub z Jadwigą. Jak to wujku, podskoczyła na krześle Sara, o takie głupstwo, to niemożliwe… Musiało być coś jeszcze, co was poróżniło. Coś jeszcze! Zaprzeczył stanowczo. Pewnie ona naczytała się powieści romansowych i stąd taki upór w kwestii klękania, powiedziała Babka. Młoda strasznie była, ale ty powinieneś być mądrzejszy, na dwudziesty piąty ci szło. A szło mi, ale żadne z nas nie mogło się przemóc. Chodziłem jak oczadziały, nawet nie pamiętam tych tygodni, a pamięć mam przecież dobrą. Tyle różnych, dzisiaj całkiem zbytecznych rzeczy zostało mi w pamięci. Na przykład piosenki kapeli podwórkowej z Łasku. Pamiętasz Lenorka? Nie chce mi się dalej śpiewać, ale znam wszystkie zwrotki…

– Nie mów do mnie Lenorka, duża jestem.

A w kościele, w czasie tego mojego ślubu Kryśka dwa razy mdlała. I dopiero, kiedy się odprawiło, ja z tego amoku wyszedłem, ale już było za późno. Za późno! Miało się urodzić moje pierwsze dziecko. Znowu się zapatrzył w okno, jakoś tak smutno, a Babka wzruszyła ramionami. Obie z matką tak cię omotały, tylko, nawet teraz zachodzę w głowę, dlaczego matce akurat ta Jadwiga tak przypadła do serca. Dziecko małe miała nie wiadomo z kim. Nawet ty do dzisiaj nie wiesz. Nie wiesz, nie wciskaj mi tu ciemnoty! Nie wiedziałeś i nie wiesz, ale matka na pewno wiedziała. Może z jakiego gwałtu, zastanowiła się, co za bzdury opowiadam, sameś się nad tym głowił, myślisz, że nie pamiętam. Tylko, dlaczego taką tajemnicę z tego robiła. Szli przecież Rosjanie, Niemcy uciekali w popłochu, zdarzały się takie rzeczy, oj zdarzały, westchnęła. No może i masz rację Eleonora, może masz. Ona nigdy za tą naszą Julitką nie przepadała, a nawet wprost przeciwnie. Czasami, jak patrzyłem, jak ją traktuje, jak ją na przykład myła, to tak, jakby chciała, żeby specjalnie do oczu się dziecku nalało, a potem, jak płakała, to nią potrząsała, jakby życie chciała z niej wytrząsnąć. A jak coś nie daj Boże spsociła, wiadomo, każdemu się zdarza, to miałem wrażenie, że chce je unicestwić. Pamiętam, to było zaraz po wojnie i mieszkaliśmy w suterenie na Żoliborzu, tylko nogi ludzi przez okno było widać. Wieczorem Jadwiga myje dzieci. A Julitka nakarmiona wcześniej przez nią na siłę, bo mała jeść nie chciała nigdy, nigdy nie chciała nic jeść i nawet mnie czasem nerwy puszczały, jak tak mełła w ustach jedną łyżkę kaszki na przykład przez godzinę albo dwie, to naprawdę... I wtedy dziecko zgwałcone tym żarciem na siłę, zesrało się w czyste łóżko. Jadwiga złapała je za włosy i wywlekła z pościeli i jak nim nie ciepnie, przez cały pokój leciała, aż zatrzymała się na drzwiach wyjściowych i tam osunęła na podłogę ogłuszona. Ruszyłem na pomoc, wściekły na nią. To jest człowiek, syczałem przez zaciśnięte zęby, żeby mała nie usłyszała, trzeba było wcześniej decydować, czy się ma urodzić, teraz nie wolno nią poniewierać. To ja myłem Julitkę od tej pory. Włosy miała takie długie, jasne, aż do pasa. Sadzałem w misce, odchylałem głowę i lałem z blaszanego półlitrowego kubka, w kolorze błękitu paryskiego. Nazywanie kolorów pięknymi imionami zostało mi z mojego terminowania u szwagra w Łasku. Córcia nigdy więcej nie płakała przy myciu włosów. No i jakoś wychowaliśmy naszą czwórkę, bo jeszcze urodziło nam się dwóch synów i córka.

A potem... Jakoś ze sobą żyliśmy. Nie było nam źle. Dobrze zarabiałem w transporcie. Dzieci Jadwiga podchowała i też mogła iść do Wytwórni Papierów Wartościowych pracować. I wtedy, zupełnie nieoczekiwanie, pojechała do brata, co został koło Szczecinka. Trochę się zdziwiłem, bo go nigdy specjalnie nie odwiedzała, a tu siedzi tam i siedzi, całe wakacje. A potem okazało się, że zakochała się zupełnie bez pamięci, wyobrażacie sobie?, bez pamięci, w takim wioskowym głupku, zezowatym i... zawiesił głos ze zgrozą, szesnastoletnim, a ona miała wtedy czterdzieści. Prawdopodobnie planowała z nim jakąś przyszłość, ale na wszelki wypadek postanowiła mi wmówić, że to moje. Coś mnie tknęło i dowiedziałem się wszystkiego. Wtedy ona postanowiła ciążę spędzić, ale głupio, sama to postanowiła sobie zrobić, drutem do robótek ręcznych.

Sara westchnęła, a Babka bawiła się frędzlami obrusa. Wnuczka zastanawiała się, czy wie o wszystkim, czy słyszy pierwszy raz tę historię. Nic się nie odzywała, słuchała uważnie, nie wtrącała złośliwości, nie komentowała i nie zadawała podchwytliwych pytań. Wuj z kolei strzelał zdaniami jak z karabinu maszynowego, nieznacznie podniesionym głosem, bardzo silnym i zbyt młodym, jak na jego lata.

Pogotowie zabrało ją do szpitala w ciężkim stanie. Przeżyła. Cały czas twierdziła, że dziecko było moje, a ja dalej nie wierzyłem, ale bardziej to przeczucie mi podpowiadało niż jakieś fakty, czy kalendarz. I coś mnie podkusiło, kiedy brałem do szpitala jej torebkę, żeby tam zajrzeć. Miała trochę staroświeckie zapięcie, ale to była bardzo porządna torebka, którą kupiłem jej pół roku wcześniej na Bazarze Różyckiego na imieniny. Razem z Julitką wybieraliśmy, a że wiosna szła, to padło na jaśniejszą, choć mieli i inne kolory, ale już nie takie ładne i porządne jak ta ugier jasny. I tam, wśród różnych kobiecych drobiazgów, szpargałów, kwitów z pralni, jakiś rachunków, znalazłem starannie złożoną kartkę, że ja niżej podpisany, oświadczam, że jestem ojcem dziecka, takiej i takiej, i zobowiązuję się łożyć na jego utrzymanie.

Wuj Waldemar wstał gwałtownie od stołu i zaczął krążyć wokoło, a Sara i Babka wodziły za nim głowami.

– Leć no po talerz z ciastem – zarządziła Babka równie energicznie. – Ino migiem. Nie da się tego słuchać o suchym pysku.

Stałem wtedy w naszym mieszkaniu przy Ząbkowskiej na Pradze, wyjaśnił im, czytałem ze trzy razy, bo nie docierało do mnie, to co miałem przed oczami, oparłem się ciężko o framugę drzwi, jakbym się postarzał o sto lat, a miałem przecież Lena ile, ze czterdzieści pięć raptem, i stałem jak słup soli, aż Julitka, co z szafy w pokoju wyciągała jakieś rzeczy dla matki, stanęła obok mnie przestraszona i pyta, tato, co się stało, a kiedy milczałem, niezdolny nawet do złapania głębszego tchu, wyjęła mi ze zmartwiałej ręki kartkę i przeczytała, opowiadał coraz dokładniej wuj, biegając już prawie dookoła nich jak naładowany ujemnie elektron.

Usiądź wreszcie, zirytowała się Babka, nie lataj tak, bo mnie już szyja boli od tego obracania się za tobą, ciasta zjedz, szarlotka z orzechami, na pamięć dobre, może ci się co przyjemniejszego przypomni, a nie tylko takie straszne rzeczy.

Nie muszę sobie niczego przypominać, zdziwił się, ja wszystko pamiętam. Rzeczywiście dobre ciasto, szczególnie z tym silnym pomarańczowym wykończeniem. Dasz mi przepis. Chciałem się rozwieść, ale chłopcy nie byli jeszcze pełnoletni i Julitka poprosiła mnie, żeby się nie rozwodzić, to się nie rozwiodłem, ale już nigdy w życiu nie dotknąłem Jadwigi. Nigdy, zainteresowała się Babka. Nigdy, nie mogła uwierzyć Sara. Nigdy, ona nawet próbowała uwieść mnie po raz drugi, ale nie mogłem się przemóc i tak upłynęły kolejne dwadzieścia cztery lata naszego niby wspólnego życia.

A potem, Babka zwróciła się tylko do Sary, poprawiając się, a właściwie sadowiąc na krześle, jak to ona, kiedy mościła się przed jakimiś rewelacjami, potem to już zadziało się zupełnie jak u Szekspira, powiedziała i zrobiła efektowną przerwę, wgryzając się w kolejny kawałek ciasta. Trochę drobniej mogłaś orzechy pokroić, zwróciła uwagę wnuczce. Brat spojrzał na nią zdziwiony wyraźnie tym Szekspirem i oboje z Sarą patrzyli na Babkę wyczekująco, ale ona wcale się nie spieszyła.

Nie pamiętasz już Waldziu, jak wkrótce potem zrobiła jej się na nodze plama, która za nic nie chciała się goić, chociaż nie miała cukrzycy, co by takie niegojenie wytłumaczyła. I ja myślę, że to z wyrzutów sumienia, z poczucia winy i tego, że jej nie wybaczyłeś, ta plama, przyznasz przedziwna, nowotwór, co się go ma dwadzieścia lat z okładem, podniosła brwi do góry i wygięła usta w dół, zamieniając swoją twarz w wielki, pełen ekspresji znak zapytania. Bratu na chwilę odebrało mowę, zastanowił się i powiedział lekko zmieszany, tak jakoś niesłychanie zaskakująco to przedstawiłaś, nigdy w ten sposób do tego nie podchodziłem, ale tak, masz rację, zrobiło jej się coś takiego paskudnego i nikt tego nie mógł wyleczyć. A potem siostrom zakonnym się udało, na krótko jednak, bo wszystko przeniosło się na narządy rodne. Umierała w cierpieniach i smrodzie, a ja dalej nie mogłem się przemóc, a może tym bardziej, żeby ją pielęgnować, więc wynająłem pielęgniarkę i ona się do nas wprowadziła, żeby być przy niej dzień i noc.

Sam widzisz, jakie ci matka życie zgotowała wtrącaniem się, skwitowała Babka. A kto mógł wiedzieć, jakie miałbym życie z tą drugą, z Kryśką. Takich rzeczy nie można przewidzieć, chociaż teraz wiem, że te dwa lata na ziemiach odzyskanych z nią, to były najszczęśliwsze lata w całym moim życiu, pokiwał smętnie głową. Oczy miał suche, ale i tak wyglądał, jakby płakał. Dopóki nie ściągnąłeś matki, wszystko dobrze się układało. Waldemar żachnął się tylko, ale nie skomentował, tylko ciągnął, Jadwiga nie odwdzięczyła się matce, a wprost przeciwnie, wiesz, że ostatnie pięć lat mama u mnie była i moja żona nie mogła jej znieść. Co prawda, żadnych otwartych afrontów jej nie czyniła, nie pozwoliłbym na to, ale... machnął ręką. Po prostu, mówię wam, nie było łatwo, odpłynął zagłębiając się widelczykiem w nowy kawałek szarlotki dołożony przez siostrę. Zapadła cisza, jakby cała trójka zmęczyła się tymi trudnymi tematami i Babka wysłała wnuczkę po herbatę, tylko mocnej napar. Nie musisz mówić za każdym razem, przecież zawsze parzę mocną. Ostatnio coś nie bardzo ci wyszła. Co ty mówisz, sama mówiłaś mi, ile wsypać do imbryka. Widocznie znowu lichą kupiłaś i trzeba po prostu więcej sypać, skwitowała lekko Babka.

Kiedy Sara wróciła z filiżankami, wuj zastygł z porcją szarlotki niesionej do ust, cały czas myślę, co powiedziałaś Lena, z tą winą nieodpuszczoną, więc czyżby to była moja wina, że tak umierała, przez tyle lat, bo ja jej nie wybaczyłem, spoglądał to na jedną, to na drugą. Nie, nie, zaprzeczyła gwałtownie Sara, a Babka znowu wzruszyła ramionami, jak to ona, kiedy stworzy trudną sytuację, a potem umywa ręce. To jej wzruszenie ramionami, wycofywała się na wygodną pozycję, pomyślała wnuczka, patrząc jak spokojnie, z widocznym smakiem popija wielkimi, łapczywymi łykami herbatę, a biedny wuj Waldemar, postawiony nagle w zupełnie nowej sytuacji emocjonalnej, nie może sobie z nią poradzić. A kto to może wiedzieć, od czyjego braku wybaczenia zrobiła jej się ta plama, może to nie ty miałeś jej wybaczyć, tylko matka nasza jej nie wybaczyła, że okazała się takim kiepskim losem, jak myślisz Waldziu?, pyta go Babka.

Zaraz, zaraz, teraz już wuj był naprawdę nieźle skołowany i Sara bardzo mu współczuła. Zaraz, zaraz, powtórzył, czy ty sugerujesz, że to przez naszą mamę Jadwidze zrobiła się taka paskudna plama. Nie, ja nie sugeruję, tylko tak sobie swobodnie myślę, przecież była trochę, no wiesz… Spojrzała na niego, dając mu do zrozumienia coś, czego za nic nie mógł, albo nie chciał zrozumieć i tylko się zirytował. Lenorka, dałabyś już spokój z tym teatrem i sugestią, że matka jakąś magię uprawiała? A po co jej magia była? Ona sobie Waldziu i bez tego poradziła. I nie mów do mnie Lenorka! Kiedy pojawiła się skaza na nodze Jadwigi?, spytała Babka i szybko sama sobie odpowiedziała, jakoś tak wkrótce po tym, jak wziąłeś ją do siebie. Ty zapewne szedłeś do pracy, często wyjeżdżałeś, nie było cię całe dnie, a one siedziały ze sobą. Matka widziała twoją krzywdę. Skąd, skąd, pytasz, zorientowała się od razu, pewnie jeszcze tego samego tygodnia, że nie sypiacie ze sobą, że cała wasza rodzina, to pic na wodę i oszukaństwo. Jej, Jadwigi wina i twoje cierpienie, ponieważ, nie czarujmy się, życie bez seksu musiało być dla niej, dla naszej matki, wyjaśniła, skinąwszy porozumiewawczo głową do wnuczki i odwołując się tym samym do wcześniejszych rozmów, okrutne i bolesne. Dlatego myślę, że na każdym kroku sączyła jej do uszu jad, jaką to wstrętną i występną okazała się kreaturą, niegodną jej ukochanego, wspaniałego syna i w ciągu dwóch, nie, trzech lat pojawiła się ta niegojąca się plama. Wyobraźcie sobie, pochyliła się do przodu konfidencjonalnie i otworzyła szeroko oczy, wyobraźcie sobie, nakazywała im obojgu, aż też wytrzeszczyli oczy i prawie wstrzymali oddechy, dopiero wtedy kontynuowała. W kuchni, na korytarzu, w pokoju przy oglądaniu telewizji, a nawet jak wracała ze sklepu, mogła wychylić się przez okno i coś krzyknąć, niby niezwiązanego z tematem, ale jednak dającego do myślenia, nigdy nie pozwoliła jej zapomnieć, wałkowały tę zdradę, ten grzech w te i we wte, w te i we wte, na wszystkie strony. Boże, krzyknął ze zgrozą Waldemar, jak ty możesz?! Teraz już wiesz, dlaczego Jadwiga była taka niewdzięczna i nie lubiła teściowej, choć powinna ją hołubić i rozpieszczać. Lena, jak ty zawsze potrafisz wszystko wywrócić do góry nogami, podniósł obie ręce do góry i opuścił je gwałtownie, koniec! Już wiem, przypomniałem sobie, dlaczego cię nie lubię, dlaczego nigdy cię nie lubiłem i wcale nie chodzi o mamę i twojego kochanego ojca – nieroba. Wszystko zawsze pamiętam, a zapominam też zawsze o tym samym, o tym, że ci nie ufam i cię nie lubię. I nie dam się wkręcić w poczucie winy i że mama miała coś z tym wspólnego. Nie chcę więcej o tym rozmawiać, oświadczył kategorycznie. A czy ja chciałam o tym rozmawiać, zagrała niewyobrażalne zdziwienie Babka. Sam zacząłeś. Nawet specjalnie w tym celu przyjechałeś, żeby się wyspowiadać, coś się pewnie gorzej czujesz, ludzie się wtedy robią tacy bardziej otwarci. Mam dosyć, przejdę się po waszym ogrodzie, wstał szybko od stołu i wypadł na zewnątrz.

– Obiad będzie za godzinę – krzyknęła za nim siostra.

– Ale dałaś czadu!

– Zaraz czadu! – sapnęła lekceważąco Babka, podnosząc się z wysiłkiem. – Tobie samej, jej wina, dam sobie za to odciąć... – zastanowiła się chwilę – ...język, przyszła do głowy.

– Zgoda, nie zaprzeczę, ale nie musiałaś mu tego od razu wywalać na wierzch. W dodatku przesadziłaś. Tak mogło być, ale nie musiało. A biedny wujek w ogóle nie widział tego w takich kategoriach, wprost przeciwnie. Zdarzyło się i tyle. To wszystko: zdrada, nowotwór żony, brak przebaczenia i ta wasza matka, nie miało ze sobą żadnego związku przyczynowo skutkowego. Tak było i koniec. Ty zresztą też tak masz. Lilka powiedziałaby zapewne, taka karma. I to jest bardzo dobre podejście... No, teraz jeśli chodzi o twojego brata to było, dopóki nie postanowił w odruchu braterskiej miłości, odwiedzić cię i obecnie chodzi po naszym lesie i zastanawia się, po co mu to do ciężkiej cholery było, no i przypomniał sobie, że cię nie lubi. Z tą waszą matką, to naprawdę nie fair... – nie mogła znaleźć odpowiednich słów, więc zostawiła temat w zawieszeniu.

– Twoją rodzoną prababką, nawiasem mówiąc. Skoro zdecydował się o tym opowiedzieć, to chyba miał w tym jakiś cel, może nie do końca uświadomiony, ale zawsze. Chodź, niedługo wszyscy się na obiad zjadą i trzeba kurczaki do piekarnika wsadzić. Waldek lubi drób z nadzieniem. Nic mu nie będzie. Wytarza się trochę w poczuciu winy, a potem mu przejdzie. Czasami to nawet zdrowo.

– Zdrowo, to jest się nad sobą użalać – zauważyła Sara. – Tarzanie się w poczuciu winy wcale nie jest zdrowe, a nawet wprost przeciwnie.

– Nasza matka znała różne sztuczki. Wiem i tyle. Od kiedy zajęła się porodami we wsi, po śmierci naszej akuszerki Martynowej, żadne dziecko nie zmarło w jej przytomności.

– Znała się na swoim fachu. Przecież sama nie wierzysz w różne gusła, więc nie rozumiem po co to, chyba wyłącznie na użytek tej chwili.

– Znała się na krawiectwie, a nie na odbieraniu porodów. Dobrą rękę miała i tyle. W to chyba wierzysz? – zmieniła nagle front Babka.

– Sama nie wiem – zastanowiła się wnuczka. – Chyba tak. Á propos tej historii, co opowiadał wujek, to co radziła dziewczynom prababka, słyszałaś?

– Krwi miesięcznej swojej zadasz chłopakowi, ale tak, żeby nie widział, jak pies będzie za tobą chodził i nie przestanie. A co miałam nie słyszeć – wzruszyła ramionami.

– I co?

– Co?

– Nie udawaj. Pytam, czy sprawdziłaś?

– Nie musiałam uciekać się do magicznych sztuczek – odpowiedziała z godnością Babka. – Poza tym, jak ci się odwidzi, to co zrobisz z takim kamieniem u szyi?

– W to akurat wierzę, ale czy z ciekawości nie sprawdziłaś tego nigdy?

– Ja nie, ale jedna taka z naszej wsi, tak. Paskudna była, że uchowaj Boże – wzniosła oczy do sufitu i opuściła gwałtownie. – A kochała się w naszym kuzynie. Przystojnym, obrotnym chłopaku, co to w dziewczynach mógł przebierać, jak chciał. A potem nagle, ni stąd, ni zowąd, ta rozwora – prychnęła wściekle, wyolbrzymiając wszystkie samogłoski w słowie rozwora – świat mu zawiązała na całe życie, że na żadną inną patrzeć już nie chciał. Dzieci mieli chyba z ośmioro. Ciężko pracował, a ciągle bida u nich była straszna, bo ona jeszcze niegospodarna się okazała.

W kuchni Babka wycisnęła cytrynę na kurczaki, dodatkowo jeszcze wciskając po jednej obgotowanej krótko i ponacinanej do środka, zanim je umieściła w piekarniku, dysząc ciężko niczym miech kowalski.

– Trochę mnie ta nalewka Mikiego wprowadziła w ten nastrój…

– Freudowski – wtrąciła Sara.

– A niechaj i taki będzie. W ogóle stosunki między matkami i dziećmi nie zawsze są łatwe i słodkie, jak się sądzi, jakby się chciało, żeby były. Ja sama mam sobie wiele do zarzucenia w relacjach z Ludką, a przecież sama wiedziałam, jak to jest, a popełniłam podobne błędy. Podobnym emocjom dałam się ponieść, tak bezrefleksyjnie – machnęła obieraczką do ziemniaków.

– Co za zadziwiająca samokrytyka!

– Teraz to widzę – wyjątkowo potaknęła, choć zazwyczaj wolała się widzieć w bieli i nigdy przyznawała się do błędów, ale jeżeli już, to kiedy służyło to jakiemuś konkretnemu celowi.

– Ale dlaczego, dlaczego? Przecież ją kochałaś.

– Nad życie. Cokolwiek robiłam, zawsze myślałam o Ludce, bardziej niż jesteś w stanie sobie wyobrazić. Nie spytałam Waldka, czy je cebulową, ale nie wygląda, żeby miał jakieś kłopoty gastryczne, więc jeszcze zapieczemy z serem. Daj no muszkatu, utrzemy świeżego.

– No i co z tą waszą matką?

Sara chciała wiedzieć więcej, ale Babka straciła zainteresowanie tematem i wrócił Waldemar z chmurnym czołem.

– A gdybym tak odpuścił Jadwidze? – spytał je obie znienacka, zakasując rękawy, żeby pomóc w obiedzie. – Czy wtedy mama przestałaby jej źle życzyć?

– Ależ wujku, to nie ma ze sobą nic wspólnego, twoja żona i tak by zachorowała, to przecież kwestia genów, i tyle. Babcia zawsze lubi wymyślać niestworzone historie.

Prawie jednocześnie z wnuczką zaczęła mówić Eleonora, oczywiście, że matka nigdy nie zaczęłaby źle życzyć Jadwidze, mój drogi. Sama ją wybrała i ten wybór okazał się kulą w płot. I wcale nie chodziło o wasze niezbyt udane małżeństwo, ani o to, że nie byłeś w nim szczęśliwy, choć mogłeś z tą drugą, hardą Kryśką, gdyby nie ona, tylko o to, że wyszło to tak czarno na białym, że ci życie zniszczyła i teraz matka całe swoje poczucie winy, zwaliła na synową. Ona, znaczy synowa ponosiła winę, bo okazała się gorzej jak kurwa... że wszystko potoczyło się tak, jak się potoczyło. Gdybyś po prostu żył, nawet niezbyt zgodnie, to byłoby w normie, małżeństwa nie zawsze są cudowne, raczej wprost przeciwnie, dzieci są, nie kłócicie się, nie zdradzacie, a tak, to zupełnie inna sprawa. Żeby jeszcze po cichu, bez rozgłosu, z kimś w miarę normalnym, jeszcze można by to jakoś zgryźć i przełknąć, ale tak, nigdy! Nie słuchaj wujku, próbowała zagłuszyć Babkę Sara, to jest nadużycie, nadinterpretacja, muszę przyznać, nawet jak na babcię wyjątkowo wredna. Ona to uwielbia, znasz ją przecież. To tylko zabawa. No i matka pewnie zaczęła się zastanawiać, czyja była Julitka, bo może wcale nie z gwałtu, tylko z rozpusty, ciągnęła Babka, a wnuczka próbowała ją zagłuszyć, wujku, wyluzuj, to tylko takie dywagacje, wyobrażenia, babcia tak z nudów, to tylko zabawa, powtarzała.

Zabawa powiadasz, wujek cienko obierał zielone ogórki, jeden za drugim, zupełnie bez opamiętania, cały zapas z koszyka stojącego na kuchennej wyspie. Jego siostra sprawnie tarła ser do zupy, jakby nawet nie tknęli palcem tych poruszających tematów. Ot, gadanie takie, zbagatelizowała wszystko nieoczekiwanie, najważniejsze, że dochowaliście się czwórki wspaniałych dzieci i wnuków. Na koniec tylko to jest ważne, oświadczyła z mocą, ale z jakimś znowu teatralnym zadęciem, że zabrzmiało kompletnie nieautentycznie i nikt jej nie uwierzył. Sara nawet przypuszczała, że z taką właśnie intencją zostało to wypowiedziane. Troje dzieci, jedno przecież nie moje, wnuki, zupełnie bez znaczenia, mam dziewięćdziesiąt lat i jestem samotny. Samotność jest najgorsza, z tego co się może człowiekowi przytrafić.

Zabrakło ogórków do obierania i zaczął je kroić w cienkie przezroczyste plasterki. Nie przesadzaj, są gorsze rzeczy, Eleonora postanowiła go pocieszyć, taka powiedzmy bida i choroba razem wzięte. Fakt, że nie jestem chory i biedny powinien mnie uszczęśliwić, tak?, spojrzał na nią pytająco. A mimo to czuję się samotny, a kiedy oglądam się za siebie, co widzę z dziewięćdziesięciu lat, obejrzał się za siebie, tylko dwa szczęśliwe. Czy to nie smutne? Ale nie mogę powiedzieć, że czegoś żałuję. Nie mogę, podniósł nóż do góry. Kiedy Jadwiga w końcu umarła, po dwudziestu czterech latach, jak jej nie dotknąłem, postanowiłem odnaleźć Kryśkę, w Bydgoszczy mieszkała. Spotkaliśmy się nawet, ale ani odrobinę nie przypominała tamtej dziewczyny, nic, zupełnie nic. Nie to, żebym się spodziewał, że zastanę osiemnastolatkę, absolutnie nie, ale chociaż jakieś porozumienie, cień uczucia, coś, cokolwiek. I zdałem sobie sprawę, że moja Jadwiga ładniejsza jednak była… Ale jestem jej wdzięczny za te dwa lata… A wcześniej…

– Co właściwie było wcześniej wujku? Jak się spotkaliście?

– Dzieciaku, musiałbym ci opowiadać i opowiadać, jak to na roboty do Prus mnie wzięli.

– Później. Teraz obiad. Słyszałam, jak furtka trzasnęła – zaprotestowała Babka.

Rzeczywiście weszli Lilka z Markiem i dziećmi, a chwilę potem przed dom zajechał Aleksander z chłopcami.

– Jeśli koniecznie chcesz pomóc, rozłóż z Sarą nakrycia, a ja tu z Lilką wykończę obiad – Babka, przeczekawszy cierpliwie powitania, zarządziła bratem i wnuczką.

Krążyli wokół stołu, rozkładając obrus, serwetki i sztućce, a wuj Waldemar nie przestawał opowiadać, jakby nigdy nie miał się zatrzymać.

Najpierw mój niemiecki kolega z sąsiedniej wsi, garbaty Paweł, co nie miał szczęścia do naszej matki trafić i przez to taki krzywy po świecie chodził, załatwił mi pracę u Hermana, co miał gospodarstwo po jednym Żydzie, ale nie pytaj, jak się nazywał. W każdym razie ten Niemiec również zarządzał miejscowym urzędem pocztowym. Miało mnie to uchronić przed wysyłką na roboty do Niemiec, wyjaśnił. Jego żona strasznie chytra była, kazała pracować ponad siły, ale jeść nie dawała. Zaczęło się od tego, że miałem zżąć pole żyta, bo to akurat w żniwa do nich trafiłem. Upał straszliwy, kosa tępa, a ja w dodatku nie za bardzo umiałem kosić. Położyłem się w cieniu jabłonki, co na miedzy rosła i tylko się przesuwałem ze słońcem, żeby nie paść z gorąca. W południe taka dziewczynina obiad przyniosła, przypalone mleko i suchy chleb. Ledwo zjadłem. Następnego dnia Niemiec każe mi to, co ściąłem poprzednio, z dziewuchą w snopki postawić, Waldemar zatrzymuje się i patrzy przez stół na Sarę, wyciągając do niej rękę z talerzem, a ja przecież cały boży dzień pod jabłonką przeleżałem. Powiedziałem, że nic nie zrobiłem, bo kosa tępa i jeść nie dają, człowiek głodny chodzi, to jak ma pracować. Zezłościł się strasznie, w każdym razie od słowa do słowa, pokłóciliśmy się przy wszystkich robotnikach, a on to dosłownie wyszedł ze skóry. Otyłą miał Herman Hans posturę i twarz czerwoną, nalaną, a jak ciśnienie mu swoim zachowaniem podniosłem, to krew z nich prawie tryskała. On mnie słowo, ja mu cztery, w końcu nie zdzierżył i do mnie zupełnie jak rozjuszony buchaj ruszył z łapami krótkimi, ale mocnymi.

Uzbrojony w widelce wujek ruszył wzdłuż krzeseł, naśladując Niemca, aż załopotał awangardowy krawat z rysunkiem Lichtensteina, a rojące się wokół dzieci w mig to podchwyciły, biegając za nim i strasząc się wzajemnie, ale on nawet okiem nie mrugnął, tylko jechał z opowieścią dalej.

Miałem czekać, aż mnie przewróci, spytał retorycznie, odsunąłem się tylko szybko i Herman poleciał dalej, wprost w gigantyczną gnojówkę na środku podwórza. Przewrócił się w błoto twarzą w dół, a wszyscy patrzyli na jego upokorzenie. Dzieci ryknęły śmiechem, w gnojówkę, w gnojówkę, pokładały się z radości tuż pod nogami wuja, który obchodził je ostrożnie, nie zwracając na nie najmniejszej uwagi. Straszny mieli nieporządek w obejściu, wyjaśnił, choć Niemcy. Osobliwy wręcz, pokiwał głową. Rozumiesz, że takiej zniewagi nie mógł mi darować. Nie mógł, potwierdziła Sara i stracił twarz, można powiedzieć, nieodwołalnie. W tym rzecz. Nie mógł nie zareagować, więc kiedy wygramolił się z błota, cały czarny, ociekający, powiedział mi, że jutro jadę z jego żoną do Arbeitzamtu. Wzruszyłem ramionami, było mi naprawdę wszystko jedno.

Następnego dnia rano kazała zaprzęgać i pojechaliśmy. Poszła tam, a mnie kazała czekać. Jak wróciła, popatrzyła na mnie z odrobiną nawet współczucia i powiedziała, że jestem głupi, że nie uciekłem, bo teraz to już koniec, zgłosiła mnie na roboty i jadę za trzy tygodnie. Stwierdziłem, że teraz w ogóle nie będę dla nich pracował i udałem chorobę, odmawiałem jedzenia, tylko leżałem w stodole, patrząc bez wyrazu na krokiew. Uwierzyli, skoro nie jadłem. Leżałem i tylko mi ten Paweł od mamy jedzenie przynosił i książki do czytania. W końcu wyjechałem. Nawet nie zdążyłem pożegnać się z rodziną.

– Dajcie spokój. Siadajcie do stołu – Babka zapędziła wszystkich do stołu.

Jedli obiad, ale Waldemar i tak opowiadał szczegółowo z licznymi dygresjami. Pamiętał wszystko, zupełnie jak ciocia Amelia, ale najwyraźniej albo radził sobie lepiej, albo jego przeżycia nie były takie dramatyczne.

Przyjechałem do takiej rodziny niedaleko Połczyna. Jakiegoś pecha chyba miałem, ponieważ okazała się tak samo rozmamłana jak Herman, tylko bauera nie było, zginął na froncie wschodnim i gospodarstwem zarządzała wdowa po nim i trzy córki. Spałem w budzie obok świń. Nie dostałem łóżka ani kołdry. Przyszła ciężka zima, a ja nie miałem ciepłego odzienia. Czego się napiję? Może być wino, choć ostatnio stronię od alkoholu. Dzisiaj jakoś wyjątkowo. Z tobą Lena, nie da się inaczej, tak mnie zawsze zirytujesz, westchnął głęboko. Pracowałem ciężko, a do jedzenia dawały jakieś ochłapy. Po jakimś czasie już ledwo nogami powłóczyłem. Stopy owijałem gazetami i szmatami z jutowego worka. W końcu dostałem od gospodyni buty bez spodów, same cholewki i powiedziała, żebym poszedł do szewca w drugim końcu wsi to mi podzeluje. No to poszedłem. Zadymka taka, śnieg, że ledwo nogi ze śniegu wyciągam. Z braku płaszcza nawkładałem trzy pary spodni, dwie marynarki i dziurawy jak cedzidło sweter. Ledwo dolazłem do tego szewca, a on w śmiech, że lepsze buty wyrzuca. Trudno, wracam, aż wpadam na jakiegoś człowieka. On mi się przygląda, a ja oberwany jak przybłęda i pyta, tyś Polak, to mnie się łzy w oczach zakręciły, bo ja mowy polskiej od miesięcy nie słyszałem. Ty pewnie robisz u tej wdowy, spytał, patrząc na moje stopy, okręcone drutem. Kiwnąłem głową. Chodź do nas, my jesteśmy spod Rawy Mazowieckiej i pracujemy u dobrego bauera. Karmi dobrze, przyodziewa. Poszedłem, jak mnie ta Niemka zobaczyła, to się za głowę złapała. Dali mi jeść jedną miskę zupy i dwie, o, takie pajdy chleba zjadłem, dostałem drugą miskę zupy, takiej porządnej, zawiesistej i też zjadłem, i jeszcze trzy pajdy, i jeszcze bym jadł, taki byłem wygłodniały. Ci Polacy uświadomili mi moje prawa, że powinienem dostawać pieniądze za pracę, niewielkie, co prawda, ale zawsze, odpowiednie ubranie na grzbiet i ciepły kąt z łóżkiem i że muszę iść na skargę do wójta. To ja sobie obiecałem, że więcej nie będę marzł i głodował. Wróciłem późno, po zmroku, a tam wszystkie trzy czekają na mnie wściekłe jak osy, gdzie się podziewałem cały dzień, a robota czeka. A ja na to, że dopóki nie dostanę pieniędzy i jedzenia porządnego, nawet palcem nie kiwnę. Trudno nam się było dogadać, bo taką niemiecką gwarą mówiły, w plat douche i jaszcze ich nie za dobrze rozumiałem, ale w każdym razie to, że niczego nie dostanę, jakoś dobrze do mnie dotarło. Straszne się zaczęły korowody, bo jak się te baby zorientowały, że ja zamierzam się u wójta poskarżyć, to mnie w chlewie na klucz zamknęły bez wody, nie mówiąc o jakim jedzeniu i dopiero udało mi się wymknąć następnego dnia rano.

Świetne to nadzienie, czy według amelinej receptury? spytał Babkę, a ona zirytowała się na niego, co o tą Amelię cięgiem się wypytujesz. Kurczaki moim sposobem robione, zwyczajnie, bez żadnych wygibasów, wątróbka, mięso, trochę bułki moczonej, ale tylko aby, aby, sól, pieprz i dużo, naprawdę dużo natki zielonej. Żadna filozofia, tylko kurczaki cytryną skrapiaj i czosnkiem nacieraj, będzie zapach i nie wyschną w piekarniku.

– Poszedłeś w końcu na skargę? – dopytywał się zniecierpliwiony Wojtek.

Poszedłem, a wójt wielki taki, rudy, jak wiking. Słucha, co mam do powiedzenia, przyszedł ze mną ten, co go na drodze spotkałem, Heniek i pomaga mi w niemieckim. Rudy nie zdziwił się wcale, uwierzył mi natychmiast, usiadł przy biurku i napisał szybko wezwanie, żeby stawiła się następnego dnia u niego ze mną, włożył do koperty i kazał wdowie dać niezwłocznie. Podziękowałem pięknie i wyszliśmy. Ten Heniek to długo nie pożył. Chodziła za nim córka wójta, Matilda, dziecko jeszcze, ale już dojrzewające. Też rude z białą karnacją. Polubiła tego Heńka, bo wesoły był i usłużny, a pewnie i trochę się do niego, jak to podlotek umizgiwała, w każdym razie ten głupi chłopak, któregoś razu, tę bidną dziewczynę zgwałcił i go powiesili. Cicho sza, nawet się nikt nie obejrzał i już go nie było. A może go do obozu koncentracyjnego wysłali, zastanowił się, ale chyba nie, wtedy za gwałt wieszali.

W każdym razie, po różnych, oczywiście nieprzyjemnych przepychankach, zacząłem pracować u młodych gospodarzy Helgi i Willego Sonnenberg, z jednym dzieckiem, co od niedawna byli na swoim. Wdowa mnie oszukała i nie zapłaciła nawet jednej marki, natomiast wyłudziła ode mnie podpis in blanco, a ona umieściła tam wszystko, co chciała, a ja już nic nie miałem do gadania. U nich dokumenty były najważniejsze.

U tych nowych dostałem porządne ubranie po niemieckim robotniku, co u nich pracował, ale poszedł na front i pewne było, że nie wróci. Marynarka z mocnego sztruksu, kilka par spodni, ciepły golf, koszule, kurtka, buty, nawet skarpety, zupełnie nowe. Wszystkie rzeczy w ładnych kolorach, tylko jakich, zmarszczył czoło jakby zmartwiony, przecież pamiętam, tylko nagle zniknęło mi z głowy. No mniejsza, machnął ręką, później do mnie wróci. Potrącili mi z zarobków, ale policzyli naprawdę niedrogo. I tak zacząłem zupełnie inne życie od szorowania mydłem w balii, ponieważ przez te kilka miesięcy życia ze świniami nie miałem kontaktu z ciepłą wodą. Obmywałem się tylko w lodowatej wodzie ze studni…

Zjedli cały obiad i deser, a wuj ciągle mówił, jakby zerwała się jakaś tama. Sara i Lilka robiły kawę, dzieci bawiły się w chowanego, a Marek z Aleksandrem dotrzymywali mu towarzystwa w jadalni. Babka przyszła po likier z kredensu.

– Nie podoba mi się to jego pytlowanie, jakby się chciał zawczasu nagadać – powiedziała do wnuczek konfidencjonalnie. – Albo, jakby przeczuwał, że coś się stanie, coś nieodwołalnego, jak śmierć na przykład – zastanowiła się. – A przecież ma dopiero dziewięćdziesiąt lat i całkiem zdrowo wygląda. Teraz się dopiero zacznie najciekawsze z jego wojennego życia, dlatego wracajcie migiem z tą kawą do stołu.

– Co się zacznie? – spytała Lilka.

– Jak wpakował się w trójkąt miłosny – podniosła brew wysoko i przymrużyła szelmowsko oko.

Jasne, że było mi nieporównywalnie lepiej niż u wdowy z córkami, ale też niełatwo, ponieważ wpadłem w oko młodej żonie nowego bauera, ciągnął Waldemar. Z jednej strony ciepło, sytość, jasny zakres obowiązków, tak to się teraz mówi, prawda? A z drugiej, już po kilku dniach pojawiła się jakaś dziwna dwuznaczność. Patrzyła na mnie dłużej niż wymagała tego sytuacja, powłóczyście, spod przymkniętych lekko, jakby ospałych, sennych powiek, przechodziły mnie od tego dreszcze i nie wiedziałem, gdzie oczy podziać. A jeszcze jej mąż, tak dla mnie wyrozumiały, traktujący mnie naprawdę po ludzku, też to widział. Zaraz widział, mruknęła Babka. Wtedy, westchnął Waldemar, byłem przekonany, że widział, co się dzieje z żoną i obserwował nas z pełnym napięcia wyczekiwaniem. Oceniał mnie pod tym kątem, czy już się stało, a jeżeli nie, to kiedy. Krążył wokół mnie, albo wokół niej, a kiedy tracił nas z oczu przejawiał wielce nerwowe zachowania. Drgał mu kącik ust, albo maleńki mięsień pod okiem, szczególnie zaś, kiedy siadaliśmy przy posiłkach. Im, Niemcom, nie wolno było jeść przy jednym stole z nami, ale Sonnenbergowie nie przestrzegali tego zakazu i dlatego Willi miał nas przed oczami i dręczył go każdy jej gest, doszukiwał się ukrytych znaczeń, których początkowo nie było, ale potem pojawiły się, jakby na życzenie. Te posiłki strasznie nas męczyły, mnie i jego. Ale nie ją. Ona w ogóle nie zauważała napięcia męża, ale czy rzeczywiście, zatracił się w rozpamiętywaniu każdej chwili przy stole w Prusach. Opuścił ramiona i zapadł się w sobie, a Babka wykorzystała ten moment na wysłanie Aleksandra do kredensu po nową nalewkę, ponieważ uznała, że ta poprzednia nie pasuje do nastroju.

– Napij się, Waldziu, tej, zwróciła się do niego wyjątkowo ciepło, Miki przygotował z ziół przeróżnych na takie właśnie okoliczności smutku i melancholii. Słowo ci daję, walnęła się w piersi… No, co ty, nic nie szkodzi, pomaga, no, że alkoholu więcej niż zwykle to oczywiste. Nalewka musi być mocniejsza. Nie rób z siebie takiego świętoszka, prychnęła, myślałby kto, że zawsze za kołnierz wylewałeś. Walnij sobie kielicha i jedź dalej, zachęciła go.

Już ja wiem Lena, o co tobie chodzi. Ja już nie raz w życiu żałowałem, że coś ci nieopatrznie powiedziałem, a ty to już tak zamotałaś, tak wypaczyłaś, że wracało do mnie i ja samego siebie w tym nie poznawałem… Daj spokój, przerwała mu, mamy razem prawie dwieście lat, a ty tu z jakimiś żalami. Doprawdy żałosne, spojrzała na niego z wyższością. Mów wreszcie, bo już całkiem zapomniałam, jak to było, zirytowała się, a Waldemar machnął w końcu ręką i ruszył dalej.

A potem spojrzenia już przestały jej, Heldze, wystarczać i zaczęła chodzić za mną jak cień nieustępliwa i cierpliwa. Ładna była, spytał Marek. Tak, bardzo ładna, a może nie tyle ładna, co pociągająca, z tych kobiet, co jak je widzisz, nie myślisz śliczna, tylko, że chciałoby się ją mieć… w sensie seksualnym mieć, wyjaśnił. Posiąść, dodała Babka, perfekcyjnie artykułując każdą głoskę, a on zgodził się z nią, jakby to doprecyzowanie z jakiś powodów było ważne.

Wyciągała jawnie po mnie gorączkowe ręce nie zważając na swojego męża, który mordował się okrutnie tym jej zauroczeniem. I ja też wcale nie byłem zadowolony, choć każdemu wydawać się może, że mi to schlebiało, karmiło próżność, bo przecież wiek miałem taki, że człowiek tylko o tym może myśleć, ale dawałem radę, choć z czasem te jej niby przypadkowe ocierania, muśnięcia, zaczęły wywierać mimowolny efekt i chodziłem podminowany, zupełnie jak beczka prochu i wściekły nieustannie na nią, na niego i na siebie. Czułem, że w końcu stanie się, prawie słyszałem nakręcającą się sprężynę, co w pewnym momencie nie da rady dalej się nakręcać i wyzwoli skumulowaną energię i byłem przerażony, a jednocześnie zbuntowany, ponieważ cała ta sytuacja przypominała teatr, jakby każde z nas miało z góry wyznaczone role, ale ja wcale nie chciałem odgrywać swojej, zupełnie jakbym nie miał nic do powiedzenia, ani Willi, tylko ona, tylko ona. Wkrótce okazało się, że nie daliśmy jej rady. Zaczęliśmy sobie z nim skakać do oczu, dosłownie o wszystko, choć dobrze wiedzieliśmy, że tylko o jedno, a reszta to tylko lichy kamuflaż, ale co z tego, widocznie wszystko musiało się odprawić tak jak miało, a my obaj zachowaliśmy się jak bezwolne kukły. W końcu stało się, Helga zirytowana chyba moim biernym oporem, pewnego dnia, kiedy mąż musiał wyjechać na dwa dni, choć jak ognia unikał takich sytuacji, przyszła do mnie w środku nocy, kiedy już zdążyłem zasnąć ciężko. Wślizgnęła się do łóżka rozgrzana do czerwoności i zanim się zorientowałam, że to nie sen, a jawa, stało się, rozłożył bezradnie ręce, stało się. Ciało mnie nie słuchało, jakbyśmy byli oddzielni, ja i ono, a ona robiła z nim, co chciała, a ono domagało się więcej i więcej, zupełnie mnie nie słuchając, wuj poluzował krawat, jakby nagle zrobiło mu się duszno. Pomyślałem o tej małej Matyldzie i poczułem się tak samo jak ona, zgwałcony, a nawet gorzej, zdradzony przez własne ciało, ponieważ, mimo wewnętrznego oporu, czułem niewysłowioną przyjemność, kiedy ona robiła ze mną wszystko, wszystko co tylko mężczyźnie może się zamarzyć w związku z kobietą…

No, już nie rób z siebie takiego świętego, burknęła Babka, biernego i żeby nie było, że cię nie rozumiem, człowiekowi zawsze łatwiej być biernym, dlatego to wszystko takie tragiczne jest i wmawiamy sobie, że nie mieliśmy wyjścia, jakiegoś marginesu działania naszej wolnej woli, ale sam przyznasz, że byłbyś głupcem odmawiając tej apetycznej Heldze, co taką na ciebie zapałała ochotą.

Ty zawsze miałaś skłonność do takiej totalnej trywializacji, podniósł lekko głos Waldemar, ale właśnie najgorsze było to obdarcie mnie z woli, potraktowanie jak niewolnika, gorsze niż sypianie ze świniami u wdowy, ale ja się nie usprawiedliwiam. Miałem swoją porcję przyjemności, moje ciało było syte, pod każdym względem, stałem się podwójnym więźniem sytuacji i tej pociągającej, uzależniającej sytości. Willi jakby oklapł po tym, kiedy jasnym się stało, że Heldze udało się mnie skonsumować, tak to wtedy, i teraz zresztą, pojmowałem. Napięcie jakby odrobinę opadło, co nie znaczy, że akceptował to, co się dzieje. Potem wyjechał na front. Wojna miała się ku końcowi i zaczęła się zmieniać sytuacja wszystkich robotników rolnych w Prusach. Zamienialiśmy się rolami. Niemcy wyjeżdżali, no uciekali właściwie, ale Helga wcale nie chciała. Przez te lata urodziła dziecko, dziewczynkę. Mówiła, że moja, ale ona była jak kopia Willego, więc do tej pory nie jestem przekonany, czyja ona, moja czy jego. Ile mogłem, jakoś ją chroniłem, ale w pewnym momencie nie dało się. Ludzie wtedy tak strasznie nienawidzili Niemców. W końcu jednak wyjechała. Willi przeżył wojnę, ale nie wrócił do niej, rozstali się definitywnie. Helga osiadła w jakimś mieście niedaleko Monachium. Ona miała takie jedno wielkie marzenie, co wydaje się dziwne w tamtych czasach, że oni, ci Niemcy mieli jakieś marzenia, ale ona nade wszystko chciała mieć restaurację. Zamierzała pożyczyć od rodziców, bardzo bogatych, bo ona przecież była bez grosza po wojnie, ale nie dali, ponieważ żywili nadzieję, że zajmie się ich ziemią, więc zwróciła się o pomoc do swojego ojca chrzestnego, co jeszcze przed wojną wyemigrował do Ameryki. I wyobraźcie sobie, przysłał i tak zaczęła. Z powodzeniem. Przysłała mi kilka listów. Jeden już do Warszawy na Żoliborz i Jadwiga, strasznie zazdrosna, podarła go i wyrzuciła, a potem mi wykrzyczała wściekła, że jestem zdrajcą i dziwkarzem i żebym jechał, skoro mnie ta niemiecka zdzira tak do siebie zaprasza, stąd wiem, co było w liście, wyjaśnił, ale adres na wszelki wypadek podarła tak dokładnie, że za nic bym go nie odczytał. A to przecież nieprawda z tą zdradą, sama wiesz Lena, że to bez sensu zupełnie to oskarżenie. Zresztą, o czym tu mówić, dzieci małe były... Matka sama...

No i znowu wracamy do matki, sapnęła Babka, coś jest w tym, co mówią. Co mówią, spytał czujnie Waldemar. Mówią, podjęła swobodnie, robiąc przerwę na smakowanie nalewki i delektując się ich napięciem, że aby dojrzeć trzeba zabić ojca i zgwałcić matkę. Brat spojrzał na nią zszokowany, mrugając powiekami. Kto tak mówi, spytał przełykając ślinę. Patrzył, jak kawałek różanej marmolady z półkruchego rożka zastyga na białym talerzyku, zupełnie jak kropla krwi i staje się jakimś koszmarnym dopełnieniem tego, co z takim spokojem wygłosiła jego starsza siostra Eleonora. Kto mówi?, nalegał. Tak się mówi i już, machnęła ręką lekceważąco, rozmawiałyśmy kiedyś z Sarą i ona kogoś zacytowała, nie pamiętam kogo. Zaraz ją spytamy, jak wróci z kuchni. Obie jesteście po jednych pieniądzach, prychnął wuj. Zresztą, nie dziwota, tylko co przez to chciałaś powiedzieć, bo jakoś nie jestem w stanie tego zrozumieć. Babka wzruszyła ramionami, nie udawaj Waldziu, przecież to jasne jest jak słońce, jest w tym coś naprawdę głębokiego, w sensie metaforycznym, oczywiście...

Nie, nie i jeszcze raz nie – wrzasnął rozsierdzony brat, przekraczasz wszystkie granice. I nie udawaj takiej mądrej! To, to, zająknął się, to jest po prostu chore. Ja nie wierzę, że to cytat, sama to wymyśliłaś. Zawsze mówiłaś o cytatach, kiedy miałaś ochotę powiedzieć coś, co innych normalnych ludzi, przyprawia o dreszcz.

I przestań z tymi sensami metaforycznymi, podkręcał się, kogo ty z siebie robisz, ja w to nie wierzę, to nie jest prawdziwe, to tylko twoja gra, zabawa... Wstał gwałtownie. Po raz kolejny zachodzę głowę, co się stało, że znowu robię sobie krzywdę kontaktem z tobą... Nie będę nocował. Przepraszam was dzieciaki. Zadzwonię do pani Ewy, żeby mnie zabrała z powrotem. Ależ wujku, powiedzieli prawie chórem Marek i Aleksander. Oj tam, oj tam, powiedziała pojednawczo Babka, a wściekły brat nieoczekiwanie ryknął śmiechem. Chyba się wstawiłem, skoro mnie aż tak nie wkurwiłaś, wyznał szczerze. Po co my tak o tym mówimy, spytał, patrząc siostrze badawczo w oczy, a ona wzruszyła ramionami i strzepując okruszki z biustu, powiedziała mu, tym razem grając filozofa, słowa Waldziu, są jak światło, wydobywają z mroku niepamięci różne rzeczy, przełknęła solidny kawałek ciasta... i wydarzenia, dodała, pozwalają im się przyjrzeć ponownie z każdej strony, odkrywając nowe aspekty, a przeszłość przestaje być taka nielitościwie płaska i nudna, zmieniając się w ciąg fascynujących możliwości. A oglądając się za siebie z drżeniem niepewności, nie wiesz, która strona, jest tą najprawdziwszą. A może by tak upiec gęś? Jak myślisz? Ty podobno robisz ją perfekcyjnie. Mówiły mi dziewczyny z Pabianic.

– O tej porze gęś!? – spytał, oszołomiony wywodem Babki, Waldemar. – Gęś o tej porze, to jest gówno nie gęś! – oświadczył z mocą.

– Skoro tak twierdzisz, poczekamy do jesieni – zgodziła się, zmieniając pozycję i sadowiąc się z przyjemnością na nowo. Otrząsała się przy tym i jakby dokonywała przegrupowania swoich kości, tak to przynajmniej wyglądało w oczach Sary.

– Z czosnkiem, cebulą i kwaśnymi jabłkami. Palce lizać. Pamiętasz? Nasza mama robiła.

– Pamiętam, co mam nie pamiętać.

A pamiętasz piernik z polewą miętową, co go matka do wódki piekła, rozmarzył się Waldemar, na co Babka powiedziała spokojnie, do wódki, wina i kawy, ale nasza matka nigdy nie piekła tego piernika z polewą miętową, tylko Amelia. Patrzyła na niego nieustępliwie, jakby z góry wiedziała, że się z nią nie zgodzi, bo coś sobie wbił w głowę i żadne argumenty go nie przekonają. I rzeczywiście, bo zerwał się i wyskandował, nasza mama robiła piernik z polewą miętową, gałką muszkatołową, cynamonem, orzechami... utknął niespodziewanie, z czym jeszcze, z czym jeszcze, zachodził głowę, usiłując sobie przypomnieć.

Mój drogi, akurat ten piernik wcale nie miał miodu, przerwała mu Babka, tyko czekoladę. Wiem to doskonale, ponieważ Amelia dała mi przepis. Waldemar drgnął, jak ukłuty szpilką i po raz kolejny spojrzał na siostrę z nieufną podejrzliwością. A przecież zawsze twierdziłaś, że nie masz żadnych przepisów Amelki. Wyjątek nie czyni reguły, wymknęła się gładko, jak to ona, jakby wcale nie przyłapał ją na kłamstwie. Ale dlaczego ten piernik tak mi się kojarzy z domem, zachodził głowę, przechadzając się w zamyśleniu wokół stołu.

Ja tam nie wiem, może akurat Amelia przyjechała w odwiedziny i zrobiła, a matka, skorzystawszy z ogólnego zamieszania, powiedziała, że to jej. No, co ty Lenorka, oburzył się, mama nigdy nie kłamała.

Babka mruknęła coś pod nosem, coś, czego nie mógł zrozumieć, ale Sara rozumiała doskonale, gadaj zdrów, a ja wiem swoje. Pamiętała jeszcze przyjęcia w domu i wypieki swojej matki, Ludki, szczególnie zaś jej niezrównane, delikatne torty. Po wszystkich achach i ochach, Babka, mistrzowsko udając skromność bąkała, że to przecież nic takiego, doprawdy, stary, rodzinny przepis, który zawsze wychodzi, tak, jakby od niechcenia, a wtedy Ludka tylko zaciskała usta.

Ale te gęsi, gęsi mama piekła niezrównane, kiwał palcem, triumfująco wzniesionym nad głową. A, to masz rację. Choć my pieczemy indyki. Rogusze też piekli indyki. E, wzgardliwie wykrzywił się brat, indyki suche. Suche, zgodziła się Babka, jak kto zrobić indyka nie umie i go spierdoli. Ja do środka kładę kostkę prawdziwego, dobrze zmrożonego masła, a ptaka układam piersiami do dołu. Wychodzi, prawie zachłysnęła się własną śliną, soczyste mięso, palce lizać, zmrużyła oczy.

– Pamiętam z dawnych czasów taką piosenkę – nieoczekiwanie wuj zwrócił się tylko do Sary – „Jeszcze będzie dość roboty, no bo teraz wszystkie płoty, kolor mają mieć zmieniony, na niebieski nie zielony. Za to teraz malarz, co zdarza się rzadko, w knajpie on wyręczy w tym roku murarza. Będzie on malował w nocy i na słońcu i niejeden malarz złapie coś na końcu"... Poczekaj, poczekaj, a refren to szedł jakoś tak – zamyślił się chwilę. – Duli, duli dyg, zima poszła w mig znowu będzie praca nowy będzie szyk duli, duli dyg... Tak się śpiewało, kapele podwórkowe chodziły i śpiewali. We czterech najczęściej, była harmonia, trąbka i... Jaka tam perkusja, coś ty, dzieciaku! Bęben zwyczajny z trójkątem i czasami skrzypce. A teksty tych piosenek to sprzedawali w broszurach po dziesięć groszy. I jeszcze dorabiali nielegalnie, sprzedając kamienie do zapalniczek.

– Czytałam o tych kamieniach. Przemycano je ze Śląska do Polski.

– A wiesz... – Waldemar zmienił nagle temat i znowu mówił bardziej do Sary niż do siostry. – Wiesz, że ja już doszedłem, co było nie tak w tym moim smażeniu truskawek według przepisu Amelii? – powiedział w zamyśleniu popijając kawę, oparty łokciem o stół, podczas gdy reszta zwisała jak u szmacianej lalki, jakoś tak niepokojąco bezradnie. – Nie wolno ich płukać! Lena mówiła... – prawie niezauważalnie skinął głową w kierunku patrzącej na niego wrogo siostry – ...mówiła, żeby płukać, ale ja w tym roku na targu znalazłem takie piękne, wczesne, świeciły suchą, czerwoną skórką w słońcu – podniósł do nosa trzy uniesione palce i przymknął na chwilę oczy. – Wziąłem za szypułkę, powąchałem i pomyślałem sobie, że nie trzeba ich myć, że może wtedy zachowa się lepiej ten ich doskonały zapach. A kobieta, która je sprzedawała, miała takie delikatne dłonie i twierdziła, że sama je zrywała, więc pomyślałem, co mi szkodzi, raz nie myć... I wiesz, wyszły wprost idealnie.

Sara po raz kolejny zastanowiła się, czy on wie, że siostra robi go w konia, podrzucając niekompletne przepisy Amelii i potwierdziła, że rzeczywiście ciotka czyściła truskawki małym pędzelkiem, a Babka posłała im obojgu pełne jadu spojrzenie i znowu wzruszyła ramionami, ja tam niczego nie pamiętam. Kto by zresztą się chciał tak z każdym owocem pierdolić, i zrobiła taką minę, że nikt nie miał wątpliwości, że tylko wariat, taki sam jak jej brat.

Waldemar szykował się już do powrotu, ale jeszcze postanowił zjeść z nimi kolację. Zaczął mówić o swoim życiu i automatycznie sięgał ręką po paszteciki z mięsem i grzybami, które popijał czerwonym barszczem.

Najgorszy jest ten brak ludzi wokół. Ta pustka. Ta straszna pustka od rana do wieczora. Pójdzie człowiek wolno do sklepu po pieczywo, celebruje wybieranie każdej bułki, żeby jak najdłużej trwało. Bułek kupuję zdecydowanie za dużo, ale tak jakoś nie mogę się powstrzymać przed marudzeniem, że ta za jasna, a ta znowu za ciemna, a następna utytłana jakąś sadzą.

Wskazywał sugestywnie palcem na wyimaginowane bułki, a czworo prawnuków siostry patrzyło na obrus z fascynacją.

Ludzie, normalni ludzie, co się gdzieś szczęśliwie spieszą, zaczynają sykać, że stary dziad marudzi, ale ja trzymam się tej chwili zajęcia pazurami i nie pozwolę jej sobie wydrzeć, choćby mnie mieli swoimi kąśliwymi językami do krwi zranić... przełknął kolejny pasztecik. Młodzi to nie mają w ogóle wyobraźni. Oni nie zadają sobie pytania, dlaczego? Nie nalewaj mi, zaprotestował, kiedy Aleksander chciał mu nalać wódki, nie mogę, muszę już na siebie uważać. Najbardziej lubię, kiedy ktoś taki jak ja, gdzieś przede mną stoi i prosi o trzynaście i pół deka szynki. Tylko nie z tego napoczętego kawałka tylko z tego drugiego. Czasami spotykam starą Teklę, co sobie do emerytury dorabia jako pomoc domowa. Ta to dopiero potrafi w naszym sklepie zrobić prawdziwy, można powiedzieć, smakowity teatr. Mógłbym wtedy stać i stać, taki dobrze umiejscowiony i celowy, mogę nawet udawać, że się spieszę. Popatruję po sąsiadach lekko poirytowanym wzrokiem, albo wprost przeciwnie, rozbawionym, że niby naprawdę niektórzy to mają czas, żeby się tak wykłócać, albo grymasić. A Tekla prosi dziesięć deka polędwicy, tylko cienko, bo to dla profesora. Ekspedientka patrzy spod długich, chyba sztucznych rzęs, wuj patrzy przeciągle na Sarę, z tym samym co siostra aktorskim zacięciem, i majstruje przy maszynie krojącej, kroi, podaje, a Tekla ogląda podejrzliwie te plasterki i ryczy na cały sklep. No mówiłam, że cienko, bo dla profesora, a ona kraje jak dla jakiego chama!, ale wrzuca pakunek do swojego wielkiego kosza, jakby zamierzała robić zakupy dla całej, wielopokoleniowej rodziny, a nie tego zasuszonego pryka, co prawie nie zwraca uwagi na to, co żre, więc całe to staranie Tekli na nic. Naprawdę na nic. A co tam, macha ręką, nalej dziecko jednego.

Ja to sobie sam gotuję, chociaż nie zawsze chce się samemu jeść, ale dobrze jest iść na drugi koniec miasta po kawałek świeżej, hodowanej ekologicznie cielęciny, albo szynki po staroświecku przyrządzonej bez konserwantów. Znam sprzedawców. Im się w tych sklepach aż tak nie spieszy. Niekiedy odnoszę wrażenie, że wprost przeciwnie. Drogie mają te swoje produkty i jeszcze z sercem je sprzedają razem z ideą, więc wybieramy odpowiedni kawałek długo. Chcą wiedzieć, na co potrzebuję, wymieniamy się doświadczeniami, radzimy, czasem ktoś przystanie i dołoży coś od siebie, zapyta, zaciekawi się. Stoimy sobie wtedy i rozmawiamy. Tam spotykam nie tylko seniorów. Młodzi, co mają więcej czasu, zawody jakieś wolniejsze, matki z wózkami, różni, naprawdę różni przychodzą i kupują.

Tobie Eleonora to dobrze, patrzy na siostrę, a potem na wszystkich przy stole, żyjesz sobie w zgiełku, coś się dzieje... No, ja wiem, że ty sobie lubisz ponarzekać, taką bardziej tragiczną z siebie zrobić... uprzedził zanim Babka otworzyła usta.

Potem wracam z tym kawałkiem, zadowolony. Kontempluję nowe napisy na murach. O, znowu się coś pojawiło wielkimi literami wypisane „Żaneta, kocham cię", a nad tym wyznaniem, drobniejszymi literkami dopisane „A ja tej suki nienawidzę!!!". Z trzema wykrzyknikami. Ileż emocji! Co to za historia miłosna może się kryć za tymi dwoma napisami, więc wracam zadowolony, wymachując siatką, taką staroświecką z rączkami i cieszę się, że będę mógł myśli zająć całe popołudnie, wieczór, a jak noc mi się trafi bezsenna, to i noc. Ty Sara mogłabyś jaki film zrobić o tym. Ja ci wszystko opowiem, co trzeba, obiecuje wuj Waldemar, połykając ostatni pasztecik.

Babka malowała się starannie przy kuchennym stole, kiedy z góry zwlokła się przeziębiona, nieumalowna Sara.

– Coś taka blada? – zerknęła na nią znad lusterka.

– Chora jestem. Do łóżka mam się malować?

– Ja też jestem chora. Nieustannie, a nie tylko chwilowo. Dłonie mi drżą, a nawet w środku czasem taki dygot mam, to chyba przez te stargane nerwy...

– Co stargane?

– Nerwy. Na słuch ci się ten katar rzucił.

– Słyszę, słyszę, tylko niedowierzam.

– A co se myślisz? Ciężko w życiu miałam. Nawet sobie nie wyobrażasz – Babka przybrała stosowną minę osoby okrutnie przez los doświadczonej.

– Ulżyj sobie i opowiedz mi o tych dramatycznych wydarzeniach.

– Nieważne i tak nie uwierzysz. Wracając do naszych rozważań na temat makijażu...

– Twoich rozważań!

– ... Ja codziennie robię makijaż, zresztą nieważne, jak bardzo trzęsą ci się ręce, zawsze możesz umalować oczy.

– Ale tobie się nie trzęsą! – zastanowiła się chwilę. – O! Czytałaś o Chai Rubinstein!

– Jak mogłam czytać, skoro zabrałaś gazetę na górę? – mruknęła, podnosząc brew do ostatniego pociągnięcia szczoteczką.

– Nawet się tego nie domyślam. Okropnie się czuję, a miałam przed remontem porządki robić w stajni – odburknęła Sara wstawiając wodę. – Zrobić ci herbatę?

– Zrób. A po co tę ruinę remontować? Nie macie na co pieniędzy wydawać? – zaniepokoiła się Babka.

– Strasznie zapuszczona przecież, a pomieszczenie gospodarcze zawsze się przyda – wyjaśniła, zabrała kubek z herbatą i zniknęła na górze.

Cholera, zdenerwowała się Babka, w czasie tego sprzątania może znajdzie coś kompromitującego i wysoce kłopotliwego, a ona przecież jeszcze nie zdecydowała, czy chce sobie wszystko przypominać, czy wprost przeciwnie. Te Ameline kartki to niezła mina, którą zapewne pozostawiła po sobie Ludka. Jakim cudem przetrwały, zastanawiała się, a córka nagle pojawiła się zupełnie jak piąta kolumna. Wszystko miało wtedy spłonąć, wszystkie niepotrzebne i wysoce kłopotliwe szpargały, wyodrębnione po tamtej katastrofie i naszykowane do unicestwienia. Spojrzała niepewnie na sufit, ważąc coś w sobie. Dźwignęła się od stołu, wspierając ciężko na rękach, zastygła na moment, przygryzając w głębokim zamyśleniu wargę, opadła z powrotem na krzesło, wypuszczając powietrze z płuc z głośnym świstem. Potarła nos i spojrzała za okno, gdzie za drzewami rysowała się stara, niewielka stajnia, w której stary Rogusz trzymał swojego jedynego konia. Zabębniła palcami po stole, zakręciła kciukami szybkiego młynka i podjęła decyzję.

Dźwignęła się stanowczo i ruszyła do drzwi na sztywnych nogach. Dobrnąwszy do stajni, stanęła pośrodku, rozglądając się uważnie. Szybko doszła do wniosku, że na dole na pewno nie było nic, co mogłoby się przechować tyle lat, ale na stryszku owszem. Tylko, czy te wąskie, biegnące po ścianie schody, wytrzymają jej ciężar? I czy ona sama wytrzyma? Weszła na czworakach na pierwsze stopnie i wyciągnęła głowę. W mroku majaczyły jakieś pudła, jakieś stare sprzęty, narzędzia ogrodnicze i pszczelarskie. Już miała wdrapywać się dalej, ale rozsądek zwyciężył. A co będzie, jeśli Sara ją tu odkryje? Natychmiast doda dwa do dwóch i dojdzie do słusznego wniosku, że trzeba stajnie wywrócić do góry nogami, więc lepiej się przyczaić, poczekać jak wyzdrowieje, wróci do pracy i wtedy spokojnie poszperać. Da Bóg, że nic tu nie ma. Da Bóg, dożyje. W jej wieku nic nie wiadomo. W nocy śnią jej się wszyscy bliscy zmarli. Czekają na nią. Cóż, trochę się musieli naczekać, więc i te trochę niech wytrzymają. Wycofała się ostrożnie, otrzepała kolana i prostując się zobaczyła, opartego o brzozę nad stawem, Maurycego Klonowicza.

Nawet się specjalnie nie zdziwiła, tylko od razu przeszła do ataku, pytając go obcesowo, bez przywitania, co tu robi. A on stał w swoim ulubionym kapeluszu, elegancki i piękny jak kilkadziesiąt lat temu, zupełnie realny, tak realny, że tylko jego młodość świadczyła o tym, że musi być tylko widmem, albo wytworem jej pobudzonej przeszłością wyobraźni. Ciekawe, czy mnie poznał, zachichotała, spoglądając po swojej zdeformowanej tuszą sylwetce. Ale zdaje się, że poznał, bo co by tu robił przecież, jakby nie poznał. Nie zamierzała podchodzić do brzozy, tylko kiwnęła mu głową na pożegnanie, zjawa zjawą, ale jakieś zasady dobrego wychowania obowiązują i zamierzała wrócić do domu, kiedy spytał – Dlaczego?

Zatrzymała się jeszcze i wykonała ręką ten nieokreślony ruch, który oznacza zbycie, niewiedzę lub znak, że druga osoba musi się sama domyśleć, ale obiecała, że da mu znać, jak sobie przypomni i przemyśli, a potem odeszła na dobre. Kiedy stała na schodach, jego już nie było.

Wstawiła sobie jajka, z tego wszystkiego nie zjadła śniadania i usiadłszy przy stole, dopiero teraz postanowiła mu odpowiedzieć na to pytanie – dlaczego?

Wtedy, pod koniec grudnia dwudziestego ósmego, krążąc po mieszkaniu Kwirama z Klonowiczem chodzącym jak cień za plecami, nie wiedziała, dlaczego. Dlaczego wszystko się między nimi zmieniło, dlaczego poczuła tak intensywnie ten dziwny smutek, a jednocześnie jakąś lekkość, jakieś mrowiące poczucie ostateczności... Ale teraz, po tylu latach, tylu miłościach, dalej nie wie dlaczego, ale wie co, wtedy to był po prostu koniec miłości... I tyle.

Ojcze nasz, który jest w niebie... Panie Boże bardzo Cię proszę, daj mi jeszcze trochę pożyć i załatwić to wszystko, czego nie udało mi się do tej pory zrobić. Święć się imię Twoje, jako w niebie, tak i na ziemi... Nie wiem zresztą jakim cudem się nie udało, ale stało się, więc bardzo Cię proszę, żebyś mi dał szansę to dokończyć, wyprostować, co zaczęłam... Oczywiście, mogę się mylić i tam nic nie ma i niepotrzebnie ci zawracam głowę, ale umierałabym spokojnie, wiedząc, że wszystko zapięte na ostatni guzik... Chleba naszego powszedniego daj nam dzisiaj i odpuść nam nasze winy, jako i my odpuszczamy...

Sara w końcu wyzdrowiała, nikogo nie było w całym domu, nawet u Lilki. Babka mogła spokojnie poszperać na stryszku stajni. Ledwo się do niej dograśłała z powodu większej niż zazwyczaj niewydolności krążenia, ale doszła do wniosku, że nie może przepuścić takiej okazji, czyli pustego domu, ponieważ wiedziała doskonale, taka sytuacja może już się nie powtórzyć. Każdego dnia może się zdarzyć jej ostatni dzień. A zatem nie można zostawiać żadnych niedokończonych spraw. Bo albo wszystko, a na to chyba nie ma czasu, albo nic. A jak nic, to trzeba sprawdzić, czy rzeczywiście nic, bo kto, po jej śmierci, odpowie Sarze i Lilce na te wszystkie, cisnące się pytania. Olgierd Szeptanis zmarł nagle, choć wydawało się to przewidywalne, a jednak śmierć zawsze spada niespodziewanie, a pytania, których się nie zadało, na zawsze pozostaną bez odpowiedzi. Miał jej coś dopowiedzieć, jak się onegdaj żegnali przez telefon i nie dokończył, odszedł, choć tak się wszyscy podobno w tym szpitalu starali, a wystarczyło przecież na niego spojrzeć, na niego, na jego cień, aby wiedzieć, że nie da się uratować Olgierda... I to ją zmobilizowało i Józef się śnił w obłoku czekolady, muszkatu i świeżej farby, jakby to było wczoraj, to ich spotkanie w kościele. Dobrze, że zostawiła Sarze przepis na stole. Tak na wszelki wypadek. Może się domyśli, a jak nie, to trudno... Weszła, dysząc ciężko na czworakach, drabina trzeszczała niepokojąco, a na górce było tak nisko, że dalej sunęła na kolanach. Rozejrzała się bezradnie, wszędzie stare graty i pudła... I gdzie to jest?

W samym rogu stała stara i wielka dębowa beczka, wypełniona po brzegi różnymi szpargałami. Wyciągnęła starą pszczelarską dmuchawę Gustawa, a właściwe Sary, ponieważ to zazwyczaj ona ją obsługiwała, z grzechoczącym w środku próchnem i przypomniała sobie Mikiego, jak topił w stawie takie beczki z ogórkami w przedniej zalewie sporządzonej, tak przynajmniej zapewniał swoich klientów, jakąś fantastyczną solanką, mającą lecznicze właściwości, no i smak jego kiszonek wyprzedzał wszystkie inne, klął się na swoje jedyne oko. Wspomnienia wyłaziły zewsząd i wcale nie chciały pochować się z powrotem, chociaż wcale nie miała na nie czasu ani ochoty.

Przyjechała tu kiedyś odwiedzić siostrę z Gustawem, jego bratem Witoldem i małą Sarą. Amelia pomieszkiwała tu wtedy z Mikim. Przywitali się z nią, specjalnie dla nich zrobiła zapiekane kalarepki z mięsem, i poszli go szukać. Stał w łódce na środku stawu i coś długim drągiem sprawdzał na jego dnie, a kiedy ich zobaczył pomachał gwałtownie ręką, jak to on i wprawił łódkę w chybot, zatrzepał się, zupełnie jak ryba na wędce, tak jej się wtedy zdawało z brzegu. Z dalekiego okna kuchni patrzyła na nich Amelia i coś głośno, jak na nią, mówiła. Może coś o herbacie i cytrynowym cieście. A Miki balansował jak linoskoczek, próbując złapać równowagę na chybotliwej łódce, końcem drąga uderzył się w swoje sztuczne oko i ono wyskoczyło i z pluskiem wpadło do wody, tuż koło żółtego liścia brzozy, zupełnie jesiennego, choć dopiero był upalny sierpień. Oni na brzegu krzyknęli – Ooo! Zupełnie jak w chórze, tak jej się wtedy wydawało, kiedy tak stali równo, choć w ogóle nie według wzrostu. I ledwo skończyli, Miki zaczął swoje „Ooo!", łapiąc się za opustoszały niespodziewanie oczodół i wypuszczając drąg. Jakimś jednak cudem nie wywrócił się do wody, czego Sara oczekiwała i czuła się zawiedziona, kiedy dotarł suchy do brzegu, narzekając, że to już trzecie w tym roku i ma dosyć tej tandetnej atrapy, ale matka, czyli Amelia, chce, żeby wyglądał elegancko. Na to Witold zaśmiał się i poradził mu, żeby chodził z czarną opaską jak pirat, to wśród kobiet zrobi furorę, ponieważ one uwielbiają takie rzeczy, a Gustaw poklepał go pocieszająco po ramieniu.

Jego oko bez szklanej protezy zapadło się w sobie i pół twarzy wyglądało jakoś tak dziwnie obco. Sara wtedy poczuła się nieswojo i przewiązała mu twarz swoją czerwoną chusteczką z niebieskim wzorem. Ucieszył się, kiedy powiedziała, że jest przystojny. I taki chyba rzeczywiście wtedy był – czarne, przydługie włosy wystawały zadziornie spod tkaniny, a szczupła sylwetka sprawiała, że mimo swoich ułomności i braków miał powodzenie i wręcz nie mógł opędzić się od kochanek.

Gustaw i Witold poszli do pasieki popracować, a ona rozmawiała sobie z siostrą. A potem, przed wieczorem siedzieli wszyscy na tarasie z filiżankami herbaty. Sara skakała w swoich butach na twardej skórzanej podeszwie i każde ziarenko piasku miło pod nimi chrzęściło, kiedy podchodziła do szerokiej balustrady, żeby popatrzeć na lśniącą taflę stawu w dole.

Znalazła mizerne resztki urządzenia przy pomocy, którego powstawał najlepszy w środkowej Polsce bimber, pedzony w okresie stanu wojennego przez Mikiego. Kiedy był gotowy dzwonił do Gustawa z informacją: „Gustaw, ciotka dogorywa, Przyjeżdżaj natychmiast." Dobry to był trunek westchnęła.

W kawałek przedwojennego wzornika farb zawinięte są dosyć starannie jakieś stare zdjęcia. Jasny gwint, mruczy Babka pod nosem, jej zdjęcia z Klonowiczem, bardzo, bardzo niegrzeczne. Saudkiem to on z pewnością nie był, ale można mu przyznać palmę starszeństwa. Ciekawe, co by na to Sara powiedziała, zachichotała, jeszcze się zastanowi, czy jej to zostawi, czy zniszczy. Szkoda tych fotografii i jej samej, nie do uwierzenia pięknej i zdrowej, pokręciła głową. A ten papier, to pewnie ze sklepu tego Żyda, którego nazwiska Waldemar za nic nie mógł sobie przypomnieć, choć pamięta wszystko inne, kamienicę przy rynku i to, że miał świetną pamięć. Młodszy brat, kiedy jako młody chłopak przyuczał się u nich do zawodu, próbował tego kupca oszukać. Przyznał się kiedyś, że pewnego dnia, jak zwykle pojechał z taczką na zakupy. Kupował według listy przygotowanej przez Józefa, a właściciel sklepu z farbami odważał wszystko dokładnie i ustawiał torby jedna obok drugiej na wysłużonej ladzie, czasami wychodził do piwniczki po coś i wracał skupiony i zaaferowany, jakby jakie odprawiał ważne dla całej ludzkości czary mary, a nie kolory do dworu Nęckich, co na Dąbrowie siedzieli i właśnie zboże sprzedali, więc postanowili wszystkie swoje pomieszczenia odnowić. I kiedy tak ten stary, pochylony od dźwigania worków Żyd po raz kolejny zniknął z pola widzenia, Waldek przełykając głośno ślinę schował jedną niewielką torebkę za pazuchę. Zapłacił potem, załadował na taczkę i z urwanymi od ogólnej kwoty dwoma złotymi, ruszył sprzed sklepu w stronę trafiki, gdzie zamierzał sobie zakupić papierosy, za które go strasznie goniła. I żył sobie przez kilka dni w poczuciu bezkarności, choć może z niezbyt lekkim sercem, ale Żyd poskarżył się jednak szwagrowi.

– Panie Jarecki! – powiedział do Józefa. – Ten pana chłopak, ten choler, to ja panu powiem, on jest złodziejowaty, on mnie ukradł torebkę farby szejrot, ja się zorientował po czasie, że on za nią nie zapłacił.

I Waldek dostał dwa złote, musiał iść kupca przeprosić i oddać. Odechciało mu się po tym wszelkich szachrajstw, przynajmniej u Józefa.

W czarnej, eleganckiej kopercie tkwił w stanie idealnym dokument polisy na życie nr 59907 Włoskiej Spółki Akcyjnej Assicurazioni Generali w Trieście, wystawiony na nazwisko Maksymiliana Rogusza i opiewający na sumę 10 000 złotych. Składka roczna została obliczona na 497 złotych wraz z opłatą polisową i stemplową. Podpisał w imieniu spółki Gustaw Schram, dnia 30 maja 1939 roku.

Bardzo ciekawe, odłoży to dla Sary i Lilki. Może jakieś pieniądze z tego będą. Maks przecież nie z własnej winy składek dalszych nie płacił. Odłożyła ją na stos rzeczy istotnych.

Zaglądała do każdego pudła, było duszno i niewygodnie, drętwiały jej ręce, kiedy przerzucała niezliczone papiery, nagromadzone przez obie rodziny. Choć było ciepło otuliła się dokładniej białym szalem, prawie takim samym, ulubionym jak ten, co Blum go smarem ubrudził. Latarka już ledwie świeciła, kiedy w starej szufladzie znalazła teczkę z napisem Akta, znaczy się ludczyne. Czyli, jak się słusznie domyślała, córka to wszystko gromadziła i przechowywała pieczołowicie, nic jej nie mówiąc. Co tu się dziwić, że przestała się zwierzać. Faktycznie, trochę jej z nudów krwi w małżeństwie napsuła. Sama właściwie nie wie, dlaczego tak mąciła. Samo to wyłaziło, jakby od niechcenia, a potem, kiedy Ludka miała pretensje i coś przykrego powiedziała, teraz wie, słusznie jej się należało, ale wtedy jechała po całości, dotknięta do żywego… Zupełnie niepotrzebnie. Zupełnie, rozmyślała samokrytycznie, wtulając czubek sporego nosa w miękki szal.

O, zdjęcie maleńkiej Tosi z braćmi Guciem i Witkiem. Wszyscy mają jeszcze białe włosy i jasne, szare oczy, zupełnie jak z tego filmu „Dzieci kukurydzy". No, z czasem ci Niemcy to by się pewnie zdziwili, ale wtedy przez te wybitnie aryjskie cechy zabrali Roguszom córeczkę Tosię i Mila prawie cudem, za gigantyczną łapówkę, wyrwała ją z pociągu pełnego zabranych rodzicom dzieci. Opowiadała jej, jak stała, zdrętwiała z przerażenia na peronie dworca Łódź Kaliska, umówiona z przekupioną Niemką, a obok dreptała druga zdenerwowana matka. Dostają te swoje dzieci i nagle ta obok krzyczy rozpaczliwie – To nie moje dziecko! Nie moje! A pociąg rusza. Ona krzyczy. Oddajcie mi mojego syna! Pociąg odjeżdża. Mila, ściskając swoją Tośkę, płacze ze szczęścia i patrzy współczująco na tę drugą. A tamta nagle zaciska oczy i usta, tak ciasno, że aż na chwilę przestaje wyglądać jak człowiek i znowu patrzy na chłopczyka i mówi nagle, tylko trochę zmienionym głosem – Zdawało mi się! Przecież od razu widać, że to mój Krzyś! Te same oczy, cały on, cały on, cały on – krzyczała wniebogłosy, aż niesie po opustoszałym nagle peronie – cały on.

Ale to wcale nie był Krzyś, bo Krzyś miał znamię na zewnętrznej stronie dłoni i ona o tym wcześniej mówiła, kiedy tak czekały. – Ja bym swoje dziecko poznała na końcu świata po tym znamieniu! – powtarzała Mili ze trzy razy. I jak Niemka podała dziecko z ruszającego już wagonu, od razu sprawdziła, czy ma znamię. Nie miało.

O! Jakiś artykulik ze starej gazety. O niej. Proszę, tego nacjonalistycznego gryzipiórka Leona Kalickiego, wypominającego Eleonorze Pstrońskiej, że w żydowskich sklepach kupuje. Zatrzęsło ją ze złości tak samo, jak prawie osiemdziesiąt lat temu, kiedy spotkawszy go na ulicy, złożyła swoją mokrą od deszczu parasolkę, walnęła go solidnie przez plecy, mówiąc – „Nie będzie mnie jakiś parszywy chłystek publicznie pouczać, gdzie mam kupować", po czym ostentacyjnie skręciła do sklepu Lilienów. Jakaś z tego potem wywiązała się nieprzyjemna afera, ale już dokładnie nie pamięta, co to było. Grzywna jakaś, czy co? Mniejsza, przypomni sobie później.

I co tu dalej mamy? Otworzyła wypłowiałą ze starości okładkę i aż się zachłysnęła z wrażenia. Reszta kartek od Amelii. Cholera jasna, zżymnęła się w pierwszej chwili, ale w końcu machnęła ręką odpuszczająco, nieważne. Tylko dlaczego to wszystko w ogóle tu jest?! Jakieś notatki, stare dokumenty, rysunki Ludki, jakieś stare listy miłosne… O! Jedyny literacki tekst Sary o zaginionym w dzieciństwie wuju, jakieś inne listy, o proszę, zaświeciła sobie latarką i podniosła do oczu. Jasna cholera! Od Bluma! Ludka korespondowała z Blumem? Trzęsły jej się ręce, jak nigdy do tej pory w całym jej długim życiu, kiedy wyjmowała zapisane zamaszystym pismem kartki. Nie, to Blum pisał, o, jest… Drogi Józefie…, Przyjacielu…. Co oni knuli za jej plecami? Później sobie przeczyta… Albo nie, nie chce tego zgłębiać, teraz, po tylu latach nikt jej nie odpowie na pytania i odejdzie jak ta głupia z tego świata, z kocią mordą od niezaspokojonej ciekawości. Zresztą, może się okazać, że Józef był wobec niej nielojalny i co wtedy, jak się wreszcie spotkają po latach, czego nie można wykluczyć, choć pewności nie ma żadnej, a raczej trzeba spojrzeć prawdzie w oczy, że zgaśnie nieodwołalnie i na wieki, bez tej pięknej poetyckiej ułudy, która tak ułatwia życie i czyni je znośniejszym, jak te jej pacierze…

Pierdolić te tajemnice, unicestwić je, zniszczyć, żeby się nie rozpleniły i nie zatruwały życia wnuczkom, prawnuczkom, i dalszym pokoleniom, na wieki wieków, amen, powiedziała głośno, wymacując zapałki w kieszeni.

Na samym dnie teczki leżał jakiś druk złożony na pół. Wstrzymuje oddech, otwierając druk. Świadectwo zgonu Ludmiły Jareckiej, córki Józefa Jareckiego i Eleonory z domu Pstrońskiej, lat trzy. Jakim cudem, zastanawia się. Jak to możliwe, że ona wiedziała? Kto jej powiedział? Józef? Niemożliwe. Musiała się sama jakoś domyślić i dotrzeć do prawdy bez jej pomocy. I po co ona się tak męczyła, zastanawiając się prawie całe życie, czy jej powiedzieć, czy zataić? A sama Ludka też milczała, o nic nie pytając, nie dociekając prawdy, bez żadnych pretensji o lata kłamstw, zupełnie inaczej niż postąpiłaby jej córka Sara, która jej, Babce, zamieniłaby życie w koszmar, żeby tylko wywlec z gardła prawdę, jeśli tylko domyśliłaby się czegokolwiek. Lena kręci głową z niedowierzaniem. Myślała, że tylko ona ma jakieś tajemnice, a tu okazuje się, że własna córka też je miała i zabrała ze sobą do grobu, jakby na koniec zaśmiała się matce w twarz. Teraz, po raz pierwszy poczuła się nieswojo.

A może jednak Ludka tego nie wiedziała, a ten akt, jakoś tak przypadkiem sam się znalazł w tych szpargałach, drapie się po nosie w zamyśleniu. Nie, nie, to nie tak, widocznie uznała, że matka i ojciec postąpili słusznie i po prostu postanowiła nie wywoływać demonów z przeszłości i tyle. Może jednak nic nie wiedziała, wzrusza ramionami, teraz nie dojdzie, jak było naprawdę. Może ona sama zostawiła ten akt, a potem zapomniała i żyła prawie pół wieku z przekonaniem, że został przez nią zniszczony.

Babka wyjmuje zapałki, przesuwa się na sam brzeg górki i podpala dokument, trzymając w palcach do samego końca, aż wypalił się do cna, parząc jej palce, dopiero wtedy puszcza i na kamienną podłogę opadają wypalone, czarne resztki. Jak wyrzut sumienia, chichocze. Wyrzut miałabym, jakbym cię zostawiła w całości, mówi, czując, że powoli odzyskuje panowanie nad wszystkim. A teraz jeszcze wezmę się za was, zwraca się do pożółkłych kopert od Jakuba Bluma. Wyciąga kartka po kartce i spala, a potem każdą kopertę, jedna po drugiej, jedna po drugiej, jedna po drugiej... Nawet jej żal Ludki, a właściwie Sary, że tak puszcza z dymem to, co z taką pieczołowitością przechowywała. I po co? Gdyby jej córka Ludka, będąca zarazem wnuczką Bluma, nie miała żadnych wątpliwości, przekazałaby to wszystko córkom, Sarze i Lilce. Musiała mieć, skoro im nie dała. I przepadło, chichocze, przepadło. Przepadło, cieszy się. Dopilnowała, żeby karty zostały na nowo przetasowane i rozdane... Zbiera rozsypane kartki od Lodzi. Latarka gaśnie, więc zapala zapałki. A więc to tak wyglądało, wzdycha głęboko zadowolona, że chociaż nad tą tajemnicą nie będzie się musiała głowić i rozmyślać. Zastanawia się i niedbale wrzuca kartki do teczki. Niech Sara ma zakończenie tej intrygującej ją historii. Pewnie niedługo znajdzie i ułoży sobie chronologicznie. O! Są nawet zdjęcia ze ślubu Tereski Dreckiej z Ksawerym Zawidzkim w dworze Kazimierza. Prawie cały reportaż, wszystko i wszyscy obfotografowani, można powiedzieć z każdej strony na wieczną pamiątkę. Jacyż oni są szczęśliwi na tych zdjęciach, wzdycha z żalem Lena, pewni dobrego zakończenia, no może on, Ksawery, ma jeszcze w oczach lekką wątpliwość, czy aby na pewno… Nie udało mu się, niestety. Józef mówi, że przez nią, że go wysłała do Sopotu, że go wplątała w tę paskudną historię notatnika, który komuś skubnął Taras. Co ją wtedy podkusiło, żeby się w to wplątać? Teraz sama nie pamięta swoich motywów, bo przecież z pewnością chodziło nie tylko pieniądze, o coś innego, może głupszego, ale nie mniej ważnego…

Listy od Kazimierza, w pożółkłych kopertach, z Paryża, a potem z Włoch, gorzkie, pełne żalu i zawiedzionej miłości, choć wtedy wydawało się jej, że jakoś się z tym uporał, pogodził. Na szczęście nie był tak zupełnie sam, pomagał wychować syna Tereski i Ksawerego. Wszyscy brali ich za małżeństwo. On, z tego co wie, nie znalazł sobie nowej miłości. A ona nigdy nie pogodziła się ze zniknięciem męża. Ale najgorsze było to, że zniknął bez śladu. Śmierć okazała się w jego przypadku umowna z braku martwego ciała, namacalnego dowodu, że już nigdy więcej…

To właśnie wtedy zdobyła się na najtrudniejszą rzecz w swoim życiu, czyli na napisanie listu do Tereski, że Ksawerego już nie ma i wyjaśnienie dlaczego, bo przecież nie chciała i nie mogła kłamać. Prosiła o wybaczenie, nic nie mając na swoje usprawiedliwienie. Zrozumiałaby również, gdyby jej wina nie została odpuszczona, a została… O, tu jest nawet ten list ostatni, w którym młoda wdowa pisze o tym, że i tak miała szczęście, ponieważ dzięki Lenie przeżyła wspaniałą miłość swojego życia, a była taka pusta i wypalona, jakby nieżywa po tej strasznej wojnie. Przypomniała sobie, że po tym odpuszczeniu wcale nie czuła się lepiej, a wprost przeciwnie…

Teraz z perspektywy lat lepiej myśleć, że po okresie długiej żałoby, żyli razem długo i szczęśliwie. Zresztą, kto wie, jak byłoby z tym małżeństwem po ekscytującym seksualnie początku. Ksawery miał przecież niełatwy charakter, widział takie rzeczy... Nie przepadał za Blumem i Żydami, ale to, co się działo na Wschodzie, napełniło go goryczą i niechęcią nie tylko do Niemców, ale również własnej nacji. Pamięta, jak któregoś dnia wrócił wzburzony ze swoich przeszpiegów i twierdził, że jakiś sąsiad z okolicy ma na podwórku żydowski nagrobek. Jest pan pewien?, spytała, było przecież ciemno. Oczywiście, że jestem pewien, świecił księżyc, zatem widziałem dobrze. Po co to komu, spytała go zniecierpliwiona. Zaśmiał się cierpko, na blat do stołu, albo do łazienki na przykład. Niemożliwe, powiedziała bez przekonania, bo już widziała u kogoś. Upadła jej pomadka, schyliła się i wtedy zobaczyła, że od spodu są hebrajskie napisy...

Otrząsnęła się ze wspomnień.

Patrzy na drabinę z nieprzyjemnym dreszczem i dziwi się, jakim cudem udało jej się tu wdrapać i nagle zdaje sobie sprawę z tego, że zejście jest chyba niemożliwe. Cóż, trzeba chociaż spróbować, myśli, zsuwając się ze stryszku, ale zdrętwiałe nogi odmawiają posłuszeństwa, nie trafiają na szczeble i spada na kamienną podłogę bezwładnie jak worek, albo ten glut z filmu wnuczki. Leci nieskończenie długo i jest przekonana, że to jej ostatnie chwile, ale nic się nie przypomina, nic z tego co mówią, że całe życie staje przed oczami. A u niej nic, tylko dalej się przed sobą usprawiedliwia, bo z jednej strony, przez te wszystkie lata wiedziała, że ukradła Ludce tożsamość, ale z drugiej strony uratowali jej z Józefem życie, więc wierzyła święcie w swoje prawo do tej kradzieży dziecka. Zdawała sobie sprawę z tego, że Józef, ze swoim wewnętrznym poczuciem sprawiedliwości, oddałby Jakubowi wnuczkę, córkę jego najmłodszej córki Miriam, po mężu Lipszyc. Inna rzecz, że umarłby potem z żałości, ale oddałby, ponieważ właśnie tak należałoby zrobić.

Cywilizowani ludzie nie kradną dzieci. Na szczęście Józef był od niej słabszy, a poczucie winy, bo to on, przyprowadzając do domu chore dziecko, od którego zaraziła się ich córeczka Ludmiła, zwana Ludką, to on sprowadził na nią śmierć, i tylko dlatego ustąpił Lenie, jak również dlatego, że na szczęście odnalazł się Abraham. W dodatku zgoda była łatwiejsza. Bierność zawsze łatwiej przychodzi, a ludzie, nawet dobrzy, właśnie takie rozwiązania, wybierają najchętniej. Zaraz się roztrzaskam, myśli Babka, co za dziwna śmierć w moim wieku, nie w szpitalnym łóżku, jak to teraz w zwyczaju, a w wypadku! Przeżyłam moją córkę i jej dwie śmierci, jednakowo ciężkie i okrutne, a sama umrę zupełnie lekko, można powiedzieć niezauważalnie. Nawet jeśli zaboli, to na krótko. Tylko Panie Boże, żebym się na śmierć zabiła, nie ratuj mnie czasem, chociaż wiem, że jestem, byłam, poprawiła się, grzesznym człowiekiem. Nie chcę być kaleką. W imię ojca i syna i ducha... Zapachniało muszkatem, woskiem i świeżą farbą. Jeszcze na tle ciemniejącego nieba zobaczyła kątem oka, stojącego przy drzwiach Józefa z pędzelkiem, ociekającym pozłotą, jak daje jej znak dłonią, żeby się pospieszyła, a ona zdążyła się zafrasować, że na tę randkę po latach ma takie wstrętne rozdeptane kapcie na spuchniętych stopach... A potem jeszcze usłyszała zbliżający się dźwięk karetki i pomyślała, że jednak nie udało się odejść łatwo, że trzeba będzie trochę pocierpieć. No trudno, nic na to nie poradzi...

SPIS TREŚCI